二十五史藝文經籍志考補萃編

考補萃編

第十二卷

王承略 劉心明 主編

補宋書藝文志 〔清〕王仁俊 撰 宋 凱 整理

補宋書藝文志 聶崇岐 撰 陳錦春 整理

補南齊書經籍志 高桂華等撰 張海峰 整理

補南齊書藝文志 陳述 撰 張海峰 整理

補梁書藝文志 盧芳玉 撰 宋 凱 整理

補陳書藝文志 徐仁甫 撰 李 林 整理

補魏書藝文志 李正奮 撰 陳錦春 梁瑞霞 李湘湘 整理

補北齊書藝文志 徐仁甫 撰 李 林 整理

補周書藝文志 李仁甫 撰 李 林 整理

補北齊書藝文志 〔清〕王仁俊 撰 盧芳玉 宋 凱 整理

補南北史藝文志 徐 崇 撰 張海峰 整理

清華大學出版社 北京

圖書在版編目（CIP）數據

二十五史藝文經籍志考補萃編. 第 12 卷／王承略, 劉心明主編. --北京：
清華大學出版社, 2012.6
ISBN 978-7-302-28498-7

Ⅰ. ①二… Ⅱ. ①王… ②劉… Ⅲ. ①中國歷史：古代史－紀傳體
②二十五史－研究 Ⅳ. ①K204.1

中國版本圖書館 CIP 數據核字（2012）第 064986 號

責任編輯：馬慶洲
封面設計：曲曉華
責任校對：王榮静
責任印製：楊　艶

出版發行：清華大學出版社
　　　　　網　址：http://www.tup.com.cn, http://www.wqbook.com
　　　　　地　址：北京清華大學學研大廈 A 座　　郵　編：100084
　　　　　社總機：010-62770175　　　　　　　郵　購：010-62786544
　　　　　投稿與讀者服務：010-62776969, c-service@tup.tsinghua.edu.cn
　　　　　質　量　反　饋：010-62772015, zhiliang@tup.tsinghua.edu.cn
印　刷　者：清華大學印刷廠
裝　訂　者：三河市金元印裝有限公司
經　　　銷：全國新華書店
開　　　本：148mm×210mm　　印　張：18.75　　字　數：399 千字
版　　　次：2012 年 6 月第 1 版　　印　次：2012 年 6 月第1次印刷
印　　　數：1～3000
定　　　價：50.00 元

產品編號：043538-01

目　　録

補宋書藝文志

[清] 王仁俊 撰

盧芳玉 宋凱 整理

底本：《籀鄦誃雜著》稿本

補宋書藝文志

餘杭褚德儀學

吳縣王仁俊補

易

東陽太守卞伯玉　注繫辭二卷　《七錄》。

太中大夫徐爰　注繫辭一卷　《隋志》。[1]

陳令范歆　周易義一卷[2]

中散大夫何諲之　周易疑通五卷　《七錄》。

明帝　集周易義疏十九卷　《隋志》。　又　國子講易議六卷

《七錄》。

太中大夫宋褰　注繫辭二卷　《隋志》。

書

給事中姜道盛　集釋尚書十一卷　《隋志》。儀按，劉懷肅云：“姜道盛注

《古文尚書》，行世。”

詩

中散大夫徐廣　毛詩背隱義二卷　《七錄》。

---

[1]　“一卷”，中華書局點校縮印本《隋書·經籍志》（以下簡稱《隋志》）作“二卷”。

[2]　此條見於《隋志》。

奉朝請孫暢之　毛詩引辨一卷　《七録》。

金紫光禄大夫何匽①　毛詩釋一卷　《七録》。

通直郎雷次宗　毛詩序義二卷　《隋志》。　又　毛詩義一卷　《七録》。

交州刺史阮珍之　毛詩序注一卷　《七録》。

孫暢之　毛詩序義七卷　《七録》。

奉朝請業遵　注業詩十二卷②　《隋志》。

處士周續之　毛詩六義　本傳。

禮

大中大夫裴松之　集注喪服經傳一卷　《隋志》。

雷次宗　略注喪服經傳一卷　《隋志》。

丞相咨議參軍蔡超宗③　集注喪服經傳二卷　《隋志》。

徵士劉道拔　注喪服經傳一卷　《七録》。

員外郎散騎庾蔚之　喪服三十二卷④　《七録》。　又　喪服要記注　《七録》。　又　喪服世要一卷　《七録》。

撫軍司馬費沈　喪服集議十卷　《七録》。

徐爰　禮記音二卷　《隋志》。

豫章郡丞雷肅之　禮記義疏三卷　《七録》。

散騎常侍戴顒　禮記中庸傳二卷　《隋志》。

御史中丞何承天　禮論三百卷　《隋志》。

太尉參軍任預　禮論條牒十卷　《隋志》。　又　禮論帖三卷

---

①　"何匽"，《隋志》作"何偃"。

②　"十二卷"，《隋志》作"二十卷"。

③　"蔡超宗"，《隋志》作"蔡超"，據《宋書・南郡王義宣傳》、《張暢傳》及《釋文・序録》當删"宗"字。

④　"三十二卷"，《隋志》作"三十一卷"。

《隋志》。《七録》"四卷"。

庾蔚之　禮論鈔二十卷　<small>《隋志》。</small>　又　禮答問六卷　<small>《隋志》。</small>

徐廣　禮論答問八卷　<small>《隋志》。</small>　又　十三卷　<small>《隋志》。</small>　又　禮

　答問二卷　<small>《隋志》"殘缺"。《七録》"十一卷"。</small>

光禄大夫傅隆　議二卷　又　祭法五卷　<small>《七録》。</small>

任豫①　答問雜儀二卷　<small>《隋志》。</small>

特進顔延之　逆降義三卷　<small>《七録》。</small>

田僧紹　逆降義一卷　<small>《七録》。</small>

何承天　分明士制三卷　<small>《七録》。</small>

郭鴻　釋疑二卷　<small>《七録》。</small>

徐廣　答問四卷　<small>《七録》。</small>

處士周續之　禮論　<small>本傳。</small>

樂

張解　元嘉正聲伎録　<small>《七録》。</small>

春秋

尚書功論郎何質真②　春秋左氏區別三十卷　<small>《隋志》。</small>

處士周續之　公羊傳　<small>本傳。</small>

廣州刺史孔默之　注穀梁春秋　<small>兄僑之傳。③</small>

---

①　"任豫"，《隋志》作"任預"。

②　"何質真"，武英殿本《隋志》作"何賀真"，中華書局點校縮印本《隋志》作"何始真"。

③　"僑之"，中華書局點校縮印本《宋書》作"淳之"。

孝經

大明中東宮講孝經義一卷　《七録》。

論語

明帝　論語補闕二卷　《七録》"補衛瓘闕"。①
新安太守孔澄之　集注論語十卷　《七録》。
司空法曹張略　論語疏八卷　《隋志》。

總經

雷氏五經要義五卷　《隋志》。《七録》"十七卷"。
孫暢之　五經雜義六卷　《隋志》。

小學

揚州都督吳恭　字林音義五卷　《隋志》。
豫章太守謝康樂　要字苑一卷　《隋志》。
散騎常侍吉文甫　釋字同音三卷　《七録》。
給事中荀楷　廣詁幼一卷　《七録》。②
何承天　纂文　本傳。

---

①　《隋志》曰此書"亡"。
②　《隋志》曰恭爲"揚州都護"。

史

太子詹事范曄　後漢書九十七卷　《隋志》。

裴松之　三國志注六十五卷　《隋志》。

徐爰　三國志評三卷　《隋志》。

湘東太守何法盛　晉中興書七十八卷　《隋志》。

臨川內史謝靈運　晉書三十六卷　《隋志》。

徐爰　宋書六十五卷　《隋志》。

大明中所撰宋書六十一卷　《隋志》。

文獻王義恭　要記五卷　本傳"起前漢訖晉太元"。

中散大夫劉謙之　晉紀二十三卷　《隋志》。《康祖傳》作"二十卷"。

吳興太守王韶之　晉紀十卷①

徐廣　晉紀四十五卷　《隋志》。本傳作"四十六卷"。

永嘉太守檀道鸞　續晉陽秋二十卷　《隋志》。

新興太守郭季產　續晉紀五卷　《隋志》。

裴松之　晉紀　本傳。

何承天　春秋前傳十卷　又　春秋前雜傳九卷②

吉文甫　十五代略一卷　古史。③

殿中將軍裴景仁　秦紀十一卷　《隋志》。《沈曇慶傳》作"十卷"。

新亭侯段國　吐谷渾記二卷　偽史。④

北徐州主簿劉道會　晉起居注三百一十七卷　《隋志》。《七錄》"三百二十二卷"。

---

① 《隋志》曰此書"亡"。
② "徐爰"，《隋志》作"徐衆"。
③ 見《隋志》。
④ 此條見於《隋志》。

永初起居注十卷　《隋志》。《唐志》“六卷”。

景平起居注三卷　《隋志》。《唐》同。

元嘉起居注五十五卷　《隋志》。《七録》“六十六卷”。① 《唐志》“七十一卷”。②

孝建起居注十二卷　《隋志》。《唐》“十七卷”。③

大明起居注十五卷　《隋志》。《七録》“三十四卷”。《唐》同。④

景和起居注四卷　《七録》。

明帝在蕃志三卷⑤　《七録》。

泰始起居注十九卷　《隋》。《七録》“二十三卷”。

泰豫起居注四卷　《隋志》。

成徽起居注二十卷⑥　《七録》。

昇明起居注六卷　《七録》。

儀注

宋儀注十卷　又　二十卷⑦

宋尚書雜注十八卷　《隋志》“本二十卷”。

宋東宮儀記二十三卷　新安太守張鏡。⑧

徐爰家儀一卷　《隋志》。

天門太守郭緣生　武昌先賢志二卷　《隋志》。

---

① 《隋志》曰：“梁六十卷。”
② 中華書局點校縮印本《舊唐書·經籍志》（以下簡稱《舊唐志》）作“六十卷”，中華書局點校縮印本《新唐書·藝文志》（以下簡稱《新唐志》）作“七十一卷”。
③ 此條不見於《舊唐志》。
④ 《舊唐志》作“八卷”，《新唐志》作“十五卷”。
⑤ 《隋志》曰：“明帝在蕃注三卷，亡。”
⑥ “成”，《隋志》作“元”，是。
⑦ 此條見於《隋志》。
⑧ 同上。

光祿大夫范晏　陰德傳二卷　《隋志》。

臨川王劉義慶　宣驗記十三卷①

永嘉太守袁王壽　古義傳三卷②

給事劉敬叔　異苑十卷③

散騎侍郎東陽元疑④　齊諧記七卷

劉義慶　幽明錄二十卷⑤

處士太學博士周續之　注嵇康高士傳　本傳。　又　上古以來
　聖賢高士傳誤三卷　《唐志》。⑥

劉晝　高才不遇傳四卷　《唐志》。⑦

袁淑　真隱傳二卷⑧

郭緣生　述征記二卷⑨

山謙之　吳興紀三卷　又　南徐州記二卷⑩

太常卿劉損　京口記二卷⑪

侍中沈懷文　隨主入沔記六卷⑫

臨川王侍郎盛弘之　荊州記三卷⑬

雷次宗　豫章記一卷⑭

---

① 《隋志》作“三十卷”。
② “義”，《隋志》作“異”。
③ 此條見於《隋志》。
④ “元”，《隋志》作“旡”。
⑤ 此條見於《隋志》。
⑥ “誤”，《舊唐志》、《新唐志》均作“讚”。
⑦ 底本作“高士石道傳四卷”，當誤，此據《舊唐志》、《新唐志》改。
⑧ 此條見於《舊唐志》、《新唐志》。
⑨ 此條見於《隋志》、《舊唐志》、《新唐志》。
⑩ 此條見於《隋志》。
⑪ 此條見於《隋志》，《舊唐志》、《新唐志》均作“劉損之撰”。
⑫ “主”，《隋志》作“王”。
⑬ 此條見於《隋志》。
⑭ 此條見於《隋志》、《新唐志》。

謝靈運　遊名山志一卷①

沙門釋法顯　佛國記一卷

謝靈運　居名山志一卷

元嘉六年地記三卷

宋武北征記一卷　　戴氏撰。

武康令沈懷遠　南越志八卷　《隋志》。

宋譜四卷　《七録》。

處士李叔之　莊子義疏三卷　《七録》。②

太學博士賀道養　賀子述言十卷　《七録》。

車騎將軍范泰　古今善言三十卷　《隋志》。

領軍長史虞通之撰　善諫二卷　《隋志》。

後軍參軍徐益壽　記聞二卷　《隋志》。

何承天　合皇覽五十卷　《七録》。

兵家

武帝所傳神人書　《隋志》，在“皇帝兵法”下。

推元嘉十二年日時兵法二卷　《七録》。

逆推元嘉二十年太歲計用兵法一卷③　《七録》。

孫暢之　術藝略叙五卷　《七録》。

員外殿中將軍褚思莊　建元永明碁品二卷　《七録》。

通直郎劉嚴　荆州占二十卷　《隋志》。《七録》“二十二卷”。

何承天　元嘉曆二卷　《隋志》。　元嘉曆統二卷　《七録》。　元嘉

---

① 此條及其以下四條均見於《隋志》。
② “李叔之”，《隋志》作“王叔之”。
③ 《隋志》曰：“逆推元嘉五十年太歲計用兵法一卷。”

中論曆事六卷　《七録》。　元嘉曆疏一卷　《七録》。　元嘉二
　十六年度日景數一卷　《七録》。

何承天　曆術一卷　《隋志》。　又　驗日食法三卷　《七録》。

何承天　漏刻經一卷[①]

大將軍參軍徐叔嚮　鍼炙要鈔一卷　《隋志》。　又　本草病原
　合藥要鈔五卷　《七録》。

徐叔嚮等四家　體療雜病本草藥鈔十卷[②]　《七録》。　又　解寒
　食散方六卷　《七録》。《唐志》作"解言食方十五卷"。[③]　又　解散消
　息節度八卷　《七録》。　又　談道述　《七録》。[④]

建平王典術一百二十卷　《七録》。

羊欣　中散藥方三十卷[⑤]　《七録》。本傳作"十卷"。

徐叔嚮　雜療方二十二卷　《七録》。《唐志》"二十卷"。　又　雜病方
　六卷　《七録》。《唐志》作"體療雜病方"。　又　療小百病雜方三十
　七卷　《七録》。　又　療脚弱雜方八卷　《唐志》作"脚陰方"。[⑥]

武帝　雜戎狄方一卷　《七録》。

范曄　上香方一卷　《七録》。

徐氏　脉經訣三卷　《唐》。

秘書監王微集　本傳。

南東海太守袁淑文集　本傳。

---

① 此條見於《隋志》。

② "藥"，《隋志》作"要"。

③ 此條不見於《新唐志》，《舊唐志》作"解寒食散方十三卷"。

④ 《隋志》曰："徐叔嚮、談道述、徐悦體療雜病疾源三卷。"

⑤ 《隋志》作"羊中散藥方三十卷"。

⑥ "療小百病雜方三十七卷"，《隋志》作"療少小百病雜方三十七卷"；"雜療方二
十二卷"、"雜病方六卷"、"療脚弱雜方八卷"，《舊唐志》均作"徐叔和撰"；"脚陰方"，《新
唐志》、《舊唐志》均作"脚弱方"。

武康令沈懷遠文集　《懷文傳》。①

楚辞

楚辞十一卷　何匽删王逸注。

處士諸葛氏　**楚辞音一卷**　《隋志》。

別集

武帝集十二卷　《隋志》。《七録》"二十卷，録二卷"。②

文帝集七卷　《隋志》。《七録》"十卷，亡"。

孝武帝集二十五卷　《隋志》。《七録》"十一卷，録一卷"。

廢帝景和集十卷　《七録》"録一卷"。

明帝集三十三卷　《七録》。

長沙王道憐集十卷　《隋志》"録一卷"。

臨川王道規集四卷　《隋志》"録一卷，亡"。

臨川王義恭集八卷　《隋志》。

江夏王義恭集十一卷　《隋志》。《七録》"十五卷，録一卷"。

江夏王集別本十五卷　《七録》。

衡陽王義季集十卷　"録一卷"，《七録》。

南平王鑠集五卷　《隋志》。

竟陵王誕集二十卷　《七録》。

建平王休度集十卷　《七録》。

---

　　①　《宋書·沈懷文傳》曰："弟懷遠，官至武康令，撰南越志及懷文文集，并傳於世。"據此，沈懷遠所纂當爲其兄懷文文集，而非己之文集。疑王仁俊誤讀史書，此條當删。

　　②　《隋志》曰："梁二十卷，録一卷。"

新渝惠侯義宗集十二卷　《七録》。

散騎常侍祖柔之集二十卷　《七録》。

豫章太守謝瞻集三卷　《隋志》。

征虜將軍沈林子集　《七録》。

太常卿孔琳之集九卷　并目録，《隋志》。《七録》"十卷，録一卷"。

王叙之集七卷①　《隋志》。《七録》"十卷，録一卷"。

太中大夫徐廣集十五卷　《隋志》"録一卷"。

秘書監盧繁集一卷　"殘缺"，《隋志》。《七録》"十卷，録"。②

侍中孔甯子集十一卷并目　《隋志》。《七録》"十五卷，録一卷"。

職官

范曄　百官階次一卷　《唐志》。

苟欽明　百官階次三卷　《唐志》。

百官春秋六卷　《唐志》。③

---

① "叙"，《隋志》作"叔"。

② 《隋志》曰："殘缺，梁十卷，録一卷。"

③ 此條不見於《舊唐志》。

補宋書藝文志

聶崇岐 撰

陳錦春 整理

底本：1955 年中華書局影印《二十五史補編》本

序

　　曩從陳援菴師受目録學，陳師以隱侯《宋書》諸志獨缺《藝文》，致一代撰述不易徵考，因囑課餘試爲補作。於是以《隋書·經籍志》及《開元釋教録》爲根據，參以《宋書》、《南史》、《舊唐書·經籍志》、《新唐書·藝文志》、《大唐内典録》、《貞元新定釋教目録》以及其他諸書，將宋人撰譯分別録出，逐類排比，成爲兹編。其經、史、子、集四部次第，一依《隋志》，而釋典一部則從《開元録》例，以人爲主，其書名下偶有注明“見某書某志”者，則皆爲《隋志》或《開元録》所遺，據該書該志以補入者。至書名下無注者，乃皆出自《隋志》或《開元録》者也。

　　兹編所收，共六百餘部，六千餘卷。雖云據此以窺宋代之文化，已可稍知梗概，然劉氏七主，享國幾六十年，其間著述，固當不止此數。拾遺補闕，是仍有待於世之博雅君子焉。

二十四年四月，聶崇岐。

壹　經部

一　易類

周易繫辭注	二卷。	卞伯玉注
周易繫辭注	二卷。	徐　爰注
周易義	一卷。	范　歆撰
周易疑通	五卷。	何諲之撰
周易義疏	十九卷。兩《唐志》作二十卷。	明帝　集羣臣講
國子講易義	六卷。	明帝　集羣臣講
難王弼易義	四十餘條。見《宋書》九十三。	顧悦之撰
難顧悦之易義	不知卷數。見《宋書》九十三。	關康之撰

二　書類

集釋尚書	十一卷。兩《唐志》"釋"作"注"。	姜道盛注

三　詩類

毛詩背隱義	二卷。	徐　廣撰
毛詩引辨	一卷。	孫暢之撰
毛詩釋	一卷。	何　偃撰
毛詩序義	二卷。	雷次宗撰
毛詩義	一卷。	雷次宗撰

毛詩序注　一卷。　　　　　　　　　　　　　阮暢之注

毛詩序義　七卷。　　　　　　　　　　　　　孫暢之撰

業詩　二十卷。《新唐志》"業"作"葉"。　　　　業　遵撰

毛詩序義　不知卷數。見《釋文序録》。　　　　周續之撰

毛詩注　不知卷數。見《顏氏家訓》。　　　　　周續之注

毛詩義　不知卷數。見《宋書》九十三。　　　　關康之撰

四　禮類

集注喪服經傳　一卷。　　　　　　　　　　　裴松之撰

略注喪服經傳　一卷。　　　　　　　　　　　雷次宗注

集注喪服經傳　二卷。《舊唐志》作《喪服記注》,《新唐志》作《儀禮注》。

　　　　　　　　　　　　　　　　　　　　　蔡超宗撰

喪服經傳注　一卷。　　　　　　　　　　　　劉道拔注

喪服　三十一卷。　　　　　　　　　　　　　庾蔚之注

喪服要記　十卷。《新唐志》作五卷。　　　　　庾蔚之注

喪服世要　一卷。　　　　　　　　　　　　　庾蔚之撰

喪服集議　十卷。　　　　　　　　　　　　　費　沈撰

喪服注　不知卷數。見《釋文序録》。　　　　　周續之注

禮記注　十二卷。　　　　　　　　　　　　　業　遵注

禮記音　二卷。　　　　　　　　　　　　　　徐　爰撰

禮記義疏　三卷。　　　　　　　　　　　　　雷肅之撰

禮記中庸傳　二卷。　　　　　　　　　　　　戴　顒撰

禮記略解　十卷。見《宋書》五十五及兩《唐志》。　庾蔚之撰

月令章句　十二卷。見兩《唐志》。　　　　　　戴　顒撰

禮論　三百卷。兩《唐志》作三百七卷。　　　　何承天撰

禮論條牒　十卷。　　　　　　　　　　　　　任　預撰

禮論帖　四卷。兩《唐志》作三卷。　　　　　　　　　任　預撰

禮論鈔　二十卷。　　　　　　　　　　　　　　　　庾蔚之撰

禮論答問　八卷。兩《唐志》"答問"作"問答"。　　　徐　廣撰

禮論答問　十三卷。　　　　　　　　　　　　　　　徐　廣撰

禮答問　十一卷。　　　　　　　　　　　　　　　　徐　廣撰

禮答問　六卷。　　　　　　　　　　　　　　　　　庾蔚之撰

禮議　二卷。《新唐志》作一卷。　　　　　　　　　傅　隆撰

祭法　五卷。　　　　　　　　　　　　　　　　　　傅　隆撰

答問雜儀　二卷。　　　　　　　　　　　　　　　　任　預撰

逆降義　三卷。《舊唐志》作《禮論降義》，《新唐志》作《禮逆降義》。　顏延之撰

分明士制　三卷。　　　　　　　　　　　　　　　　何承天撰

三禮答問　四卷。　　　　　　　　　　　　　　　　徐　廣撰

禮論鈔　六十六卷。見兩《唐志》。　　　　　　　　任　預撰

禮論　不知卷數。見《宋書》九十三。　　　　　　　周續之撰

五　樂類

元嘉正聲伎録　一卷。　　　　　　　　　　　　　　張　解撰

琴論　一卷。見《宋史·藝文志》。　　　　　　　　謝　莊撰

琴譜新弄　五部。見《宋書》九十三。　　　　　　　戴　勃撰

琴譜新弄　十五部。見《宋書》九十三。　　　　　　戴　顒撰

長弄　一部。見《宋書》九十三。　　　　　　　　　戴　顒撰

六　春秋類

春秋左氏區別　三十卷。　　　　　　　　　　　　　何賀真撰

春秋序　一卷。　　　　　　　　　　　　　　　　　賀道養撰

春秋公羊傳注　不知卷數。見《宋書》九十三。　　　周續之注

春秋穀梁傳注　不知卷數。見《宋書》九十三。　　　孔默之注

七　孝經類

孝經注　一卷。　　　　　　　　　　　　　　　何承天注

孝經注　一卷。　　　　　　　　　　　　　　　費　沈注

孝經注　一卷。　　　　　　　　　　　　　　　釋慧琳注

孝經義疏　一卷。　　　　　　　　　　　　　大明中，東宮講

八　論語類

論語集注補闕　二卷。　　　　　　　　　　　　明　帝注

論語注　十卷。　　　　　　　　　　　　　　　孔澄之注

論語疏　八卷。　　　　　　　　　　　　　　　張略等撰

五經雜義　六卷。　　　　　　　　　　　　　　孫暢之撰

九　小學類

字林音義　五卷。　　　　　　　　　　　　　　吳　恭撰

要字苑　一卷。　　　　　　　　　　　　　　　謝康樂撰

釋字同音　三卷。　　　　　　　　　　　　　　吉文甫撰

詁幼　二卷。《新唐志》作《詁幼文》三卷。　　　　顏延之撰

廣詁幼　一卷。　　　　　　　　　　　　　　　荀　楷撰

纂文　三卷。見兩《唐志》。　　　　　　　　　　何承天撰

貳　史部

一　正史類

史記集注　八十卷。兩《唐志》注作解。　　　　　　　裴　駰注

史記音義　十二卷。兩《唐志》作十三卷。　　　　　　徐　廣撰

漢書決疑　十二卷。見《舊唐志》。　　　　　　　　　顏延之撰

後漢書　五十八卷。見兩《唐志》。　　　　　　　　　劉義慶撰

後漢書　九十七卷。兩《唐志》作九十二卷。　　　　　范　曄撰

後漢書讚論　四卷。兩《唐志》作五卷，“讚論”作“論贊”。　范　曄撰

漢書繢　十八卷。兩《唐志》作十三卷，“漢”上有“後”字。　范　曄撰

三國志注　六十五卷。　　　　　　　　　　　　　　　裴松之注

三國志評　三卷。　　　　　　　　　　　　　　　　　徐　爰撰

晉中興書　七十八卷。兩《唐志》作八十卷。　　　　　何法盛撰

晉書　三十六卷。　　　　　　　　　　　　　　　　　謝靈運撰

宋書　不知卷數。見《宋書》十一及一百。　　　　　　何承天撰

宋書　不知卷數。見《宋書》一百。　　　　　　　　　蘇寶生撰

宋書　六十五卷。兩《唐志》作四十二卷。　　　　　　徐　爰撰

宋書　六十一卷。按徐爰於大明中撰成《宋書》，此書疑即爰書。《隋志》重列者。

　　　　　　　　　　　　　　　　　　　　　　　　　　　大明中撰

國史要覽　二十卷。見《宋史·藝文志》史部史鈔類，今姑附此。　裴松之撰

二　古史類

晉紀	二十三卷。	劉謙之撰
晉紀	十卷。兩《唐志》作《崇安記》十卷，章宗源謂崇安即隆安。	王韶之撰
晉安帝陽秋	不知卷數。見《宋書》六十。	王韶之撰
晉紀	四十五卷。《宋書》五十五作四十六卷。	徐　廣撰
晉紀	不知卷數。見《宋書》六十四。	裴松之撰
續晉陽秋	二十卷。兩《唐志》無"續"字，《新唐志》"陽"作"春"。	檀道鸞撰
續晉紀	五卷。	郭季産撰

三　雜史類

春秋前傳	十卷。	何承天撰
春秋前雜傳	九卷。兩《唐志》作十卷，"前雜傳"作"前傳雜語"。	何承天撰
南越志	八卷。兩《唐志》作五卷，"沈氏"作"沈懷遠"。	沈　氏撰
十五代略	一卷。兩《唐志》作十卷。	吉文甫撰

四　霸史類

秦記	十一卷。	裴景仁撰
吐谷渾記	二卷。	段　國撰

五　起居注類

晉起居注	三百二十二卷。	劉道會撰
永初起居注	十卷。兩《唐志》作六卷。	

景平起居注　三卷。

元嘉起居注　六十卷。《新唐志》作七十一卷。

孝建起居注　十二卷。《新唐志》作十七卷。

大明起居注　三十四卷。《舊唐志》作八卷，《新唐志》作十五卷。

景和起居注　四卷。

明帝在藩注　三卷。

泰始起居注　二十三卷。

泰豫起居注　四卷。

成徽起居注　二十卷。

昇明起居注　六卷。

六　舊事類

先朝故事　二十卷。見兩《唐志》，《舊唐志》未著撰人。　　　劉道會撰

要記　五卷。見《宋書》六十一。　　　劉義恭撰

漢魏以來廢諸王故事　不知卷數。見《宋書》七十一。

七　職官類

百官階次　一卷。見《新唐志》。　　　范　曄撰

宋百官階次　三卷。見兩《唐志》。　　　荀欽明撰

八　儀注類

晉尚書儀曹新定儀注　四十一卷。見兩《唐志》。　　　徐　廣撰

晉儀注　三十九卷。見《新唐志》。　　　徐　廣撰

宋儀注　十卷。

宋儀注　二十卷。兩《唐志》作二卷。

宋尚書雜注　二十卷。《新唐志》作《宋尚書儀注》三十六卷。

東宮儀記　二十三卷。　　　　　　　　　　　張　鏡撰

徐爰家儀　一卷。

車服雜注　一卷。　　　　　　　　　　　　　徐　廣撰

內外書儀　四卷。　　　　　　　　　　　　　謝　元撰

書儀　二卷　　　　　　　　　　　　　　　　蔡　超撰

長沙檀太妃薨弔答書　十二卷

書儀　十卷　　　　　　　　　　　　　　　　王　弘撰

九　雜傳類

徐州先賢傳贊　九卷。《新唐志》作八卷,《宋書》五一作十卷。　劉義慶撰

武昌先賢志　二卷。兩《唐志》"二卷"作"三卷","志"作"傳"。　郭緣生撰

聖賢高士傳贊注　一卷。兩《唐志》作《上古以來聖賢高士傳讚》。　周續之注

聖賢羣輔錄　一卷。　　　　　　　　　　　　陶　潛撰

真隱傳　二卷。見《新唐志》。《舊唐志》作《高隱傳》。　　袁　淑撰

孝子傳　十卷。　　　　　　　　　　　　　　鄭緝之撰

孝子傳　八卷。　　　　　　　　　　　　　　師覺授撰

孝子傳　三卷。見《新唐志》。　　　　　　　　徐　廣撰

孝子傳　十五卷。見兩《唐志》。　　　　　　　王韶之撰

孝子傳讚　三卷。見《新唐志》。《隋志》有王昭之《孝子傳讚》。　王韶之撰

江左名士傳　一卷。　　　　　　　　　　　　劉義慶撰

陰德傳　二卷。　　　　　　　　　　　　　　范　晏撰

裴氏家傳　四卷。兩《唐志》作三卷,"傳"作"記"。　　裴松之撰

后妃記　四卷。見兩《唐志》。　　　　　　　　虞通之撰

妬記　二卷。　　　　　　　　　　　　　　　虞通之撰

宣驗記　三十卷。		劉義慶撰
應驗記　八卷。		傅　亮撰
古異傳　三卷。		袁王壽撰
異苑　十卷。		劉敬叔撰
搜神後記　十卷。		陶　潛撰
齊諧記　七卷。		東陽无疑撰
幽明録　二十卷。		劉義慶撰

十　地誌類

述征記　二卷。		郭緣生撰
吳興記　三卷。		山謙之撰
京口記　二卷。兩《唐志》作劉損之。		劉　損撰
南徐州記　二卷。		山謙之撰
隋王入沔記　六卷。兩《唐志》作十卷。		沈懷文撰
荆州記　三卷。		盛弘之撰
豫章記　一卷。《宋史·藝文志》作《豫章古今記》三卷。		雷次宗撰
遊名山記　一卷。		謝靈運撰
遊行外國傳　一卷。《舊唐志》無"遊行"二字。		釋智猛撰
居名山志　一卷。		謝靈運撰
十三州志　十卷。兩《唐志》作十四卷,《舊唐志》"闞駰"作"闞駰"。		闞　駰撰
宋武北征記　一卷。		戴　氏撰
元嘉六年地記　三卷。		
東陽記　一卷。見兩《唐志》。		鄭緝之撰
續述征記　以下十四種均見章宗源《隋志攷證》,除《廬山記略》外,餘均不知卷數。		
		郭緣生撰
述征記		裴松之撰

西征記	裴松之撰
廬山記略　一卷。	釋慧遠撰
廬山記	張　野撰
益州記	任　預撰
沙州記	段　國撰
丹陽記	山謙之撰
南康記	王韶之撰
神境記	王韶之撰
永嘉記	鄭緝之撰
壽陽記	王元模撰
北征記	裴松之撰
從征記	伍緝之撰

十一　譜系類

宋譜　四卷。	
姓苑　十卷。見兩《唐志》。	何承天撰

十二　簿錄類

續文章志　二卷。	傅　亮撰
晉江左文章志　三卷。	明　帝撰
四部書目　四十卷。見《宋書》五十九。《新唐志》作《四部書目》，《序錄》三十九卷。	
	殷　淳撰
義熙以來新集目錄　三卷。見兩《唐志》。《隋志》未著撰人。	丘深之撰

叁　子部

一　道家類

老子注　二卷。　　　　　　　　　　　　　釋慧琳注

莊子義疏　三卷。　　　　　　　　　　　李叔之撰

老子注　二卷。　　　　　　　　　　　　　釋惠嚴注

莊子逍遥篇注　一卷。見《宋書》五十九。　　何　偃注

莊子逍遥篇注　一卷。見《宋書》九十七。　　釋慧琳注

逍遥論　一卷。見《宋書》九十三。　　　　戴　顒撰

賀子述言　十卷。兩《唐志》作《賀子》。　　賀道養撰

二　雜家類

古今善言　三十卷。《宋書》六十作二十四卷。　　范　泰撰

善諫　二卷。　　　　　　　　　　　　　虞通之撰

諫林　十二卷。見《宋書》九。　　顧長康　何翌之合撰

記聞　二卷。兩《唐志》作三卷。　　　　徐益壽撰

合皇覽　五十卷。《新唐志》作《并合皇覽》一百二十二卷，《舊唐志》無“併合”二字。

　　　　　　　　　　　　　　　　　　　　何承天撰

合皇覽目　四卷。兩《唐志》作《并合皇覽》八十四卷。　徐　爰撰

纂要　一卷。兩《唐志》入經部小學類。　　顏延之撰

定命論　不知卷數。見《宋書》八十一。　　顧覬之撰

三　農家類

竹譜　一卷。見兩《唐志》。　　　　　　　　　　　　戴凱之撰

四　小説家類

世説　八卷。　　　　　　　　　　　　　　　　　　劉義慶撰
小説　十卷。　　　　　　　　　　　　　　　　　　劉義慶撰

五　兵家類

皇帝兵法　一卷。　　　　　　　　　　　　　　　武　帝撰
推元嘉十二年日時兵法　二卷。
逆推元嘉五十年太歲計用兵法　一卷。
術藝略序　五卷。　　　　　　　　　　　　　　　孫暢之撰
圍碁勢　七卷。　　　　　　　　　　　　　　　　徐　泓撰
建元永明碁品　二卷。　　　　　　　　　　　　　褚思莊撰
彈碁譜　一卷。　　　　　　　　　　　　　　　　徐　廣撰

六　天文家類

荆州占　二十二卷。　　　　　　　　　　　　　　劉　嚴撰

七　曆數家類

元嘉曆　二卷。　　　　　　　　　　　　　　　　何承天撰

元嘉曆統 卷二。

元嘉中論曆事 六卷。

元嘉曆疏 一卷。

元嘉二十六年度日景數 一卷。

曆術 一卷。　　　　　　　　　　　　　　　　何承天撰

驗日食法 三卷。　　　　　　　　　　　　　　何承天撰

算元嘉曆術 一卷。

元嘉曆月行陰陽法 不知卷數。見《宋書》十三。　　吳　癸撰

綴術 五卷。見兩《唐志》。按《宋書》十三言祖冲之創新曆,疑即此書。

　　　　　　　　　　　　　　　　　　　　　　祖冲之撰

漏刻經 一卷。　　　　　　　　　　　　　　　何承天撰

八　五行家類

宋災異簿 四卷。

瑞命記 不知卷數。見《宋書》八十四。　　　　　顧照之撰

宅經 不知卷數。見文廷式《補晉志》。　　　　　王　微撰

九　醫方家類

鍼灸要鈔 一卷。　　　　　　　　　　　　　　徐叔嚮撰

本草病源合藥要鈔 五卷。　　　　　　　　　　徐叔嚮撰

四家體療雜病本草要鈔 十卷。　　　　　　　　徐叔嚮撰

解寒食散方 六卷。《新唐志》作十五卷,《舊唐志》作十三卷。　徐叔嚮撰

解散消息節度 八卷。　　　　　　　　　　　　徐叔嚮撰

寒食解雜論 七卷。　　　　　　　　　　　　　釋慧義撰

解散方 一卷。　　　　　　　　　　　　　　　釋慧義撰

羊中散雜湯丸散酒方　一卷。　　　　　　　　　　　　　羊　欣撰

療下湯丸散方　十卷。　　　　　　　　　　　　　　　　羊　欣撰

體療雜疾病源　三卷。　　　　　徐叔嚮　談道述　徐　悅等撰

建平王典術　一百二十卷。

羊中散藥方　三十卷。《宋書》六十二作十卷。　　　　　　羊　欣撰

雜療方　二十二卷。兩《唐志》作二十卷。　　　　　　　徐叔嚮撰

雜病方　六卷。兩《唐志》作《體療雜病方》。　　　　　徐叔嚮撰

療少小百病雜方　三十七卷。　　　　　　　　　　　　徐叔嚮撰

療腳弱雜方　八卷。　　　　　　　　　　　　　　　　徐叔嚮撰

雜戎狄方　一卷。　　　　　　　　　　　　　　　　　武　帝撰

上香方　一卷。《宋書》六十九作《和香方》。　　　　　范　曄撰

香方　一卷。　　　　　　　　　　　　　　　　　　　明　帝撰

服食方　不知卷數。見《宋書》六十二。　　　　　　　　王　微撰

肆　集部

一　楚辭類

楚辭删注　十一卷。　　　　　　　　　　何　偃注

楚辭音　一卷。　　　　　　　　　　　　諸葛氏撰

二　別集類

武帝集　二十卷,《録》一卷。

文帝集　十卷。

孝武帝集　三十一卷,《録》一卷。

廢帝　景和集　十卷,《録》一卷。

明帝集　三十三卷。

劉道憐集　十卷,《録》一卷。

劉道規集　四卷,《録》一卷。

劉義慶集　八卷。

劉義恭集　十五卷,《録》一卷。

劉義季集　十卷,《録》一卷。

劉義欣集　十卷。見《新唐志》。

劉鑠集　五卷。

劉誕集　二十卷。

劉宏集　十卷。見《新唐志》。

劉宏小集　六卷。見《新唐志》。

劉休祐集　十卷。

劉義宗集　十二卷。

祖柔之集　二十卷。

謝瞻集　三卷。

沈林子集　七卷。

孔琳之集　十卷,《録》一卷。

王叙之集　十卷,《録》一卷。

徐廣集　十五卷,《録》一卷。

盧繁集　十卷,《録》一卷。

孔寧子集　十五卷,《録》一卷。

卞瑾集　十卷。

蔡廓集　十卷,《録》一卷。

傅亮集　二十卷,《録》一卷。兩《唐志》作十卷。

孫康集　十卷。

范述集　三卷。

鄭鮮之集　二十卷,《録》一卷。

王韶之集　二十四卷。

陶潛集　五卷,《録》一卷。《新唐志》作二十卷,又集五卷。

張野集　十卷。

陶階集　八卷。

張元瑾集　八卷。

王曇首集　二卷,《録》一卷。

范泰集　二十卷,《録》一卷。

荀昶集　十五卷,《録》一卷。兩《唐志》作十四卷。

卞伯玉集　五卷,《録》一卷。

羊欣集　九卷。

王弘集　二十卷,《録》一卷。

沈演集　十卷。

范凱集　八卷。

釋慧琳集　九卷,《録》一卷。兩《唐志》作五卷。

范晏集　十四卷。

謝惠連集　五卷,《録》一卷。

謝弘微集　二卷。

謝靈運集　二十卷,《録》一卷。兩《唐志》作十五卷。

丘深之集　十五卷。《新唐志》"深"作"淵",《舊唐志》作"泉"。

祖侖之集　五卷。

孫韶集　十卷。

殷淳集　二卷。

殷景仁集　九卷。

姚濤之集　二十卷,《録》一卷。

周牧集　十一卷。

殷闡之集　一卷。

宗炳集　十五卷。

雷次宗集　二十九卷,《録》一卷。

伍緝之集　十二卷。

衞令元集　八卷。

范曄集　十五卷,《録》一卷。

范廣集　一卷。

王敬集　五卷,《録》一卷。

任預集　六卷。

何承天集　三十二卷。兩《唐志》作三十卷。

裴松之集　二十一卷。

江湛集　四卷,《録》一卷。

袁淑集　十卷,《録》一卷。

王微集　　十卷,《録》一卷。

王僧謙集　　二卷。

王僧綽集　　一卷。

顧邁集　　二十卷。

陳超之集　　十卷。

何長瑜集　　八卷。

荀雍集　　四卷。兩《唐志》作十卷。

范演集　　八卷。

顧昱集　　六卷。

韓濬之集　　八卷。

沈亮之集　　七卷。

孔欣集　　九卷。兩《唐志》作八卷。

江玄叔集　　四卷。

劉馥集　　十一卷。

張演集　　八卷。

蔡眇之集　　三卷。

顧雅集　　十三卷。

孫仲之集　　十一卷。

謝元集　　一卷。

陸展集　　九卷。

山謙之集　　十二卷。

楊希集　　九卷。

周始之集　　十一卷。

羊崇集　　六卷。

孔景亮集　　三卷。

袁伯文集　　十一卷。

蔡超集　　七卷。

孫緬集　十一卷。

賀道養集　十卷。

謝登集　六卷。

張鏡集　十卷。

褚詮之集　八卷,《録》一卷。

顏延之集　三十卷。

顏延之逸集　一卷。

顏竣集　十四卷。

顏測集　十一卷。

王僧達集　十卷,《録》一卷。

羊戎集　十卷。

蘇寶生集　四卷。

范義集　十二卷。

劉瑀集　七卷。

劉氏集　九卷。

張暢集　十四卷,《録》一卷。兩《唐志》作八卷。

何尚之集　十卷。

何偃集　十六卷。

周朗集　八卷。

沈懷文集　十六卷。

江智深集　九卷,《録》一卷。《新唐志》"深"作"淵"。

殷琰集　七卷。兩《唐志》作八卷。

袁顗集　八卷。

荀欽明集　六卷。

王詢之集　五卷。

戴法興集　四卷。

虞通之集　二十卷。

沈勃集　二十卷。兩《唐志》作十五卷。

謝莊集　十五卷。

謝協集　三卷。

張悅集　十一卷。

賀顏集　十一卷。

孔邁之集　八卷。

賀弼集　十六卷。

劉遂集　二卷。

劉景素集　十卷。

鮑照集　六卷。

沈懷遠集　十六卷。

裴駰集　六卷。

劉鯤集　五卷。

費修集　十卷。

徐爰集　十卷。

孫勃集　六卷。

張永集　十卷。

趙繹集　十六卷。

庾蔚之集　二十卷。兩《唐志》作十一卷。

王素集　十六卷。

劉愔集　十卷

費鏡運集　二十卷。

孫復集　十一卷。

蔡頤集　三卷。

劉緬集　二十卷,《錄》一卷。

明舊嵒集　十卷。

蕭惠開集　七卷。

沈宗之集　十卷。

張辯集　十六卷。

王瓚集　十五卷，《録》一卷。

郭坦之集　五卷。

辛湛之集　八卷。

朱年集　二卷。

鮑德遠集　六卷。

張緩集　六卷。

劉薈集　七卷。

吳邁遠集　八卷。

湯惠休集　四卷。

孫奉伯集　十卷。

成元範集　十卷。

虞喜集　十一卷。

唐思賢集　十五卷。

戴凱之集　六卷。

袁粲集　九卷。

牽氏集　一卷。

韓蘭英集　四卷。

曇諦集　六卷。見兩《唐志》。

蔡興宗集　不知卷數。見《宋書》五十七。

荀伯子集　不知卷數。見《宋書》六十。

沈亮集　不知卷數。見《宋書》一百。

沈璞集　不知卷數。見《宋書》一百。

王叔之集　十卷。見兩《唐志》。

三　總集類

集林　二百卷。		劉義慶撰
婦人集　三十卷。		殷　淳撰
婦人詩集　二卷。		顏　竣撰
賦集　九十二卷。		謝靈運撰
賦集　五十卷。		劉義宗撰
賦集　四十卷。		明　帝撰
射雉賦注　一卷。		徐　爰注
百賦音　十卷。		褚詮之撰
頌集　二十卷。		王僧綽撰
秦帝刻石文　一卷。		褚　淡撰
詩集　五十一卷。		謝靈運撰
補謝靈運詩集　一百卷。	張敷	袁淑合撰
詩集　一百卷，《例録》二卷。		顏　竣撰
詩集　四十卷。兩《唐志》作二十卷。		明　帝撰
詩集新撰　三十卷。見兩《唐志》。		明　帝撰
雜詩　七十九卷。		江　邃撰
雜詩　二十卷。		劉　和撰
詩集　二十卷。見兩《唐志》。		劉　和撰
詩集鈔　十卷。		謝靈運撰
詩英　十卷。		謝靈運撰
元正宴會詩集　四卷。見兩《唐志》。		謝靈運撰
元嘉西池宴會詩集　三卷。見兩《唐志》。		顏延之撰
元嘉宴會遊山詩集　五卷。見兩《唐志》。		
歌辭　四卷。		張　永撰

太始祭高禖歌辭　十一卷。

木連理頌　二卷。　　　　　　　　　　　　　　　王僧綽撰

迴文集　十卷。　　　　　　　　　　　　　　　　謝靈運撰

廬山唱和詩　不知卷數。見文廷式《補晉志》。　　　　　　張　野撰

婦人訓誡集　十一卷。　　　　　　　　　　　　　徐湛之撰

讚集　五卷。　　　　　　　　　　　　　　　　　謝　莊撰

誄集　十三卷。　　　　　　　　　　　　　　　　謝　莊撰

七集　十卷。　　　　　　　　　　　　　　　　　謝靈運撰

碑集　十卷。　　　　　　　　　　　　　　　　　謝　莊撰

長沙景王碑文　三卷。

設論連珠　十卷。　　　　　　　　　　　　　　　謝靈運撰

陸機連珠注　一卷。　　　　　　　　　　　　　　何承天注

義熙以來至於大明詔　三十卷。

晉宋雜詔　九卷。　　　　　　　　　　　　　　　王韶之撰

永初雜詔　十三卷。

詔集　一百卷。

武帝詔　四卷。

元熙詔令　五卷。

永初二年五年詔　三卷。

永初以來中書雜詔　二十卷。

孝建詔　一卷。

景平詔　三卷。

元嘉副詔　十五卷。

元嘉詔　六十二卷。

孝武詔　五卷。

大明詔　七十卷。

永光景和詔　五卷。

泰始泰豫詔　二十二卷。

義嘉僞詔　一卷。

元徽詔　十二卷。

昇明詔　四卷。

雜逸書　二十二卷。　　　　　　　　　　　　徐　爰撰

元嘉策孝秀文　十卷。

策集　六卷。見《舊唐志》。　　　　　　　　謝靈運撰

元嘉策　五卷。

誹諧文　十卷。兩《唐志》作十五卷。　　　袁　淑撰

誹諧文　一卷。　　　　　　　　　　　　　沈宗之撰

博陽秋　一卷。　　　　　　　　　　　　　辛邕之撰

四帝誡　三卷。　　　　　　　　　　　　　王　誕撰

新撰録樂府集　十一卷。《舊唐志》入集部,《新唐志》入經部。　謝靈運撰

伍　釋典

五分律　三十卷。《大唐録》作三十四卷。

五分比丘戒本　一卷。

彌沙塞羯磨　一卷。

　　右三部佛馱什等譯

觀無量壽佛經　一卷。

觀藥王藥上二菩薩經　一卷。

　　右二部畺良耶舍譯

虛空藏菩薩神呪經　一卷。

觀虛空藏菩薩經　一卷。

象腋經　一卷。

諸法勇王經　一卷。

轉女身經　一卷。

觀普賢菩薩行法經　一卷。

五門禪經要用法　一卷。

新無量壽經　二卷。

郁伽長者所問經　一卷。

佛昇忉利天爲母説法經　一卷。

觀無量壽佛經　一卷。

禪祕要經　五卷。《大唐録》作三卷。

　　右十二部曇摩蜜多譯

無盡意菩薩經　六卷。

法華三昧經　一卷。

廣博嚴净不退轉輪經　四卷。

四天王經　一卷。

普曜經　八卷。

浄度三昧經　一卷。

菩薩瓔珞本業經　二卷。

生經　五卷。

善德優婆塞經　一卷。

阿那含經　二卷。

　　　右十部釋智嚴等譯

佛本行經　七卷。《大唐録》作五卷。

新無量壽經　二卷。

浄度三昧經　二卷。

付法藏經　六卷。

　　　右四部釋寶雲譯

雜阿毘曇心　十三卷。《大唐録》作十一卷。

　　　右一部伊葉波羅譯

菩薩善戒經　九卷。《大唐録》作二十卷。

菩薩善戒經　一卷。

菩薩內戒經　一卷。

優婆塞五戒威儀經　一卷。

沙彌威儀　一卷。

四分比丘尼羯磨法　一卷。

優婆塞五戒相經　一卷。

龍樹菩薩爲禪陀迦王說法要偈　一卷。

善信二十二戒　一卷。

經律分異記　一卷。

　　　右十部求那跋摩譯

毘尼摩得勒伽　十卷。

雜阿毘曇心論　十一卷。

勸發諸王要偈　一卷。

分別業報略　一卷。

請聖僧浴文　一卷。

　　　右五部僧伽跋摩譯

勝鬘師子吼一乘大方便方廣經　一卷。

大方廣寶篋經　三卷。

相續解脫地波羅蜜了義經　一卷。《大唐録》作二卷。

楞伽阿跋多羅寶經　四卷。

菩薩行方便境界神通變化經　三卷。

老母女六英經　一卷。

申日兒本經　一卷。

阿難陀目佉尼呵離陀經　一卷。

央崛魔羅經　四卷。

大法鼓經　二卷。

大意經　一卷。

十二頭陀經　一卷。

樹提伽經　一卷。

雜阿含經　五十卷。

鸚鵡經　一卷。

鞞摩肅經　一卷。

四人出現世間經　一卷。

十一想思念如來經　一卷。

阿遬達經　一卷。

過去現在因果經　四卷。

摩訶迦葉度貧母經　一卷。

十二品生死經　一卷。

罪福報應經　一卷。

衆事分阿毘曇論　十二卷。

四品學法經　一卷。

賓頭盧突羅闍爲優陀延王說法經　一卷。

虛空藏菩薩經　一卷。

無量義經　一卷。

諸法無行經　一卷。

小無量壽經　一卷。

八吉祥經　一卷。

無崖際持法門經　一卷。

貧子須賴經　一卷。

現在佛名經　三卷。

淨度三昧經　三卷。

無憂王經　一卷。

本行六波羅蜜經　一卷。

異處七處三觀經　一卷。

雜藏經　一卷。

目連降龍王經　一卷。

日難經　一卷。

釋六十二見經　四卷。

請般特法丘經　一卷。

十二頭陀經　一卷。

阿那律七念章經　一卷。

十報法三統略經　二卷。

六齋八戒經　一卷。

阿蘭若習禪經　二卷。

菩薩訶欲經　一卷。

那先經　一卷。

十二遊經　一卷。

第一義五相略集　一卷。

相續解脱如來所作隨處了義經　一卷。見《大正新修大藏經》。

拔一切業障根本得生淨土神呪　一卷，附《阿彌陀經不思義神力傳》。見
《大正新修大藏經》。

　　　右五十四部求那跋陀羅譯

觀世音菩薩受記經　一卷。

　　　右一部曇無竭譯

觀彌勒菩薩上生兜率天經　一卷。

諫王經　一卷。

治禪病祕要經　一卷。《大唐録》作二卷。

淨飯王涅槃經　一卷。

進學經　一卷。

八關齋經　一卷。

五無返復經　一卷。

佛大僧大經　一卷。

耶祇經　一卷。

末羅王經　一卷。

摩達國王經　一卷。

旃陀越國王經　一卷。

五恐怖世經　一卷。

弟子死復生經　一卷。

迦葉禁戒經　一卷。

菩薩誓經　一卷。

中陰經　一卷。

觀世音觀經　一卷。

波斯匿王喪母經　一卷。

佛母般泥洹經　一卷。

弟子慢爲耆域述經　一卷。

長者音悅經　一卷。

五苦章句經　一卷。

分惒檀王經　一卷。

弟子事佛吉凶經　一卷。

生死變識經　一卷。

優婆塞五戒經　一卷。

賢者律儀經　一卷。

　　　右二十八部沮渠京聲譯

閻羅王五天使者經　一卷。

瞿曇彌記果經　一卷。

長者子六過出家經　一卷。

佛母般泥洹經　一卷。

貧窮老公經　一卷。

懈怠耕者經　一卷。

請賓頭盧法　一卷。

善生子經　一卷。

佛涅槃後諸比丘經　一卷。

譬喻經　一卷。

　　　右十部釋慧簡譯

菩薩念佛三昧經　六卷。

無量門破魔陀羅尼經　一卷。

　　　右二部功德直等譯

十誦羯磨比丘要用　一卷。《大唐錄》作二卷。

　　　右一部僧璩撰

十誦比丘尼戒本　一卷。

十誦律羯磨雜事　一卷。見《大唐録》。

　　右二部釋法穎撰

無盡意經　十卷。

阿述達菩薩經　一卷。

海意經　七卷。

如來恩智不思議經　五卷。

寶頂經　五卷。

三密底耶經　一卷。

　　右六部竺法眷譯

濡首菩薩無上清净分衛經　二卷。

　　右一部釋翔（或作朔）公譯

佛藏大方等經　一卷。

瓔珞本業經　二卷。

　　右二部釋道嚴譯

梵女首意經　一卷。

空净三昧經　一卷。

勸進學道經　一卷。

　　右三部釋勇公譯

寂調音所問經　一卷。

樂瓔珞莊嚴方便經　一卷。

　　右二部釋法海譯

月燈三昧經　一卷。

　　右一部釋先公譯

彌沙塞律抄　一卷。

　　右一部僧伽跋彌譯

大般涅槃經　三十六卷。見《大唐録》。

右一部釋慧嚴等譯

決正四部毘尼論　二卷。見《大唐録》。

右一部釋道儼撰

善不受報論　一卷。

佛無浄土論　一卷。

應有緣論　一卷。

頓悟成佛論　一卷。

佛性當有論　一卷。

法身無色論　一卷。

二諦論　一卷。以上七種見《大唐録》。

法華經疏　二卷。見《續藏經》。

右八部竺道生譯

總計經七十四部，七百零四卷，内十二部不知卷數。史一百一十四部，一千七百三十二卷，内十八部不知卷數。子六十部，三百六十七卷，内五部不知卷數。集二百四十一部，三千二百九十卷，内四部不知卷數。釋典一百七十一部，四百二十六卷。共六百六十部，六千五百一十九卷，不知卷數者三十九部。

補南齊書經籍志

黎世蘅 董 康 鑑定

高桂華 陳鴻儒 閻枕泉 仝輯

張海峰 整理

底本：1996 年書目文獻出版社《二十四史訂補》影印國家圖書館藏民國刻藍印暨寫樣付刻底本

經部

易類

祖冲之　易義釋①

著《易》、《老》、《莊》義，釋《論語》、《孝經》，注《九章》，造《綴述》數十篇。　《南齊書》五二《祖冲之傳》、《南史》七二《文學·祖冲之傳》。

顧歡　注王弼易二繫

又注《王弼易二繫》，學者傳之。　《南齊書》五四《高逸·顧歡傳》、《南史》七五《隱逸上·顧歡傳》。

沈驎士　周易兩繫訓注　又　易經要略

驎士年過八十，耳目猶聰明，以火故抄寫，燈下細書，復成二三千卷，滿數十篋，時人以爲養身靜嘿之所致也。著《周易兩繫》、《莊子内篇》訓注，《易經》、《禮記》、《春秋》、《尚書》、《論語》、《孝經》、《喪服》、《老子》要略數十卷。　《南齊書》五四《高逸·沈驎士傳》、《南史》七六《隱逸下·沈驎士傳》。

周顒　周易論三十卷　《隋志》本條注。

費元珪　注周易九卷

謝氏　注周易八卷

尹濤　注周易六卷　均《隋志》蜀才注《周易》條注。

按本條注云"梁有齊安參軍費元珪注《周易》"等語，列舉三

_____

①　"易義釋"，此乃誤讀《南齊書·祖冲之傳》所致，"釋"字當屬下讀。後"老庄義釋"、"九章造綴述"條同此。

人，乃追述齊朝之著作家。費元珪之官銜爲安參軍，三字似有脫文，雖徵之列傳，無考。且謝氏並缺其名，仍應判定其爲南齊之人也。

劉瓛　周易乾坤義一卷　《隋志》。二《唐志》"義"下多一"疏"字。

劉瓛　周易四德例一卷　《隋志》梁南平王《周易幾義》條注。

劉瓛　周易繫辭義疏二卷　《隋志》、《新唐志》。

李玉之　乾坤義一卷　《隋志》劉瓛《周易乾坤義》條注。

徐伯珍　周易問答一卷　《隋志》宋岊《周易論》條注。

永明國學講周易講疏二十六卷①

沈林　周易義三卷　均《隋志》《周易義疏》條注。

明僧紹　周易繫辭注

僧紹，字承烈，平原人，國子博士徵不起，事蹟見《南史》及《齊書》本傳。其《易注》，《隋》、《唐志》皆不著録。陸德明《釋文·序録》載注《繫辭》十人有之，亦不言其卷數。引述三節，不及注語，第考文字之異而已。今列爲一家焉。　《玉函山房輯佚書》五。

書類

沈驎士　尚書要略

見沈驎士《周易兩繫訓注》條。

顧歡　尚書百問一卷　《隋志》、二《唐志》。

吳郡顧歡，摘出《尚書》滯義，伯珍詶答，甚有條理，儒者宗之。　《南史》七六《隱逸下·徐伯珍傳》。②

---

① "周易"上原脫"講"，據武英殿本、中華書局標點本（簡稱中華本）《隋書·經籍志》補。

② "七六"，原誤作"一九"，據武英殿本、中華本《南史》改正。

王儉　尚書音義　二《唐志》。

詩類

顧歡等　毛詩集解叙義一卷　《隋志》。

劉瓛等　毛詩序義疏三卷　《隋志》本條注。《新唐志》作《劉氏序義》一卷。

劉瓛　毛詩篇次義一卷　又　毛詩雜義注三卷　《隋志》，同上條注。

禮類

科斗書考工記

有盜發古塚者，相傳云是楚王塚，大獲寶物，玉屐、玉屏風、竹簡書、青絲編。簡廣數分，長二尺，皮節如新。盜以把火自照，後人有得十餘簡，以示撫軍王僧虔，僧虔云是科斗書《考工記》，《周官》所闕文也。　《南齊書》二一《文惠太子傳》、《南史》二二《宋王曇首傳‧王僧虔》。

王儉　古今喪服集記

儉寡嗜慾，唯以經國爲務，車服塵素，家無遺財。手筆典裁，爲當時所重。少撰《古今喪服集記》，並文集，並行於世。　《南齊書》二三《王儉傳》、《南史》二二《宋王曇首傳‧王儉》。《隋志》、二《唐志》均作《喪服古今集記》三卷。

王儉　禮論抄八帙　又　條目十三卷

儉弱年便留意三《禮》，尤善《春秋》，發言吐論，造次必於儒教，由是衣冠翕然，並尚經學，儒教於此大興。何承天《禮論》三百卷，儉抄爲八帙，又別抄條目爲十三卷。朝儀舊典，晋末來施行故事，撰次諳憶，無遺漏者。所以當朝理事，斷決如流。每博議引證，先儒罕有其例。　《南史》二二《宋王曇首傳‧王儉》。

王儉　喪服圖一卷　《隋志》。

王儉　禮答問三卷　《隋志》。

王儉　禮義答問八卷　《隋志》。

王儉　禮論要鈔三卷　《隋志》本條注。

王儉　禮儀答問十卷　二《隋志》。

王儉　禮義問答十卷①　《舊唐志》。

王儉　禮雜答問十卷　《新唐志》。

沈驎士　禮記要略

沈驎士　喪服要略

　　均見沈驎士《周易兩繫訓注》條。

沈驎士　喪服經傳義疏一卷　《隋志》梁賀瑒《喪服義疏》條注。

樓幼瑜　禮捃遺三十卷

　　同郡樓幼瑜，亦儒學。著《禮捃遺》三十卷。官至給事中。
　　《南齊書》五四《徐伯珍傳·樓幼瑜》。

　　同郡婁幼瑜，字季。亦聚徒教授，不應徵辟，彌爲臨川王暎所
　　賞異，著《禮捃拾》三十卷。　《南史》七六《隱逸下·徐伯珍傳·婁幼瑜》。

樓幼瑜　喪服經傳義疏二卷　《隋志》梁賀瑒《喪服義疏》條注。

楼幼瑜　摭遺別记一卷　《隋志》緱氏《禮論要鈔》條注。

王逸　喪服世行要記十卷　《隋志》。

　　按王逸，漢人，曾注《楚辭》，行世江左，諸朝並無與之同名者。
　　《隋志》本條及編年類《齊典》條殆“逸之”之誤。

王逸之　注喪服五代行要記十卷　《新唐志》。《舊志》無“注”字。

劉璣　喪服經傳義疏一卷　《隋志》梁賀瑒《喪服義疏》條注。

司馬璩　喪服經傳義疏五卷　同上條注。

田僧紹　集解喪服經傳二卷　《隋志》、《新唐志》。

---

①　“禮義”，武英殿本、中華本《舊唐書·經籍志》作“禮儀”。

田僧紹　逆降義一卷　《隋志》《三禮雜大義》條注。

荀萬秋　鈔略　《隋志》《禮論要鈔》條注。二《唐志》作《禮雜鈔略》。

丘季彬　論五十八卷　議一百三十卷　疏六卷　《隋志》同上條注。

春秋類

晉安王子懋　春秋例苑三十卷

永明八年，進號鎮南將軍。撰《春秋例苑》三十卷，奏之。世
祖嘉之，勅付祕閣。　《南齊書》四〇《晉安王子懋傳》、《南史》四四《齊武帝諸
子傳》。

沈驎士　春秋要略

見沈驎士《周易兩繫訓注》條。

杜乾光　春秋釋例引序一卷　《隋志》杜預《春秋釋例》條注。

王述之　春秋左氏經傳通解四卷　《隋志》。

按"述之"係"延之"之誤，應照次條改正。

王延之　春秋旨通十卷　《隋志》、二《唐志》。

王儉　公羊音二卷　《舊唐志》。《新志》作《王儉音》二卷。

孝經類

周顒　孝經義疏

永明三年，於崇正殿講《孝經》，少傅王儉以摘句令太子僕周
顒撰爲《義疏》。　《南齊書》二一《文惠太子傳》、《南史》四四《齊文惠太子傳》。

永明三年東宮講孝經義疏一卷

永明中諸王講孝經義疏一卷

李玉之爲始興王講孝經義一卷　均《隋志》釋慧琳注《孝經》條注。

祖冲之　孝經注

見祖冲之《易義釋》條。

沈驎士　孝經要略

見沈驎士《周易兩繫訓注》條。

陸澄　孝經義

按陸澄《孝經義》，《隋》、《唐志》、《經典·序録》皆不載。然在開元所采六家之例，故特著之。　《經義考》。

王玄載　注孝經一卷
明僧紹　注孝經一卷　均《隋志》《集議孝經》條注。

劉瓛　孝經説一卷

瓛有《周易乾坤義》、《毛詩序義》，已各著録。其説《孝經》，《隋》、《唐志》皆不載，邢昺《正義序》稱之，卷數未詳，今佚。即從《正義》所引，輯得五節。説仲尼居，述張禹中和之義，《正義》所不取。説孝無終而患不及者，以謝萬少賤之辭爲失，《正義》從其解。要其全書，固醇疵互見者也。　《玉函山房輯佚書》二五。

論語類

祖冲之　論語注

見祖冲之《易義釋》條。

沈驎士　論語要略

見沈驎士《周易兩繫訓注》條。

虞遐　注論語十卷
許容　注論語十卷
釋僧智　論語略解十卷　均《隋志》盧氏《論語》條注。

顧歡　論語注一卷

歡有《周易繫辭注》，已著録。此注《隋·經籍志》、《唐·藝文志》皆不載，陸德明《經典釋文·序錄》亦不稱之，蓋隋唐時已早佚亡。唯皇侃《義疏》引有八節。如説屢空，云"夫無欲於無欲者，聖人之常也；有欲於無欲者，聖人之分也。二欲同無，故全空以目聖；一有一無，故每虛以稱賢"云云。語涉冲玄聊周餘緒。史稱歡著《夷夏論》黨於道教，又嘗注《老子》行世，心游惝惚，自不覺言近支離也。然清辨滔滔，其味雋永，袠輯成帙，作六朝制義觀可爾。《玉函山房輯佚書》三〇

經解類

虞愿　五經論問

愿著《五經論問》，撰《會稽記》，交翰數十篇。　《南齊書》五三《虞愿傳》、《南史》七〇《循吏·虞愿傳》。

小學類

周顒　四聲切韻

轉國子博士，兼著作。太學諸生慕其風，爭事華辯。始著《四聲切韻》行於時。　《南史》三四《宋周朗傳·周顒》。

王斌　四聲論

時有王斌者，不知何許人，著《四聲論》行於時。斌初爲道人，博涉經籍，雅有才辯，善屬文，能昌導而修容儀。嘗弊衣於瓦官寺聽雲法師講《成實論》，無復坐處，唯僧正慧超尚空席，斌直坐其側。慧超不能平，乃罵曰："那得此道人，禄簌似隊父唐突人。"因命驅之。斌笑曰："既有叙勳僧正，何爲無隊父道人。"不爲動。而撫機問難，辭理清舉，四坐皆屬目。後還俗，以詩樂自樂，人莫能名之。　《南史》四八《齊陸慧曉傳·陸厥》。

史部

正史類

丘靈鞠　大駕南討記論

泰始初，坐東賊黨錮數年。褚淵爲吳興，謂人曰："此郡才士唯有丘靈鞠及沈勃耳。"乃啓申之。明帝使著《大駕南討記論》。　《南齊書》五二《丘靈鞠傳》、《南史》七二《文學·丘靈鞠傳》。

檀超　史職條例

建元二年，初置史官，以超與驃騎記室江淹掌史職。上表立條例，開元紀號，不取宋年。封爵各詳本傳，無假年表。立十志：《律曆》、《禮樂》、《天文》、《五行》、《郊祀》、《刑法》、《藝文》依班固，《朝會》、《輿服》依蔡邕、司馬彪，《州郡》依徐爰，《百官》依范曄，合《州郡》。班固五星載《天文》，日蝕載《五行》；改日蝕入《天文志》。以建元爲始。帝女體自皇宗，立傳以備甥舅之重。又立《處士》、《列女傳》。詔內外詳議。左僕射王儉議："金粟之重，八政所先，食貨通則國富民實，宜加編録，以崇務本。《朝會志》前史不書，蔡邕稱先師胡廣説《漢舊儀》，此乃伯喈一家之意，曲碎小儀，無煩録。宜立《食貨》、省《朝會》。《洪範》九疇，一曰五行。五行之本，先乎水火之精，是爲日月五行之宗也。今宜憲章前軌，無所改革。又立《帝女傳》，亦非淺識所安。若有高德異行，自當載在《列女》，若止於常美，則仍舊不書。"詔："日月災隸《天文》，餘如儉議。"超史功未就，卒官。江淹撰成之，猶不備也。　《南齊書》五二《檀超傳》、《南史》七二《文學·檀超傳》。

袁彖《駁檀超國史條例議》：彖出爲廬陵內史，豫州治中，太祖太傅相國主簿，祕書丞。議駁國史，檀超以《天文志》紀緯序位度，①《五行志》載當時祥沴，二篇所記，事用相懸，日蝕爲災，宜居《五行》。超欲立處士傳。彖曰："夫事關業用，方得列其名行。今栖遁之士，排斥皇王，陵轢將相，此偏介之行，不可長風移俗，故遷書未傳，班史莫編。一介之善，無緣頓略，宜列其姓業，附出他篇。"《南齊書》四八《袁彖傳》。

沈約　宋書

世祖使太子家令沈約撰《宋書》，擬立《袁粲傳》，以審世祖。世祖曰："袁粲自是宋家忠臣。"約又多載孝武、明帝諸鄙瀆事，上遣左右謂約曰："孝武事迹不容頓爾。我昔經事宋明帝，卿可思諱惡之意。"於是多所省除。　《南齊書》五二《王智深傳》、《南史》七二《文學·王智深傳》。《隋志》、二《唐志》均作一百卷。

右梁沈約撰十本紀、三十志、六十列傳。齊永明中，約奉詔爲是書，以何承天書爲本，旁采徐爰之説，頗爲精詳。但本志兼載魏、晋，失於限斷。又王劭謂其"喜造奇説，以誣前代"，如瑯琊王妃通小吏牛氏生中宗，孝武於路太后處寢息，時人多有異議之類是也。後梁武帝知而不以爲非。嘉祐中，以《宋》、《齊》、《梁》、《陳》、《魏》、《北齊》、《周書》舛謬亡闕，始詔館職讎校。曾鞏等以秘閣所藏多誤，不足憑以是正，請詔天下藏書之家，悉上異本，久之始集。治平中，鞏校定《南齊》、《梁》、《陳》三書上之，劉恕等上《後魏書》，王安國上《周書》。政和中，始皆畢，頒之學官，民間傳者尚少。未幾，遭靖康丙午之亂，中原淪陷，此書幾亡。紹興十四年，井憲孟爲四川

----

① "度"，原脱，據武英殿本、中華本《南齊書》補。

漕，始檄諸州學官，求當日所頒本。時四川五十餘州，皆不被
兵，書頗有在者，然往往亡闕不全，收合補綴，獨少《後魏書》
十許卷。最後得宇文季蒙家本，偶有所少者。於是七史遂
全，因命眉山刊行焉。　《郡齋讀書志》五。

崔慰祖　補注史漢存稿

慰祖著《海岱志》，起太公迄西晋人物，爲四十卷，半未成。
臨卒，與從弟緯書云：“常欲更注遷、固二史，採《史》、《漢》
所漏二百餘事，在厨簏，可檢寫之，以存大意。《海岱志》
良未周悉，可寫數本，付護軍諸從事人一通，及友人任昉、
徐寅、劉洋、裴揆。”　《南齊書》五二《崔慰祖傳》、《南史》七二《文學·崔
慰祖傳》。

臧榮緒　東西晋紀録志傳百一十卷

榮緒純篤好學，括東西晋爲一書，紀、録、志、傳百一十卷。隱
居京口教授。南徐州辟西曹，舉秀才，不就。太祖爲揚州，
徵榮緒爲主簿，不到。司徒褚淵少時嘗命駕尋之。建元中，
啓太祖曰：“榮緒，朱方隱者。昔臧質在宋，以國戚出牧彭
岱，引爲行佐，非其所好，謝疾求免。蓬廬守志，漏濕是安，
灌蔬終老。與友關康之沈深典素，追古著書，撰《晋史》十
衮，贊論雖無逸才，亦足彌綸一代。臣歲時往京口，早與之
遇。近報其取書，始方送出，庶得備録渠閣，採異甄善。”上
答曰：“公所道臧榮緒者，吾甚志之。其有史翰，欲令入天
禄，甚佳。”　《南齊書》五四《臧榮緒傳》、《南史》七六《隱逸下·臧榮緒傳》。
《隋志》、二《唐志》。

陸澄　注漢書一百二卷　《隋志》《漢疏》條注、《史通·補注篇》。

陸澄　漢書新注一卷　二《唐志》。《隋志》無“新”字。

孫嚴　宋書六十五卷　《隋志》。《舊唐志》作四十六卷，《新志》五十八卷。

王智深　宋書三十卷　二《唐志》。

編年類

王智深　宋紀三十卷

又敕智深撰《宋紀》，召見芙蓉堂，賜衣服，給宅。智深告貧於豫
章王，王曰："須卿書成，當相論以禄。"書成三十卷，世祖後召
見智深於璿明殿，令拜表奏上。表未奏而世祖崩。隆昌元
年，敕索其書，智深遷爲竟陵王司徒參軍。 《南齊書》五二《王智深
傳》、《南史》七二《文學·王智深傳》。二《唐志》。

熊襄　齊典

時豫章熊襄著《齊典》，上起十代。其序云："《尚書·堯典》謂
之《虞書》，則附所述，故通謂之齊，名爲《河洛金匱》。 《南齊
書》五二《檀超傳》、《南史》七二《文學·檀超傳》。

沈約　齊紀二十卷 《梁書》一三《沈約傳》。

又齊建元四年被勑撰國史，永明二年又兼著作郎，撰次《起居
注》。五年春又被勑撰《宋書》，六年二月畢功，表上之。其所
撰國史爲《齊紀》二十卷。 《南史》五七《梁沈約傳》。《隋志》、《新唐志》。

王逸　齊典五卷 《隋志》。二《唐志》作四卷，列儀注類。

雜史類

臧榮緒　續洞紀一卷 《隋志》。

熊襄　十代紀十卷 二《唐志》。

起居注類

蘇侃等　蕭太尉記　又　聖皇瑞命記一卷

除侃游繫將軍，遷太祖驃騎諮議，領録事，除黃門郎，復爲太

祖太尉諮議。侃事上既久，備悉起居，乃與巨丘源撰《蕭太尉記》，載上征伐之功。以功封新建縣侯，五百户。齊臺建，爲黄門郎，領射聲校尉，任以心膂。上即位，侃撰《聖皇瑞命記》一卷奏之。　《南齊書》二八《蘇侃傳》、《南史》四七《齊蘇侃傳》。

周顒　起居注

顒於鐘山西立隱舍，休沐則歸之。轉太子僕，兼著作，撰《起居注》。遷中書郎，兼著作如故。　《南齊書》四一《周顒傳》、《南史》三四《宋周朗傳·周顒》。

王逡之　永明起居注

建元二年，逡之先上表立學，又兼著作，撰《永明起居注》。轉通直常侍，驍騎將軍，領博士、著作如故。　《南齊書》五二《文學·王逡之傳》、《南史》二四《宋王准之傳·王逡之》。

劉懷慰　皇德論

懷慰與濟陽江淹、陳郡袁彖善，亦著文翰。永明初，獻《皇德論》云。　《南齊書》五三《劉懷慰傳》。

永明起居注三十四卷　《隋志》本條注、《新唐志》與《隋志》同。

建元起居注十二卷

隆昌延興建武起居注四卷

中興起居注四卷　均《隋志》，注同上。

王逡之　三代起居注鈔十五卷　《新唐志》、《通志》。

沈約　起居注　《南史》五七《梁沈約傳》。

職官類

王珪之　齊職儀五十卷

從弟珪之，有史學，撰《齊職儀》。永明九年，其子中軍參軍顥上啓曰：“臣亡父故長水校尉珪之，藉素爲基，依儒習性。以宋元徽二年,被敕使纂集古設官歷代分職,凡在墳策,必盡詳究。是以等級掌司,咸加編錄。黜陟遷補,悉該研記。述章服之差,兼冠佩之飾。屬值啓運、軌度惟新。故太宰臣淵奉宣敕旨,使速洗正。刊定未畢,臣私門凶禍。不揆庸微,謹冒啓上,①凡五十卷,謂之《齊職儀》。仰希永升天閣,長銘祕府。"詔付祕閣。　　《南齊書》五二《王逡之傳‧王珪之》、《南史》二四《宋王准之傳‧王珪之》。《新唐志》。《隋志》本條注作四十九卷。

齊職儀五卷　　《隋志》。

雜傳記類

陸澄　雜傳

家多墳籍,人所罕見。撰《地理書》及《雜傳》,死後乃出。　　《南齊書》三九《陸澄傳》、《南史》四八《齊陸澄傳》。《隋志》作十九。

崔慰祖　海岱志四十卷半②

見崔慰祖《補注史漢存稿》。　　《隋志》作二十卷,二《唐志》作十卷。

宗測　續皇甫謐高士傳三卷

測頗好音律,善《易》、《老》,續皇甫謐《高士傳》三卷。　　《南齊書》五四《宗測傳》、《南史》七五《隱逸上‧宗少文傳‧宗測》。

宋躬　孝子傳二十卷　　《隋志》、《新唐志》。③

宗躬　止足傳十卷　　《新唐志》。

孔稚珪　陸先生傳一卷　　《隋志》。

竟陵王子良　止足傳十卷　　二《唐志》。

---

① "微謹",原爲墨丁,據武英殿本、中華本《南齊書》補。

② 《南齊書‧崔慰祖傳》:"四十卷,半未成。"

③ "宋躬",武英殿本、中華本《隋書‧經籍志》作"宋躬",《新唐書‧藝文志》作"宗躬"。

釋法安　僧傳五卷

司徒文宣王及張融、何允、劉繪、劉瓛等，並稟服文義，共爲法友。永泰元年，卒於中寺，春秋四十有五。著《浄名》、《十地義疏》，并《僧傳》五卷。　《高僧傳》八。

王巾　法師傳十卷　《全梁文》五三。

《姓氏英賢録》曰：“王巾，字簡棲，琅邪臨沂人也。有學業。爲《頭陀寺碑》，文詞巧麗，爲世所重。起家郢州從事，征南記室。天監四年卒，碑在鄂州，題云：‘齊國録事參軍琅邪王巾製。’”　《文選》五九《頭陀寺碑文》李善注。

儀注類

陳淑等　江左以來儀典令①

會王儉亡，上徵孝嗣爲五兵尚書。其年，上敕儀曹令史陳淑、王景之、朱玄真、陳義民，撰《江左以來儀典》，令諮受孝嗣。
《南齊書》四四《徐孝嗣傳》、《南史》一五《宋徐羨之傳·徐孝嗣》。

王逡之　齊國儀禮　又　世行五卷

昇明末，右僕射王儉重儒術，逡之以著作郎兼尚書左丞，參定齊國儀禮。初儉撰《古今喪服集記》，逡之難儉十一條。更撰《世行》五卷。　《南齊書》五二《王逡之傳》、《南史》二四《宋王准之傳·王逡之》。

王逡之　禮儀制度十三卷　《隋志》。

何胤等　新禮

仕齊爲建安太守，政有恩信，人不忍欺，每伏臘放囚還家，依期而反。歷黃門侍郎、太子中庶子。尚書令王儉受詔撰《新

---

① “江左以來儀典令”，據下文，“令”當下讀。

禮》，未就而卒。又使特進張緒續成，緒又卒。屬在司徒竟陵王子良。子良以讓胤，乃置學士二十人佐胤撰録。　《南史》三〇《宋何尚之傳·何胤》。

宗史　禮儀

梁武屢表勸和帝即尊號，穎使別駕宗史撰定《禮儀》。上尊號，改元。於江陵立宗廟南北郊。州府門城，悉依建康。　《南史》四一《齊宗室傳·蕭穎胄》。

王儉　吉書儀二卷　《隋志》、二《唐志》。

王儉　弔答儀十卷　《隋志》。二《唐志》作《弔答書儀》。

王儉　皇室書儀七卷　《新唐志》。

謝朓　書筆儀二十卷　《舊唐志》。

刑法類

吉凶條制　永明七年十月。

三季澆浮，舊章陵替，吉凶奢靡，動違矩則。或裂錦繡以競車服之飾，塗金鏤石以窮塋域之麗。至班白不婚，露棺累葉，苟相姱衒，罔顧大典。可明爲條制，嚴勒所在，悉使畫一。如復違犯，依事糾奏。　《南齊書》三《武帝紀》。

豫章王嶷　檇格

以市稅重濫，更定《檇格》，以稅還民。禁諸市調及苗籍。二千石官長不得與人爲市。　《南齊書》二二《豫章文獻王傳》。

王植　永明七年删定律二十卷

廷尉。江左相承用晉世張、杜律二十卷，世祖留心法令，數訊囚徒，詔獄官詳正舊注。先是七年，尚書删定郎王植撰定律章表奏之，曰：“臣尋晉律，文簡辭約，旨通大綱，事之所質，取斷難釋。張斐、杜預同注一章，而生殺永殊。自晉泰始以來，唯斟酌參用。是則吏挾威福之勢，民懷不對之怨，所以溫舒獻辭於失政，絳侯忼慨而興歎。皇運革祚，道冠前王，陛下紹興，光開帝業。下車之痛，每惻上仁，滿堂之悲，有矜聖思。爰發德音，删正刑律，敕臣集定張、杜二注。謹礪愚蒙，盡思詳撰，削其煩害，録其允衷。取張注七百三十一條，杜注七百九十一條。或二家兩釋，於義乃備者，又取一百七條。其注相同者，取一百三條。集爲一書，凡一千五百三十二條，爲二十卷。請付外詳校，摘其違謬。"從之。於是公卿八座參議，考正舊注。有輕重處，竟陵王子良下意，多使從輕。其中朝議不能斷者，制旨平決。《南齊書》四八《孔稚珪傳》、《南史》四九《齊孔珪傳》。

孔稚珪　律文二十卷　録序一卷

九年，稚珪上表曰："臣聞匠萬物者以繩墨爲正，馭大國者以法理爲本。是以古之聖王，臨朝思理，遠防邪萌，深杜姦漸，莫不資法理以成化，明刑賞以樹功者也。伏惟陛下蹟曆登皇，乘圖踐帝，天地更築，日月再張，五禮裂而復縫，六樂殘而爰緝。乃發德音，下明詔，降恤刑之文，申慎罰之典，敕臣與公卿八座共删注律。謹奉聖旨，諮審司徒臣子良，稟受成規，創立條緒。使兼監臣宋躬、兼平臣王植等抄撰同異，定其去取。詳議八座，裁正大司馬臣嶷。其中洪疑大議，衆論相背者，聖照玄覽，斷自天筆。始就成立《律文》二十卷，《録叙》一卷，凡二十一卷。今以奏聞，請付外施用，宣下四海。臣又聞老子、仲尼曰：'古之聽獄者，求所以生之；今之聽獄者，求所以殺之。''與其殺不辜，甯失有罪。'是則斷獄之職，自古所難矣。今律文雖定，必須用之；用失其平，不異無律。律書精細，文約例廣，疑似相傾，故誤相亂，一乖其綱，枉濫橫起。法吏無解，既多謬僻，監司不習，無以相斷，則法書徒明於帙裏，冤魂猶結於獄中。今府州郡縣千有餘獄，如令一獄歲枉一人，則一年之中，枉死千餘矣。冤毒之死，上干和氣，聖明所急，不可不防。致此之由，又非但律吏之咎，列邑之宰，亦亂其經。或以軍勳餘力，或以勞吏暮齒，獷情濁氣，忍并生靈，昏心狠態，吞剝氓物，虐理殘其命，曲文被其罪，[①]冤積之興，復緣斯發。獄吏雖良，不能爲用。使于公哭於邊城，孝婦冤於遐外。陛下雖欲宥之，其已血濺九泉矣。尋古之名流，多有法學。故釋之、定國，聲光漢臺；元常、文惠，績映魏閣。今之士子，莫肯爲業，縱有習者，世議所輕。良由空懃永歲，不逢一朝之賞，積學當年，終爲閭伍所蚩。將恐此書永墜下走之手矣。今若弘其爵賞，開其勸慕，課業宦流，班習胄子，拔其精究，使處內局，簡其才良，以居外仕，方岳咸選其能，邑長竝擢其術，則皋繇之謀，指掌可致，杜、鄭之業，鬱焉何遠。然後姦邪無所逃其刑，惡吏不能藏其詐，如身手之相驅，若絃括之相接矣。臣以疏短，謬司大理。陛下發自聖衷，憂矜刑綱，御延奉訓，遠照民瘼。臣謹仰述天官，伏奏雲陛。所奏繆允者，宜寫律上。國學置律學助教，依五經例，國子生有欲讀者，策試上過高第，即便擢用，使處法職，以勸士流。”詔報從納，事竟不施行。　《南齊書》四八《孔稚珪傳》、《南史》四九《齊孔珪傳》。

宋躬　齊永明律八卷　《舊唐志》。《新志》：“宋”作“宗”。

目錄類

王儉　七志四十卷　又　元徽四部書目
　　超遷秘書丞。上表求校墳籍，依《七略》撰《七志》四十卷，上

---

① “其”，原爲墨丁，據武英殿本、中華本《南齊書》補。

表獻之，表辭甚典。又撰定《元徽四部書目》。　《南齊書》二三《王儉傳》、《南史》二二《宋王曇首傳·王儉》。《隋志》、二《唐志》《四部書目》均作四卷，《七志》均作七十卷。

儉弱年便留心三《禮》，尤善《春秋》。明帝泰始六年置總明觀於儉宅，開學士館，以總明四部書充之。　《冊府元龜》五九七《學校部》總序。

按《南齊書》本傳總明觀省於永明三年，此云置於泰始六年，是必另有所據。録之，藉以知存儲四部書之源流也。

元徽元年，祕書丞王儉又造《目録》，大凡一萬五千七百四卷。儉又別撰《七志》，一曰《經典志》，紀六藝、小學、史紀、雜傳；二曰《諸子志》，緒今古諸子；三曰《文翰志》，紀詩賦；四曰《軍書志》，紀兵書；五曰《陰陽志》，紀陰陽圖緯；六曰《術藝志》，紀方技；七曰《圖譜志》，紀地域及圖書。其道、佛附見，合九條。然亦不述作者之意，但於書名之下每立一傳，而又作九篇條例，編乎首卷之中，文義淺近，未爲典則。　《隋志》序。

王亮監等　四部書目一萬八千一十卷①

齊永明中，祕書丞王亮、監謝朓，又造《四部書目》，大凡一萬八千一十卷。　同上。

竟陵王子良　四部要略千卷

移居雞籠山，集學士抄五經、百家，依《皇覽》例爲《四部要略》千卷。　《南齊書》四〇《竟陵文宣王子良傳》、《南史》四四《齊武帝諸子傳》。

譜牒類

賈淵　見客譜

永明初，轉尚書外兵郎，歷大司馬司徒府參軍。竟陵王子良

_____

① “王亮監”，誤讀《隋書·經籍志》，據下文，人名當作“王亮”。

使淵撰《見客譜》，出爲句容令。　《南齊書》五二《賈淵傳》、《南史》七二《文學·賈希鏡傳》。

賈淵　十八州士族譜七百餘卷　又　氏族要狀　及　人名書

先是譜學未有名家，淵祖弼之廣集百氏譜記，專心治業。[①]　永明中，王儉抄次《百家譜》，與淵參懷撰定。　均同上。《隋志》、《舊唐志》均作十卷。

王逡之　續儉百家譜四卷

王逡之　南族譜二卷

王逡之　百家譜拾遺一卷　均《隋志》《王儉集譜》條注。

地理類

孔逭　三吳決錄

時衛軍掾孔逭亦抗直，著《三吳決錄》，不傳。　《南齊書》四六《王秀之傳·孔逭》、《南史》七二《文學·丘巨源傳·孔逭》。

按本條亦見《册府元龜》五六〇《地理》。"孔"作"乳"，"決"作"史"，疑有誤，應以本傳爲正。

陸澄　地理書一百四十九卷　錄一卷

陸澄合《山海經》已來一百六十家，以爲此書。澄本之外，其舊事並多零失。見存別部自行者，唯四十二家，今列之於上。

《隋志》及注。二《唐志》作一百五十卷。并見陸澄《雜傳》條。

陸澄　地理書抄二十卷　《隋志》。

宗測　衡山　廬山記

又嘗遊衡山七嶺，著《衡山》、《廬山記》。　《南齊書》五四《宗測傳》、《南史》七五《隱逸上·宗少文傳·宗測》。

劉澄之　永初山川古今記二十卷　又　司州山川古今記三卷

---

①　"心治"，原爲墨丁，據武英殿本、中華本《南齊書》補。

《通志》。《隋志》僅有第一種。

劉澄之　揚州記　《太平御覽》八《天部》雲條。

劉澄之　梁州記　同上四四《地部》玉女山條。

劉澄之　江州記　五二《地部》石條。

劉澄之　荆州記　六六《地部》湖條。

劉澄之　豫州記　同上條。

陸道瞻　吳地記一卷　《通志》。

王僧虔　吳郡地理志

王僧虔　淮南志　均《太平御覽》四三《地部》莫耶山條。

子部

儒家類

劉善明　賢聖雜語

又撰《賢聖雜語》奏之，託以諷諫。上答曰："省所獻《雜語》，並列聖之明規，衆智之深軌。卿能憲章先範，纂鏤情識，忠款既昭，[1]淵誠肅著，當以周旋，無忘聽覽也。"《南齊書》二八《劉善明傳》、《南史》四九《齊劉懷珍傳·劉善明》。

臧榮緒　拜五經序論

榮緒惇愛五經，謂人曰："昔呂尚奉丹書，武王致齋降位，李、釋教誡，並有禮敬之儀。"因甄明至道，乃著《拜五經序論》。常以宣尼生庚子日，陳五經拜之。自號"被褐先生"。　《南齊書》五四《臧榮緒傳》、《南史》七六《隱逸下·臧榮緒傳》。

道家類

竟陵王子良　經唄新聲

招致名僧，講語佛法，造《經唄新聲》，道俗之盛，江左未有也。《南齊書》四〇《竟陵文宣王傳》、《南史》四四《武帝諸子傳》。

竟陵王蕭子良　净住子二十卷　《隋志》。二《唐志》作蕭子良撰，王融頌。

《净住子》序：《遺教經》云，波羅提木义，是汝大師，若住於世，

---

① "忠"，原誤作"中"，據武英殿本、中華本《南齊書》改正。

無異我也。又云，波羅提木义住，則我法住；波羅提木义滅，則我法滅。是故眾僧於望海再説禁戒，謂之布薩。外國云布薩，此云净住，亦名長養，亦名增進。所謂净住，身口意身絜意，如戒而住，故曰净住。子者紹繼爲義，以沙門净身口七支，不起諸惡，長養增進菩提善根，如是修習，成佛列差，則能紹續三世佛種，是佛之子，故云《净住子》。　張溥《漢魏百三名家·竟陵王集》。

蕭子良　義記二十卷 《隋志》。

周顒　三宗論

顒辭辯麗，出言不窮，宫商朱紫，發口成句。泛涉百家，長於佛理。著《三宗論》。立空假名，立不空假名。設不空假名難空假名，設空假名難不空假名。假名空難二宗，又立假名空。西京州智林道人遺顒書曰："此義旨趣似非始開，妙聲中絕六七十載。貧道年二十時，便得此義，竊每歡喜，無與共之。年少見長安耆老，多云關中高勝乃舊有此義，當法集盛時，能深得斯趣者，本無多人。過江東略是無一。貧道捉麈尾來四十餘年，東西講説，謬重一時，餘義頗見宗録，唯有此塗白黑無一人得者，爲之發病。非意此音猥來入耳，始是真實行道第一功德。"其論見重如此。　《南齊書》四一《周顒傳》、《南史》三四《周朗傳·周顒》。

顧歡　老氏獻治綱一卷

太祖輔政，悦歡風教，徵爲揚州主簿，遣中使迎歡。及踐阼，乃至。歡稱山谷臣顧歡上表曰："臣聞舉網提綱，振裘持領，綱領既理，毛目自張。然則道德，綱也；物勢，目也。上理其綱，則萬機時序；下張其目，則庶官不曠。是以湯、武得勢師道則阼延，秦、項忽道任勢則身戮。夫天門開闔，自古有之，四氣相新，締裘代進。今火澤易位，三靈改憲，天樹明德，對

時育物，搜揚仄陋，野無伏言。是以窮谷愚夫，敢露偏管，謹
删撰《老氏》，獻《治綱》一卷。伏願稽古百王，斟酌時用，不以
芻蕘棄言，不以人微廢道，則率土之賜也，微臣之幸也。幸賜
一疏，則上下交泰，雖不求民而民悦，不祈天而天應，應天悦
民，則皇基固矣。臣志盡幽深，無與榮勢，自足雲霞，不須禄
養。陛下既遠見尋求，敢不盡言。言既盡矣，請從此退。"《南
齊書》五四《顧歡傳》、《南史》七五《隱逸上·顧歡傳》。

顧歡　夷夏論

佛道二家，立教既異，學者互相非毁。歡著《夷夏論》曰："夫
辨是與非，宜據聖典。尋二教之源，故兩標經句。道經云：
'老子入關之天竺維衛國，國王夫人名曰净妙，老子因其晝
寝，乘日精入净妙口中，後年四月八日夜半時，剖左腋而生，
墜地即行七步，於是佛道興焉。'此出《玄妙内篇》。佛經云：
'釋迦成佛，有塵劫之數。'出《法華無量壽》。或'爲國師道
士，儒林之宗'。出《瑞應本起》。"歡論之曰："五帝、三皇，莫
不有師。國師道士，無過老、莊，儒林之宗，孰出周、孔。若
孔、老非佛，誰則當之。然二經所説，如合符契。道則佛也，
佛則道也。其聖則符，其跡則反。或和光以明近；或曜靈以
示遠。道濟天下，故無方而不入；智周萬物，故無物而不爲。
其人不同，其爲必異。各成其性，不易其事。是以端委搢紳，
諸華之容；翦髮曠衣，羣夷之服。擎踞磬折，侯甸之恭；狐蹲
狗踞，荒流之肅。棺殯槨葬，中夏之制；火焚水沈，西戎之俗。
全形守體，繼善之教；毁貌易性，絶惡之學。豈伊同人，爰及
異物。鳥王獸長，往往是佛，無窮世界，聖人代興。或昭五
典，或布三乘。在鳥而鳥鳴，在獸而獸吼。教華而華言，化夷
而夷語耳。雖舟車均於致遠，而有川陸之節，佛道齊乎達化，
而有夷夏之别，若謂其致既均，其法可换者，而車可涉川，舟

可行陸乎？今以中夏之性，効西戎之法，既不全同，又不全
異。下育妻孥，上廢宗祀。嗜欲之物，皆以禮伸；孝敬之典，
獨以法屈。悖禮犯順，曾莫之覺。弱喪忘歸，孰識其舊？且
理之可貴者，道也；事之可賤者，俗也。捨華効夷，義將安取？
若以道邪？道固符合矣。若以俗邪？俗則大乖矣。屢見刻
骹沙門，守株道士，交諍小大，互相彈射。或域道以爲兩，或
混俗以爲一。是牽異以爲同，破同以爲異。則乖爭之由，淆
亂之本也。尋聖道雖同，而法有左右。始乎無端，終乎無末。
泥洹仙化，各是一術。佛號正真，道稱正一。一歸無死，真會
無生。在名則反，在實則合。但無生之教賒，無死之化切。
切法可以進謙弱，賒法可以退夸強。佛教文而博，道教質而
精。精非麤人所信，博非精人所能。佛言華而引，道言實而
抑。抑則明者獨進，引則昧者競前。佛經繁而顯，道經簡而
幽。幽則妙門難見，顯則正路易遵。此二法之辨也。聖匠無
心，方圓有體，器既殊用，教亦異施。佛是破惡之方，道是興
善之術。興善則自然爲高，破惡則勇猛爲貴。佛跡光大，宜
以化物；道跡密微，利用爲己。優劣之分，大略在茲。夫蹲夷
之儀，婁羅之辯，各出彼俗，自相聆解。猶蟲喧烏咶，何足述
效。”《南齊書》五四《顧歡傳》、《南史》七五《隱逸上·顧歡傳》。《隋志》本條注及
二《唐志》均作二卷。

按《弘明集》六有《謝鎮之與顧道士書》，《折夷夏論》。又《重與顧
道士書》，并頌。七有宋《朱昭之難顧道士夷夏論》、并書。《朱廣
之諮顧道士夷夏論》、并書。《釋慧通駁顧道士夷夏論》、《釋僧
愍戎華論折顧道士夷夏論》，六首。

顧歡　三名論

歡口不辨，善於著筆。著《三名論》，甚工，鐘會《四本》之流
也。　《南齊書》五四《顧歡傳》。

會稽孔珪嘗登領尋歡,共談《四本》。① 歡曰:"蘭石危而密,②
宣國安而疏,士季似而非,公深謬而是。總而言之,其失則
同;曲而辯之,其塗則異。何者?同昧其本而競談其末,猶未
識辰緯而意斷南北。羣迷暗爭,失得無準,情長則申,意短則
屈。所以《四本》並通,莫能相塞。夫中理唯一,豈容有二?
《四本》無正,失中故也。"於是著《三名論》以正之。 《南史》七五
《隱逸上·顧歡傳》。

顧歡　老子義綱一卷　又　義疏一卷 均《隋志》。前一種,二《唐志》作
《老子義疏治綱》,卷帙同。後作《道德經義疏》四卷。

明僧紹　正二教論

明僧紹《正二教論》以爲"佛明其宗,老全其生。守生者蔽,明
宗者通。今道家稱長生不死,名補天曹,大乖老、莊立言本
理。" 《南齊書》五四《顧歡傳》。《南史》七五《隱逸上·顧歡傳》。全文見《弘明
集》六。

按本論見《弘明集》六,題下有注云:"道士有爲《夷夏論》者,
故作此以正之。"蓋亦駁顧歡而作也。

孟景翼　正一論

《寶積》云"佛以一音廣說法"。《老子》云"聖人抱一以爲天下
式"。"一"之爲妙,空玄絕於有景,神化贍於無窮,爲萬物而
無爲,處一數而無數,莫之能名,强號爲一。在佛曰"實相",
在道曰"玄牝"。道之大象,即佛之法身。以不守之守守法
身,以不執之執執大象。但物有八萬四千行,説有八萬四千
法。法乃至於無數,行亦達於無央。等級隨緣,須導歸一。
歸一曰回向,向正即無邪。邪觀即遣,億善日新。三五四六,
隨用而施。獨立不改,絕學無優。曠劫諸聖,共遵斯"一"。

---

① "談",原誤作"設",據武英殿本、中華本《南史》改正。
② "而",原脱,據武英殿本、中華本《南史》補。

老、釋未始於嘗分，迷者分之而未合。億善徧修，修徧成聖，雖十號千稱，終不能盡。終不能盡，豈可思議。　《南齊書》五四《顧歡傳》、《南史》七五《隱逸上·顧歡傳》。

張融　門律

司徒從事中郎張融作《門律》云：“道之與佛，逗極無二。吾見道士與道人戰儒墨，道人與道士辨是非。昔有鴻飛天首，積遠難亮。越人以爲鳧，楚人以爲乙，人自楚越，鴻常一耳。”以示太子僕周顒。顒難之曰：“虛無法性，其寂雖同，位寂之方，其旨則別。論所謂‘逗極無二’者，爲逗極於虛無，當無二於法性耶？足下所宗之本一物爲鴻乙耳。驅馳佛道，無免二末。未知高鑒，緣何識本，輕而宗之，其有旨乎？”往復文多不載。　《南齊書》五四《顧歡傳》、《南史》七五《隱逸上·顧歡傳》。

按《門律》亦作《門論》，見《弘明集》六，傳係節錄。是集並有周顒《難張長史門論問答》三首、張融《答周顒書》、周顒《重答張長史書》三首。

張融　少子五卷　《隋志》東晉符朗《符子》條注。

張融　太玄三破論一卷　《通志》。

劉虬　注法華經

虬精信釋氏，衣麤布衣，[①]禮佛長齋。注《法華經》，自講佛義。以江陵西沙洲去人遠，乃徙居之。　《南齊書》五四《劉虬傳》、《南史》五〇《齊劉虬傳》。

祖沖之　老莊義釋

見祖沖之《易義釋》。

沈驎士　莊子內篇訓注

見沈驎士《周易兩繫訓注》條。

---

①　“衣”，原脱，據武英殿本、中華本《南齊書》補。

沈驎士　老子要略

見沈驎士《周易兩繫訓注》條。

成實論九卷

周顒序：尋夫數論之爲作也，雖製興於晚集，非出於一音。然其所以開家命部，莫不各有弘統，皆足以該領名教，隆讚方等，契闊顯益，不可瞽言。至如《成實論》者，總三乘之祕數，窮心色之微闡，標因位果，解惑相馳。凡聖心樞，罔不畢見乎其中矣。又其設書之本，位論爲家，抑揚含吐，咸有憲章，則優柔闡探，動開獎利，自發聚之初首，至道聚之本章。其中二百二品，鱗綵相綜，莫不言出於奧典，義溺於邪門。故必曠引條繩，碎陳規墨，料同洗異，峻植明塗，裨濟之功，寔此爲著者也。既宣效於正經，無染乎異學，雖則近派小流，實乃有變方教。是以今之學衆，皆云志存大典，而發迹之日，無不寄濟此塗。乘津鶩永，本期長路。其書言精理贍，思味易就，頃遂赴蹈爭流，重研相躡。又卷廣義繁，致功難盡，故復往不旋，終妨正務。頃《泥洹》、《法華》，雖或時講；《維摩》、《勝鬘》，頗參餘席。至於《大品》精義，師匠蓋疏，《十住》淵弘，世學將殄，皆由寢處於論家，永均於弱喪，是使大典榛蕪，義種行輟。興言悵悼，側寐忘安。《成實》既有功於正篆，事不可闕，學者又遂流於所赴，此患宜裁，今欲內全《成實》之功，外蠲學士之慮，故詮引論才，備詳切緩，刊文在約，降爲九卷，刪賒採要，取效本根。則方等之助無虧，學者之煩半遣。得使功歸至典，其道彌傳，《波若》諸經，無墜於地矣。業在心源，庶無裁削之累，令典故全，豈有妨於好學。相得意於道心，可不謀而隨喜也。　《釋藏》百一，《出三藏記集》十一。　《全齊文》二十卷周顒。

佐律師　釋迦譜十卷　《通志》。

曇度　成實論大義疏八卷

釋曇度,本姓蔡,江陵人。少而敬慎威儀,素以戒範致稱。神情敏悟,鑒徹過人。後遊學京師,備貫衆典,《涅槃》、《法華》、《維摩》、《大品》,並探索微隱,思發言外。因以脚疾西遊,乃造徐州,從僧淵法師更受《成實論》,遂精通此部,獨步當時。魏主元宏聞風餐挹,遣使徵請。既達平城,大開講席,宏致敬下筵,親管理味。於是停止僞都,法化相續,學徒自遠而至,千有餘人。以僞太和十三年卒於僞國,即齊永明六年也。撰《成實論大義疏》八卷,盛傳北土。 《高僧傳》八。

弘充　注文殊問菩提經　又　注首楞嚴經

明帝踐祚,起湘宮寺,請充爲綱領,於是移居焉。以齊永明中卒,春秋七十有三。注《文殊問菩提經》及注《首楞嚴經》。《高僧傳》八。

釋弘充《楞嚴經》序:《首楞嚴》三昧者,蓋神通之龍津,聖德之淵府也。妙物希微,非器像所表;幽玄冥湛,豈情言所議? 冠九位以虛昇,果萬行而圓就,量種智目窮賢,絕殆庶而靜統。用能靈台十地,扃鐍法雲,罔象環中,神圖自外。然心雖澄一,應無不周,定必凝泊,在感斯至。故明宗本則三達同寂,論善救則六度彌綸,辯威效則强魔慴淪,[1]語衆變則百億星繁。至乃徵號龍上,晦跡塵光,像告諸乘,有盡無滅,斯皆參定之冥功,成能之顯事,權濟之樞綱,勇伏之宏要矣。羅什法師,弱齡言道,思通法門,昔紆步關右,譯出此經。自雲布已來,競辰而衍。中興啓運,世道載昌,宣傳之盛,日月彌戀。太宰江夏王,該綜羣籍,討論淵敏,每覽兹卷,特深遠情。充以管昧,嘗厠玄肆,預遭先匠,啓訓音軌,參聽儒緯,髣髴文意。以皇宋大明二年歲次奄茂,於法言精舍略爲注解,庶勉

---

① "淪",原誤作"論",據中華書局影印清光緒年間王毓藻刻本《全齊文》改正。

不習之傳，敢慕我聞之義。如必紕謬，以俟君子。　《釋藏》跡七。
《全齊文》二六。

釋智林　二諦論

智林　毗曇雜心記

智林　注十二門論及中論

林形長八尺，天姿瓌雅，登座震吼，談吐若流。後亂還高昌。
齊永明五年卒，春秋七十有九。著《二諦論》及《毗曇雜心
記》，并注《十二門論》、《中論》等。　《高僧傳》八。

釋求那毗地　譯要切譬喻十卷

求那毗地　十二因緣經一卷

求那毗地　須達長經一卷

求那毗地，此言安進，中天竺人。弱年從道，師天竺大乘法師
僧伽斯，聰慧強記，懃於諷誦，諳究大、小乘，將二十萬言。兼
學外典，明陰陽，占時驗事，徵兆非一。齊建元初，來至京師，
止毗耶離寺。執錫從徒，威儀端肅，王公貴勝，迭相供請。初
僧伽斯於天竺國，抄《脩多羅藏》中要切譬喻，撰爲一部，凡有
百事，教授新學。毗地悉皆通誦，兼明義旨，以永明十年秋，
譯爲齊文，凡有十卷，謂《百句喻經》。復出《十二因緣》及《須
達長者經》各一卷。自大明已後，譯經殆絕，及其宣流，世咸
稱美。　《高僧傳》三。①

釋僧拔　七玄論

又有僧拔、慧熙，皆弱年英邁，幼著高名。並美業未就，而相
繼早卒。拔撰《七玄論》，今行於世。　《高僧傳》八。

釋慧基　法華義疏三卷

---

① “高僧傳三”，原誤作“高僧傳八”，據一九八九年上海書店影印《大正大藏經》本
《歷代高僧傳》改。

慧基　門訓義序三十三科

慧基　注遺教等經

司徒文宣王欽風慕德，致書慇懃，訪以《法華》宗旨，基乃注《法華義疏》，凡有三卷。及製《門訓義序》三十三科，並略申方便旨趣，會通空有二言，及注《遺教》等，並行於世。　《高僧傳》八。

法安　浄名十地義疏

見法安《僧傳》條。

釋超度　律例七卷

時京師瓦官寺又有超度者，亦善《十誦》及《四分》，著《律例》七卷云。　《高僧傳初集》一一。①

釋法穎　十誦戒本并羯磨經

穎伏膺已後，學無再請，記在一聞。研精律部，博涉經論。元嘉末，下都止新亭寺。孝武南下，改治此寺，以穎學業兼明，勅爲都邑僧正。後辭任，還多寶寺。常習定閑房，亦時開律席。及齊高即位，復勅爲僧主，資給事事，有倍常科。穎以從來信施，造經像及藥藏，鎮於長干。齊建元四年卒，春秋六十有七。②　撰《十誦戒本》并《羯磨》等。　同上。

釋智稱　十誦義記八卷

後餘杭寶安寺釋僧志請稱還鄉，開講《十誦》。雲樓寺復屈爲寺主，稱乃受任。少時舉其綱目，示以憲章。頃之反都，文宣請於普弘講律，僧衆數百，皆執卷承旨。　節。著《十誦義記》八卷，盛行於世。　均同上。

---

① “高僧傳初集一一”，原誤作“高僧傳一三”，據一九八九年上海書店影印《大正大藏經》本《歷代高僧傳》改，下兩條同。

② “十”原脱，據一九八九年上海書店影印《大正大藏經》本《歷代高僧傳》補。

釋曇遷　注十地經

篤好玄儒，遊心佛義，善談《莊》、《老》，并注《十地》。又工正書，常布施題經。巧於轉讀，有無窮聲韻，梵製新奇，特拔終古。　同上一三。

法家類

傅琰等　治縣譜

太祖輔政，以山陰獄訟煩積，復以琰爲山陰令。賣針賣糖老姥爭團絲，來詣琰，琰不辨覈，縛團絲於柱鞭之，密視有鐵屑，乃罰賣糖者。二野父爭雞，琰各問"何以食雞"，一人云"粟"，一人云"豆"，乃破雞得粟，罪言豆者。縣內稱神明，無敢復爲偷盜。琰父子並著奇績，江左鮮有匹。云："諸傅有《治縣譜》，子孫相傳，不以示人。"　《南齊書》五三《傅琰傳》。《南史》七〇《循吏·傅琰傳》"治"作"理"。

按琰長於聽斷，且以法律世家，直與東漢陳寵父子相類。此云《治縣譜》者，乃薈萃其累世所選擇之判例，以作枕祕。猶五代晉和凝及子㟇之《疑獄集》、宋鄭克之《折獄龜鑑》也。

雜家類

竟陵王子良　內外文筆數十卷

所著《內外文筆》數十卷，雖無文采，多是勸戒。　《南齊書》四〇《竟陵文宣王子良傳》、《南史》四四《齊武帝諸子傳》。

張融　問律自序

融玄義無師法，而神解過人，白黑談論，鮮能抗拒。永明中，遇疾，爲《問律自序》曰："吾文章之體，多爲世人所驚，汝可師

耳以心,不可使耳爲心師也。夫文豈有常體,但以有體爲常,
政當使常有其體。丈夫當删《詩》、《書》,制禮樂,何至因循寄
人籬下,且中代之文,道體闋變,尺寸相資,彌縫舊物。吾之
文章,體亦何異,何嘗顛温涼而錯寒暑,綜哀樂而横歌哭哉?
政以屬辭多出,比事不羈,不阡不陌,非途非路耳。然其傳音
振逸,鳴節竦韻,或當未極,亦已極其所矣。汝若復别得體
者,吾不拘也。吾義亦如文,造次乘我,顛沛非物。吾無師無
友,不文不句,頗有孤神獨逸耳。義之爲用,將使性入清波,
塵洗猶沐。無得釣聲同利,舉價如高,俾是道場,險成軍路。
吾昔嗜僧言,多肆法辯,此盡遊乎言笑,而汝等無幸。"又云:
"人生之口,正可論道説義,惟飲與食。此外如樹綱焉。吾每
以不爾爲恨,爾曹當振綱也。"　　《南齊書》四一《張融傳》、《南史》三二《宋
書張邵傳·張融》。

劉繪　能書人名

繪撰《能書人名》,自云善飛白,言論之際,頗好矜詡。　　《南齊
書》四八《劉繪傳》。

劉懷慰　廉吏論

懷慰至郡,修治城郭,安集居民,墾廢田二百頃,決沈湖灌溉。
不受禮謁,民有餉其新米一斛者,懷慰出所食麥飯示之,曰:
"旦食有餘,幸不煩此。"因著《廉吏論》以達其意。　　《南齊書》五
三《劉懷慰傳》、《南史》四九《齊劉懷珍傳·劉懷慰》。

臧榮緒　嫡寢論

榮緒幼孤,躬自灌園,以供祭祀。母喪後,乃著《嫡寢論》,掃
灑堂宇,置筵席,朔望輒拜薦,甘珍未嘗先食。　　《南齊書》五四
《臧榮緒傳》、《南史》七六《隱逸下·臧榮緒傳》。

何望之　諫林五卷　　《隋志》。二《唐志》作十卷。

陸澄　述政論十三卷　　《隋志》。二《唐志》"政"作"正"。

陸澄　缺文十三卷　《隋志》。《新唐志》作十卷。

陸澄　政論十三卷　《隋志》。

農家類

祖冲之　安邊論

轉長水校尉，領本職。冲之造《安邊論》，欲開屯田，廣農殖。建武中，明帝使冲之巡行四方，興造大業，可以利百姓者，會連有軍事，事竟不行。　《南齊書》五二《祖冲之傳》、《南史》七二《文学·祖冲之傳》。

小説類

賈淵　注郭子　《南齊書》五二《賈淵傳》。《舊唐志》作賈泉注。

按《郭子》即《隋志》小説東晉中郎郭澄之所撰者，故列此類。

祖冲之　述異記十卷　《隋志》。二《唐志》。

焦度　稽神異苑十卷

右題云南齊焦度撰。雜編傳記鬼神變化及草木禽獸妖怪譎詭事。按焦度，南安氐也。覆按"氐"原本"民"，瞿抄本同。《通考》"氐"，今據改。質訥樸戇，以勇力事高帝，決不能著書。又卒於建元四年，而所記有梁天監中事，必非也。《唐志》有焦路《窮神秘苑》十卷，豈即此書而相傳之訛歟？　《郡齋讀書志》一三。

曆算類

祖冲之　新法

宋元嘉中，用何承天所制曆，比古十一家爲密，冲之以爲尚疏，乃更造《新法》。上表曰：“臣博訪前墳，遠稽昔典，五帝驪次，三王交分，《春秋》朔氣，《紀年》薄蝕，談、遷載述，彪、固列志，魏世注曆，晋代《起居》，探異今古，觀要華戎。書契以降，二千餘稔，日月離會之徵，星度疏密之驗。專功耽思，咸可得而言也。加以親量圭尺，躬察儀漏，目盡毫釐，心窮籌筴，考課推移，又曲備其詳矣。然而古曆疏舛，類不精密，羣氏糾紛，莫審其會。尋何承天所上，意存改革，而置法簡略，今已乖遠。以臣校之，三覩厥謬，日月所在，差覺三度，二至晷景，幾失一日，五星見伏，至差四旬，留逆進退，或移兩宿。分至失實，則節閏非正；宿度違天，則伺察無准。臣生屬聖辰，詢逮在運，敢率愚瞀，更創新曆。謹立改易之意有二，設法之情有三。改易者一：以舊法一章，十九歲有七閏，閏數爲多，經二百年輒差一日。節閏既移，則應改法，曆紀屢遷，實由此條。今改章法三百九十一年有一百四十四閏，令卻合周、漢，則將來永用，無復差動。其二：以《堯典》云‘日短星昴，以正仲冬’。以此推之，唐世冬至日，在今宿之左五十許度。汉代之初，即用秦曆，冬至日在牽牛六度。漢武改立《太初曆》，冬至日在牛初。後漢四分法，冬至日在斗二十二。晋世姜岌以月蝕檢日，知冬至日在斗十七。今參以中星，課以蝕望，冬至之日在斗十一。通而計之，未盈百載，所差二度。舊法竝令冬至日有定處，天數既差，則七曜宿度，漸與舛訛。乖謬既著，輒應改易。僅合一時，莫能通遠。遷革不已，又由此條。今令冬至所在歲歲微差，卻檢漢注，並皆審密，將來久用，無煩屢改。又設法者，其一：以子爲辰首，位在正北，爻應初九升氣之端，虛爲北方列宿之中。元氣肇初，宜在此次。前儒虞喜，備論其義。今曆上元日度，發自虛一。其二：以日辰之號，甲子爲先，曆法設元，應在此歲。而黃帝以來，世代所用，凡十一曆,上元之歲,莫值此名。今曆上元歲在甲子。其三:以上元之歲,曆中衆條,竝應以此爲始。而《景初曆》交會遲疾,元首有差。又承天法,日月五星,各自有元,交會遲疾,亦竝置差,裁得朔氣合而已,條序紛錯,不及古意。今設法日月五緯交會遲疾,悉以上元歲首爲始,羣流共源,庶無乖誤。若夫測以定形,據以實效。懸象著明,尺素之驗可推;動氣幽微,寸管之候不忒。今臣所立,易以取信。但綜覈始終,大存緩密,革新變舊,有約有繁。用約之條,理不自懼,用繁之意,顧非謬然。何者?夫紀閏參差,數各有分,分之爲體,非不細密,臣是用深惜毫釐,以全求妙之准,不辭積累,以成永定之製,非爲思而莫知,悟而弗改也。若所上萬一可採,伏願頒宣羣司,賜垂詳究。"事奏。孝武令朝士善曆者難之,不能屈。會帝崩不施行。　　《南齊書》五二《祖冲之傳》、《南史》七二《文學·祖冲之傳》。

祖冲之　九章造綴述　二《唐志》作五卷。

見祖冲之《易義釋》條。

五行類

柳世隆　龜經秘要二卷

世隆曉數術,於倪瑭創墓,與賓客踐履,十往五往,常坐一處。及卒,墓正取其坐處焉。著《龜經秘要》二卷行於世。　　《南齊書》二四《柳世隆傳》、《南史》三八《宋柳元景傳·柳世隆》。《新唐志》作《龜經》三卷。

雜藝術類

高帝古迹十一袠　王僧虔補十二卷

太祖善書,及即位,篤好不已。與僧虔睹書畢,謂僧虔曰:"誰爲第一?"僧虔曰:"臣書第一,陛下亦第一。"上笑曰:"卿可謂善自爲謀矣。"示僧虔古迹十二裒,就求能書人名。僧虔得民間所有,裒中所無者,吳太皇帝、景帝、歸命侯書,桓玄書,及王丞相道、領軍洽、中書令珉、張芝、索靖、衛伯儒、張翼十二卷奏之。　《南齊書》三三《王僧虔傳》、《南史》二二《宋王雲首傳·王僧虔》。

王僧虔　評書一卷　《玉海》四五《梁五十二體書》書目引。

按《御覽》七四八引王僧虔《論書》三則,疑即此書,故不另著其目。

王融　圖古今雜體六十四書

齊王融圖古今雜體六十四書,湘東王令韋仲定爲九十一種,謝善勛增九法,合成百體。　《玉海》四五引張彥遠《法書要録》。

朱選之　辯相論

選之字處林,有志節,著《辯相論》。幼時顧歡見而異之,以女妻焉。官至江夏王參軍。　《南齊書》五五《朱謙之傳》。

類書類

高帝　史林三十篇

又詔東觀學士撰《史林》三十篇,魏文帝《皇覽》之流也。　《南史》四《齊高帝本紀》。

醫術類

褚澄　雜藥方二十卷　《隋志》范汪《范陽東方》條注。二《唐志》作十二卷。

劉休　食方一卷　《隋志》《食經》條注。

丁部

別集類

陸厥文集①

厥少有風概，好屬文，五言詩體甚新奇。　　節。卒年二十八，文集行於世。　　《南齊書》五二《陸厥傳》、《南史》四八《齊陸厥傳》。《隋志》注作十卷。二《唐志》。

顧歡文議三十卷

世祖詔歡諸子撰歡《文議》三十卷。　　《南齊書》五四《顧歡傳》、《南史》七五《隱逸上·顧歡傳》。《隋志》《王儉集》條注作《顧歡文集》三十卷。

高帝文集

所著文，詔中書侍郎江淹撰次之。　　《南史》四《齊高帝本紀》。

文帝集十一卷　　《隋志》本條注。

晉安王子懋集四卷　錄一卷　　《隋志》《文帝集》條注。

竟陵王子良集四十卷　　《隋志》。二《唐志》作三十卷。

竟陵文宣王法集錄

僧祐序：夫五時九部之契，三請四卷之機，玄哉邈乎，奥不可議已。然法海無涯，航而知大；慧藏不極，采而得寶。是曰弘誓之士，隨時斟酌，馬鳴抽其幽宗，龍樹振其絶緒，提婆析其名數，訶梨總其條理。竝翼讃妙典，俘蔪外學，迷津見衢，長

---

① "陸厥文集"，此四字之前底本缺一頁，此四字據下文及武英殿本、中華本《南齊書·陸厥傳》補。

夜逢曉。故智慧之日，名飛于摧邪，功德之月，續翔于闡化，亦已盛矣。但羣萌殊乘，根力異品，運季道澆，信淡識淺。至于披薈發聾，事資懇屬，藥愚針惑，宜務切近。是目後代敷訓，顯晦不一。或颺言目汎解，或提耳而指授，所目卷舒教義，抑揚風軌，豈滯恒方，期于悟俗而已。齊太宰竟陵文宣王，淨刹萌因，忍土現果，慧自天成，道爲期出，孝忠淳和之深，仁智博愛之厚，率由而極，因心則至。若乃棲神二諦，宅業三寶，瞻前卓爾，望後不羣，用能降帝子之尊，灼淨土之操，屏朱觀之貴，下白屋之禮，磨踵目拯俗，刻髓目徇道，望億劫目長驅，凌千載而獨上。若乃闡經律，弘福施，濟蒼黎，毓翾動，未嘗不慮積昏明，慈洽臣細，感靈瑞于顯徵，通覺應于宵夢，固已威蕤民譽，昭晢神聽矣。至于苞括儒訓，藻鏡釋典，空有雙該，内外咸照，常欲廣彼洲渚，熾此法燈，駐四生之風波，燭九居之霾霧，指來際目爲期，總大千目爲任。故側隱乘教，殷勤敷道。于是銳臨雲之思，壯談天之文，網羅字輪，儀形法印。是目淨住命氏，啓入道之門；華嚴纓珞，標出世之術。決定要行，進趣乎金剛，戒果莊嚴，①克成乎甘露。爾其衆經注義，法塔讚頌，僧制藥記之流，導文願疏之屬，莫不誠在言前，理出辭表。大者鈎深測幽，小者馳辯感俗。森成條章，鬱爲卷帙。可謂開士住心，道場初跡，冠一代之妙化，乘千祀之勝範者也。祐昔目道緣，豫屬嘉會，律任法使，謬荷其寄。齋堂梵席，時枉其請，哲人徂謝，而道心不亡。静尋遺篇，儼乎如在。遂序兹集，録目貽來世云爾。　　《釋藏》百二。

巴陵王雜集

僧祐序：蓋聞世諦善論，法海所總；嚴飭文辭，初位是攝。自

---

① "严"字原缺，據中華書局影印清光緒年間王毓藻刻本《全齊文》補。

大化東漸，沿世詠歌，魏來雜製，閒出羣集。至于才中含章，思入精理，固法門之羽纛，梵聲之金石也。齊竟陵文宣王世子、故撫軍巴陵王，稟璿華于琨峯，敏明璣于珠海，慧發觿辰，識表觭歲，孝友淳至，機穎朗徹。故幼無弱弄，夙有老成，甫在志學，固已總括墳典矣。雅好辭賦，允登高之才；藉意隸書，均臨池之敏，業盈竹素，慮滿風月。是時齊方有德，文宣翼讚，康衢既熙，慧教傍遠。世子目枝葉之慶，藩守浙河，下稽風舉，升席治立，含靜臺目御己，垂簡惠目振俗，郡富名山，巖多靈寺，故勝業愈高，清心彌往，每遊踐必訓。思若淵泉，信足目揄揚至道，炳發玄極，觀其摛賦經聲。述頌繡像，千佛願文，捨身弘誓。四城九相之詩，釋迦十聖之讚，竝英華自凝，新聲閒出。故僕射范雲篤賞文會，雅相嗟重，目爲後進之佳才也。至隆昌之時，始兆無妄，永元之末，運屬道消，葛藟失庇，磐石傾蔂，虎兕出柙，宗室致猜。而樂天知命，夷憂味道，在艱不虧其貞，處約無改其節，鏡因果而靡晦，洞真俗其如曉，專精于大覺之門，懍烈于經典之奧。于是下帷堁戶，注解百論，拔出幽旨，妙盡纖典。乃躬算縑素，手寫方等。所書大經，凡有十部，鋒刀刊削，風趣妍靡，論其思理所徹，業藪所貫，有踰箕裘之能，克副青藍之敏矣。夫深宮寡識，著自格言；梁肉多驕，聞之前記。而能拔類獨立，超然高舉，豈非內鑄堅芳之性，外瑩過庭之風哉！目法而說，譬金龍之嗣信相；由俗而議，邁允恭之紹陳思。可謂開士宿因，旃檀眷屬，無忝堂構，克勝負荷者也。余昔緣法事，亟覿清暉，乃律集稽川，屢延供禮，惜乎早世，文製未廣，今撰錄法詠，目繼文宣內集，使千祀之外，知蘭菊之無絶焉。　《釋藏》百二。

蕭遙欣集十一卷

劉祥集十卷　均《隋志》《竟陵王子良集》條注。

褚彥回集十五卷 《隋志》、二《唐志》。

崔祖思集二十卷

鐘蹈集十二卷

丘巨源集十卷 **録一卷** 均《隋志》《褚彥回集》條注。

王儉集六十卷 《隋志》本條注,二《唐志》。

任昉序:公諱儉,字仲寶,琅邪臨沂人也。其先自秦至宋,國史家牒詳焉。晋中興以來,六世名德,海内冠冕。古語云:仁人之利,天道運行。故吕虔歸其佩刀,郭璞誓以淮水,若離剪之止殺,吉駿之誠感,蓋有助焉。公之生也,誕授命世,體三才之茂,踐得二之機,信乃昴宿垂芒,德精降祉,有一於此,蔚爲帝師。況乃淵角殊祥,山庭異表,望衢罕窺其術,觀海莫際其瀾,宏覽載籍,博游才義。若乃金版玉匱之書,海上名山之旨,沈鬱澹雅之思,離堅合異之談,莫不摠制清衷,遞爲心極,斯固通人之所包,非虛明之絕境,不可窮者,其唯神用者乎!然檢鏡所歸,人倫以表,雲屋天構,匠者何自。咸洛不守,憲章中輟,賀生達禮之宗,蔡公儒林之亞,闕典未補,大備兹日。至若齒危髮秀之老,含經味道之生,莫不北面人宗,自同資敬,性託夷遠,少屏塵雜,自非可以弘獎風流,增益標勝,未嘗留心。期歲而孤,叔父司空簡穆公,早所器異,年始志學,家門禮訓,皆折衷於公,孝友之性,豈伊橋梓,夷雅之體,無待韋弦。汝郁之幼挺淳至,黃琬之早標聰察,曾何足尚。年六歲,襲封豫寧侯,拜日,家人以公尚幼,弗之先告。既襲珪組,對揚王命,因便感咽,若不自勝。初,宋明帝居蕃,與公母武康公主素不協。及即位,有詔廢毀舊塋,投棄棺柩。公以死固請,誓不遵奉,表起啓酸切,義感人神。太宗聞而悲之,遂無以奪也。初拜秘書郎,遷太子舍人,以選尚公主,拜駙馬都尉。元徽初,遷秘書丞。於是採公曾之《中經》,刊弘度之《四

部》;依劉歆《七略》,更撰《七志》。蓋嘗賦詩云:“稷契匡虞
夏,伊呂翼商周。”①自是始有應務之跡,生民屬心矣。時司徒
袁粲,有高世之度,脱落塵俗。見公弱齡,便望風推服,歎曰:
“衣冠禮樂在是矣。”時粲位亞台司,公年始弱冠,年勢不侔,
公與之抗禮,因贈粲詩,要以歲暮之期,申以止足之戒。粲答
詩曰:“老夫亦何寄,之子照清襟。”服闋,拜司徒右長史。出
爲義興太守,風化之美,奏課爲最。還除給事黄門侍郎,旬
日,遷尚書吏部郎參選。昔毛玠之公清,李重之識會,兼之者
公也。俄遷侍中,以愍侯始終之職,固辭不拜,補太尉右長
史。時聖武定業,肇基王命,痌瘝風雲,實資人傑。是以宸居
膺列宿之表,圖緯著王佐之符。俄遷左長史。齊臺初建,以
公爲尚書右僕射,領吏部,時年二十八。宋末艱虞,百王澆
季。禮紊舊宗,樂傾恒軌,自朝章國紀,典彝備物,奏議符策,
文辭表記,素意所不蓄,前古所未行,皆取定俄頃,神無滯用。
太祖受命,以佐命之功,封南昌縣開國公,食邑二千户。建元
二年,遷尚書左僕射,領選如故。自營部分司,盧欽兼掌,譽
望所歸,允集兹日。尋表解選,詔加侍中,又授太子詹事,侍
中僕射如故。固辭侍中,改授散騎常侍,餘如故。太祖崩,遺
詔以公爲侍中尚書令、鎮國將軍。永明元年,進號衛將軍。
二年,以本官領丹陽尹。六輔殊風,五方異俗,公不謀聲訓,
而楚夏移情,故能使解劍拜仇,歸田息訟。前郡尹温太真、劉
真長,或功銘鼎彝,或德標素尚,臭味風雲,千載無爽。親加
弔祭,表薦孤遺,遠協神期,用彰世祀。時簡穆公薨,以撫養之
恩,特深恒慕,表求解職,有詔不許。國學初興,華夷慕義,經
師人表,允資望實。復以本官領國子祭酒。三年,解丹陽尹,

①　“虞夏伊呂”,原脱,據中華書局影印清光緒年間王毓藻刻本《全齊文》補。

領太子少傅，餘悉如故。挂服捐駒，前良取則，臥轍棄子，後予胥怨。皇太子不矜天姿，俯同人範，師友之義，穆若金蘭。又領本州大中正，頃之解職。四年，以本號開府儀同三司，餘悉如故。謙光愈遠，大典未申。六年，又申前命。七年，固辭選任，帝所重違，詔加中書監，猶參掌選事。長輿追專車之恨，公曾甘鳳池之失。夫奔競之塗，有自來矣。以難知之性，協易失之情，必使無訟，事深弘誘。公提衡惟允，一紀于茲，拔奇取異，興微繼絕，望側階而容賢，候景風而式典，春秋三十有八，七年五月三日，薨於建康官舍。皇朝軫慟，儲鉉傷情。有識銜悲，行路掩泣。豈直春者不相，工女寢機而已哉。故以痛深衣冠，悲纏教義，豈非功深砥礪，道邁舟航，没世遺愛，古之益友？追贈太尉，侍中中書監如故。給節，加羽葆鼓吹，增班劍六十人。諡曰文憲，禮也。公在物斯厚，居身以約。玩好絕於耳目，布素表於造次。室無姬姜，門多長者。立言必雅，未嘗顯其所長；持論從容，未嘗言人所短。弘長風流，[①]許與氣類，雖單門後進，必加善誘，勖以丹霄之價，弘以青冥之期。公銓品人倫，各盡其用，居厚者不矜其多，處薄者不怨其少。窮涯而反，盈量知歸。皇朝以治定制禮，功成作樂，思我民譽，緝熙帝圖。雖張曹爭論於漢朝，荀摯競爽於晋世，無以仰模淵旨，取則後昆。每荒服請罪，遠夷慕義，宣威授指，實寄宏略。理積則神無忤往，事感則悅情斯來。無是己之心，事隔於容諂；罕愛憎之情，理絕於毀譽。造理常若可干，臨事每不可奪。約己不以廉物，弘量不以容非。攻乎異端，歸之正義。公生自華宗，世務簡隔，至於軍國遠圖，刑政

---

① “長”，原誤作“獎”，據中華書局影印胡克家翻刻宋尤袤本、文淵閣四庫全書本《文選》改正。

大典，既道在廊廟，則理擅民宗。若乃明練庶務，鑒達治體[①]
懸然天得，不謀成心。求之載籍，翰牘所未紀；訊之遺老，耳
目所不接。至若文案自環，主者百數，皆深文爲吏，積習成
姦，蓄筆削之刑，懷輕重之意。公乘理照物，動必研幾。當時
嗟服，若有神道。豈非希世之雋民，瑚璉之宏器？昉行無異
操，才無異能，得奉名節，迄將一紀。一言之譽，東陵侔於西
山；一眄之榮，鄭璞踰於周寶。士感知己，懷此何極！出入禮
闈，朝夕舊館，瞻棟宇而興慕，撫身名而悼恩。公自幼及長，
述作不倦。固以理窮言行，事該軍國，豈直彫章縟采而已哉？
若乃統體必善，綴賞無地，雖楚趙羣才，漢魏衆作，曾何足云！
曾何足云！昉嘗以筆札見知，思以薄技效德，是用綴緝遺文，
永貽世範。爲如干秩，如干卷。所撰《古今集記》、《今書七
志》，爲一家言，不列于集。集録如左。　　　《文選》，《藝文類聚》五
十五。

謝顥集十六卷

謝瀟集十卷

劉善明集十卷

褚賁集十二卷

劉虯集二十四卷

庾易集十卷

劉璉集三卷　　均《隋志》《王儉集》條注。

周顒集十六卷　　《隋志》本條注。二《唐志》作二十卷。

鮑鴻集二十卷　　録一卷

韋瞻集十卷

---

①　“體”，原誤作“禮”，據中華書局影印胡克家翻刻宋尤袤本、文淵閣四庫全書本
《文選》改正。

劉懷慰集十卷　録一卷

江山圖集十卷

荀慧憲集十一卷　　①均《隋志》《周顒集》條注。

虞羲集十一卷　　《隋志》本條注，二《唐志》。

韋沈集十卷

任文集十一卷

卞鑠集十六卷

婁幼瑜瑜集六十六卷

祖冲之集五十一卷　　均《隋志》《虞羲集》條注。

謝朓集十二卷　　《隋志》。二《唐志》作十卷。

　　右齊謝朓玄暉也，陽夏人。明帝初，自中書郎出爲東海太守。
東昏時爲江祐黨譖害之。朓少好學，有美名，文章清麗，善草
隸，尤長五言詩，沈約嘗云：“二百年來無此詩也。”《文選》所
録朓詩僅二十首，集中多不載，今附入。　　《郡齋讀書志》十七。《曹
志》作十卷。②

謝朓逸集二卷　　《隋志》。

王巾集十一卷　　《隋志》《謝朓逸集》條注。

孔稚珪集十卷　　《隋志》、二《唐志》。

徐孝嗣集七卷　　《隋志》注本條作十卷，《舊唐志》作十二卷。

劉暄集十一卷

裴昭明集九卷

虞炎集七卷

劉瑱集十卷

劉繪集十卷　　均《隋志》《徐孝嗣集》條注。

_____

　①　“荀慧憲”，武英殿本、中華本《隋書·經籍志》作“荀憲”。

　②　“曹”字疑當作“晁”，或作“宋”。

袁彖集五卷　并　錄　《隋志》。

江㒞集九卷　并　錄　《隋志》。《新唐志》作十二卷。

宗躬集十三卷　《隋志》。二《唐志》作十二卷。

沈驎士集六卷　《隋志》。

總集類

丘靈鞠　江左文章録

靈鞠好飲酒，臧否人物，在沈淵座見王儉詩，淵曰："王令文章大進。"靈鞠曰："何如我未進時？"此言達儉。靈鞠宋世文名甚盛，入齊顏減。蓬髮弛縱，無形儀，不治家業。王儉謂人曰："丘公仕宦不進，才亦退矣。"遷長沙王車騎長史，太中大夫，卒。著《江左文章録序》，起太興，訖元熙。文集行於世。

《南齊書》五二《丘靈鞠傳》、《南史》七二《文學·丘靈鞠傳》。

虞愿　會稽記文翰

見《五經論問》條。

中興二年詔三卷　《隋志》。

建元詔五卷

永明詔三卷

武帝中詔十卷

隆平延興建武詔九卷

建武二年副詔九卷　均《隋志》《中興詔》條注。

雜詔十卷　《隋志》。

釋奠會詩一十卷　《隋志》。《舊唐志》作二十卷。

青溪詩三十卷

齊讌會作。　《隋志》及注。

武帝清溪集三十卷　《舊唐志》。

清溪集三十卷

　　武帝敕譔。　《新唐志》。

孔逭　文苑一百卷　《隋志》、《舊唐志》。

孔逭　二京賦二卷　《隋志》《雜都賦》條注。

補南齊書藝文志

陳　述　撰

張海峰　整理

底本：中華書局 1955 年影印《二十五史補編》本
校本：《師大月刊》第二十二期《補南齊書藝文志》本

序

　　著録羣書，始於向、歆父子之《別録》、《七略》，班固本之作《漢書·藝文志》，自是以來，作史者多祖述之。班固（《漢書·叙傳》）謂：“劉向司籍，九流以別。爰著目録，略序洪烈。”章學誠（《校讎通義·序》）亦稱：“劉向父子部次條別，將以辨章學術，考鏡源流。”由是以言，則著録典籍即學術史也，烏可忽之。

　　鄭樵（《通志·總序》）曰：“學術之苟且，由源流之不分；書籍之散亡，由編次之無紀。”覩其書可知其學之源流，故鄭氏作《圖譜略》，立爲二記：一曰記有，記今之所有者，不可不聚；二曰記無，記今之所無者，不可不求。是以古書之已佚者，得藉此以求其涯略；其傳於今者，得藉以核其異同，辨其真僞耳。故典籍著録，不惟文獻賴之以存，亦考史之入門，治學之津逮也。

　　魏晋以後，雖朝代迭更，并皆外禪，干戈未興，文采滋盛。宋齊之世，博雅相尚，書疏奏議，斐然可觀。沈約修《宋書》，獨無《文學》一傳，非缺也，誠以能文者衆，兼收則不能并容，單舉則挂一漏萬，故竟略之，而以散見列傳，非爲世殊事改，蓋亦不志《刑法》、《食貨》之意云爾。齊承宋舊，國祚僅二十三年，風流所被，文學撰造，方興未艾，其著書立說，卓然自見者，何止《文學傳》所載諸人。永明中，祕書丞王亮、監謝朏，造《四部書目》，凡一萬八千一十卷，是南齊藝文遠邁前朝，可謂盛矣。

　　檢《南齊書·檀超傳》（卷五二），建元二年，初置史官，以超與江淹掌史職。超等表上條例,開元紀號,不取宋年。封爵各詳本傳,無假年表。立十志:《律曆》、《禮樂》、《天文》、《五行》、《郊祀》、《刑法》、《藝文》依班固,《朝會》、《輿服》依蔡邕、司馬彪,《州郡》依徐爰。《百官》依范曄,合《州郡》。班固五行載《天文》,[①]日蝕載《五行》,改日蝕入《天文志》。帝女應立傳,以備甥舅之重。又立《處士》、《列女傳》。詔内外詳議。王儉議食貨爲國家本務,《朝會》爲前史所無。乃蔡邕一家之意,宜立《食貨》,省《朝會》。日月蝕應隸《五行》。《帝女傳》若有高德異行,自當載在《列女》,若止於常美,則仍舊不書。詔:"日月災隸《天文》,餘如儉議。"此齊國史之例。原有《藝文》一門,《史通·正史篇》:"梁天監中,太尉録事蕭子顯啓撰《齊史》。書成,表奏之,詔付祕閣。起昇平之年,盡永元之代,爲紀八、志十一、列傳四十、合成五十九篇。"是劉氏所見,有逾乎今存蕭子顯《齊書》之《禮樂》、《天文》、《州郡》、《百官》、《輿服》、《祥瑞》、《五行》八志矣。今雖未知其餘三志是否即《食貨》、《刑法》、《藝文》,然蕭子顯之書,大抵本於范、沈兩家而作。沈無《文苑傳》,而《齊書》則傳《文學》,以是推之,子顯或爲藝文立志也。

清代史家爲前史補志藝文者不下十數家,至於南齊,則缺焉弗述。惟范希曾《書目答問補正》載侯康補《宋》、《齊》、《梁》、《陳》、《魏》、《北齊》、《周》各書《藝文志》各一卷,未見傳本,其流傳久佚歟?抑或有録無書,尚未可知。述因不揣固陋,特就《南齊》紀、傳,遇有撰著,隨手録出,大抵以其人没於齊代者爲斷,凡得數十家。又中、外沙門,譯述亦頗繁夥,因就釋家目録摘取排入。仍就《隋志》、新、舊《唐志》及官、私書目核檢,都凡三千

---

① "五行",《師大月刊》第二十二期所載陳述《補南齊書藝文志》同。武英殿本、中華書局標點本(簡稱中華本)《南齊書·檀超傳》作"五星",可從。

餘卷，謹取《明史·藝文志》斷代之例，略依《隋志》分類，稍事排比，并爲考證，寫成二卷。書雖多佚，亦略可窺見一代獻章之盛也。

若夫竟陵王所抄，無慮數百卷，并未之録，王融《門詩》，註於集部，亦示矜慎之意爾。

經部

一　易類

周易論十卷

中書郎周顒撰。

梁有三十卷，亡，見《隋志》。

《南齊書》本傳："顒字彥倫，汝南安成人。宋元徽中，歷邵陵王南中郎三府參軍。太祖輔政，轉齊臺殿中郎。建元中，爲山陰令。歷太子僕、中書郎、國子博士兼著作，卒官。顒兼善《老》、《易》，與張融相遇，輒以玄言相滯，彌日不解。"

周易問答一卷

揚州從事徐伯珍撰。

梁有，隋亡，見《隋志》。

《南齊書》本傳："伯珍，字文楚，東陽太末人也。叔父璠之與顏延之友善，還袪蒙山，立精舍講授，伯珍往從學，積十年，究尋經史，遊學者多依之。"

周易注九卷

齊安參軍費元珪注。

梁有，隋亡，見《隋志》。

《釋文·序録》:"費元珪注九卷,蜀人,齊安西參軍。"

姚振宗《隋書經籍志考證》:"陸氏《序録》本志此條'安'下脱四字,爲'南齊安西將軍府參軍'者是也。"

周易四德例一卷

步兵校尉劉瓛撰。

梁有,隋亡,見《隋志》。

馬氏《玉函山房》劉瓛《周易繫辭義疏》序稱此書泯不可見。

《南齊書》本傳:"瓛,字子珪,沛國相人,少篤學,博通五經,聚徒教授,常有數十人。太祖踐阼,欲以爲中書郎,不就。後以母老闋養,重拜彭城郡丞,學徒從之轉衆。卒諡曰貞簡先生。史臣曰:江左儒門,參差互出,雖於時不絶,而罕復專家。晋世以玄言方道,宋氏以文章閒業,二代以來,爲教衰矣。劉瓛承馬、鄭之後,一時學徒以爲師範。"

《南史》本傳:"瓛儒業冠於當時,都下世子貴游莫不下席受業。當世推爲大儒,以比古曹鄭,性謙率,不以高明自居。"

周易疑通五卷

太常丞何諲之撰。

梁有,隋亡,見《隋志》。

《隋志》作宋中散大夫何諲之。嚴可均《全齊文》小序:"何諲之,永明中爲太常丞。"

按何諲之,《宋書》、《齊書》、《南史》皆無傳,唯《南齊書·輿服志》永明六年有《章服議》,又《禮志》永明六年有《祭用鮮槀魚議》,并稱太常丞何諲之。而《禮志》永明十年又有《功臣配享議》,則稱祠部郎何諲之。當是仕宋官中散大夫,入齊爲太常丞,後轉祠部郎,兹故著之。

周易講疏二十六卷

永明國學講。

梁有,隋亡,見《隋志》。

《南齊書・武帝紀》:"永明三年春正月,詔:'《春秋國語》云生民之有學斅,猶樹木之有枝葉。果行育德,咸必由兹,宜高選學官,廣延胄子。'"又《禮志》:"永明三年正月,詔立學,創立堂宇,召公卿子弟,下及員外郎之胤,凡置生二百人。其年秋中悉集。"

姚氏《考證》:"永明中先後遞爲國子祭酒者,爲張緒、王儉。儉長《禮》學,多所論述。緒則長於《周易》,言精理奥,見宗一時。緒於高帝建元四年初立國學領祭酒。武帝永明三年,王儉代之。及七年,儉卒,緒復領祭酒。此永明國學講,儉與緒當職,必預其事也。"

易義

卷無考,長水校尉祖冲之撰。

見《經義考》十二。今佚。

《南齊書》本傳:"祖冲之,字文遠,范陽薊人也。少稽古,有機思。宋武平關中,得姚興指南車,有外形而無機巧,每行,使人於内轉之。昇明中,太祖輔政,使冲之追修古法。冲之改造銅機,圓轉不窮,而司方如一,馬均以來未之有也。竟陵王子良好古,冲之造欹器獻之。造《安邊論》,欲開屯田,廣農植。又解鐘律,博塞當時獨絶,莫能對者。以諸葛亮有木牛流馬,乃造一器,不因風水,施機自運,不勞人力。又造千里船。特善算。著《易》、《老》、《莊》義,釋《論語》、《孝經》,注《九章》,造《綴述》數十篇。"

周易要略一卷

徵士沈驎士撰。

馬氏玉函山房輯本。

《南齊書》本傳:"驎士,字雲禎,吴興武康人。少好學,家貧,織簾誦書，口手不息。隱居餘干吳差山，講經教授，從學者數十百人，著《周易兩繫》、《莊子內篇》訓注，《易經》、《禮記》、《春秋》、《尚書》、《論語》、《孝經》、《喪服》、《老子》要略數十卷。”

《南史》本傳：“驎士博通經史，有高尚之心，隱居餘干吳差山。從學士數十百人，各營屋宇，依止其側。時爲之語云‘吳差山中有賢士，開門教授居成市。’”

按沈驎士雖没於梁，蕭子顯特爲立傳，是蕭氏認其爲齊人也，兹故著之。

周易乾坤義一卷

劉瓛撰。

見《隋志》。新、舊《唐志》作劉瓛《乾坤義疏》一卷。黃奭《漢學堂逸書考》有輯本。

梁元帝《金樓子·興王篇》：“沛國劉瓛，當時‘馬鄭’，上每析疑義，雅相推揖。”

翁方網《經義考補正》：“按《隋志》《周易乾坤義》一卷，齊步兵校尉劉瓛撰。然胡一桂《周易本義啓蒙翼傳》云劉瓛《乾坤義疏》一卷、《繫辭易疏》二卷。《隋經籍志》亦載《周易繫辭義疏》二卷，劉瓛撰。據此，則‘乾坤義’下似當增‘疏’字。然陸氏《釋文》引《七録》云劉瓛作《繫辭義疏》，而未言《乾坤義疏》，今亦不敢增也。”

姚氏《考證》：“兩《唐志》義下加‘疏’字，似非是。”

乾坤義一卷

臨沂令李玉之撰。

梁有，隋亡，見《隋志》。

《南齊書·崔慧景傳》：“東昏侯時，慧景奉江夏王寶玄向京師，臨沂令李玉之發橋斷路，慧景收殺之。慧景敗死，追贈玉之給事中。”

王弼易二繫

卷無考，揚州主簿顧歡注。

據本傳。今佚。

《南齊書》本傳：“歡字景怡，吳郡鹽官人。同郡顧覬之臨縣，遣諸子與游，及孫憲之，并受經句。更從豫章雷次宗諮玄儒諸義。删撰《老氏》，獻《治綱》一卷，著《夷夏論》。又著《三名論》，甚工，鍾會《四本》之流也。又注《王弼易二繫》，學者傳之。”

《南史》本傳：“歡，字景怡，一字玄平，吳興鹽官人。父祖并爲農夫，歡獨好學。從吳興邵玄之受五經，更從豫章雷次宗諮玄儒諸義。於剡天台山開館聚徒，受業者常近百人。”

周易繫辭注一卷

徵士明僧紹撰。

馬氏玉函山房輯本。

《南齊書》本傳：“僧紹，字承烈，平原鬲人也。明經有儒術。隱長廣郡嶗山，聚徒立學。淮北没虜，乃南渡江。住弇榆山栖雲精舍，欣玩水石，竟不一入州城。”

《梁書·明山賓傳》：“父僧紹，隱居不仕，宋末徵國子博士不就。”

《釋文·序録》：“明僧紹，字承烈，平原人，國子博士徵不起。注《繫辭》，注《孝經》。”

按《隋志》有《孝經注》一卷，題國子博士明僧紹注。今檢本傳及《明山賓傳》，知曾徵國子博士，未就，兹稱徵士。又按，本傳徵國子博士在永明之年，而前此世祖且敕召，僧紹稱疾未見。考宋末亦曾被徵，不就。《梁書》所稱宋末徵國子博士著，或節略之詞，未及細檢也。

周易繫辭義疏二卷

劉瓛撰。

見《隋志》、《新唐志》。黄氏《漢學堂佚書考》有輯本。馬氏《玉函山房》、孫堂《漢魏廿一家易注》中亦各有輯本一卷,并作《周易義疏》,省"繫辭"二字。張惠言《易義別録》亦有輯存者。《釋文·序録》引《七録》作《繫辭義疏》。

按馬氏玉函山房輯本序:"《釋文》及《一切經音義》、《文選注》數節,皆《繫辭疏》。《正義》及《集解》亦引其說。《乾》、《坤》二卦則《乾坤義》之佚文也。"是所輯當爲《繫辭義疏》矣。

張氏《易義別録》輯本序稱:"《隋志》有劉瓛《繫辭義疏》二卷,又《周易乾坤義》一卷。又云梁有《周易四德例》一卷,亡。《文選注》所引或云《易注》,即其《義疏》之文,非別有注也。而《册府元龜》有劉瓛《義》九卷,董真卿《周易會通》引劉瓛同人之注,皆不足信。東晉以後,言《易》者大率以王弼爲本,而附之以玄言。齊代鄭義甚行,史稱子珪承馬、鄭之後,一時學徒以爲師範,其於《易》或宜宗鄭黜王,殘闕之餘,無聞焉耳。"

周易兩繫

卷無考,沈驎士撰。

據《南齊書》、《南史》本傳。今佚。

右凡十四部,六十一卷,并佚。今有輯本四部,四卷。

二　書類

尚書音義四卷

太尉王儉撰。

見新、舊《唐志》。今佚。

《南齊書》本傳："儉，字仲寶，琅玡臨沂人，專心篤學，手不釋卷。宋孝武好文章，天下悉以文采相尚，莫以專經爲業。儉弱年便留意三《禮》，尤善《春秋》，發言吐論，造次必與儒教，由是衣冠翕然，并尚經學。"《南史》本傳同。

尚書百問一卷

顧歡撰。

見《隋志》、新、舊《唐志》。今佚。

《南齊書·徐伯珍傳》："顧歡摘出《尚書》滯義，伯珍訓答，甚有條理，儒者宗之。"此書頗似所謂滯義，而徐氏訓答則泯不得見矣。

尚書要略

卷無考，沈驎士撰。

據《南齊書》、《南史》本傳。今佚。

別著《周易要略》，已見前。

右凡三部，六卷，今並佚。

三　詩類

毛詩序義疏一卷

劉瓛等撰。

殘缺，梁三卷，見《隋志》。馬氏《玉函山房》有輯本一卷。

《釋文·序録》："宋徵士雁門周續之、豫章雷次宗、齊沛國劉瓛并爲《詩序義》。"

姚氏《考證》："按《隋志》作劉瓛等者，或合周、雷二家之書在内，爲陸氏所見者歟？"

馬氏玉函山房輯本序："《隋志》載《毛詩序義疏》一卷，劉瓛撰，殘缺，梁三卷。《唐志》有劉氏《序義》一卷，即《隋志》之

《序義疏》也,今佚,從《正義》、《釋文》所引得二節。"

毛詩篇次義一卷

劉瓛撰。

梁有,隋亡,見《隋志》。

毛詩集解叙義一卷

顧歡等撰。

見《隋志》。《通志略》作《毛詩解序義》。今佚。

別著《王弼易二繫》等書,已見前。

右凡三部,三卷,並佚。今存輯本一部,一卷。

四　禮類

集解喪服經傳二卷

東平太守田僧紹解。

見《隋志》。今佚。

《釋文·叙錄》:"田儁之,字僧紹,馮翊人,齊東平太守,注《喪服》。"是僧紹乃儁之之字,而《隋志》並稱僧紹,兹仍其舊。

喪服經傳義疏五卷

散騎郎司馬憲撰。

梁有,隋亡,見《隋志》。

《南史·邱巨源》附傳:"司馬憲,字景思,河内温人也。待詔東觀爲學士,至殿中郎。口辨有才地,使魏,見稱於北。"

《梁書·伏曼容傳》:"齊永明初,衛將軍王儉令與河内司馬憲、吳郡陸澄共撰《喪服義》,既成,又欲與之定禮樂,會儉薨。"

按王儉有《喪服古今集記》三卷,爲其少時所撰,詳於後。此五卷名《義疏》,乃永明初,令伏曼容、陸澄及憲三人所撰者。

又按“憲”,《南齊書·禮志》亦同,唯《隋志》作“瓛”。

喪服經傳義疏二卷

給事中樓幼瑜撰。

梁有,隋亡,見《隋志》。

《南齊書·徐伯珍傳》:“伯珍,東陽人。同郡樓幼瑜亦儒學,著《禮捃遺》三十卷。”

《南史·徐伯珍》附傳:“伯珍同郡婁幼瑜,字季玉。亦聚徒教授,不應徵辟,彌爲臨川王暎所賞異,著《禮捃拾》三十卷。”

《隋志》、《南齊書》同稱“樓幼瑜”,《南史》獨作“婁幼瑜”。

喪服經傳義疏一卷

劉瓛撰。

梁有,隋亡,見《隋志》。

別著《周易乾坤義》等書,已見前。

喪服經傳義疏一卷

沈驎士撰。

梁有,隋亡,見《隋志》。

別著《周易要略》等書,已見前。

喪服古今集記三卷

王儉撰。

見《隋志》、新、舊《唐志》。馬氏《玉函山房》輯有一卷。

《南齊書》本傳作《古今喪服集記》,未言卷數。

馬氏玉函山房輯本序:“南齊王儉撰《喪服古今集記》,《隋》、《唐志》并作三卷,今佚。《齊書·禮志》引儉《議喪服》七篇,《文惠太子傳》載一篇,《隋書·禮儀志》引二節,《春秋釋文》亦引儉説《苫凷》一事,皆集記之遺文。”

姚氏《考證》謂:“《文選》任彦昇《王文憲集序》末稱“所撰《古今集記》、《今書七志》爲一家言,不列於集”。是《古今集記》,

或王儉諸所撰述之總名乎？《隋志》所載《禮答問》、《禮義答問》、《禮論抄》、《弔答儀》、《吉書儀》、《百家集譜》，多不見於本傳者。新、舊《唐志》并有《尚書音義》四卷，《公羊音》二卷，或皆編入《集記》中，是書亦其一歟？"

喪服世行要記十卷

光禄大夫王逡之撰。

見《隋志》。馬氏《玉函山房》有輯本一卷。

《隋志》題王逸撰。新、舊《唐志》有《喪服五代行要記》五卷，[①]題王逡之注。

《南齊書·王逡之傳》："逡之，字宣約，琅邪臨沂人。少禮學博聞。初儉（即王儉）撰《古今喪服集記》，逡之難儉十一條，更撰《世行》五卷。"

《經義考》："王氏逸《喪服世行要記》，《隋志》十卷。《舊唐書》'逸'作'逡之'。"

馬氏玉函山房輯本序："《隋志》有《喪服世行要記》十卷，齊光禄大夫王逸撰。《舊唐書》'逸'作'逡之'。與《南齊書》合，則作'逸'者，傳寫誤也。《南齊·禮志》載其與王儉答問一篇，《禮志》稱王逡，脱'之'字，誤'逡'爲'逸'，有由然矣。"

姚氏《考證》稱"王逸"當是"王逡"轉寫之誤。謂："此書次王儉之後，以《齊書·文學傳》考之，實是王逡之撰，兩《唐志》題名不誤。其云《五代行要記》，'五'或衍文，或'五'下脱'服'字，仍唐人舊文，以'世'爲'代'。《舊唐志》每以'注'爲'志'，似音聲之譌。六朝人名或連'之'字，或不連'之'字，類是者甚多。馬氏謂誤'逡'爲'逸'，得其實矣。本傳云五卷。此作十卷者，或並王儉原書及《難義》十一條，合爲一帙歟？"

---

① "五卷"，武英殿本、中華本新、旧《唐志》作"十卷"。

喪服圖一卷

王儉撰。

見《隋志》。今佚。

喪服要略

卷無考,沈驎士撰。

據《南齊書》、《南史》本傳。今佚。

《隋志》有《喪服要略》二卷,不著撰人,未審即此書否。

別著《周易要略》,已見前。

南齊五服制一卷①

見《通志略》,未著撰人。今佚。

喪服紀二卷

田僧紹注。

見新、舊《唐志》。今佚。

案此與《隋志》所載《集解喪服經傳》卷數正同,或其書之別名乎? 今姑兩存,用待考索。

禮論要鈔十卷

王儉撰。

梁三卷,見《隋志》。《通志略》作《禮論要帖》。今佚。

《南史》本傳:"何承天《論禮》三百卷,儉抄爲八帙,又別抄條目爲十三卷。朝儀舊典,晉末來施行故事,撰次諳憶,無遺漏者。所以當朝理事,斷決如流,每博議引證,先儒罕有其例。"

王應麟《困學紀聞》五:"《宋·何承天傳》云承天删減《禮論》爲三百卷,王儉別抄條目爲十三卷。梁孔子袪續一百五十卷,隋江都集《禮》,亦撮《禮論》爲之。朱文公謂六朝人多精

----

① "制",原誤作"志",《師大月刊》第二十二期所載陳述《補南齊書藝文志》同,據文淵閣四庫全書本《通志·藝文略》及本書樂類"齊朝曲簿"條改正。

於禮,當時專門名家有此學,朝廷有禮事,用此等人議之。唐時猶有此意。又稱杜之松借王儉《禮論》,則謂往於處士程融處曾見此本,觀其制作,動多自我,周、孔規模,十不存一。"

姚氏《考證》謂:"本傳云抄爲八帙,當爲八十卷(六朝人多以十卷为一帙,見《金樓子·著書篇》),《隋志》不載。此云十卷梁三卷者,當是十三卷之誤。新、舊《唐志》有《禮論要鈔》十三卷,不著撰人,似即此書,《南史》所謂條目十三卷者。"

禮雜鈔略二卷

御史中丞荀萬秋撰。

見新、舊《唐志》。《隋志》稱梁有荀萬秋《鈔略》二卷,亡。唐時兩《志》並著録,或復現於人間乎? 但此後官、私書目不載。今有馬氏《玉函山房》輯《禮論要鈔》一卷。

《宋書·荀伯子傳》:"伯子,潁川潁陰人。族弟昶,元嘉初以文義至中書郎。昶子萬秋,字元寶,亦用才學自顯。世祖初,爲晋陵太守,坐於郡立華林閣,置主書、主衣,下獄免。前廢帝末,爲御史中丞,卒官。"

馬氏玉函山房輯本序:"荀氏《禮雜抄略》今佚,杜佑《通典》引其在孝武時爲殿中曹郎《議郊廟樂制》二篇。"

禮答問三卷

王儉撰。

見《隋志》。新、舊《唐志》并有王儉《禮雜答問》十卷。今佚。

禮義答問八卷

王儉撰。

見《隋志》。新、舊《唐志》并有《禮儀問答》十卷。馬氏《玉函山房》輯本一卷。

馬氏玉函山房輯本序:"《隋志》載王儉《禮答問》三卷,又《禮義答問》八卷,《唐志》作《禮儀問答》、《禮雜答問》,并十卷,今佚。從《南齊書·禮志》、《輿服志》輯録六篇。"

禮捃遺三十卷

樓幼瑜撰。

見《南齊書·徐伯珍》附傳。今佚。

《南史·劉瓛》附傳、《徐伯珍》附傳作《禮捃拾》,卷同。

摭遺别記一卷

樓幼瑜撰。

見《隋志》。今佚。

按幼瑜著《禮捃遺》三十卷,已據本傳著録。此一卷名《摭遺别記》,殆其三十卷之餘乎?

逆降義一卷

田僧紹撰。

梁有,隋亡,見《隋志》。

儀禮注二卷

謝超宗撰。①

見《新唐志》。今佚。

《南齊書》本傳:"超宗,陳郡陽夏人,好學,有文辭,盛得名譽。太祖即位,爲黄門郎。有司奏撰立郊廟歌,敕司徒褚淵、侍中謝朏、散騎侍郎孔稚珪、太學博士王暅之、總明學士劉融、何法岡、何曇秀等十人並作,超宗辭獨見用。"

又《王智深傳》:"少從陳郡謝超宗學屬文。"《南史·王智深傳》同。

---

①　武英殿本、中華本《新唐志》均無"謝超宗《儀禮注》",而有"蔡超宗《儀禮注》二卷",《舊唐志》同,疑"謝"爲"蔡"之誤。又據《唐書藝文志注》,"宗"字衍,作者當爲劉宋之蔡超。

儀禮二卷

田僧紹注。

見《新唐志》。今佚。

禮論五十八卷　議一百三十卷　統六卷

尚書儀曹郎丘季彬撰。

梁有，隋亡，見《隋志》。

丘季彬始末未詳。

右凡二十一部，二百八十卷，并佚。今有輯本四部，四卷。

五　樂類

齊朝曲簿一卷

不著撰人。

見《隋志》。今佚。

按此書與前禮類《南齊五服制》疑係官書之類，故未明著撰人。“齊朝”、“南齊”字樣，當爲後人所加者。

右一部，一卷，今佚。

六　春秋類

春秋釋例引序一卷

正員外郎杜乾光撰。

梁有，隋亡，見《隋志》。

姚氏《考證》：“杜乾光始末未詳，似即杜鎮南玄孫坦及驥之後。《北史·儒林傳》序所謂‘傳其家業，齊地多習之者也’。”

春秋公羊音二卷

王儉撰。

見新、舊《唐志》。今佚。

別著《尚書音》等書，已見前。

春秋例苑三十卷

晋安王蕭子懋撰。

據《南齊書》本傳。今佚。

《南齊書》本傳："子懋，字雲昌，世祖第七子。永明六年，徙監湘州平南將軍、湘州刺史。八年，進號鎮南將軍。撰《春秋例苑》三十卷，奏之。世祖嘉之，勅付祕閣。初，子懋鎮雍，世祖勅曰：'知汝常以書讀在心，足爲深欣也。'賜子懋杜預手所定《左傳》及《古今善言》。"

春秋要略

卷無考，沈驎士撰。

據《南齊書》、《南史》本傳。今佚。

別著《周易要略》等書，已見前。

右凡四部，三十四卷，並佚。

七　孝經類

孝經注一卷

光禄大夫王玄載注。

梁有，隋亡，見《隋志》。

《南齊書》本傳："玄載，字彦休，下邳人。仕宋至益州刺史、後軍將軍，封鄂縣子。入齊爲光禄大夫、兗州刺史。卒年七十六，謐烈子。"

《釋文·叙錄》："王玄戴，字彦運，大□人，齊光禄大夫，注《孝經》。"盧文弨《釋文考證》："王玄戴，下邳人，舊'下'字誤爲'大'，'邳'字空闕，今補正。《隋志》'戴'作'載'，《老子》有王玄載注,《釋文》亦作'載',此'戴'字誤也。"

孝經注一卷

明僧紹注。

梁有,隋亡,見《隋志》。

別著《周易繫辭注》,已見前。

孝經注

卷無考,祖冲之注。

據《南齊書》本傳。今佚。

別著《易義》,已見前。

孝經說一卷

劉瓛撰。

馬氏玉函山房輯本。

馬氏玉函山房輯本序:"瓛說《孝經》,《隋》、《唐志》皆不載,邢昺《正義序》稱之,卷數未詳。說仲尼居,述張禹中和之義,《正義》所不取。說孝無終而患不及者,以謝萬少賤之辭爲失,《正義》從其解。要其全書,固醇疵互見者。"

孝經義疏一卷

永明三年東宮講。

梁有,隋亡,見《隋志》。

《南齊書·武帝紀》:"永明三年八月戊午,以尚書令王儉領太子少傅。冬十月壬戌,詔曰:'皇太子長懋講畢,當釋奠,王公以下可悉往觀禮。'"(《南史·豫章文獻王嶷傳》:"永明元年,領太子太傅。三年,文惠太子講《孝經》畢,嶷求解太傅,不許。"豫章王,高帝第二子,武帝弟,文惠太子叔父也。講《孝經》時,嶷爲太傅,王儉爲少傅。)又《禮志》:"永明三年冬,皇太子講《孝經》,親臨釋奠,駕幸聽。"

《南齊書》本傳:"文惠皇太子長懋,字雲喬,武帝長子。引接

朝士會稽虞炎、濟陽范岫、汝南周顒、陳郡袁廓，并以學行才
能應對左右。永明三年，於崇正殿講《孝經》，少傅王儉以摘
句令太子僕周顒爲《義疏》。"《南史》本傳同。又《周顒傳》：
"顒卒官時，會王儉講《孝經》未畢，舉曇濟自代，學者榮之。"
姚氏《考證》："《周顒傳》云舉曇濟自代者，代其所撰未畢之
《義疏》也。然則是書始作於周顒，成於謝曇濟。"

孝經義疏一卷

永明中諸王講。

梁有，隋亡，見《隋志》。馬氏《玉函山房》輯《孝經講義》一卷。

馬氏玉函山房輯本序："《隋志》載齊永明中諸王講《孝經義
疏》一卷，《唐志》不著目，佚已久。考《南齊書·文惠太子
傳》，永明五年冬，太子臨國學，親臨策試諸生。下載太子問
王儉、張緒及竟陵王子良、臨川王暎問答，凡十四節。傳言永
明五年，與《隋志》所稱永明中諸王講正合，茲據輯補。太子
以長軍臨學，諸王一堂諮論，皆前代所未有。錄列一家，東宮
講義大旨亦於此見其略云。"

姚氏《考證》："按馬氏以《文惠太子傳》所載問答，謂即諸王
講，不悉是否也。又《南齊書·武紀》，永明四年三月辛亥，國
子講《孝經》，車駕幸學，賜國子祭酒、博士、助教絹各有差。
此題諸王講，不云國學講，亦不知是否即此事。"

孝經義疏二卷

李玉之爲始興王講。

梁有，隋亡，見《隋志》。

《南史·齊高帝諸子傳》："始興簡王鑑，字宣徹，高帝第十子。
年十四爲益州刺史，好學，善屬文，不重華飾，器服清素，有高
士風。王儉嘗嘆云：'始興王雖尊貴，而行履都是素士。'"

李玉之著有《乾坤儀》，已見前。

孝經要略

卷無考，沈驎士撰。

據《南齊書》、《南史》本傳。今佚。

別著《周易要略》等書，已見前。

右凡八部，九卷，並佚。今有輯本二部，二卷。

八　論語類

論語注一卷

顧歡注。

馬氏玉函山房輯本。

馬氏玉函山房輯本序："歡此注，《隋》、《唐志》皆不載，《釋文·序錄》亦不稱之，蓋隋、唐時已早佚亡。唯皇侃《義疏》引有八節，如說'屢空'云'夫無欲與無欲者，聖人之常也；有欲與無欲者，聖人之分也。二欲同無，故全空以目聖；一有一無，故每虛以稱賢'云云。語涉冲玄聊周餘緒。史稱歡著《夷夏論》黨於道教，又嘗注《老子》行世，心游惝惚，不自覺言近支離也。然清辨滔滔，其味雋永，作六朝制藝觀，可爾。"

論語訓注一卷

沈驎士訓注。

馬氏玉函山房輯本。

馬氏玉函山房輯本序："驎士注《論語》，《隋》、《唐志》皆不載。《經義考》云沈驎士《論語訓注》佚，蓋據本傳爲言。其卷數不能詳也。《釋文》、《正義》均不見稱述，唯皇侃《義疏》引沈居士說，凡七節，而不著其名。史稱驎士隱居餘干吳差山，以經教授，永明、建武、永元之世，三徵不起。居士之名，應有獨擅，故直題驎士也。其說亦涉玄宗，而文筆清俊可喜。"

按晚世之稱居士,乃對沙門而言,非必如隱士也。

論語注釋十卷

員外郎虞遈注釋。

梁有,隋亡,見《隋志》。

《釋文·叙録》:"《論語》虞遈注十卷。會稽人,齊員外郎。"

論語注釋十卷

許容注釋。

梁有,隋亡,見《隋志》。

許容始末未詳。

論語要略

卷無考,沈驎士撰。

據《南齊書》、《南史》本傳。今佚。

別著《周易要略》等書,已見前。

論語注

卷無考,祖冲之注。

據《南齊書》本傳。今佚。

別著《易義》等書,已見前。

右凡六部,二十四卷。有輯本二部,二卷。

九　小學類

評書一卷

侍中左光禄大夫王僧虔撰。

見《玉海》四五引《中興館閣書目》。今佚。

《南齊書》本傳:"王僧虔,琅邪臨沂人。善隸書,宋文帝見其書素扇,歎曰:'非唯跡逾子敬,方當器雅過之。'孝武欲擅書名,僧虔不敢顯跡。常用拙筆書,以見容。泰始中,出爲輔國將軍、吳興太守。王獻之善書，爲吳興郡，及僧虔善書，又爲郡，論者稱之。太祖善書，及即位，與僧虔賭書畢，謂僧虔曰：‘誰爲第一?’僧虔曰：‘臣書第一，陛下亦第一。’上笑曰：‘卿可謂善自爲謀矣。’示僧虔古迹十一袠，就求能書人名。僧虔得民間所有，袠中所無者十二卷奏之。又上羊欣所撰《能書人名》一卷。薨，謚簡穆。有《論書》，又著《書賦》傳於世。”
按此當即本傳所謂《論書》者是也。①

古今篆隸文體一卷

竟陵文宣王蕭子良撰。

见日本藤田佐世《日本見在書目》，并見汪師韓《文選注引書目》。今佚。

按《隋志》有《古今篆隸雜字體》一卷，題蕭子政撰，與此書仿佛，惜今并佚，無由考檢。

《南齊書》本傳：“子良，字雲英，世祖第二子。少有清尚，禮才好士，居不疑之地，傾意賓客，天下才學皆遊集焉。”

右經部凡六十二部，四百二十卷，并佚。今有輯本十三部，十三卷。

---

① “者”原誤作“皆”，據《師大月刊》第二十二期所載《補南齊書藝文志》改。

史部

一　正史類

漢書注一卷

金紫光禄大夫陸澄撰。

見《隋志》。新、舊《唐志》並有陸澄《漢書新注》一卷。黃氏漢學堂輯本。

《南齊書》本傳:"澄,字彦淵,吳郡吳人也。少好學,博覽無所不知,行坐眠食,手不釋卷。仕宋至御史中丞,入齊累遷國子祭酒。隆昌元年,以老疾,轉光禄大夫,加散騎常侍,未拜,卒。謚靖子,當世稱爲碩學。"

按後又有陸澄《漢書注》百二卷,此或從百二卷中抽出者,抑百二卷之外别有此雜注一卷,而新、舊《唐志》誤雜注爲新注歟?

漢書注一百二卷

陸澄撰。

梁有,隋亡,見《隋志》。

《史通·補注篇》:"掇衆史之異同,補前書之所闕,若裴松之

《三國志》，陸澄、劉昭兩《漢書》之類是也。"同篇又稱："陸澄所注班史，多引司馬遷之書，若此缺一言，彼增半句，採摘成注，標爲異說，有昏耳目，難爲披覽。"

晋書一百一十卷

徐州主簿臧榮緒撰。

見《隋志》、新、舊《唐志》。《黃氏佚書考》有輯本，不分卷。

《南齊書》本傳："榮緒括東西晋爲一書，紀、錄、志、傳百十一卷。司徒褚淵啓太祖曰：'榮緒深沈典素，追古著書，撰《晋史》十袠，贊論雖無逸才，亦足弥綸一代。庶得備錄渠閣，採異甄善。'"

《陳書·何之元傳》："榮緒稱史無論斷，猶起居注耳。"

《南史·諸葛璩傳》："師徵士臧榮緒，著《晋書》，稱璩有發摘之功，方之壼遂。"

《史通·論贊篇》："必擇其善者，臧榮緒亦其次也。"

《舊唐書·房玄齡傳》："房玄齡與褚遂良受詔重撰《晋書》，奏請以臧榮緒《晋書》爲主，參考詳洽。"

《太平寰宇記·山南西道》引榮緒《地理志》。《北堂書鈔·刑法部》引榮緒《刑德志》。《史通·書志篇》："司馬彪、臧榮緒相承載筆，競志五行。"此篇目之可考者。

章宗源《隋書經籍志考證》："今《晋書·李重傳》稱重議官階，見《百官志》。《司馬彪傳》稱彪議南郊，見《郊祀志》。《張亢傳》亢述曆贊，見《律曆志》。《摯虞傳》表論封禪，見《禮志》；議玉輅兩社，見《輿服志》。依儉《志》內，俱無其文。錢大昕《晋書考異》嘗辨之，然據《唐會要》，言貞觀修《晋書》以臧榮緒爲本，則《百官》、《郊祀》諸志當是臧氏之志也。《書鈔·設官部》引熙寧二年省司農職，孝武寧康復置，乃《百官志》語。《文選·藉田賦》注引《大駕鹵簿》有大輦，又《鹵簿》曰青立車、青安車;《北山移文》注驪六人;《太平御覽・皇親部》帝之姑姊妹皆爲長公主,加綠綬,乃《輿服志》語。《初學記・歲時部》熊遠議履端元日;《御覽・時序部》元會設白虎樽事,乃《禮志》語。紀傳之體,其詞易見,惟録體未詳。"

宋書六十五卷

冠軍録士參軍孫嚴撰。

見《隋志》。《舊唐志》四十六卷,《新唐志》五十八卷。今佚。

《文選》袁陽源《效白馬篇》詩注引袁淑一事,《太平御覽・地部》引漢水崩岸事,並作孫巖,《宋書》、《初學記・地部》、《禮部》共引三事,《御覽・兵部》、《人事部》、《宗親部》凡引十餘事,同《隋志》作孫嚴。

姚氏《考證》:"《史通・正史篇》云:'《宋史》元嘉中,又命裴松之續成國史,松之尋卒,史佐孫冲之,表求爲一家之書。'似即此孫嚴《宋書》,冲之其字歟?《宋書・臧質傳》:'孫冲之,太原中都人,晉祕書監孫盛曾孫也。官至右將軍、巴東太守。後事在《劉琬傳》。'按劉琬當爲鄧琬。《鄧琬傳》云:'大明八年,琬爲晉安王子勛鎮軍長史,前廢帝遣使齎藥賜子勛死,琬乃佐子勛起兵尋陽。巴東、建平二郡太守孫冲之之郡,始至孤石,琬以冲之爲子勛諮議參軍,領中兵,加輔國將軍,與陶亮並統前軍。子勛即僞位,加左衛將軍。後敗還,不知所終。'豈即此孫冲之?冲之有集十一卷,見別集類。又有孫盛曾孫,史學是其世業,殆即其人。或當時未及於難,入齊爲冠軍將軍録事,未可知也。"

宋書三十卷

竟陵王司徒參軍王智深撰。

見《新唐志》。今佚。《通志略》題梁王智深。

《南齊書》本傳:"智深,字雲才,琅邪臨沂人。少從陳郡謝超宗學屬文。^① 宋建平王景素爲南徐州,作《觀法篇》,智深和之,見賞,辟爲西曹書佐。遷太學博士。世祖敕智深撰《宋紀》,召見芙蓉堂,賜衣服,給宅。智深告貧於豫章王,王曰:'須卿書成,當相論以禄。'書成三十卷,世祖後召見,令拜表奏上。表未奏而世祖崩。隆昌元年,敕索其書,智深遷爲竟陵王司徒參軍,坐事免。"

按《水經·泗水注》、《汝水注》,又《初學記·人部》、《居處部》、《器物部》,與《太平御覽·禮儀部》、《服章部》、《兵部》、《人事部》,共引智深《宋紀》十二條,"紀"間作"記"。

宋書

卷無考,領軍諮議劉祥撰。

據《南齊書》本傳。今佚。

《南齊書》本傳:"祥,字顯徵,東莞莒人也。少好文學,性韻剛疏,輕言肆行,不避高下。撰《宋書》譏斥禪代。尚書令王儉密以啓聞,上銜而不好問。歷鄱陽王徵虜、豫章王大司馬諮議、臨川王驃騎從事中郎,著《連珠》十五首。"

右凡六部,三百九卷,并佚。今有輯本二部。

二　編年類

齊典五卷

王逡之撰。而别有《齊典》五卷,題王逸撰。

見《隋志》、新、舊《唐志》。《通志略》作四卷,在儀注類。

按舊題王逸爲王逡之之訛,已辨於前經部禮類。

---

① "謝超宗",原誤作"謝起宗",據《師大月刊》第二十二期所載陳述《補南齊書藝文志》及武英殿本、中華本《南齊書·王智深傳》改。

齊典十卷

未著撰人。

見《隋志》。今佚。

《南齊書·檀超傳》："時豫章熊襄著《齊典》,上起十代。其序
云:'《尚書·堯典》謂之《虞書》,則附所述,故通謂之齊,名爲
《河洛金匱》。'"《南史·文學傳》同。章氏《考證》未識此書即
襄所撰否。新、舊《唐志》雜史類有熊襄《十代記》十卷。

姚氏《考證》:"按此證以《齊書》、《南史·文學傳》及兩《唐
志》,所載書名、卷數,皆有可據,是爲熊襄書無可疑者。《隋
志》失注撰人耳。其書相傳有三名:曰《河洛金匱》,曰《齊
典》,曰《十代記》。"

右凡二部,十五卷,今並佚。

三　雜史類

續洞記一卷

臧榮緒撰。

見《隋志》。今佚。《通志略》入編年類。

按《隋志》載漢韋昭《洞記》四卷,記庖犧以來至漢建安二十七
年,臧書蓋續韋書者。

聖皇瑞命記一卷

輔國將軍蘇侃撰。

據《南齊書》本傳。今佚。

《南齊書》本傳:"侃,字休烈,武邑人。涉獵書傳,出身正員將
軍,補長城令。薛安都反,引侃爲其府參軍,使掌書記。安都
降虜,侃自拔南歸,除積射將軍。遇太祖,取爲冠軍録士參
軍。上在兵中久,見疑於時,乃作《塞客吟》以喻志,又爲塞上

之歌。除黃門郎，復爲太祖太尉諮議。侃事上既備悉起居，乃與丘巨源撰《蕭太尉記》，載上征伐之功。上即位，侃撰《聖皇瑞命記》一卷，奏之。"

蕭太尉記

卷無考，蘇侃、丘巨源合撰。

據《南齊書·蘇侃傳》。今佚。

《南齊書·丘巨源傳》："巨源，蘭陵蘭陵人。宋初土斷屬丹陽，後屬蘭陵。少舉丹陽郡孝廉，爲宋孝武所知。（至齊）建元元年，爲尚書主客郎，領軍司馬，越騎校尉。除武昌太守，改餘杭令。"

右凡三部，三卷，今並佚。

四　起居注類

永明起居注廿五卷

梁有三十四卷。

見《隋志》、《新唐志》。今佚。

《南齊書·王逡之傳》："逡之兼著作，撰《永明起居注》。"

建元起居注十二卷

梁有，隋亡，見《隋志》。

隆昌起居注

延興起居注

建武起居注

以上三種，梁時共有四卷，隋亡，見《隋志》。

中興起居注四卷

梁有，隋亡，見《隋志》。今佚。

三代起居注鈔

王逡之撰。

見《新唐志》。今佚。

右凡七部,四十六卷,今并佚。

五 雜傳類

止足傳十卷

蕭子良撰。

《隋志》未著撰人,《新唐志》有竟陵文宣王子良《止足傳》十卷,《舊唐志》有《止足傳》十卷,題王子良撰。按時無王子良其人,當爲脫字致誤,即蕭子良是也。

止足傳十卷

平西諮議宗躬撰。

見《新唐志》。今佚。

孝子傳三卷[①]

宋躬撰。

見《隋志》。《舊唐志》十卷。今佚。《新唐志》二十卷,題宗躬撰。

《太平廣記·感應類》、《藝文類聚·菓部》、《太平御覽·地部》、《人事部》,并引宋躬《孝子傳》。《初學記·器物部》、《藝文類聚·人部》並引宗躬《孝子傳》。而《法苑珠林·忠孝篇》又引宋射《孝子傳》、宗躬之《孝子傳》。六朝人名連之字者,可有可無,射字疑躬字之誤,抑或爲二書乎?

續高士傳三卷

徵士宗測撰。

---

① "三卷",武英殿本、中華本《隋書·經籍志》作"二十卷"。

據《南齊書》本傳。今佚。

《南齊書》本傳:"宗測,字敬微,南陽人。永明三年,詔徵太子舍人,不就。安陸王子敬、長史劉寅以下皆贈送之,測無所受。齎《老子》、《莊子》二書自隨,往盧山,止祖炳舊宅。魚服侯響命駕造之,測避不見。建武二年,徵爲司徒主簿,不就,卒。測善畫,自圖阮籍遇蘇門於行障上,坐臥對之。又畫永業佛影臺,皆爲妙作。頗好音律,善《老》、《易》,續皇甫謐《高士傳》三卷。"

能書人名

卷無考,寧朔將軍、撫軍長史劉繪撰。

據《南齊書》本傳。今佚。

《南齊書》本傳:"劉繪,字士章,彭城人。聰警有文義,善隸書。永明末,京邑人士盛爲文章談義,皆湊竟陵王西邸。繪爲後進領袖,機悟多能。高宗即位,遷太子中庶子,出爲寧朔將軍、撫軍長史。安陸王寶晊爲湘州,以繪爲冠軍長史、長沙内史,行湘州事,將軍如故。遭母喪去官。中興二年卒。繪撰《能書人名》,自云善飛白。"按王僧虔有《條疏古來能書人名啓》,自秦至晋,凡六十九人,見《法書要録》(今檢此啓,僅五十七人,恐有漏誤)。今劉繪書不可得,意僧虔此啓或仿佛似之。

人名書

卷無考,賈淵撰。

據《南齊書》本傳。今佚。

《南齊書》本傳:"淵,字希鏡,平陽襄陵人。撰《氏族要狀》及《人名書》,并行於世。"

雜傳十九卷

陸澄撰。

見《隋志》。今佚。

雜傳四十卷

賀縱撰。

本七十卷，亡，見《隋志》。

右凡八部，八十七卷，今并佚。

六　儀注類

齊職儀五十卷

長水校尉王珪之撰。

見《隋志》。《新唐志》有王珪之《齊職官儀》五十卷。今佚。

《南齊書·王逡之傳》：“逡之，琅邪臨沂人。從弟珪之，有史學，撰《齊職儀》。永明九年，其子中軍參軍顥上啓曰：‘臣亡父故長水校尉珪之，以宋元徽二年，被敕使纂集古設官歷代分職，凡在墳策，必盡詳究。是以等級掌司，咸加編録。黜陟遷補，悉該研記。述章服之差，兼冠佩之飾。屬值啓運，軌度惟新。故太宰臣淵奉宣敕旨，使速洗正。刊定未畢，臣私門凶禍。不揆庸微，謹冒啓上，凡五十卷，謂之《齊職儀》。’詔付祕閣。”

《百官志》注諸臺府郎令史職以下具見王珪之《職儀》。又稱刺史督州，王珪之《職儀》云起光武，非也。

《陳書·袁樞傳》：“《齊職儀》曰凡尚公主，必拜駙馬都尉，魏、晋以來，因爲贍準。”《唐六典》注、《太平御覽·職官部》、《初學記》、《藝文類聚》皆引《齊職儀》。

禮儀四十九卷

王珪之撰。

梁有，隋亡，見《隋志》。

禮儀制度十三卷

　　王逡之撰。

　　見《隋志》。今佚。

永明儀注

　　卷無考。

　　據《通典》所引。今佚。

　　《通典·樂門》：“就埋位，齊永明六年儀注奏隸幽。”

齊職儀五卷

　　未著撰人。

　　見《隋志》。今佚。

　　按此書與王珪之《齊職儀》同名，並見《隋志》。王書五十卷，此則五卷，或漏一“十”字，而重出乎？《藝文類聚·職官部》引《齊職儀》凡八次之多，散見卷四五、卷四六、卷四七、卷四八。

齊鹵簿儀一卷

　　未著撰人。

　　見《隋志》。今佚。

書筆儀二十卷

　　謝朓撰。

　　見《舊唐志》、《日本見在書目》。今佚。

　　《隋志》有《書筆儀》二十一卷，題謝朓撰。《新唐志》同，但作二十卷。

皇室書儀七卷

　　王儉撰。

　　見新、舊《唐志》。今佚。

皇室書儀十三卷

鮑衡卿撰。[1]

見《新唐志》。今佚。

宋長沙檀太守弔答書十二卷[2]

見《隋志》。今佚。

弔答儀十卷

王儉撰。

見《隋志》。今佚。新、舊《唐志》、《通志略》有王儉《弔答書儀》十卷,當即此書。

吉書儀二卷

王儉撰。

見《隋志》。今佚。新、舊《唐志》有王儉《吉儀》二卷,當即此書。

齊國儀禮

卷無考,王逡之參定。

據《南齊書》本傳。今佚。

《南齊書》本傳:"逡之以著作郎兼尚書左丞,參定齊國禮儀。"

右凡十三部,百八十四卷,今并佚。

七　刑法類

齊永明律八卷

宗躬撰。

見《新唐志》。今佚。

---

① "鮑衡卿",據《舊唐志》及《南史·鮑泉傳》附傳,當作"鮑行卿"。

② "宋長沙檀太守弔答書",武英殿本、中華本《隋志》作"宋長沙檀太妃薨弔答書"。

《通典·刑門》：“齊武帝令刪定郎王植之集注張、杜舊律，合爲一書，凡千五百三十條，事未施行，其文殆滅。”

《唐六典》：“宋及南齊《律》之篇目及刑名之制，略同晉世。”

《南齊書·東昏侯紀》：“永春元年冬，詔刪省科律。”

律文二十卷　錄叙一卷

據《南齊書·孔稚珪傳》。今佚。

《南齊書·孔稚珪傳》：“江左相承用晉世張、杜律二十卷，世祖留心法令，數訊囚徒，詔獄官詳正舊注。先是七年，尚書刪定郎王植撰定律章表奏之，曰：‘臣尋《晉律》，文簡詞約，旨通大網，事之所質，取斷難釋。張斐、杜預同注一章，而生殺永殊。自晉泰始以來，唯斟酌參用。是則吏假威福之勢，民懷不對之怨。陛下爰發德音，敕臣集定張、杜二注。削其煩害，錄其尤衷。取張注七百三十一條，杜注七百九十一條。或二家兩釋，於義乃備者一百七條，其注相同者一百三條，集爲一書，凡一千五百三十二條，爲二十卷。請付外詳校，摘其違謬。’於是公卿八座參議，考正舊注。九年，稚珪上表曰：‘臣與公卿八座共刪注律，謹奉聖旨，諮審司徒臣子良，禀受成規，創立條緒。使兼監臣宋躬、兼平臣王植等抄撰同異，^①定其去取。詳議八座，裁正大司馬臣嶷。其中洪疑大議，衆論相背者，斷自天筆。始就成立《律文》二十卷，《錄叙》一卷，凡二十一卷。今以奏聞，請付外施用。’”

皇誥十八篇

據《南齊書·魏虜傳》。今佚。

《南齊書·魏虜傳》：“先是劉纘再使虜，太后馮氏悅而親之。馮氏有計略，作《皇誥》十八篇，僞左僕射李思冲稱史臣

---

①　“異”字原脱，據武英殿本、中華本《南齊書·孔稚珪傳》補。

注解。"

右凡三部，四十七卷（十八篇以十八卷計），今并佚。

八　目錄類

宋元徽元年四部書目録四卷

王儉撰。

見《隋志》、新、舊《唐志》。今佚。

《南齊書》本傳："儉撰定《元徽四部書目》。"

《隋志》序："宋元徽元年，王儉造《目録》，大凡一萬五千七百四卷。"

今書七志七十卷

王儉撰。

見《隋志》。今佚。新、舊《唐志》并有《今書七志》七十卷，王儉撰，賀縱補。

《南齊書》本傳："儉上表求校墳籍。依《七略》撰《七志》四十卷，上表獻之。"

《宋書·後廢帝紀》："元徽元年八月，王儉表上所撰《七志》三十卷。"

《隋志》序："儉撰《七志》，一曰經典志，紀六藝、小學、史記、雜傳；二曰諸子志，紀今古諸子；三曰文翰志，紀詩賦；四曰軍書志，紀兵書；五曰陰陽志，紀陰陽圖緯；六曰藝術志，紀方技；七曰圖譜志，記地域及圖書。其道、佛附見，合九條。然亦不述作者之意，但於書名之下，每立一傳，而又作九篇條例，編乎首卷之中，文義淺近，未爲典則。"

《後漢書·方術傳》注，《文選·海賦》注、《百一詩》注、棗道彥《雜詩》注、張季鷹《雜詩》注、謝宣遠《張子房詩》注，并引《今書七志》。

《經典·序録》引稱《七志》,省"今書"二字。又稱:"《尚書·
大禹謨》本《虞書》總爲一卷,凡十二卷,今依《七志》、《七録》
爲十三卷。"《通志·圖譜略》曰:"劉氏《七略》收書不收圖。
惟任宏校兵書一類,有書有圖。宋、齊之間,王儉作《七志》,
六志收書,一志專收圖譜。不意末學而有此作也。"

江左文章録序

卷無考,丘靈鞠撰。

據《南齊書》本傳。今佚。

《南齊書》本傳:"丘靈鞠,吳興烏程人。少好學,善屬文,舉秀
才。宋孝武殷貴妃亡,靈鞠獻挽歌詩,帝摘句嗟賞,除新安王
北中郎參軍。建元元年,轉中書郎,敕知東宮手筆。尋又掌
知國史。宋世文名甚盛,入齊頗減。遷長沙王車騎長史,太
中大夫。著《江左文章録序》,起太興,訖元熙。文集行世。"

右凡三部,七十五卷,今并佚。

九　譜牒類

百家集譜十卷

王儉撰。

見《隋志》、新、舊《唐志》。今佚。

《通典·食貨門·鄉黨》:"宋劉湛撰《百家譜》,傷於寡略,齊
王儉復加,得繁省之衷。"

《南齊書·賈淵傳》:"永明中,王儉抄次《百家譜》,與淵參懷
撰定。"

百家集譜續四卷

王逡之撰。

梁有,隋亡,見《隋志》。《通志略》題梁王逡之撰。

南族譜二卷

王逡之撰。

梁有,隋亡,見《隋志》。

百家譜拾遺一卷

王逡之撰。

梁有,隋亡,見《隋志》。

齊永元中表簿五卷

見《隋志》。《新唐志》作六卷。今佚。

氏族要狀十五卷

長水校尉賈淵撰。

《隋志》未著撰人。《唐志》作賈希鏡撰。今佚。

《南齊書》本傳:"淵,字希鏡。祖弼之,晋員外郎。父匪之,驃騎參軍。世傳譜學,撰《氏族要狀》及《人名書》,並行於世。"

章氏《考證》案:《唐·柳冲傳》言:"賈弼傳子匪之,匪之傳子希鏡,希鏡撰《氏族要狀》十五篇。"

《元和姓纂》:齊外兵郎賈希鑑撰《永明氏族狀》。

見客譜

卷無考,賈淵撰。

據《南齊書》本傳。今佚。

《南齊書》本傳:"永明初,竟陵王子良使淵撰《見客譜》。先是譜學未有名家,淵祖弼之,廣集百家譜記,專心治業。晋太元中,①朝廷給弼之令史書吏,撰定繕寫,藏祕閣,乃遷左民曹。淵父及淵三世傳學,凡十八州氏族譜,合百帙七百餘卷,該究精悉莫比。"

---

① "太元",原誤作"太康",據武英殿本、中華本《南齊書·賈淵傳》改。

齊帝譜屬十卷

不著撰人。

見《隋志》。今佚。

右凡八部,四十八卷,今并佚。

十　地理類

海岱志二十卷

前將軍記室崔慰祖撰。

見《隋志》。今佚。新、舊《唐志》並有崔蔚祖《海岱志》十卷。

《南齊書》本傳:"慰祖,字悦宗,清河東武城人。好學,聚書至萬卷,鄰里年少好事者來從假借,日數十褰,慰祖親自取與,未嘗爲辭。國子祭酒沈約、吏部郎謝朓嘗與吏部省中賓友俱集,各問慰祖地理中所不悉十餘事,酬據精悉,一座稱服。著《海岱志》,起太公,迄西晉人物,爲四十卷,半未成。臨卒,與從弟緯書云:'常欲更注遷、固二史,採《史》、《漢》所漏二百餘事,在書簏,可檢寫之,以存大意。《海岱志》良未周悉,可寫數本,付護軍諸從事人一通,及友人任昉、徐寅、刘洋、裴揆。'"①

地理書一百四十九卷　録一卷

陸澄合《山海經》以來一百六十家,以爲此書。

見《隋志》。新、舊《唐志》作百五十卷,乃合目録言。今佚。

《南齊書》本傳:"澄,字彦淵,吳郡吳人。當世稱爲碩學,讀《易》三年不解文義,欲撰《宋書》竟不成,王儉戲之曰:'陸公書廚也。'家多墳籍,人所罕見。撰《地理書》及《雜傳》,死後

---

① "洋"字原脱,據武英殿本、中華本《南齊書·崔慰祖傳》補。

乃出。"

《史通·書志》篇:"地理爲書,陸澄集而難盡。"

《水經·濟水注》,《文選·赭白馬賦》注、左太冲《詠史詩》注、江文通《雜體詩》注、曹子建《七啓》注,《北堂書鈔·禮儀部》,并引《地理書》。按任昉、劉澄并有《地理書抄》,而所引未著撰人,未敢定其必爲陸書,存以待考。

永初山川古今記二十卷

都官尚書劉澄之撰。

見《隋志》、《新唐志》。今佚。

《初學記·州郡部》、《居處部》,《太平御覽·地部》、《居處部》,并引劉澄之《宋永初山川古今記》。《水經·夏水注》,《文選·苦熱行》注,《御覽·天部》、《州郡部》引作《宋永初山川記》,省"古今"二字。又《水經·河水注》、《獲水注》、《汾水注》、《穀水注》引并作劉澄之《永初記》,省"山川古今"四字。當皆指此書也。澄之,酈氏《注》或稱劉中書。

地理書抄二十卷

陸澄撰。

見《隋志》。今佚。

《太平寰宇記·江南東道》、《山南東道》,并引陸澄《地理書抄》。

廣州記

卷無考,劉澄之撰。

據《太平御覽·地部》所引。今佚。

揚州記

卷無考,劉澄之撰。

據《太平御覽·天部》、《地部》,《初學記·地部》所引。今佚。

江州記

卷無考,劉澄之撰。

據《初學記·地部》、《太平御覽·地部》所引。今佚。

荆州記

卷無考,劉澄之撰。

據《初學記·地部》、《太平御覽·地部》所引。今佚。

豫州記

卷無考,劉澄之撰。

據《初學記·地部》、《太平御覽·地部》所引。今佚。

梁州記

卷無考,劉澄之撰。

據《初學記·地部》所引。今佚。

司州山川古今記三卷

劉澄之撰。

見《隋志》。今佚。

《太平御覽·州郡部》、《居處部》,《初學記·居處部》并引劉
澄之《山川古今記》,未審爲《永初山川古今記》之省略,抑本
書之省略也?按《永初山川古今記》廿卷,此書僅三卷,又止
司州一州,或爲其一部,而《隋志》別著之也。

廣陵郡圖經

卷無考,王逸撰。

據《文選·蕪城賦》注所引。今佚。

王逸爲王逡之誤,已辨於前經部禮類。

衡山記

卷無考,宗測撰。

見《文選注引書目》。今佚。

《南齊書》本傳:“測嘗游衡山七嶺,著《衡山》、《盧山記》。”

《初學記·居處部》,《太平御覽·地部》、《居處部》,并引《衡

山記》,未審是否此書。

盧山記

卷無考,宗測撰。

據《南齊書》本傳。今佚。

《初學記·州郡部》、《太平御覽·地部》引《盧山記》,未審是否此書。

右凡十四部,二百二十二卷,今并佚。

右史部,凡六十六部,千零三十五卷,今有輯本二部。

子部

一　道家類

老子道德經注二卷

王玄載注。

梁有，隋亡，見《隋志》。

別著《孝經注》，已見前。

老子義綱一卷

顧歡撰。

見《隋志》。今佚。

《舊唐志》有《老子義疏理綱》一卷，未著撰人。《新唐志》有顧歡《道德經義疏治綱》一卷。

《南齊書》本傳："太祖輔政，徵歡爲揚州主簿。及踐阼，乃至。上表曰：'臣聞舉網提綱，振裘持領，綱領既理，毛目自張。然則道德，綱也；物勢，目也。上理其綱，則萬機時序；下張其目，則庶官不曠。謹删撰《老氏》，獻《治綱》一卷。伏願稽古百王，斟酌時用。應天悅民，則皇基固矣。臣不須禄養，請從此退。'"此《義綱》一卷，當即所獻之《治綱》也。

老子義疏一卷

顧歡撰。

見《隋志》、新、舊《唐志》。今佚。

按後又有顧歡《老子道德經義疏》四卷，此書或爲其一篇乎？抑爲其節本？惜今並亡，無由考見。

老子道德經義疏四卷

顧歡撰。

見新、舊《唐志》。今佚。

《釋文·序録》有顧歡《堂誥》四卷，注云一作《老子義疏》。按注當爲後人校語也。《堂誥》疑爲此書之別名，乃顧氏談玄之書中有談《老子》者，故別名《老子義疏》也。

老莊義釋

卷無考，祖沖之撰。

據《南齊書》本傳。今佚。

別著《易義》等書，已見前。

老子要略

卷無考，沈驎士撰。

據《南齊書》、《南史》本傳。今佚。

別著《周易要略》等書，已見前。

莊子内篇訓注

卷無考，沈驎士訓注。

據《南齊書》本傳。今佚。

別著《周易要略》等書，已見前。

夷夏論一卷

顧歡撰。

見《隋志》。新、舊《唐志》并作二卷。馬氏《玉函山房》輯本一卷。

《南齊書》本傳：“佛道二家，立教既異，學者互相非毀，歡著

《夷夏論》。"《南史》本傳同。

馬氏玉函山房輯本序謂："《隋志》道家著目一卷，云梁二卷。隋代已非完帙，《唐志》不著録。"

少子五卷

司徒左長史張融撰。

梁有，隋亡，見《隋志》。馬氏《玉函山房》有輯本一卷。

《南齊書》本傳："融，字思光，吳郡吳人。年弱冠，道士同郡陸脩静以白鷺羽麈尾扇遺融，曰：'此既異物，以奉異人。'融與吏部尚書何戢善，往謁戢，誤通尚書劉澄。融下車入門，乃曰：'非是。'至戶外，望澄，又曰：'非是。'既造席，視澄曰：'都自非是。'乃去。其爲異如此。永明二年，總明觀講，勅朝臣集聽。融扶入就榻，私索酒飲之，難問既畢，乃長歎曰：'仲尼獨何人哉！'爲御史中丞到撝所奏，免官，尋復。"

馬氏玉函山房輯本序："孔稚珪《啓蕭司徒書》云：'昔嘗明一同之義經，以此訓張融，融乃著通源之論，其名《少子》，《少子》所明，會通道佛'云云。阮孝緒《七録》載《少子》五卷。釋僧祐採入《弘明集》。《南齊·顧歡傳》一引其略稱《門律》，本傳載有《問律》自序，《門律》疑即《問律》。其書究明二氏大旨，謂百聖同投，本末無異。"

陸先生傳一卷

金紫光禄大夫孔稚珪撰。

見《通志略》。今佚。按此書各家並不著録，陸先生者亦不知爲誰何也。別撰有《褚先生百玉碑》，今存《藝文類聚》三十七《人部》。

《南齊書》本傳："稚珪，字德璋，會稽山陰人也。少學涉，有美譽。太守王僧虔見而重之，引爲主簿。太祖以稚珪有文翰，取爲記室參軍，與江淹對掌辭筆。風韻清疏，好文詠，飲酒七

八斗。與外兄張融情趣相得。不樂世務，居宅勝營山水，馮
几獨酌，門庭之內，草萊不剪。卒，贈金紫光禄大夫。"

右凡十部，十八卷，并佚。今有輯本二部，二卷。

二　釋家類

釋迦譜十卷

沙門僧祐撰。

見《釋教録》。

《釋教録》別有五卷本，與此略異。

僧祐，齊建初寺沙門。日本《大正新修大藏經》、《弘教書院大
藏》、《藏經書院大藏》并有《释迦譜》五卷，題梁僧祐撰，當是
所謂別本也。

按《通志略》有《釋迦譜》十卷，題南齊佐律師撰。他書不見。

衆經目録二卷

沙門王宗撰。

《释教録》。今佚。

《釋教録》：蕭齊武帝時，沙門釋王宗撰《衆經目録》二卷，見
《梁三藏記》。

按王宗不似僧號，或爲俗名，今存《衆經目録》不一，皆隋、唐
人撰。

释弘充録一卷

楊都人撰。

《释教録》。今佚。

楊都人，未詳始末，疑爲楊都之人也。

無量義經一卷

沙門曇摩伽陀耶舍譯。

《釋教録》。今有武英殿佛經十二種本。

《釋教録》:沙門曇摩伽陀耶舍,齊言法生,中印度人。以高帝建元三年,於廣州朝亭寺譯。耶舍手善隸書,口解齊言,傳授經人。武當山沙門惠表永明三年賫至楊都,繕寫流布。卷首有荊州隱士劉虯所作序。

五百本生經一卷

沙門摩訶乘譯。

《釋教録》、《貞元録》。

《釋教録》:《僧佑録》未詳卷數,房云一卷。其本闕。沙門摩訶乘,西域人也,以武帝永明中,於廣州譯《五百本生經》等二部。

他毗利律一卷

沙門摩訶乘譯。

《釋教録》。

《釋教録》:齊言《宿德律》,《僧祐録》云卷數未詳,房云一卷。其本闕。

善見律毗婆沙十八卷

沙門僧伽跋陀羅譯。

《釋教録》、日本《大正新修大藏經》卷廿四、《弘教書院大藏經》寒第八册、《藏經書院大藏經》函十九册二。

《釋教録》:或云《毗婆沙律》。沙門僧伽跋陀羅,齊言衆賢,西域人。以武帝永明六年,共沙門僧禕於廣州竹林寺譯出。

妙法蓮花經提婆達多品第十二一卷

沙門達摩摩提譯。

《釋教録》。今存《妙法蓮花經》内。《妙法蓮花經》有佛經十二種本。

《釋教録》:今編入《妙法蓮花經》,在第四卷中。沙門法獻於于闐國得梵本來,見道惠《宋齊録》。《僧祐録》云於高昌獲梵本,未詳孰是。沙門達摩摩提,齊言法意,西域人。以武帝永明八年,爲沙門法獻於楊都瓦官寺譯《提婆達多品》等二部。

須達經一卷

沙門求那毗地譯。

《釋教録》、日本《大正新修大藏經》卷一、《藏經書院大藏》函十四册二、《弘教書院大藏》戻第八册。

《釋教録》:一名《須達長者經》,出《中阿含》第三十九卷,異譯見《長房録》及《高僧傳》,祐云建武二年出。沙門求那毗地,齊言進德,中印度人。弱齡從道,師事天竺大乘法師僧伽斯。聰慧强記,勤於諷習,所誦大、小乘經十餘萬言。兼學世典,明解陰陽,其候時逢占,多有徵驗,故道術之稱有聞西域。建元初,來至江淮,止毗耶離寺。毗地爲人弘厚,有識度,善於接誘,是以外國僧衆,萬里歸集,南海商人,悉共宗事,供僧往來,歲時不絶。"

百喻經四卷

沙門求那毗地譯。

《釋教録》、日本《大正新修大藏》卷四、《藏經書院大藏》函廿六册九、《弘教書院大藏》藏第八册。

《釋教録》:亦云《百句譬喻經》,又云《癡花鬘》,或五卷,天竺僧伽斯那撰,永明十年譯,見《僧祐録》等,并云譯成十卷。此之四卷,百事足矣。

十二因緣經一卷

沙門求那毗地譯。

《釋教録》、《貞元録》。

《釋教録》:第五出與《貝多樹地下經》等同本,祐云建武二年出,見《高僧傳》及《長房録》。其本闕。

觀世音懺悔除罪呪經一卷

沙門達摩摩提譯。

《釋教録》、《貞元録》。

《釋教録》：永明八年譯出，見《僧祐録》及《寶唱録》。其本闕。

摩訶摩耶經二卷

沙門釋曇景譯。

《釋教録》。或作一卷，又云《摩耶經》，又云《佛昇忉利天爲母說法經》。

《釋教録》：沙門釋曇景，不知何許人，《羣録》直云齊世譯出，餘不詳。

《敦煌劫餘録》存一紙，二十四行，首四行碎損。

未曾有因緣經二卷

沙門釋曇景譯。

《釋教録》。亦云《未曾有經》。《敦煌劫餘録》作《佛説未曾有因緣經》。

《敦煌劫餘録》存十九紙，四九九行，首大行殘破。

腹中女聽經一卷

沙門法化誦。

《釋教録》。

《釋教録》：沙門釋法化，以廢帝永元年中，誦出《腹中女聽經》一部，衆録相承，並云誦，未詳誦意，依而列之。其本闕。

戒果莊嚴經一卷

常侍庾頡採經意撰。

《釋教録》。或無經字，有八章頌。今佚。

《釋教録》：《費長房録》云蕭齊武帝永明五年，常侍庾頡採經意撰。撰録者曰採意爲頌，不同僞造，既別立經名，恐濫於聖典。隋《仁壽録》及《大周録》編在僞中。

右凡十六部，四十七卷，今存八部，三十四卷。

三　雜家類

諫林五卷

晋陵令何望之撰。

見《隋志》。新、舊《唐志》并作十卷。今佚。

述政論十三卷

陸澄撰。

見《隋志》。新、舊《唐志》作陸澄《述正論》十三卷。今佚。

政論十三卷

陸澄撰。

見《隋志》。今佚。

按此書撰人、卷數與前書全同，疑一書而誤分者。

缺文十三卷

陸澄撰。

見《隋志》。《舊唐志》列入儒家類，作十卷。《新唐志》在雜家類，作闕文十卷。今佚。

净住子二十卷

蕭子良撰。

見《隋志》。新、舊《唐志》在道家類，卷同。今佚。

別著《古今篆隸文體》等書，已見前。

净住子頌

寧朔將軍軍主王融頌。

見新、舊《唐志》，在道家類。今佚。

《南齊書》本傳："融，字元長，琅邪臨沂人。少而神明，警惠博涉。有文才，舉秀才，歷晋陵王司徒法曹參軍。上幸芳林園，褉宴羣臣,使融爲《曲水詩序》,文藻富麗,當世稱之。竟陵王子良以爲寧翔將軍、軍主。融文辭辯捷,尤善倉卒屬綴,有所造作,援筆可待。鬱林王即位,收下廷尉獄,賜死。"

統略淨住行法門一卷

蕭子良撰。

見《宋史·藝文志》。今佚。

義記二十卷

蕭子良撰。

見《隋志》。今佚。

内外文筆

蕭子良撰。

據《南齊書》本傳。今佚。

《南齊書》本傳:"所著《内外文筆》數十卷,雖無文采,多是勸誡。"

右凡九十七卷,今並佚。

四　類書類

四部要略千卷

蕭子良等撰。

據《南齊書》本傳。今佚。

《南齊書》本傳:"子良禮才好士,移居雞籠山西邸,集學士抄五經百家,依《皇覽》例,爲《四部要略》千卷。"

《三國·魏志·文紀》:"初帝好文學,以著述爲務,自所勒成垂百篇。又使諸儒撰集經傳,隨類相從,凡千餘篇,號曰《皇覽》。"

又《劉劭傳》:"黃初中,爲尚書郎、散騎侍郎,受詔集五經羣書,以類相從,作《皇覽》。"又《楊浚傳》注引《魏略》:"王象,字義伯。

受詔撰《皇覽》,使象領祕書監。象從延康元年始撰集。數歲
成,藏於祕府,合四十餘部,部有數十篇,通合八百餘萬字。"

右一部,千卷,今佚。

五　小説家類

述異記十卷

祖冲之撰。

見《新唐志》。今佚。

《初學記·人部》、《太平御覽·人事部》并引祖冲之《述異
記》。

別著《易義》等書,已見前。

郭子注

卷無考,賈淵注。

據《南齊書》本傳。今佚。

《南齊書》本傳:"孝武世,青州人發古冢,銘云'青州世子,東
海女郎'。帝問學士鮑照、徐爰、蘇寶生,並不能悉,淵對曰:
'此是司馬越女,嫁苟晞兒。'檢諸果然,由是見遇,敕淵注《郭
子》。"

《隋志》:《郭子》三卷,東晋中郎郭澄之撰。今有馬氏山房輯
本一卷,無注。

右凡二部,十一卷,并佚。

六　曆算類

綴術五卷

祖冲之撰。

見《舊唐志》。《通志略》作六卷。今佚。

《南齊書》本傳稱冲之著有九章造綴述數十篇。《隋志》、《唐志》並未著録。此稱綴術者，或即其書歟，抑爲其書之別本？《日本見在書目》有《九章》九卷，祖中注；《九章術義》九卷，祖中注。六朝人名，或連之字，或不連之字，冲、中或爲筆漏乎？兹附記之。

新曆法

卷無，祖冲之撰。

無傳本，今具見沈約《宋書·曆法》。

《南齊書》本傳："冲之少有機思。宋元嘉中，用何承天所制曆，比古十一家爲密，冲之以爲尚疏，乃更造新法。"

《遼史·曆象志》："元得祖冲之法於外史。冲之之法，遼曆之所從出也歟？國朝亦嘗因之。"

右凡二部，六卷，今并佚。

七　五行類

龜經三卷

侍中左光禄大夫柳世隆撰。

見《新唐志》。今佚。

按《南齊書》本傳："世隆，字彦緒，河東解人也。少立功名，晚專以談義自業。善彈琴，世稱柳公雙璅，爲士品第一。常自云馬稍第一，清談第二，彈琴第三。在朝不干世務，垂簾鼓琴，風韻清遠，甚獲世譽。著《龜經祕要》二卷，行於世。"是世隆別有《祕要》二卷也，或此書之節本乎？抑爲此書之別名？未取定斷，姑用闕疑。

右一部，三卷，今佚。

八　雜藝術類

古畫品録一卷

謝赫撰。

今有《説郛》本、《津逮》本、《硯北偶抄》本、《畫苑》本。

晁氏《讀書志》："《古畫品録》一卷，題南齊謝赫撰。言畫有六法，分四品。夫秋之弈，延壽之畫，伯樂之相馬，寧戚之飯牛，以至曹丕之彈棊，袁彦之樗蒲，皆足以擅名天下。"

錢侗等輯《崇文總目》，有《畫品録》一卷，裴孝源撰，原釋闕（見天一閣抄本），謂今本《古畫品録》一卷，題南齊謝赫撰。

嚴氏《全齊文》亦録存之，凡六品，二十七人。

右一部，一卷，今存。

九　醫術類

褚澄雜藥方二十卷

吳郡太守褚澄撰。

梁有，隋亡，見《隋志》。《新唐志》、《通志略》并有褚澄《雜藥方》十二卷。

《南齊書·褚淵》附傳："澄，字彦道，歷官清顯。善醫術。建元中，爲吳郡太守。豫章王感疾，太祖召澄爲治，立愈。尋遷左民。卒，追贈金紫光禄大夫。"

褚氏遺書一卷

褚澄撰。

見《宋史·藝文志》。今有《六醴齋》刊本、《廣百川學海》本、《格致叢書》本。

食經十九卷

冠軍將軍劉休撰。

梁有，隋亡。見《隋志》。今佚。《通志略》一卷，又十卷。按所謂又十卷者，當即此《食經》。一卷者，即下《食方》也。

《南齊書》本傳："休，字弘明，沛郡相人也。泰始初，諸州反，休筮明帝當勝，静處不預異謀。數年，還投吳喜爲輔師府録事參軍，喜稱其才，進之明帝，得在左右。板桂陽王徵北參軍。帝頗有好尚，尤嗜飲食，休多藝能，爰及鼎味，問無不解。後宮孕者，帝使筮其男女，無不如占。宋末，上造指南車，以休有思理，使與王僧虔對共監試。元嘉世，羊欣受子敬正隸法，世共宗之，右軍之體微，不復見貴。休始好此法，至今此體大行。四年，出爲豫章内史，加冠軍將軍。卒。"

劉休食方一卷

劉休撰。

梁有，隋亡，見《隋志》。今佚。

右凡四部，四十一卷。佚三部，四十卷。今存一部，一卷。

右子部，三十一部，千一百七十七卷。今存十部，三十六卷，又輯本二部。

集部

一別集　　　　二總集

一別集

齊文帝集一卷

殘缺，梁有十一卷，見《隋志》。《通志略》作十一卷。今佚。
嚴氏《全齊文》輯存一篇。

《南齊書·文惠太子傳》：“長懋，字雲喬，世祖長子。世祖即
位，爲皇太子。初，太祖好《左氏春秋》，太子承旨諷誦，以爲
口實。永明五年，太子臨國學，親臨策試。薨，年三十六，謚
曰文惠，追尊爲文帝，廟稱世宗。”

晉安王子懋集四卷　錄一卷

梁有，隋亡，見《隋志》。《通志略》作四卷。
別著《春秋例苑》，已見前。

隨王子隆集七卷

梁有，隋亡，見《隋志》。

嚴氏《全齊文》輯存文一篇。《藝文類聚》四十存詩一首。
《南齊書》本傳：“隨郡王子隆，字雲興，世祖第八子。有文才，
娶王儉女爲妃。上以子隆能屬文，謂儉曰：‘我家東阿也。’儉
曰：‘東阿復出，實爲皇家藩屏。’高宗輔政，謀害諸王，子隆以
才貌先見殺。文集行於世。”

竟陵王子良集四十卷

見《隋志》。新、舊《唐志》並有《齊竟王集》三十卷。今佚。

《文選注引書目》有《蕭子良集》。

嚴氏《全齊文》輯存二十七篇。《藝文類聚》卷四、卷三八、卷四十、卷六五存詩四首。（嚴氏已録者不計，後放此）

別著《古今篆隸文體》等書，已見前。

聞喜公蕭遙欣集十一卷

梁有，隋亡，見《隋志》。

《南齊書》本傳："遙欣，字重暉。好勇，聚蓄武士。卒年三十一，謚康公。"

領軍諮議劉祥集十卷

梁有，隋亡，見《隋志》。

嚴氏《全齊文》輯存二篇。

別著《宋書》，已見前。

太宰褚彥回集十五卷

見《隋志》。《舊唐志》：《褚彥回集》十五卷。《新唐志》：《褚淵集》十五卷。今佚。

《初學記·歲時部》引賦一篇，《器物部》引啓一篇。

《南齊書》本傳："褚淵，字彥回，河南陽翟人。齊受禪，遷司徒，復爲司空。卒，贈太宰，謚曰文簡。"

黃門侍郎崔祖思集二十卷

梁有，隋亡，見《隋志》。

嚴氏《全齊文》輯存十篇。

《南齊書》本傳："祖思，字敬元。仕宋至從事中郎。遷齊國内史，及受禪，轉長兼給事黃門侍郎。遷冠軍將軍，進號徵虜將軍，假節青、冀二州刺史。"

中軍佐鐘蹈集十二卷

梁有，隋亡，見《隋志》。

餘杭令丘巨源集十卷　錄一卷

梁有,隋亡,見《隋志》。《通志略》作十卷。

嚴氏《全齊文》輯存三篇。《藝文類聚》六九存詩一篇。

巨源嘗與輔國將軍蘇侃合撰《蕭太尉記》,已見前。

太尉王儉集五十一卷

梁六十卷,見《隋志》。新、舊《唐志》:《王儉集》六十卷。今佚。

嚴氏《全齊文》輯存十一篇。《藝文類聚》卷四、卷廿九、卷三一、卷三八、卷六五存詩五首。

別著《尚書音義》等書,已見前。

東海太守謝瀹集十六卷

梁有,隋亡,見《隋志》。

谢瀹集十卷

梁有,隋亡,見《隋志》。

豫州刺史劉善明集十卷

梁有,隋亡,見《隋志》。

嚴氏《全齊文》輯存五篇。

《南齊書》本傳:"善明,平原人。仕宋至後軍將軍、太尉右司馬。齊受禪,爲征虜將軍,淮南、宣城二郡太守,封新塗伯。卒,贈左將軍、豫州刺史,諡烈伯。"

侍中褚賁集十二卷

梁有,隋亡,見《隋志》。

徵士劉虯集二十四卷

梁有,隋亡,見《隋志》。

嚴氏《全齊文》輯存二篇。

《南齊書》本傳:"虯,字靈預,一字德明,南陽涅陽人。永明中,徵通直郎,建武中,徵國子博士,並不就。諡曰文範先生。"

司徒主簿徵不就庾易集十卷

梁有，隋亡，見《隋志》。

顧歡集三十卷

梁有，隋亡，見《隋志》。

嚴氏《全齊文》輯存四篇，内《夷夏論》一篇，已見子部道家類。

按《南齊書》本傳："歡卒，世祖詔歡諸子撰歡《文議》三十卷。"
當即此書。

別著《王弼易二繫》等書，已見前。

劉瓛集三十卷

見《隋志》。今佚。

嚴氏《全齊文》輯存一篇。

別著《周易乾坤義》等書，已見前。

射聲校尉劉璡集三卷

梁有，隋亡，見《隋志》。

嚴氏《全齊文》輯存一篇。

嚴氏《全齊文》小序："璡，字子璥，瓛弟。齊受禪，爲武陵王曄
冠軍征虜參軍、豫章王太尉掾。文惠太子召入侍，尋署中兵，
兼記室參軍、大司馬軍事射聲校尉。"

中書郎周顒集八卷

梁十六卷，見《隋志》。新、舊《唐志》：《周顒集》二十卷。
今佚。

嚴氏《全齊文》輯存七篇。

別著《周易論》，已見前。

左侍郎鮑鴻集二十卷　　録一卷

梁有，隋亡，見《隋志》。《通志略》作二十卷。

雍州秀才韋瞻集十卷

梁有,隋亡,見《隋志》。

正員郎劉懷慰集十卷　録一卷

梁有,隋亡,見《隋志》。《通志略》作十卷。

永嘉太守江山圖集十卷

梁有,隋亡,見《隋志》。

《南齊書·顧歡傳》:"歡卒於剡山。縣令江山圖表狀。"

驃騎記室參軍荀憲集十一卷

梁有,隋亡,見《隋志》。

前軍參軍虞羲集九卷

殘缺,梁十一卷。新、舊《唐志》:《虞羲集》十一卷。今佚。

嚴氏《全齊文》輯存一篇。《文苑英華》二百一存樂府一首。《藝文類聚》卷一、卷二、卷廿九、卷五六,卷五九、卷八六、卷八九存詩七。

嚴氏《全齊文》小序:"羲,字士光,會稽餘姚人。建武初,爲前軍參軍。卒於晋安王侍郎。"

平陽令韋沈集十卷

梁有,隋亡,見《隋志》。

車騎參軍任文集十一卷

梁有,隋亡,見《隋志》。

卞鑠集十六卷

梁有,隋亡,見《隋志》。

婁幼瑜集六十六卷

梁有,隋无,見《隋志》。

別著《喪服經傳義疏》等書,已見前。

長水校尉祖冲之集五十一卷

梁有,隋亡,見《隋志》。

嚴氏《全齊文》輯存文二篇,目一篇。

別著《孝經注》等書，已見前。

中書郎王融集十卷

見《隋志》，新、舊《唐志》。《崇文總目》七卷，秦鑑案存二卷。

嚴氏《全齊文》輯存二十三篇。《初學記·釋道部》引《訶詰四大門詩》、《在家男女惡門詩》、《大慚愧門詩》、《努力門詩》、《迴向門詩》等。

別著《淨住子頌》，已見前。

吏部郎謝朓集十二卷

見《隋志》，新、舊《唐志》，《崇文總目》。《宋史·藝文志》作十卷。晁氏《書志》、陳氏《書錄》並有《謝宣城集》五卷。《通考·經籍考》亦作五卷。明《內閣書目》有《謝宣城集》一冊，全。今國立北平圖書館有明萬曆刻本五卷，《拜經樓叢書》本、《四庫》本。

按謝朓，《南齊書》作朓，與玄暉之字其義頗著。《南史》而後，咸爲眺矣。輾轉訛傳，不可不辨。今存《謝宣城集》五卷，卷一賦，卷二則樂府、四言詩，卷三、卷四、卷五並爲五言詩。嚴氏《全齊文》輯有本集未載者十九篇。

晁氏《讀書志》："齊謝朓玄暉，陽夏人。東昏時，爲江祐黨譖害之。朓少學有美名，文章清麗，善草隸，尤長五言。沈約嘗云：'二百年來無此詩。'《文選》所錄朓詩近二十首，集中多不載，今附入。"

陳氏《解題》："《謝宣城集》五卷，齊中書郎陳郡謝朓玄暉撰。集本十卷，樓炤知宣城，止以上五卷賦與詩刊之，下五卷皆當時應用之文，衰世之事，可采者已見本傳及《文選》，餘視詩劣焉，無傳可也。"

《唐子西語錄》："今取靈運、惠連、玄暉詩，合六十四篇（按《天一閣目》引唐子西輯序作六十八篇），爲三謝詩。是三人者，至玄暉語益工，然蕭散自得之趣亦復少，減漸有唐風矣。"

謝朓逸集一卷

見《隋志》。

謝朓詩一卷

見《宋史·藝文志》。

謝朓外集一卷

見《通志略》。

王巾集十一卷

梁有，隋亡，見《隋志》。

《藝文類聚》七六存銘一篇。

王巾始末未詳。

司徒左長史張融集廿七卷

梁十卷，見《隋志》。今佚。

嚴氏《全齊文》輯存十三篇。《藝文類聚》二九存詩一篇。

別著《少子》，已見前。

玉海集十卷

張融撰。

梁有，隋亡，見《隋志》。新、舊《唐志》：張融《玉海集》六十卷。
今佚。

按《南齊書》本傳："融自名集爲《玉海》，司徒褚淵問《玉海》
名，融答：'玉以比德，海崇上善。'文集數十卷行於世。"《玉
海》似爲文集之總名也，而外此尚有集九十餘卷之多，或是小
名亦作大名耳。

大澤集十卷

張融撰。

梁有，隋亡，見《隋志》。

金波集六十卷

張融撰。

梁有,隋亡,見《隋志》。

羽林監庾韶集十卷

梁有,隋亡,見《隋志》。

黃門郎王僧祐集十卷

梁有,隋亡,見《隋志》。

太常卿劉悛集二十卷　錄一卷

梁有,隋亡,見《隋志》。《通志略》作二十卷。

嚴氏《全齊文》輯存一篇。

《南齊書》本傳:“悛,字士操,彭城安上里人。歷朝皆見恩遇,
連姻帝室。王敬則反,悛出守琅邪城,轉五兵尚書,領太子左
衛率。未拜,明帝崩,東昏即位,改授散騎常侍,領驍騎將軍,
尚書如故。卒,贈太常,常侍、都尉如故,謚曰敬。”

祕書王寂集五卷

梁有,隋亡,見《隋志》。

金紫光祿大夫孔稚珪集十卷

見《隋志》,新、舊《唐志》,《崇文總目》。《文選注引書目》有
《孔稚珪集》。陳氏《解題》:《孔德璋集》十卷,題齊太子詹事
孔稚珪德璋撰。《通志·藝文略》、《通考·經籍考》並作一
卷。今佚。

《日本見在書目》有《孔雅珪集》十卷,按“雅”字當爲“稚”字
之誤。

嚴氏《全齊文》輯存十三篇。《藝文類聚》廿七存詩一篇。

後軍法曹參軍陸厥集八卷

梁十卷,見《隋志》。《文選注引書目》、新、舊《唐志》並作十
卷。今佚。

嚴氏《全齊文》輯存一篇。《藝文類聚》卷三一存詩一篇,卷四

三存歌一篇。

《南齊書》本傳：“厥，字韓卿，吳郡吳人。永明中，舉秀才。歷少傅王宴主簿，遷後軍法曹參軍。”《南史》本傳同。

別著《陸先生傳》，已見前。

太尉徐孝嗣集十卷

梁七卷，見《隋志》。新、舊《唐志》並作十二卷。

嚴氏《全齊文》輯存四篇。《藝文類聚》三一存詩一篇。

《南齊書》本傳：“孝嗣，字始昌，東海郯人也。竟陵王子良好佛，使孝嗣掌知齊講及眾僧。轉吏部尚書。尋加右衛將軍，轉領太子左衛率。臺閣事多以委之。”

侍中劉暄集二十一卷

見《通志略》。今佚。

《隋志》：梁有《侍中劉暄集》一十一卷，亡。按不稱十一卷，而作一十一卷，當爲二十之漏筆，茲從鄭樵。

通直常侍裴昭明集九卷

梁有，隋亡，見《隋志》。

嚴氏《全齊文》輯存二篇。

《南齊書》本傳：“昭明，河東聞喜人。少傳儒史之業。泰始中，爲太學博士。永明中，爲始安內史。建武初，爲安北長史、廣陵太守。”

虞炎集七卷

梁有，隋亡，見《隋志》。

嚴氏《全齊文》輯存二篇。

嚴氏《全齊文》小序：“炎，會稽人。初爲博士，累遷散騎侍郎、驍騎將軍。”

吏部郎劉瑱集十卷

梁有，隋亡，見《隋志》。

《藝文類聚》廿七存詩一篇。

梁國從事中郎劉繪集十卷

梁有，隋亡，見《隋志》。

嚴氏《全齊文》輯存三篇。《文苑英華》卷二百一、卷二百二各存樂府一首。《藝文類聚》卷廿七、卷廿九、卷四一、卷七十存詩四篇。《初學記》引詩二首，一已見《藝文類聚》。

別撰《能書人名》，已見前。

侍中袁彖集五卷。

并録，見《隋志》。今佚。

嚴氏《全齊文》輯存三篇。《藝文類聚》七八存詩一篇。

《南齊書》本傳："彖，字緯才，陳郡陽夏人。少有風氣，好屬文及玄言。議駁國史，檀超以《天文志》紀緯序位度，《五行志》載當時祥沴，二篇所記，事用相懸，日蝕爲災，宜居《五行》。超欲立處士傳。彖曰：'夫事關業用，方得列其名行。今栖遁之士，排斥皇王，陵轢將相，此偏介之行，不可長風移俗，故遷書未傳，班史莫編。一介之善，無緣頓略，宜列其姓業，附出他篇。'"

中書郎江汵集九卷

并録，見《隋志》。新、舊《唐志》作《汪汵集》十一卷。

平西諮議宗躬集十三卷

見《隋志》、新、舊《唐志》。今佚。

別著《止足傳》，已見前。

徵士沈驎士集六卷

見《隋志》。今佚。

《隋志》原題《太子舍人沈驎士集》六卷，檢《隋志》禮類，有《喪服經傳義疏》一卷，題徵士沈驎士撰。

按《南齊書》本傳："永元二年，曾徵太子舍人，不就。"或致誤之由乎？兹據正之。

嚴氏《全梁文》輯存四篇。

別撰《周易要略》等書，已見前。

晋少傅山濤集十卷

奉朝請裴津注，梁有，隋亡，見《隋志》。《通志略》作裴聿注。
今佚。

丘靈鞠文集

卷無考，據《南齊書》本傳。今佚。

別著《江左文章録序》，已見前。

右凡六十部，八百八十卷，今存五卷。

二總集

齊釋奠會詩二十卷

見新、舊《唐志》。今佚。

按《隋志》亦著録，不稱十卷，而稱一十卷，疑一爲二之脱筆。

齊讌會詩十七卷

見《隋志》。今佚。

青溪詩三十卷

齊讌會作，見《隋志》。《舊唐志》:《清溪集》三十卷，題齊武帝
撰。《新唐志》:《清溪集》三十卷，題齊武帝勅譔。今佚。

齊三調雅詞五卷

梁有，隋亡，見《隋志》。

齊雜詔十卷

見《隋志》。今佚。

齊中興二年詔三卷

見《隋志》。今佚。

齊建元詔五卷

　　梁有，隋亡，見《隋志》。

永明詔三卷

　　梁有，隋亡，見《隋志》。

武帝中詔十卷

　　梁有，隋亡，見《隋志》。

隆平詔

延興詔

建武詔

　　按以上三種，共九卷，梁有，隋亡，見《隋志》。

建武二年副詔九卷

　　梁有，隋亡，見《隋志》。

　　按嚴氏《全齊文》輯存齊列帝詔凡五卷，高帝卷一、卷二，武帝
　　卷三、卷四，鬱林王、海陵王、明帝、東昏侯與和帝卷五。

右凡十三部，百二十一卷，今並佚。有輯存五卷。

右集部七十三部，千零六卷，今存十卷。

附記

　　《南齊藝文志》爲史源學課外習題也，一卷書目，未敢取舉以示人。際開明籌印《二十五史補編》，商刊述所學《金史氏族表》（已刊入《中央研究院歷史語言研究所集刊》第五本），輾轉函索，情有難卻，而《氏族表》尚在初稿，未便重刊，私擬以此稿應之。因再并力補綴，磨勘成册，而舉之赧然，趑趄未定。承蒙師友鼓勵，取以問教。然淺陋之作，不足窺見一代之學風也，豈取云補史哉。陳述。二十四年二月十五日。

補梁書藝文志

［清］王仁俊 撰

盧芳玉 宋凱 整理

底本：《籀郼誃雜著》稿本

補梁書藝文志

餘杭褚德儀學

吳縣王仁俊補

易

元帝　周易講疏十卷　《唐志》。①《隋志》"武帝《周易講疏》三十五卷"。

范述曾　易文言注　本傳"字子立,吳郡泉唐人,中散大夫"。

伏曼容　注周易八卷　《隋志》"臨海令"。

朱异　集注周易一百卷　《隋志》"侍中"。　又　周易集注三十卷　《隋志》。

何胤　注周易十卷　《隋志》"處士"。

宋褰　注周易擊辞二卷　太中大夫。②

釋法通等　乾坤義各一卷③

武帝　周易大義二十一卷　《隋志》。

南平王　周易幾義一卷　《隋志》。

國子講易議六卷　《隋志》。

褚仲都　周易講疏十六卷　《隋志》"五經博士"。

蕭子政　周易義疏十四卷　《隋志》"都官尚書"。　又　周易繫辭義

---

① 此條不見於中華書局點校縮印本《舊唐書·經籍志》(以下簡稱《舊唐志》)、《新唐書·藝文志》(以下簡稱《新唐志》),而見於《梁書·元帝紀》。

② 此條見於中華書局點校縮印本《隋書·經籍志》(以下簡稱《隋志》)。

③ 《隋志》曰:"周易乾坤易一卷,齊步兵校尉劉瓛。梁又有齊臨沂令李玉之、梁釋法通等乾坤義各一卷,亡。"

疏三卷　　《隋志》。

武帝　周易繫辭義疏一卷　　《隋志》。

孔子袪　續朱异集注周易一百卷　　《隋志》。①

褚仲都　易義　　《釋文》。

庾詵　易林二十卷　　本傳。

書

武帝　尚書大義二十卷　　《隋志》。

劉叔嗣　尚書注二十二卷　　《七録》。《册府元龜》作"二十一卷，五經博士"。

孔子袪　尚書義二十卷　　本傳"会稽山陰人"。

劉叔嗣　尚書新集序一卷　　《七録》。　又　尚书亡篇叙一卷　《隋志》。

孔子袪　集注尚書三十卷　　本傳。

任孝恭　古文尚書大義二十卷　　《唐志》"中書通事舍人"。

蔡大寶　尚書義疏三十卷　　《隋志》"蕭詧司徒"。

王儉　尚書音義四卷　　《唐志》。

劉叔嗣　尚書亡篇序一卷　　《隋志》"五經博士"。　又　注尚書二十一卷　《隋志》。　又　尚書新集序一卷　《隋志》。

巢猗　尚書百釋三卷　　《隋志》"國子助教"。　又　尚書義三卷　《隋志》。新、舊《志》作"義疏十卷"。

費甝　尚書義疏十卷　　《隋志》"國子助教"。

張譏　尚書義十五卷　又　尚書廣疏十八卷②　　《崇文總目》。

---

① 此條不見於《隋志》，而分別見於《南史·儒林傳》與《梁書·儒林傳》。

② 據《崇文總目》及《宋史·藝文志》，《尚書廣疏》十八卷之作者應為馮繼先。

詩

崔靈恩　集注毛詩二十四卷　<small>本傳"二十二卷，桂州刺史"。</small>

陶弘景　毛詩序一卷　<small>《隋志》"隱居先生"。</small>

謝雲濟①　毛詩檢漏義二卷　<small>《七錄》"給事郎"。</small>

何胤　毛詩總集六卷　<small>《七錄》"處士"。</small>　又　毛詩隱義十卷　<small>《七錄》。</small>

武帝　毛詩發題序義一卷　<small>《隋志》。</small>　又　毛詩大義十一卷　<small>《隋志》。</small>

簡文帝　毛詩十五國風義二十卷　<small>《隋志》。</small>

許懋　風雅比興義十五卷②　<small>字怡哲，高陽新城人，官中庶子。</small>

闕康之　毛詩義　<small>《册府元龜》。</small>

劉瓛　毛詩篇次義一卷　<small>《七錄》。</small>

毛詩圖三卷　<small>《七錄》。</small>

毛詩孔子經圖十二卷　<small>《七錄》。</small>

毛詩古聖賢圖二卷　<small>《七錄》。鄭樵《通志》曰："三書皆蕭梁人作。"</small>

禮

武帝　禮記大義十卷　<small>《隋志》、《唐志》同。</small>　又　革牲大義三卷　<small>《隋志》。</small>

文帝　禮大義二十卷　<small>《唐志》。　紀。③</small>

周捨　禮疑義五十卷　<small>《唐志》。《隋志》作"五十二卷，護軍"。</small>

何佟之　禮記義十卷　又　禮答問十卷　<small>《隋志》"梁二十卷"。</small>

---

① 《隋志》作"謝曇濟"。

② 此條分別見於《梁書·許懋傳》、《南史·許懋傳》。

③ 中華書局點校本新、舊《唐書》本紀中均無此文，《舊唐志》、《新唐志》皆題梁武帝。

朱异　禮講疏　本傳“字彥和，泉唐人，官尚書左僕射”。

伏曼容　喪服集解　本傳“字公儀，平昌壽丘人，官臨海太守”。

臧壽　雜禮義問答四卷①

賀瑒　禮論要鈔一百卷　《隋志》“步兵校尉，五經博士”。　又　喪服
　義疏二卷　《隋志》。　又　禮記新義疏二十卷　《隋志》。

皇侃　禮記講疏一百卷　《唐志》。《隋志》作“四十八卷”。

何胤　禮答問五十五卷　本傳。《隋志》作“五十卷”。②　又　答問十
　卷　《隋志》。③　又　禮記　隱義二十卷　本傳。

庾曼倩　喪服儀　本傳“字世華，官諮議參軍”。

孔子袪　續何承天集禮論一百五十卷④

裴才子　喪服注　本傳⑤

賀述　禮統十二卷⑥

崔靈恩　三禮義宗三十卷　《隋志》。《書錄解題》“一百四十九條”。本傳“四
　十七卷”。《中興書目》“一百五十六篇”。　又　周官集注二十卷

皇侃　禮記義疏九十九卷　《隋志》。《唐志》作“五十卷”。《武帝紀》云：“大
　同四年冬十二月，兼國子助教皇侃表上所撰《禮記義疏》五十卷。”

裴子野　喪服傳一卷　《隋志》“通直郎”。

何佟之　禮雜問答鈔一卷　《隋志》。

陶弘景　三禮目錄注一卷　《七錄》。

梁月令圖一卷　《七錄》。

皇侃　喪服義疏　陸氏《釋文》：“皇侃撰《禮記義疏》五十卷，又傳《喪服義疏》，並
　行於世。”

---

①　此條分別見於《舊唐志》、《新唐志》。

②　此條不見於《隋志》。

③　《隋志》曰：“何佟之撰。”

④　此條分別見於《南史・儒林傳》與《梁書・儒林傳》。

⑤　《梁書・裴子野傳》曰：“子野少時，集注喪服、續裴氏家傳各二卷。”據此，“裴才
子”當爲裴子野。

⑥　此條見於《新唐志》。

樂

武帝　樂社大義十卷　《隋志》。《唐志》。

武帝　樂論三卷　《唐志》。《隋志》。　又　樂義十一卷　集朝臣撰。　又　鐘律緯六卷　《隋志》。

春秋

崔靈恩　春秋序一卷　《隋志》。

簡文帝　春秋發題一卷　《隋志》。　又　左傳例苑十八卷　《唐志》。①

崔靈恩　左氏傳立義十卷　《唐志》。《隋志》。　又　春秋經傳解六卷　又　春秋申先儒傳論十卷　《隋志》。《唐志》"申"上無"春秋"二字。②　又　左氏經傳義二十二卷　本傳。　又　公羊穀梁文句義十卷　本傳。　又　左氏條例十卷　本傳。　又　左氏條義　本傳。

虞僧誕　申杜難服　官助教，見《崔靈恩傳》，會稽餘姚人。

梅悾清　調論③　字文暢，河東解人，吳興太守，本傳。

劉之遴　春秋義　本傳云："著春秋大道十科，左氏十科，三傳同异十科，合三十科。"④

沈宏　春秋經解六卷　武康人，天監初五經博士，見《上古三代至隋文》。當

---

①　《舊唐志》作"春秋左氏傳例苑十八卷"，《新唐志》作"左氏傳例苑十八卷"。

②　"春秋申先儒傳論十卷"，《舊唐志》作"春秋申先儒傳例十卷"，《新唐志》作"申先儒傳例十卷"。

③　此條據《梁書·柳惲傳》當爲"柳惲字文暢，河東解人也，著清調論"。

④　《梁書·劉之遴傳》"道"作"意"，"三十"下之"科"作"事"。

考。　又　春秋文苑六卷　又　春秋嘉語六卷　又　春秋五辨二卷　《隋志》。

論語

太史叔明　論語集解十卷　《七録》。

陶弘景　集注論語十卷　《七録》。

褚仲都　論語義疏十卷　《隋志》。

劉被　孔志十卷　太尉參軍。①

曹思文　注釋論語十卷　《七録》。

孝經

武帝　孝經義疏十八卷　《隋志》。《唐志》。②

昭明太子統　講孝經義三卷　《七録》"又一卷"。

簡文帝　孝經義疏五卷　《七録》。

皇太子　講孝經義三卷　《隋志》。

天監八年皇太子　講孝經義一卷　《隋志》。

蕭子顯　孝經義疏一卷　七録》。　又　孝經敬愛義一卷　《隋志》。

嚴植之　孝經注一卷　《七録》"五經博士"。

曹思文　孝經注一卷　《七録》"功論郎"。

江係之　孝經注一卷　《七録》"羽林監"。

江遜　注孝經一卷　《七録》。

---

① 此條見於《隋志》。
② 《舊唐志》作"孝經疏十八卷",《新唐志》作"疏十八卷"。

釋慧始　注孝經一卷①

陶弘景　集注孝經一卷　《七録》。

邹誕生　要用字對誤四卷　《七録》。《隋志》"輕車參軍"。②

諸葛循　孝經序一卷　《七録》。

太史叔明　孝經義一卷　《七録》。《隋志》。《唐志》作"發題"。③揚州从事。

賀瑒　孝經講義一卷　《七録》。

皇侃　孝經義疏三卷　《七録》。

孝明帝蕭歸　孝經義記　見《經義考》。

趙景韶　孝經義疏一卷　《隋志》。

張譏　孝經義八卷　《南史》。

小學

沈旋④　尔疋集注十卷　《釋文》。《唐志》作"璇",⑤約子。《隋志》"黃門郎"。

劉歊　古今文字叙　《七録》"一卷"。《隋志》。劉訏族兄,字士光,謚貞節處士。

劉杳　要雅五卷　本傳"字士源,平原平原人,官尚書左丞"。

阮孝緒　文字集略一卷　《唐志》。《七録》作"三卷,序録一卷"。字季子,⑥文
　貞處士。

蕭愷　删改玉篇　本傳"子顯子,官侍中"。

范岫　字書音訓　劉杳傳。

---

① 此條見於《隋志》。
② 此條目前書"誤録"二字。
③ 《舊唐志》作"孝經發題",《新唐志》作"發題"。
④ "旋",《隋志》作"琁"。
⑤ "璇",《新唐志》作"琁"。
⑥ "《七録》作三卷,序録一卷"當出自《隋志》,然 1997 年中華書局點校縮印本《隋
志》無此九字。又《隋志》著録《文字集略》作六卷。據《梁書》本傳,阮孝緒字士宗,非季
子。此條抄録有誤。

蕭子雲　飛白執一篇　<small>本傳。</small>　又　論書一卷　又　五十二體書一卷　《唐志》。

庾肩吾　書品一卷　<small>《唐志》。字子睿，凡一百二十二人。</small>

蕭子範　千字文一卷　<small>《唐志》。</small>

周興嗣　次韻千字文一卷　<small>《唐志》。①</small>

沈約　四聲一卷　<small>《隋志》。傳又作"四聲譜"，未知即此書否。</small>

釋寶誌　文字釋訓三十卷　<small>《舊唐志》。②</small>

庾曼倩　文字体例　<small>詵本傳"詵子，字世華，咨議參軍"。</small>

蔡邕　注千字文　<small>《蕭子範傳》。</small>

蕭子雲　注千字文一卷　<small>《隋志》。</small>

夏侯詠　四聲韻略十三卷　<small>《隋志》。李涪刊誤作十二卷。</small>

庾元威　字府一卷　<small>《通志》。③</small>

蕭子政　古今篆隸雜字體一卷　<small>《隋志》。</small>

輕車參軍鄒誕生　要用字對誤四卷　<small>《七錄》。</small>

元帝　奇字二十卷　<small>《金樓子》。</small>

國史

鄒誕生　史記音三卷　<small>《隋志》。</small>

元帝　注漢書一百一十五卷　<small>紀。《隋志》。</small>

韋稜　漢書續訓三卷　<small>《隋志》。字威直，叡子，北平咨議參軍。當作"平北"。《唐志》作"二卷"。</small>

蕭子顯　後漢書一百卷　<small>本傳。</small>

<small>①　《舊唐志》無"次韻"二字。</small>
<small>②　此條亦見於今本《新唐志》。</small>
<small>③　1987 年中華書局影印《萬有文庫》本《通志》無庾元威《字府》一書。</small>

蕭方等　注范曄後漢書　<small>字實相，忠壯世子，傳。</small>

吳均　注後漢書九十卷　<small>本傳。</small>

劉昭　補續漢書八志三十卷①

王規　注續漢書二百卷　<small>字威明，琅琊臨沂人，官散騎常侍。</small>

劉顯　漢書音二卷　<small>《隋志》"尋陽太守"。</small>

夏侯詠　漢書音義二卷　<small>《隋志》。②</small>

蕭子雲　晉書十一卷　<small>本一百二卷。《隋志》。傳"一百一卷"。</small>

沈約　晉書一百一十卷　<small>《隋志》。③</small>　又　宋書一百卷　<small>《隋志》。</small>

蕭子顯　齊書六十卷　<small>本傳。</small>

江淹　齊史十三卷　<small>《隋志》。</small>

注曆

張緬　後漢略二十七卷　<small>《唐志》，④編年。</small>　又　後漢紀四十卷

太子家令陸照　陸史十五卷　<small>杲弟，附杲傳。</small>

裴子野　齊梁春秋　<small>本傳云："始草創，未就而卒。"</small>

鎦協　注干寶晉紀六十卷　<small>《唐志》。</small>

蕭景暢　晉史草三十卷　<small>《唐》。</small>

謝綽　宋拾遺十卷　<small>《隋志》。</small>

裴子野　宋略二十卷　<small>《唐志》。《隋志》書係□題。⑤</small>

鮑衡卿　宋春秋二十卷⑥

---

① 《宋史·藝文志》著錄"劉昭補注後漢志三十卷"。

② 《隋志》作"漢書音二卷"。

③ 《隋志》作"晉書一百一十一卷"，《梁書·沈約傳》則作"晉書百一十卷"。

④ 此條不見於《舊唐志》。

⑤ "□"，原書字草，難以辨識，姑以"□"替代。

⑥ 此條分別見於《舊唐志》、《新唐志》。

王致　宋春秋二十卷①

沈約　齊紀二十卷②

吳均　齊春秋三十卷③

謝昊　梁典二十九卷④

蕭韶　梁太清紀十卷　長沙王。　又　皇帝紀七卷⑤

梁末代紀一卷⑥

古史

晉書鈔三十卷　張緬。《隋志》"豫章内史"。《史通》作"勔"。

宋拾遺　少府卿謝綽撰。《隋志》"十卷"。⑦

梁帝紀七卷　《隋志》。

梁太清録八卷　《隋志》。《史通·雜說》篇作"裴政撰"。⑧

梁承聖中興略十卷　劉仲威撰。《隋志》。

梁末代紀一卷⑨

梁皇帝實録三卷　周興嗣撰，記武帝事，《隋志》。

梁皇帝實録　中書郎謝吳撰。記元帝事，五卷。⑩

司徒左長史江蒨　江左遺典三十卷　本傳。

---

①　據《隋志》及《新唐志》，"致"當爲"琰"。

②　此條分別見於《舊唐志》、《新唐志》。

③　此條分別見於《梁書·吳均傳》、《隋志》、《新唐志》。

④　《新唐志》作"三十九卷"。

⑤　"梁太清紀十卷"分別見於《隋志》、《舊唐志》、《新唐志》，"皇帝紀七卷"分別見於《舊唐志》、《新唐志》。

⑥　此條見於《隋志》。"紀"，《舊唐志》、《新唐志》均作"記"。

⑦　此條與前"注曆"類重出。

⑧　1978 年上海古籍出版社排印《史通通釋》作"裴政《梁太清實録》"。

⑨　此條與前"注曆"類重出。

⑩　此條見於《隋志》。

劉峻　九州春秋鈔一卷　　"見胡元瑞《經傳會通》"，《經義考》引。

職官

賀琛　梁官　見《沈峻傳》。

徐勉　梁選簿三卷　《唐志》。

沈約　梁新定官品十六卷　梁百官人品十五卷　《唐志》。

裴子野　百官九品二卷　本傳。

徐勉　新定官品二十卷　《隋志》。《唐》作"十六卷"。　又　選品五卷

　本傳。《南史》傳"三卷"。　又　梁選部三卷①　《隋志》。《唐》同。

梁帝紀七卷②

周興嗣　梁皇帝實録二卷③

謝昊　梁皇帝實録五卷④

梁大清實録十卷⑤

徐勉　別起居注六百卷　本傳。《南史》本傳作："流别起居注六百六十卷"。

梁大同起居注十卷　《隋志》。

梁天監起居注　《御覽·地部》。《寰宇記·劍南道》引。

梁起居注　《御覽·休徵部》引。卷亡。

鬼神

陶弘景　周氏冥通記四卷　本集。　又　夢記　本傳云："齊宜都王鏗

---

①　"部"，《隋志》實作"簿"，又此書前已著録，此重出。

②　此條見於《隋志》。

③　此條見於《新唐志》。《隋志》、《舊唐志》均作"三卷"。

④　此條見於《隋志》，《新唐志》作"謝昊"。

⑤　此條下又重録以上三條，當係作者一時誤書，今删。另據《隋志》、《新唐志》，"大"當爲"太"。

爲明帝所害,其夜,弘景夢鏗告別,因訪其幽冥中事,多說祕異,因著夢記焉."

儀典

嚴植之　南齊儀注二十八卷　《唐志》。①

梁皇帝崩凶儀十一卷　傳。《唐志》。②

梁皇太子喪禮五卷　傳。③《唐》。④

梁王侯目下凶禮九卷　《唐志》。

士喪禮儀注十四卷　《唐》。

梁東宮元令典儀注　《通典·樂門》引。

鮑泉　新儀三十卷　《唐》⑤。

梁尚書儀曹儀注十八卷　又　二十卷　《唐》。⑥

梁尚書職制儀注四十一卷　《隋志》。

梁天子喪禮七卷　又　五卷　《唐志》。

梁大行皇帝皇后崩儀注一卷　《唐志》。

鮑行卿　皇室儀十三卷⑦　《南史·鮑泉傳》"時有鮑行卿,以博學大才,撰皇室儀十三卷"。《唐志》作"錄"。

梁太子妃崩凶儀注九卷⑧《唐志》。

---

①　此條不見於《舊唐志》。

②　此條不見於《梁書·嚴植之傳》、《南史·嚴植之傳》。另據《新唐志》此及以下四書作者均爲嚴植之。

③　此條不見於《梁書·嚴植之傳》、《南史·嚴植之傳》。

④　《舊唐志》作"梁凶禮天子喪禮五卷"。

⑤　此條不見於《舊唐志》。

⑥　此條不見於《舊唐志》。

⑦　"皇室書儀十三卷",《舊唐志》、《新唐志》均作"皇室書儀十三卷";"行",《新唐志》作"衡"。

⑧　"崩",《舊唐志》、《新唐志》均作"薨"。

梁諸侯世子卒凶儀注九卷　　《唐志》。①

謝朓②　書筆儀二十卷　　傳。

沈約　梁儀注十卷　　《唐志》。

蕭子雲　東宮新記二十卷③

明山賓　吉禮儀注十卷④

賀瑒　賓禮儀注九卷　　《隋志》。案，梁明山賓撰《吉禮儀注》二百六卷，錄六卷；嚴植之《凶禮儀注》四百七十九卷，錄四十五卷；陸璉撰《軍儀注》一百九十卷，錄二卷；司馬褧撰《喪儀注》一百一十二卷，錄二卷；並亡。存者唯士、吉及賓，合十九卷。

邱仲孚　皇典二十卷　　《隋志》。"豫章太守"。

雜凶禮十二卷⑤

何胤　政禮十卷　又　士喪儀注九卷⑥

梁五禮藉田儀注　　《藝文類聚·禮部》。

梁五禮先蚕儀注　　《藝文·禮部》。《初學記·禮部》引。

周遷　古今輿服雜事十卷　　《唐志》。《隋》"二十卷"。

蕭子雲　古今輿服雜事二十卷⑦

何胤　喪服治禮儀注九卷⑧

何點　理禮儀注九卷⑨

鮑衡卿　皇室書儀十三卷　　《唐志》。《隋》作"行卿，皇室儀"。

蕭子雲　東宮雜事二十卷⑩

---

①　《舊唐志》作"梁諸侯世子凶儀注九卷"。
②　《舊唐志》作"謝朓"，《新唐志》作"謝朏"。
③　此條分別見於《梁書·簫子雲傳》、《隋志》。
④　此條分別見於《隋志》、《舊唐志》。
⑤　"十二卷"，《隋志》作"四十二卷"。
⑥　此條見於《隋志》，"政禮十卷"，《隋志》作"政禮儀注十卷"。
⑦　此條見於《新唐志》。
⑧　同上。
⑨　此條分別見於《舊唐志》、《新唐志》。
⑩　此條見於《新唐志》。

謝元　内外書儀四卷①

蔡超　書儀二卷

謝朏　書筆儀二十一卷

周捨　書儀疏一卷

鮑泉　新儀三十卷②

梁脩端　文儀二卷③

嚴植之　儀二卷

法制

蔡法度　梁律二十卷　　義興太守。　　又　梁令三十卷　梁科二卷

《唐志》。《武帝紀》“天監二年，法度上《梁科》三十卷”。

蔡法度　晉宋齊梁律二十卷④

僞史

席惠明　注裴景仁秦記十一卷　　《隋志》。《唐》作“杜惠明”。

劉景　涼書十卷　　《隋志》“大將軍從事中郎”。　　又　敦煌實錄十卷

天啓記十卷　　《隋志》“記元帝子謂據湘州事”。疑梁人撰。

蕭方等　三十國春秋三十一卷　　《隋志》。《唐志》“三十卷”。湘東世子。

雜傳

武帝　孝子傳三十卷　　《唐志》。⑤

----

① 此條及以下三條均見於《隋志》。

② 此條見於《南史·鮑泉傳》、《隋志》、《新唐志》。

③ 此條及下一條均見於《隋志》。

④ 此條見於《隋志》、《新唐志》。

⑤ 此條不見於《舊唐志》。

阮孝緒　高隱傳十卷　《唐》。①《隋志》。

鍾岏　良吏傳十卷　《唐》。

先儒傳五卷　《唐》。

王繽之　童子傳二卷　《隋志》。

元帝　孝德傳三十卷　《唐》。　又　忠臣傳三十卷　《唐》。　全德
　志一卷　《唐》。　丹陽尹傳十卷　《唐》。　同姓名錄　《唐》。
　懷舊志九卷②　《唐》。

劉昭　幼童傳十卷　《唐》。

任昉　雜傳一百二十卷　《唐》。③《隋志》"三十六卷，本一百四十七卷"。

吳均　錢塘先賢傳五卷　《唐》。

蕭子顯　貴儉傳三十卷　《唐》。④

文帝　昭明太子傳五卷　紀。　又　諸王傳三十卷　紀。

劉綰　先聖本紀十卷　《隋志》。昭子。

明粲　明氏世錄六卷　"信武記室"，《隋志》。《舊》五卷。《唐》同。⑤

來奧　訪來傳十卷⑥

盧思道　知己傳一卷⑦

釋法進　江東名德傳三卷⑧

梁故草堂法師傳一卷

華陽子自序一卷⑨

---

① 《舊唐志》作"二卷"。
② 此條不見於《舊唐志》。
③ 同上。
④ 此條不見於《舊唐志》、《新唐志》，而見於《梁書·蕭子顯傳》。
⑤ 《舊》，指《舊唐志》。《唐》同，指同於《隋志》。
⑥ 此條見於《隋志》。
⑦ 此條分別見於《隋志》、《舊唐志》、《新唐志》。
⑧ 此條及其下二條均見於《隋志》。
⑨ 華陽子自序一卷，《舊唐志》、《新唐志》作茅處玄撰。

裴子野　續裴氏家傳三卷　　本傳。①

元帝　繁華傳三卷　　《金樓子》。　又　黃妳自序三卷　　《金樓子》。

劉向　高士傳二卷②　俊按："向"乃"杳"字之誤。

土地

任昉　地記二百五十二卷　　《唐志》。《隋志》。

庾仲容　衆家地理書鈔三十卷　　傳。③

任昉　地理書鈔九卷　　《隋志》。

元帝　職貢圖一卷　　《唐》。　又　荊南地志二卷　　《隋志》。《唐志》。④

　又　江州記　　紀。

顧憲之　衡陽郡記　　本傳。

劉孝標　注九州春秋鈔一卷　　《通志》。如《御覽·兵部》引《九州春秋》,多
有注語,即是矣。

席惠明　注裴景仁秦紀十一卷　　雍州主薄。《隋志》。《舊唐志》入編年類,
非是。

庾詵　續伍端休江陵記一卷　　傳。

劉孝標　金華山栖志　　本傳。

許懋　述行記四卷　　本傳。

裴子野　方國使圖一卷　　本傳。

吳均　入東記　　《寰宇記·江南西道》引。⑤

陸煦　陸氏驪泉志一卷　　本傳。

---

① 　《梁書·裴子野傳》、《南史·裴子野傳》均作"二卷"。

② 　此條見於《南史·劉杳傳》。

③ 　《梁書·庾仲容》作"二十卷"。

④ 　此條不見於《舊唐志》。

⑤ 　據《太平寰宇記》卷九十四《江南東道六》,"西"當作"東"。

釋僧祐　世界記五卷　《隋志》。

蕭子顯　普通北伐記五卷　　本傳。

譜狀

顧協　異姓苑五卷　　本傳。

王僧孺　百家譜三十卷　《唐志》。《隋志》。　百家譜集十五卷　十
八州譜七百一十卷　傳。《唐志》作“七百一十二卷”。　東南譜集鈔
十卷　本傳。

徐勉　百官譜二十卷　《唐志》。①

賈執　百家譜五卷　《唐志》。《唐書·柳沖傳》作“二十卷”。　又　姓氏
英賢錄一百卷②　《唐志》。《唐書·柳沖傳》作“姓氏英賢一百篇”。《御覽·
宗親部》引作“姓氏英賢錄”。《廣韵》作“賈執《英賢傳》”。《列子釋文》作“賈逵《姓苑
英賢》”。《姓纂》：梁賈執撰《姓氏英賢傳》。

王僧孺　范氏譜　《文選·爲范尚書讓吏部封侯第一表》注引。

武帝　總集境內十八州譜六百九十卷　《隋志》。

梁大同四年表簿三卷　《唐志》。③

齊梁宗簿三卷　《唐》。

梁親表譜五卷　《唐志》。④

彈棊譜　《藝文》七十四。

簡文帝　馬槊譜　《藝文》六十有序 。《御覽》三百五十四。

梁帝譜十三卷　《七録》。

王競譜十卷　代元帝。《金樓子》。

---

①　此條不見於《舊唐志》。
②　“姓氏英賢錄一百卷”，《舊唐志》、《新唐志》均作“姓氏英賢譜一百卷”。
③　此條不見於《舊唐志》。
④　同上。

簿録

阮孝緒　七録十二卷　《唐志》。

丘賓卿　梁天監四年書目四卷　《唐志》。

劉遵　梁東宮四部書目四卷①

劉孝標　文德殿四部目録四卷　《隋志》。

劉杳　古今四部書目五卷　本傳。

殷鈞　梁天監六年四部書目録四卷　《隋志》。

沈約　宋世文章志二卷　《唐志》。本傳作"卅卷"。

方術

武帝　坐右方十卷　《唐志》。　又　如意方十卷　《唐志》。②

陶弘景　集注神農本草七卷　《唐志》。③《隋志》。　又　本鈔十卷

　又　效驗方十卷　《唐志》。《隋志》"陶氏效驗方六卷"。《七録》"五卷"。

補時後救雜備急方六卷　《唐志》。④《隋志》作"補闕時後百一方九卷"。⑤

太清玉石丹藥要集三卷　《唐志》。《隋志》"太清諸丹集要四卷"。

太清諸草木方集要三卷⑥　《唐志》。《隋》"二卷"。　又　練化雜術一

　卷　《隋志》。　又　合丹節度四卷　《隋志》。　又　服餌方三

　卷　《隋志》。

---

　①　此條見於《新唐志》。

　②　此二條均不見於《舊唐志》。

　③　《舊唐志》作"本草集經七卷"。

　④　《舊唐志》、《新唐志》均作"補肘後救卒備急方六卷"。

　⑤　《隋志》作"補闕肘後百一方九卷"。

　⑥　"太清諸草木方集要"，《隋書》作"太清草木集要"。

武帝所服雜藥方一卷　《隋志》。

陶弘景　名醫別録三卷

元帝　寶帳仙方三卷　《金樓子》。　又　虞預食要十卷　代撰。《金樓子》。

簡文帝　光明符十二卷　《隋志》。

元帝　洞林三卷　《隋志》。　又　連山三十卷　《隋志》。

簡文帝　竈經十四卷　《七録》。　又　称物重率術二卷

元帝　筮經十二卷　紀。　又　式贊三卷　紀。《金樓子》有"《式苑》一帙三卷"，疑即此。

顏協　日月災異圖二卷　本傳。

陰陽 隋志曆

天監五年修刻漏事一卷　《隋志》。

祖暅　漏刻經一卷　《隋志》。

朱史　漏刻經一卷　《隋志》"中書舍人"。

庾曼倩　七曜曆術　《庾詵傳》"詵子"。

法

張纘　算經異義一卷

名

墨

縱橫

元帝　補闕子十卷　《隋志》。

元帝　湘東鴻烈十卷　《隋志》。

農

宗懍　荆楚歲時記一卷　《唐志》。①

顧炫　泉譜一卷　《隋志》。

小說

裴子野　類林三卷　《唐志》。②

劉義慶　幽明録二十卷　《隋志》。

殷芸　小說十卷　《隋志》。《唐志》。《七録》“卅卷”。安右長史。

劉孝標　續世說十卷　《唐志》。　注劉義慶世說新語二十卷　《唐志》。③《隋》“十卷”。

庾元威　座右方八卷　《隋志》。《唐志》“三卷”。④

劉之遴　神録五卷　《隋志》。

元帝　研神記十卷　《唐志》作“姸”。《隋志》。

吳均　續齊恠記一卷　《隋志》。⑤

金紫光禄大夫顧協　瑣語一卷　《隋志》。

南臺治書伏挺　邇說一卷　《隋志》。本傳作“挺，晒子。十卷”。

庾仲容⑥　建康令劉霽　釋俗語八卷　本傳。

---

① 《舊唐志》作“十卷”。

② 此條不見於《舊唐志》。

③ 此條不見於《舊唐志》、《新唐志》。

④ 《新唐志》作“三卷”。

⑤ 《隋志》作“續齊諧記一卷”。

⑥ 《梁書·庾仲容傳》不載《釋俗語》事，《劉霽傳》則明載此書，“庾仲容”三字當爲衍文。

蕭賁　辯林二十卷　代元帝,《金樓子》。

王琰　冥祥記十卷　《隋志》。

庾詵　總鈔八十卷　傳。

任昉　述異記二卷　《通考》。

武帝　坐右方十卷①

子老庄

韓非②　老子玄示一卷　《七録》。

簡文帝　老子厶記十卷　《七録》。

武帝　老子講疏六卷　《隋志》。　又　四卷　《唐志》。

庾曼倩　莊老義疏　《庾詵傳》:"詵子。"

簡文　莊子講疏十卷　《唐志》。③《隋》"本二十卷"。　又　莊子義二十

卷　本紀。

張機　莊子講疏二卷　《隋》。

簡文　談疏六卷④

張機　遊玄桂林二十一卷目一卷

釋慧觀　老子義疏　《七録》。

伏曼容　老莊義　本傳。

陶弘景　莊子注四卷　《唐志》。⑤

元帝　老子講疏四卷　紀。

文帝　老子義二十卷　本紀。

---

①　此條與前方術類重出。
②　《隋志》作"韓壯"。
③　《舊唐志》、《新唐志》均作"三十卷"。
④　此條及下一條均見於《隋志》。
⑤　此條不見於《舊唐志》、《新唐志》。

儒

周捨　正覽六卷　　"太子詹事"，《隋志》。

曹思文　三統五德論二卷　　《七錄》。

忠壯世子　靜住子　本傳。

兵

武帝　兵法一卷①

元帝　玉韜十卷　《隋志》。《唐》同。　又　金韜十卷　《隋》。

劉祐　金韜十卷

陶弘景　真人水鏡十卷　　均見《唐志》。

武帝　兵書鈔一卷　《隋志》。　又　兵書要略一卷②　《隋志》。

劉祐　陰策二十二卷　《隋志》：大都督。

天文

陶弘景　天儀說要一卷　《隋志》。

祖暅　天文錄三十卷　　"奉朝請"，《隋志》。

庾詵　注算經　本傳。　又　七曜曆術　本傳。

天監碁品一卷　　"尚書僕射柳惲撰"，《七錄》。

東宮撰太一博法一卷　《隋志》。

---

① 《隋志》有"梁武帝兵书钞一卷"。
② "略"，《隋志》作"钞"。

武帝　碁法一卷　又　围棋品一卷①

湘東太守徐泓　圍棋势七卷　《七録》。

雜家

元帝　金樓子二十卷　《隋志》。②

沈約　俗說三卷　《隋志》。　又　袖中記二卷　《隋志》。　又　褉
說二卷　《隋志》。　又　袖中集一卷　《隋志》。　又　珠叢略一
卷　《隋志》。③

庾肩吾　採璧三卷　《隋志》"中書舍人"。

特進蕭琛　皇覽鈔二十卷　《七録》。

謝昊④　物始十卷　《隋志》。

徐爰　合皇覽目四卷　《七録》。

類書

劉孝標　類苑一百二十卷　《隋志》。《七録》"八十二卷"。征虜刑獄參軍。

劉杳　壽光書苑二百卷　《隋》。《唐》同。尚書左丞。

徐勉　華林遍略六百卷　《唐志》。⑤《隋志》作"六百二十卷，綏安令徐僧權
等撰"。

庾仲容　子鈔三十卷　《隋志》。

---

① 此條見於《隋志》。

② 《隋志》作"十卷"。

③ "袖中集一卷"、"珠叢略一卷"，《隋志》分別作"袖中略集一卷"、"珠叢一卷"。

④ 《隋志》作"謝昊"，《舊唐志》、《新唐志》作"謝昊"。

⑤ "遍"，《舊唐志》作"編"。

沈約　珠叢一百卷　《唐志》。①

張纘　鴻寶一百卷　本傳。

陰子春　瓊林二十卷　本傳云:"後人周,字幼文,武威姑臧人,官尚書金部郎。"

沈約　子鈔十五卷②　《隋志》。《七録》"十五卷"。

元帝　同姓名録三卷　《通考》。《書録解題》。

陶弘景　古今刀劍録一卷　《通考》。

湘東王功曹參軍朱諺遠　語丽十卷　"分四十門",《通考》。　又　語對一卷　同上。

陸雲公　嘉瑞記　《陳書·陸瑓傳》云:"瑓父公奉武帝敕撰《嘉瑞記》。"

楚辞

劉杳　楚辞草木疏一卷　本傳。

別集

文帝集十八卷　《唐志》。

武帝集十卷　《唐志》。《隋志》"二十六卷"。　詩賦集二十卷　《隋志》。

武帝雜文集九卷　《隋志》。

武帝別集目録二卷　《隋志》。

武帝淨業賦三卷　《隋志》。

簡文帝集八十卷　《唐志》。《隋志》"八十五卷,陸罩撰,并録"。

元帝集五十卷　紀。《唐志》。《隋》作"五十二卷"。　小集十卷

---

①　此條不見於《舊唐志》、《新唐志》,《隋志》作"一卷"。

②　"十五卷",《隋志》作"二十卷"。

晉安成王集三十卷　《隋志》。

昭明太子集二十卷　《唐志》。《隋志》同。

安成煬王集五卷　《隋志》。

岳陽王督集十卷　《隋志》。

邵陵王綸集四卷　《唐志》。《隋志》作"六卷"。

武陵王紀集八卷　《唐志》。

蕭歸集二十卷　《隋志》。①

蕭業集文　《唐志》。本傳云："所著詩賦數千言，世祖集而序之。"②

蕭琮集七卷　《隋志》。

蕭秀集

沈約　注武帝連珠一卷③

范雲集十二卷　《唐志》。《隋志》"十一卷"。

江淹前集十卷　《唐志》。《隋志》"九卷"。　後集十卷　《唐志》。《隋志》同。

任昉集三十四卷　《隋志》"太常卿"。

宗夬集十卷④

王暕集二十卷　《唐志》。《隋》"二十一卷"。

魏道微集三卷　《唐志》。《隋》同。徵士。

司馬褧集九卷　《唐志》。《隋》"仁威府長史司馬"。

沈約集百卷　《唐志》。《隋志》"一百一卷"。　又　集略三十卷　又　詩極一卷

傅昭集十卷⑤

---

① 《隋志》作"十卷"。
② 此段文字見於《梁書·蕭機傳》。
③ "注"，原作"著"，據《隋志》改。
④ 此條見於《舊唐志》、《新唐志》。《隋志》作"九卷"。
⑤ 此條見於《舊唐志》、《新唐志》。

宗史集九卷　　官司徒諮議。①

袁昂集二十卷②

徐勉前集三十五卷　後集十六卷③

陶弘景集三十卷　《唐志》。《隋志》同。　内集十五卷　《隋志》。

周捨集二十卷④

何遜集八卷　《唐志》。《隋》"七卷，仁威記室"。

謝琛集五卷　《唐志》。

謝郁集五卷⑤

王僧儒集三十卷⑥

張率集三十卷⑦　又　文衡十五卷⑧

楊眺集十卷　《唐志》。《隋志》"并録，十一卷"。

鮑畿集八卷　《唐志》。《隋》同。鎮西府記室。

周興嗣集十卷⑨

許懋集十五卷⑩

蕭洽集二卷⑪

裴子野集十四卷　《唐志》。《隋》"鴻臚卿"，同。

庾曇隆集二十卷　《唐志》。⑫　《隋志》"十卷"。

---

①　《隋志》曰："梁司徒諮議《宗夬集》九卷并録。"
②　此條見於《舊唐志》、《新唐志》。
③　此條見於《隋志》、《新唐志》。
④　此條見於《隋志》、《舊唐志》、《新唐志》。
⑤　同上。
⑥　"儒"，《隋志》、《舊唐志》、《新唐志》均作"孺"。
⑦　此條見於《隋志》、《舊唐志》、《新唐志》。
⑧　此條見於《梁書·張率傳》、《南史·張率傳》。
⑨　此條見於《舊唐志》、《新唐志》。
⑩　此條見於《梁書·許懋傳》。
⑪　此條見於《隋志》、《舊唐志》、《新唐志》。
⑫　《新唐志》作"十卷"。

劉之遴前集十一卷　後集三十卷①

到溉集二十卷②

虞爵集六卷③

王同集三十卷④　《唐志》。《隋》"三卷，南徐州治中"。

劉孝綽集十二卷⑤

王規文集二十卷⑥

劉孺文集二十卷⑦

劉孝義集二十卷⑧

劉孝威前集十卷　後集十卷⑨

丘遲集十卷　《隋志》"國子博士"。　又　集鈔四十卷

王錫集七卷　《唐志》。《隋》同，"吏部郎"。

蕭子範集三卷⑩《唐志》。官始興内史。

蕭子雲集二十卷⑪

蕭子暉集十一卷⑫

蕭子恪文集前後三十卷　本傳。⑬

蕭子顯文集二十卷　本傳。

---

① 《隋志》曰："劉之遴後集二十一卷。"

② 此條見於《梁書·到溉傳》。

③ 此條見於《舊唐志》、《新唐志》，《隋志》作"十卷"。

④ 《舊唐志》、《新唐志》均作"三卷"。

⑤ 此條見於《新唐志》。《隋志》作"十四卷"，《舊唐志》作"十一卷"。

⑥ 此條見於《梁書·王規傳》。

⑦ 此條見於《梁書·劉孺傳》。

⑧ 此條見於《隋志》、《舊唐志》、《新唐志》。

⑨ 此條見於《舊唐志》、《新唐志》，《隋志》曰："梁太子庶子劉孝威集十卷。"

⑩ 《隋志》作"十三卷"。

⑪ 此條見於《舊唐志》、《新唐志》，《隋志》作"十九卷"。

⑫ 此條見於《舊唐志》、《新唐志》，《隋志》作"九卷"。

⑬ 《梁書·蕭子恪傳》、《南史·蕭子恪傳》皆曰："不傳文集。"

孔休源集十五卷①

江革集十卷②

吳均集二十卷③

江行敏集五卷

庾肩吾集十卷④

王筠　洗馬集十卷　《唐志》。《隋志》“十一卷”。　中庶子集十卷　敕撰中書表奏三十卷⑤　左佐集十卷⑥　《唐志》。《隋志》“十一卷”。　臨海集十卷　中書集十卷　《唐志》。《隋志》“十一卷”。　尚書集十一卷　《唐志》。《隋》“九卷”。

范縝集十卷⑦

劉昭文集十卷⑧

鮑泉集一卷　《隋志》。《唐》同。平北府長史。

謝瑱集十卷　《唐志》。《隋志》“八卷，東陽郡丞”。

謝纂集十卷　《隋志》“晉安太守”。

柳憺集二十卷　《隋志》“撫軍將軍”。

柳惲集十二卷　《隋志》“護軍”。

柳憕集六卷　《隋志》“御州刺史”。

柳忱集十三卷　《隋志》“尚書令”。

何個集三卷　《隋志》“義安郡丞”。⑨

---

① 此條見於《梁書·孔休源傳》、《南史·孔休源傳》。
② 此條見於《舊唐志》、《新唐志》，《隋志》作“六卷”。
③ 此條見於《隋志》、《舊唐志》、《新唐志》。
④ 同上。
⑤ 此條不見於《舊唐志》、《新唐志》，而見於《梁書·王筠傳》、《南史·王筠傳》。
⑥ 《舊唐志》、《新唐志》均作“左右集十卷”。
⑦ 此條見於《梁書·范縝傳》，《隋志》作“十一卷”。
⑧ 此條見於《梁書·劉昭傳》。
⑨ 《隋志》作“義興郡丞”。

韋温集十卷　《隋志》“撫軍中兵參軍”。

劉苞集十卷　《隋志》“太子洗馬”。

謝綽集十一卷　《隋志》。

張熾金河集六十卷　《隋志》“秘書”。

劉敲集八卷①

劉訐集一卷　《隋志》“玄貞處士”‘。

江洪集二卷　《隋志》“建陽令”。

虞嚼集十卷　《隋志》“尚書祠部郎”。《唐志》“七卷”。②

費昶集三卷　《隋志》“新田令”。

蕭機集二卷　《隋志》。③

謝琛集五卷　《隋志》“通直郎”。

劉緩集四卷　《隋志》“安西記室”。

沙門智藏集五卷④

王揖集五卷　《隋志》“東陽太守”。

任孝恭集十卷　《隋志》。《唐》同。中書郎。

張纘集十卷　《唐志》。《隋》“十一卷，雍州刺史”。

張緬集五卷⑤

陸雲公集四卷⑥

張縮集十卷　《唐志》。《隋》“十一卷”。

甄立成集十卷　《隋志》。《唐》同。⑦

———

① 此條見於《隋志》。
② 《舊唐志》、《新唐志》均作“六卷”。按，此條重出，當刪。
③ “機”，《隋志》據《梁書》本傳改為“幾”。
④ 《隋志》曰：“沙門釋智藏集五卷，亡。”
⑤ 此條見於《梁書·張緬傳》。
⑥ 此條見於《舊唐志》、《新唐志》，《隋志》作“十卷”。
⑦ “立”，《隋志》、《舊唐志》、《新唐志》均作“玄”。

蕭欣集十卷　《隋志》"安成蕃王"。

沈君攸集十二卷　《唐志》。《隋》作"十三卷,散騎常侍"。①

柳吳興集一卷②

阮孝緒褋文十卷　又　聲偉一卷③

謝幾卿文集④

劉勰文集⑤

王籍文集⑥

何思澄文集十五卷⑦

何子朗文集⑧

謝徵文集十二卷⑨

臧嚴文集十卷⑩

伏挺文集二十卷⑪

庾仲容文集二十卷⑫

陸才子文集　雲兄,从兄。⑬

諸葛璩文集二十卷　《唐志》⑭。《隋志》"十卷,南徐州秀才"。

---

①　"攸",《隋志》作"游"。

②　柳吳興,即柳惲,柳惲官吳興太守,故名。按,前已著録柳惲集,此條重出,當刪。

③　"聲偉"不辭,疑"偉"當做"緯"。

④　《梁書·謝幾卿傳》曰:"文集行於世。"

⑤　《梁書·劉勰傳》曰:"文集行於世。"

⑥　《梁書·王籍傳》曰:"文集行於世。"

⑦　此條見於《梁書·何思澄傳》。

⑧　《梁書·何子朗傳》曰:"文集行於世。"

⑨　《梁書·謝徵傳》作"二十卷"。

⑩　此條見於《梁書·臧嚴傳》。

⑪　此條見於《梁書·伏挺傳》。

⑫　此條見於《梁書·庾仲容傳》。

⑬　《梁書·陸雲公傳》曰:"雲公從兄才子,亦有文名,才子、雲公文集,並行於世。"

⑭　此條不見於《舊唐志》、《新唐志》。

庾曼倩集九十五卷　《庾詵傳》："詵子。"

劉霽文集十卷①

庾於陵文集十卷②

鍾嶼文集

鍾岳文集

江蒨文集十五卷③

范岫文集④

到洽文集十一卷　《隋志》"鎮西録事參軍"。

楊眺集十一卷　《隋志》"征西長史"。

蕭深藻集四卷　《隋志》"西昌侯"。

謝朏集十五卷　《隋志》。

臨安恭公主集三卷　《隋志》"武帝女"。

徐悱妻劉令嫻集三卷　《隋志》"悱，太子洗馬"。

范靖妻沈滿願集三卷　《隋志》"靖，征西記室"。

總集

昭明太子　正序十卷　本傳云："撰古今典誥文言，爲《正序》。"

昭明　古今詩苑英華十九卷　《隋志》。　又　文章英華二十卷

本傳云："選五言詩之善者，爲文章英華。"　又　文選三十卷　本傳。
《隋志》。

周捨　注高祖歷代賦啓　見《捨傳》。⑤《隋志》"高祖歷代賦十卷"。

---

①　此條見於《梁書・劉霽傳》。
②　此條見於《梁書・庾於陵傳》。
③　此條見於《梁書・江蒨傳》。
④　此條見於《梁書・范岫傳》。
⑤　《梁書》、《南史・周捨傳》均不見此說，實出《周興嗣傳》。

武帝　内典碑銘集林三十卷　《隋志》作"釋氏碑文三十卷"。

沈約　文苑一卷①　宋《四庫闕書目》。　集鈔十卷　《隋志》。

丘遲　集鈔四十卷　《隋志》。

謝沈　文章志録雜文八卷　《七録》。　又　名士雜文八卷　亡,
《七録》。

沈約　注武帝連珠一卷　《隋志》。

武帝　歷代賦十卷　《隋志》。

王孝祀　詩英十卷　代元帝,《金樓子》。

　　　　名士雜文八卷　《隋志》。②

劉勰　文心雕龍十卷　《隋志》"東宫通事舍人"。

任昉　文章始一卷　《七録》。

武帝　圍碁賦一卷　《隋》。

蕭淑　西府新文十一卷　《隋志》"并録"。

僧祐　諸寺碑文四十六卷　《隋志》。　又　雜祭文六卷　又　衆
僧行狀四十卷　均《隋志》。

邵陵王綸　注武帝制旨連珠十卷　《隋志》。

陸緬　注武帝制旨連珠十卷

梁代雜文三卷　《隋志》。

邵陵王　梁中表十一卷　《隋志》。

元帝　襍碑二十二卷　又　碑文十五卷　均見《隋志》。《金楼子》作
"十秩百卷"。

沙門釋寶唱　法集百七卷　《隋志》。

謝朏　雜言詩鈔五卷　《隋志》。

----

　①　《梁書》、《南史·沈約傳》均不載此事。《隋志》、《舊唐志》、《新唐志》皆言孔逭
有《文苑》一百卷。考《南史》、《南齊書》知孔逭乃南齊時衛軍掾,性抗直,嘗著《三吴決
録》,惜不傳。

　②　此條與前謝沈條重出。

天監元年至七年詔十二卷　《隋志》。

天監九年十年詔二卷　《隋志》。

邵陵王　梁中表十一卷　《隋志》。①

沙門寶唱　法集百七卷　《隋志》。

釋

釋寶亮　大涅槃義疏　《高僧傳》：“以天監八年五月八日敕撰，九月二十日訖”。②

慧集　毗曇大義疏　同上。③

佛法

王巾　法師傳十卷　《隋志》。

僧祐　法苑集十五卷　《唐志》。④號右律師。

薩婆多部傳五卷　《隋志》。　又　弘明集十四卷　《唐志》。

釋迦譜十卷　《唐志》。⑤

薩婆多師資傳四卷　《唐志》。⑥

裴子野　名僧錄十五卷　《隋志》作“二十卷”。⑦

僧寶唱　名僧傳三十卷　又　比丘尼傳四卷⑧　起晉咸和，迄梁普

---

① 此條及下一條本類重出。
② 原稿“亮”字缺末筆。
③ “曇”原誤作“量”，據《高僧傳》改。
④ 此條不見於《舊唐志》。
⑤ 同上。
⑥ 同上。
⑦ 《隋志》作“眾僧傳二十卷”。
⑧ 此條見於《舊唐志》，《新唐志》作“名僧傳二十卷”。

通，凡六十五人。

僧惠皎 高僧傳十四卷①

惠敏 高僧傳六卷 《通考》云："分譯經、義解兩門"。

釋道 續高僧傳三十二卷②

陸杲 沙門傳三十卷 本傳"字明霞，吳郡人，官臨川內史"。

文帝 中堂法師傳一卷③ 《文選·北山移文》注引。

裴子野 眾僧傳二十卷 本傳。《隋志》。

陶弘景 草堂法師傳 《隋志》。《唐志》。

何胤 百法論一卷 本傳。 又 十二門論一卷 本傳。④

元帝 內典博要一百卷 紀。

蕭偉 新通 本傳。

文帝 義記一百卷 《唐志》。⑤

法寶聯璧三百卷 《唐志》。⑥

蕭回理 ⑦ 草堂法師傳《唐志》。

僧祐 佛像雜銘十三卷

南八関制莊嚴旻法師 成實論義疏 《廣弘明集》二十，簡文帝序。

僧祐 法集雜記銘目録一帙 又 出三藏記集⑧

撰緣記

銓名録

---

① 此條見於《隋志》。
② 《舊唐志》曰："續高僧傳三十卷，釋道宣撰。"
③ 通行本《文選》"中"皆作"草"。
④ 《梁書·何胤傳》曰："胤注《百法論》、《十二門論》各一卷。"
⑤ 《舊唐志》作"長春秋義記一百卷"，《新唐志》"長春義記一百卷"。
⑥ 此條不見於《舊唐志》、《新唐志》，而見於《梁書·簡文帝紀》。
⑦ 《舊唐志》作"蕭理"。
⑧ 《法苑珠林》作"出三藏集記十六卷"。

捻經録 釋藏之一　又　出三藏記集名録　共八十五人，跋二，《高僧傳》作"三藏記二帙"。　又　出三藏記集雜録一百有三卷　百二。

僧祐　法集總目十卷

釋迦譜五卷①

世界記五卷②《高僧傳》。

出三藏記集十卷③

薩婆多部相承傳五卷④

法苑集　弘明集十卷⑤　《高僧傳》作"法苑記"。

弘明集十卷⑥

十誦義記十卷

法集雜記傳銘七卷　藏百二。

寶唱　經律異相五十卷目録五卷⑦　序云："僧豪法生同助檢讀，天監十七年敕撰。"跋一。

慧皎　涅槃疏十卷　見《高僧傳》後記。　又　梵網戒等義疏　同上。

皎法師居傳二卷⑧

法顯傳二卷⑨

嚴翯　梁武帝皇大捨三卷　《隋志》。⑩

謝吳　皇帝菩薩清净大捨記三卷　《隋志》"亡"。

---

① 《法苑珠林》作"四卷"。
② 《法苑珠林》作"一十卷"。
③ 此條重出。
④ 《隋志》作"薩婆多部傳五卷，釋僧祐撰"。
⑤ 《法苑珠林》作"法苑集一十五卷"、"弘明集一十四卷"，《新唐志》同。
⑥ 此條重出。
⑦ 此條又見於《開元釋教録》卷六。
⑧ 《隋志》作"尼傳二卷，釋寶唱撰"。
⑨ 此條見於《隋志》。
⑩ 《隋志》作"梁武皇帝大捨三卷"。

道家

陶弘景　真靈位業圖　<small>本集。</small>　又　真經修字二卷　<small>見《發真隱訣</small>
<small>序》。</small>　又　發真隱訣　<small>序見本集。①</small>

道士韋處元　注西昇經二卷②　<small>《郡齊讀書志》。《唐志》謂“韋處玄集解”。</small>

<small>①　“發”，《漢魏六朝百三家集》作“登”。</small>
<small>②　此條不見於《舊唐志》，《新唐志》作“韋處玄集解老子西升經二卷”。</small>

補陳書藝文志

〔清〕　徐仁甫　撰

李　林　整理

底本：《志學月刊》1942 年第 11 期（未完稿）

補陳書藝文志

廿九年八月廿七日再稿

甲、經

一、易

周易講疏二十卷

　　張譏撰，見《隋志》，《志》"譏"誤"機"。兩《唐志》同。本傳稱《周易義》。《南史》無卷數。《日本見在書目》作十卷。馬國翰有輯本。

周易義疏十六卷

　　周弘正撰，見《隋志》。本傳稱"講疏"，《南史》同。兩《唐志》未載。馬氏有輯本。

　　　右易二部四十六卷，已收入《隋志》。

二、書

尚書義五卷

　　張譏撰，見本傳。《南史》同。《隋志》未收。

　　　右書一部五卷，未收入《隋志》。

三、詩

毛詩義二十卷

　　張譏撰，見本傳。《南史》作八卷。《隋志》未收。

毛詩義疏

顧越撰,見《南史》本傳。《陳書·越傳》未載。[①]《隋志》未收。

　　右詩二部。卷數可考者一部二十卷,卷數失考者一部。皆未收入《隋志》。

四、禮

喪服義十卷

謝嶠撰,見《隋志》。《陳書·謝岐傳》未載。

喪禮五服七卷

袁憲撰,見《隋志》。《陳書》本傳未載。《隋志》稱"大將軍",亦可入《隋藝文志》。

喪服義疏

顧越撰,見《南史》本傳。《陳書·越傳》未載。《隋志》未收。

喪服經傳義疏四卷

沈文阿撰,見兩《唐志》。本傳未載。《隋志》未收。

喪服發題二卷

沈文阿撰,見兩《唐志》。本傳未載。《隋志》未收。

禮記義記

沈文阿撰,見《南史》本傳。《陳書·文阿傳》未載。《隋志》未收。

禮記音二卷

王元規撰,見本傳。《南史》同。《隋志》未收。

禮記義四十卷

戚兗撰,見本傳。《南史》同。《隋志》未收。

三禮義記

戚兗撰,見本傳。《南史》同。《隋志》未收。

　　右禮九部。卷數可考者六部六十五卷,卷數失考者三部。

---

① "書",原作"證",據中華書局 1972 年點校本《陳書》改。

已收入《隋志》者二部十七卷，未收入《隋志》者七部四十
八卷。

五、樂

古今樂録十二卷

沙門智匠撰，見《隋志》。兩《唐志》、《宋志》皆作十三卷。王
謨《漢魏遺書鈔》、馬國翰《玉函山房》均有輯本。

右樂一部十二卷，已收入《隋志》。

六、春秋

春秋左氏經傳義略二十五卷

沈文阿撰，見《隋志》。《南史·文阿傳》作《春秋義記》。《陳
書》未載。兩《唐志》"二十七卷"。馬氏有輯本。

續沈文阿春秋左氏傳義略十卷

王元規撰，見《隋志》。本傳作"春秋發解及義記十一卷"，^①
《南史》同。《釋文》作"義疏"。馬氏有輯本，《序》云：似《義
記》、《義疏》即《義略》也。

左傳音三卷

王元規撰，見本傳。《南史》：《左氏音》無卷數。^②《隋志》
未收。

右春秋三部三十八卷。已收入《隋志》者二部三十五卷，未
收入《隋志》者一部三卷。

七、孝經

孝經私記二卷

周弘正撰，見《隋志》。《日本見在書目》同。本傳作《孝經
疏》，《南史》同。

---

① "發解"，中華書局點校本《陳書》、1975 年點校本《南史》作"發題辭"。
② 按，中華書局點校本《南史》云"左傳音三卷"。

孝經講疏六卷

徐孝克撰，見《隋志》。《册府元龜·學校部·注解門》同。

孝經義疏

張譏撰，見本傳。《南史》同。《隋志》未收。

孝經義疏

顧越撰，見《南史》本傳。《陳書·越傳》未載。《隋志》未收。

孝經義記

沈文阿撰，見《南史》本傳，《陳書·文阿傳》未載。《隋志》未收。

孝經義記二卷

王元規撰，見本傳。《南史》同。《隋志》未收。

　　右孝經六部。卷數可考者三部十卷，卷數失考者三部。已收入《隋志》者二部八卷，未收入《隋志》者四部二卷。

八、論語

論語講疏文句義五卷

徐孝克撰，注云：“殘缺。”見《隋志》。《册府元龜·學校部·注釋門》作《論語注義》。

論語疏十一卷

周弘正撰，見本傳。《南史》同。《隋志》未收。

論語義二卷

張譏撰，見本傳。《南史》無卷數。《隋志》未收。

論語義記

沈文阿撰，見《南史》本傳。《陳書·文阿傳》未載。《隋志》未收。

論語義疏

顧越撰，見《南史》本傳。《陳書·越傳》未載。《隋志》未收。

　　右論語五部。卷數可考者三部十八卷，卷數失考者二部。已收入《隋志》者一部五卷，未收入《隋志》者四部十三卷。

九、五經總義

經典大義十二卷

沈文阿撰,見《隋志》。《日本書目》同。本傳作十八卷,《南史》同(蓋與後《玄儒大義序錄》本為一書,《隋志》分為二耳)。《唐·經籍志》作十卷。

經典玄儒大義序錄二卷

沈文阿撰,見《隋志》。《册府元龜》同。

續經典大義十四卷

王元規撰,見本傳。《南史》同。《隋志》未收。

游玄桂林九卷

張譏撰,見《隋志》。本傳、《南史》作二十四卷。兩《唐志》:二十卷。《隋志》道家有二十一卷,目一卷。《傳》蓋合為一書。姚云:此九卷或節錄其中之關涉五經者。

> 右五經總義四部卅七卷。已收入《隋志》者三部二十三卷,未收入《隋志》者一部十四卷。

十、小學

玉篇三十一卷

顧野王撰,本傳作三十卷。《南史》無卷數。① 兩《唐志》、《宋志》、清《四庫提要》同。

> 右小學一部三十一卷,已收入《隋志》。
>
> 凡經十類三十四部。卷數可考者二十五部二百八十二卷,卷數失考者九部。已收入《隋志》者十四部一百七十七卷,未收入《隋志》者二十部一百五十卷。②

---

① 中華書局點校本《南史·顧野王傳》作"玉篇三十卷"。
② 按,已收入《隋志》者實一百八十七卷,未收入《隋志》者實一百零五卷。

乙、史

一、正史

漢書訓纂三十卷

　　姚察撰，見《隋志》。本傳同。兩《唐志》同。

漢書集解一卷

　　姚察撰，見《隋志》。

定漢書疑一卷

　　姚察撰，見《隋志》。

范漢音訓三卷

　　臧競撰，見《隋志》，稱"陳宗道先生"。宋張君房《雲笈七籤》載唐茅山昇真王先傳，作"宗道先生臧競撰"。兩《唐志》作"後漢書音，臧競"。范書《光武紀》更始二年注引是書同。

齊書并志五十卷

　　許亨撰，見本傳，云"遇亂亡失"，《南史》同。《隋志》未收。

梁史五十三卷

　　許亨撰，見《隋志》。本傳作五十八卷，《南史》同。

梁書帝紀七卷

　　姚察撰，見《隋志》。本傳"撰《梁史》"，無卷數，《南史》同。兩《唐志》：《梁書》三十四卷，謝昊、姚察撰。

梁史

　　杜之偉撰，見本傳，《南史》同。顧野王撰，見本傳，《南史》同。《隋志》未收。

通史要略一百卷

顧野王撰，見本傳。《南史》同。《隋史》未收。^①

陳書四十二卷<small>訖宣帝</small>

陸瓊撰，見《隋志》。本傳"撰國史"，無卷數，《南史》同。

陳書三卷

顧野王撰，見兩《唐志》。本傳："撰《國史紀傳》二百卷，未就而卒。"《隋志》未收。

陳史

庾持撰，見本傳，《南史》同。姚察撰，見本傳，《南史》同。《隋志》未載。

續司馬遷史記

陸從典撰，見《陸瓊傳》。《南史》同。《隋志》未載。

　　右正史十四部。卷數可考者十一部二百九十四卷，卷數失考者三部。已收入《隋志》者七部一百三十八卷，未收入《隋志》者七部一百五十六卷。

二、別史

梁典三十卷

何之元撰，見《隋志》。本傳同。《南史》同。兩《唐志》同。《新唐志》又有謝昊《梁典》二十九卷。

梁撮要三十卷

陰僧仁撰，見《隋志》。^②兩《唐志》同。

梁後略十卷

姚最撰，見《隋志》。《後周書·姚僧垣傳》同。從嚴氏《全陳文》入陳。兩《唐志》稱《梁昭後略》，衍"昭"字。《日本書目》同。

　　右別史三部七十卷，皆收入《隋志》。

---

① "隋史"，當作"隋志"。
② "見"，原闕，據本書體例補。

三、雜史

梁承聖中興略十卷

　　劉仲威撰，見《隋志》。《陳書》、《南史》本傳皆不載。

陳王業曆一卷

　　趙齊旦撰，見《隋志》。兩《唐志》："《王業》二卷，趙弘禮撰。"
（案，趙知禮字齊旦，"弘"當作"知"。）

四、起居注

陳永定起居注八卷

　　劉師知撰，見本傳，作十卷，《南史》同。《隋志》"八卷"，不著
撰人。

陳天嘉起居注二十三卷

　　見《隋志》。兩《唐志》"《陳起居注》四十一卷"，不著年號。

陳天康光大起居注十卷

　　見《隋志》。

陳太建起居注五十六卷

　　見《隋志》。

陳至德起居注四卷

　　見《隋志》。

　　　右起居注五部一百一卷，皆收入《隋志》。

五、職官

陳百官簿狀二卷

　　不著撰人，見《隋志》。兩《唐志》：《太建十一年百官簿狀》
二卷。[1]

陳將軍簿一卷

---

①　"年百"，原互倒，據中華書局 1975 年點校本《舊唐書·經籍志》、1975 年點校本
《新唐書·藝文志》乙正。

不著撰人，見《隋志》。兩《唐志》同。

　　右職官二部三卷，已收入《隋志》。

六、儀注

陳尚書雜儀注五百五十卷

　　見《隋志》。《舊唐志》"《陳尚書曹儀注》二十卷"，又"《陳雜儀注》六卷"。

陳吉禮一百七十一卷

　　見《隋志》。兩《唐志》"《陳吉禮儀注》五十卷"，《舊唐》注"雜撰"。又"《陳雜吉儀注》三十卷"。

陳賓禮六十五卷

　　見《隋志》。兩《唐志》"《陳賓禮儀注》六卷"，《舊唐》云"張彥志"，《新唐》云"張彥"。

陳軍禮六卷

　　見《隋志》。

陳諸帝后崩儀注五卷

　　見兩《唐志》。《隋志》未收。

陳皇太子妃薨儀注五卷

　　儀曹撰，見兩《唐志》。《隋志》未收。

陳雜儀注凶儀十三卷

　　見兩《唐志》。《隋志》未收。

陳皇太后崩儀注四卷

　　儀曹撰，見兩《唐志》。《隋志》未收。

儀禮八十餘卷

　　沈文阿撰，見本傳。《南史》"卷"作"條"。本傳又有謁廟還升正寢群臣陪薦儀注，或在此八十餘卷中。《隋志》未收。

五禮儀一百卷

　　沈不害撰，見本傳。《南史》同。《隋志》未收。

武帝受禪儀注

劉師知撰，見本傳。《南史》同。《隋志》未收。

五禮儀注

張崖撰，見本傳。《南史》同。其他撰五禮者有周弘正、宗元饒、[1]顧野王、蔡徵，各見本傳及《南史》。其書皆當在《隋志》所收諸禮中。

邇儀四卷

馬樞撰，見《隋志》。

僧家書儀五卷

釋曇瑗撰，見《隋志》。

> 右儀注十五部。卷可考者十三部一千一百十卷，[2]失考者二部。已收入《隋志》者七部九百二卷，未收入《隋志》者七部二百七卷。

七、刑法

陳律三十卷

范泉撰，見《隋·刑法志》。《隋·經籍志》及《新唐志》作九卷。《隋書·刑法志》范泉外有沈欽、徐陵、宗元饒、賀朗參加其事，制律三十卷。《唐六典》、《通典》皆作三十卷。

---

① "饒"，原闕，據中華書局點校本《陳書》補。
② 按，儀注實十四部，卷數可考者實十二部。

補魏書藝文志

李正奮　撰

陳錦春　梁瑞霞　李湘湘　整理

底本：稿本

校本：1996 年書目文獻出版社影印《二十四史訂補》影印民國間鈔本（整理者按：稿本與鈔本在文句、條目上互有出入，鈔本比稿本多出 14 種書，補在相關類目之末；鈔本與稿本之間文句的差異，則不一一出校）。

補魏書藝文志凡例

　　一、本書以魏人著述爲限，凡他國人降魏，或其地入魏版圖，不問收書有傳無傳，概以魏人論。魏人出降已久，雖著述宏富，亦不收録。

　　一、本書雖補收書之缺，不取收書之例。對於東、西二魏，視無偏黨，凡所著述，悉予收録。

　　一、魏時南北未一，干戈頻動，其所著述大半散佚。性質可考訂者，仍本舊貫，分入經史子集。其無從考訂者，概歸之附録。

　　一、卷數原有者從原數，原無者從今數，今亦無者闕疑。其有異同者，則斟酌擇從。證力等者，以多爲斷。

　　一、凡新、舊《唐志》同者，即僅云《唐志》。不同，然後分注。

補魏書藝文志

新絳李正奮學

漢失其鹿，豪傑並峙，典午勃興，中原板蕩。戎狄交侵，生靈塗炭，衣冠士族，避地遠徙。永嘉之難，經籍道盡。聖經賢傳，蕩爲灰燼。石渠秘藏，靡有孑遺。牛弘謂爲書籍四厄，非虛語也。魏氏發跡代陰，經營河朔，削平羣雄，統一中夏。道武初定中原，日不暇給，即以經術爲先。及孝文遷洛，宵衣旰食，尤肆力於文教。一時碩彥鴻儒，濟濟盈朝。劉芳、李彪之徒，崔光、邢巒之輩，或以經術進，或以文史達。流風所播，閭閻影從，燕、齊、趙、魏之間，橫經著録者，不可勝數。徐子判講學二十餘年，常仕明有弟子七百許人。吾貴、獻之，儒宗海内；劉蘭、董徵，生徒滿舍。國雖云亡，其道不替。邢氏之後而有子才，柳氏之後而有仲蟠，或執文柄於山左，或負盛名於關西。元行冲，唐之大儒，魏宗室之裔也。魏彥深，隋之史才，魏公卿之緒也。由此言之，雖謂周、齊、隋、唐之文化淵源魏世，亦無不可。況其當日文人學士之撰述，如崔浩之《國書》，酈道元之《水經注》，宋及齊、梁，固不足以尚之也。魏伯起修《魏書》於天保之間，終始五年之久，志天象、地形、律曆、禮樂、食貨、刑罰、靈徵、官氏、釋老，而不及藝文，未嘗非一缺陷。閒嘗不揣愚鈍，仿番禺侯氏、江寧徐氏、上元倪氏、山陰□氏諸家之例，[①]採《隋書·經籍志》

---

① "□"，據上下文意，當是"姚"字，指姚振宗。

及《唐書·藝文志》，證以收書本傳，考其異同，識其存佚，然後旁參他籍，廣事搜羅，删複增闕，排編成帙，妄爲收《書》之補。誠自知見笑於大雅，取譏於士林，第爲學思進益計，不得不勉强一試也。

經類第一

經之類十有二：一曰易，二曰書，三曰詩，四曰禮，五曰樂，六曰春秋，七曰孝經，八曰論語，九曰經總，十曰小學，十一曰方言，十二曰讖緯。

易類

周易注十卷　崔浩撰

見《隋書·經籍志》。

《魏書》浩本傳：“浩，字伯淵，清河人，少好文學，博覽經史。玄象陰陽百家之言，無不關綜，研精義理，時人莫及。太宗初，拜博士祭酒，常授太宗經書。太宗好陰陽術數，聞浩說《易》及《洪範》五行，善之。浩能為雜說，不長屬文，而留心於制度、科律及經術之言，性不好《老》、《莊》之書，每讀不過數十行，輒棄之，曰：‘此矯誣之說，不近人情，必非老子所作。老聃習禮，仲尼所師，豈設敗法之書，以亂先王之教。’世祖時，輔東宮，太原閡湛、趙郡郤標素詔事浩，乃請立石銘，刊載《國書》，並勒所注五經，浩贊成之。真君十一年六月被誅。”

《北史·張湛傳》：“浩注《易》，敘曰：‘敦煌張湛、金城宗欽、武威段承根三人皆儒者，並有儁才，見稱西州。每與余論《易》，余以《左氏傳》卦解之，遂相勸為解注，故為之解。’”

朱氏《經義考》云“佚”。

周易劉氏注一卷　劉昞撰

《魏書》昞本傳不分卷，《北史·劉延明傳》同。

朱氏《經義考》云“佚”。

清馬國翰由陸德明《釋文》內輯出一條，作一卷，刊入《玉函山房輯佚書》。

周易盧氏注十卷　盧景裕撰。

《洛陽伽藍記》云：“白頭字景裕，范陽人，注《周易》行世。”

《魏書》景裕本傳：“景裕字仲儒，小字白頭。雖不聚徒教授，所注《易》大行於世。”《北史·盧同傳》同。

唐唐臨《報應記》：“盧景裕，字仲儒，節閔初爲國子博士，注《周易》、《論語》。”

《隋志》有《周易》一帙十卷，題“盧氏注”。

《唐志》有《盧氏注》十卷，不著撰人。

朱氏《經義考》云“佚”。

馬國翰考盧氏爲景裕，由孔穎達《正義》及李鼎祚《集解》輯出十二條，釐爲一卷，刊入《玉函山房輯佚書》。

周易崔氏注十三卷　崔覲撰

見《隋志》。

朱氏《經義考》云“佚”。

馬國翰曰：“《周易崔氏注》，崔覲撰，不詳何人，時代、爵字、里居並佚。《隋書·經籍志》有《周易》十三卷，崔覲注。又有《周易統例》十卷，崔覲撰，亦僅題崔覲而已。《唐志》尚有崔覲注十三卷。《隋志》崔覲注次姚規，於《統例》次周顒、范氏，當是齊、梁間人。考《北史·儒林傳》，有清河崔瑾，與盧景裕同爲徐遵明弟子。覲、瑾音同，或一人而傳寫各異歟？今其書並不傳。孔氏《正義》、李鼎祚《集解》各引一節，録出，與姚規注比次，以存《隋志》一家云。”

案六朝時學者治經，風尚不同，江左《周易》則王輔嗣，河洛《周易》則鄭康成。考鄭氏解《易》恒之九三曰：“爻得正，互體

爲乾，乾有剛健中正之德。”見王伯厚輯鄭氏《易注》。而崔覲
解“大哉乾乎，剛健中正，純粹精也”，云：“不雜曰純，不變曰
粹。言乾是純粹之精，故有剛、健、中、正之四德。”見李氏《集
解》。是崔覲乃治鄭氏學者。史稱徐遵明門下講鄭玄所注
《周易》，以傳盧景裕及清河崔瑾，然則馬氏所考爲不誣矣。
況歷考南、北各史，並無崔覲其人，《唐書》雖有崔覲，勢不能
早見《隋志》，是則“覲”之爲“瑾”，更無疑義矣。

關氏易傳一卷　　關朗撰

見《宋史·藝文志》。

《河東先賢傳》：“關朗，字子明，河東解人。有經濟大器，或以
占算示人，而不求宦達。魏太和末，并州刺史王虯奏署子明
爲記室，因言於孝文帝，帝曰：‘張彝、郭祚嘗言之，朕以卜筮
之道，不足見耳。’虯曰：‘此人言微道深，非彝、祚所能知
也。’召見，帝問《老》、《易》，子明寄言玄象，實陳王道。翼日，
帝謂虯曰：‘關朗，管、樂之器，豈占算而已。’使虯與子明著
成《疑筮論》數十篇。”

晁氏《讀書志》曰：“元魏太和末，王虯言於孝文，孝文召見之，
著成《筮論》數十篇。唐趙蕤云：‘恨書亡半，隨文詮解，才十
一篇而已。’李邯鄲始著之目，云：‘王通贊《易》，蓋宗此也。’”

《中興書目》：“關子明《易傳》一卷，唐趙蕤注，阮逸詮次
刊正。”

宋陳師道曰：“世傳《王氏玄經》、《薛氏傳》及關子明《易傳》、李
衛公《對問》，皆阮逸所著。逸嘗以草示蘇明允，而子瞻言之。”

項安世曰：“唐李鼎祚集解《易》，盡備前世諸儒之説，獨無所
謂關了明者，①蓋阮逸僞作也。”

---

① “無”，原作“世”，據李正奮《補後魏書藝文志》鈔本改。

王伯厚曰:"子明《易傳》,《卜百年》第一,次以《統言易義》、《大衍》、《乾坤策》、《盈虛》、《闔闢》、《理性》、《時變》、《動静》、《神義》,終於《雜義》第十一。"

元吴萊曰:"予始讀文中子《中説》,頗載關朗子明事,後得天水趙蕤所注《關子易傳》十有一篇,大概《易》上下《繫辭》之義疏耳。"又曰:"觀其傳,統言、消息、盈虛、爻象、策數之類,獨與張彝問答,彝嘗薦之孝文,而王氏之贊《易》,世傳關氏學也,是又豈盡假託而後成書歟?"

明胡應麟曰:"新、舊《唐書》並無關氏《易傳》,此書爲阮逸僞撰無疑。"朱氏《經義考》云"存"。①

《四庫總目》本陳師道、何薳及邵博諸家之説,謂出自逸手,更無疑義,逸與李淑同爲神宗時人,故李氏書目始有也。

周易統例十卷　崔覲撰

見《隋志》。

《唐》、《宋志》均不著録。

佚已久。

易集解　游肇撰

《魏書·游明根傳》:"肇,字伯始,幼爲中書學生,博通經史及《蒼》、《雅》、《林》説,外寬柔,内剛直,耽好經傳,手不釋書,治《周易》、《毛詩》,尤精三禮,爲《易集解》。肅宗即位,遷中書令,正光元年八月,卒,謚文貞公。"《北史·游雅傳》同。

《隋》、《唐志》均不著録。

佚已久。

王朗易傳注　闞駰撰

《魏書》駰本傳:"駰,字玄陰,敦煌人,博通經傳,聰敏過人,三

---

① "存",原誤作"佚",據鈔本改。

史群言，經目則誦，時人謂之宿讀。注王朗《易傳》，學者藉以通經。樂平王丕鎮涼州，引為從事中郎。王薨之後，還京師，家甚貧敝，不免飢寒，卒，無後。"《北史》同。

朱氏《經義考》云"佚"。

右易類，共七家，八部，四十五卷。卷亡者二部，存疑。

書類

王肅注尚書音一卷　劉芳撰

《魏書》芳本傳："芳，字伯文，彭城人，漢楚元王之後，聰敏過人，篤志墳典，博聞強記，尤長音訓。初為主客郎，尋拜中書博士，高祖雅相器重，與崔光、宋弁、邢產等俱為中書侍郎。世宗即位，光表求以中書監讓芳，不許。延昌二年卒。"《北史》同。

《隋》、《唐志》均不著錄。

佚已久。

尚書注　崔浩撰

見《魏書》浩本傳，《北史·崔宏傳》同。

《隋》、《唐志》均不著錄。

佚已久。

尚書注　盧景裕撰

見《魏書》景裕本傳，《北史·盧同傳》同。

《隋》、《唐志》均不著錄。

佚已久。

右書類，共三家，三部，一卷。卷亡者二部，存疑。

詩類

毛詩箋音義證十卷　劉芳撰

見《魏書》芳本傳,《北史》同。

《隋志》作《毛詩箋音證》十卷。

《顏氏家訓·書證篇》“參差荇菜”條云:“劉芳具有注釋。”“騊駼牧馬”條云:“且不見劉芳義證乎?”

唐李善注《文選》引一條。

宋李昉等輯《太平御覽》引六條,或題劉芳《毛詩箋音義正》,或題《毛詩箋音義注》,或題《義疏》,或題《義箋》。

朱氏《經義考》云“佚”。

馬國翰蒐輯殘遺,釐爲一卷,刊入《玉函山房輯佚書》。

案賈思勰撰《齊民要術》,於《詩》每引《義疏》,其是否爲劉芳之《義證》,待攷。

毛詩誼府三卷　元延明撰

見《隋志》,《唐志》及鄭氏《通志》均同。

《魏書·文成五王傳》:“安豐王猛,字季烈,子延明博極群書,兼有文藻,鳩集圖籍萬有餘卷。尋遷侍中,後兼尚書右僕射。蕭宗以其博識多聞,又敕監金石事。莊帝時卒。”

朱氏《經義考》云“佚”。

毛詩序義注一卷　劉獻之撰

《魏書》獻之本傳:“獻之,博陵饒陽人也。少而孤貧,雅好《詩》、《傳》,曾受業於渤海程玄,後遂博觀眾籍,善《春秋》、《毛詩》。本郡舉孝廉,應命至京。高祖幸中山,詔徵典內校書,固以疾辭。時中山張吾貴與獻之齊名,海內皆曰儒宗。魏承喪亂之後,《五經》大義,雖有師說,而海內諸生,多有疑滯，咸決於獻之。六藝之文，雖不悉注，然所標宗旨，頗異舊義，撰《毛詩序義注》一卷，今行於世，注《涅槃經》，未就而卒。"《北史》同。

《隋》、《唐志》均不著録。

佚已久。

毛詩注　崔浩撰

見《魏書》浩本傳，《北史·崔宏傳》同。

《隋》、《唐志》均不著録。

佚已久。

毛詩拾遺　高允撰

《魏書》允本傳："允，字伯恭，渤海人，少孤，性好文學，博通經史天文術數，尤好《春秋公羊》。年四十餘，始為從事中郎。神麚四年，拜中書博士，樂平王丕西討上邽，復以本官參丕軍事，涼州平，賜爵汶陽子，後以本官領著作郎，二十七年不徙官。尋轉太常卿，兼領秘書監，加左將軍。高宗崩，顯祖居諒闇，文明太后引入禁中，參決大政，允表請郡國各立學，從之。高祖立，乞還鄉里，不許，太和二年，領中書監，十一年正月卒，年九十八。所製詩、賦、誄、頌、箴論、表、讚、《左氏》、《公羊釋》、《毛詩拾遺》、《論雜解》、《議何鄭膏肓事》，凡百餘篇。"《北史》同。

《隋》、《唐志》均不著録。

佚已久。

右詩類，共五家，五部，十四卷。卷亡者二部，存疑。

禮類

周官義證五卷　劉芳撰

見《魏書》芳本傳，《北史》同。

《隋》、《唐志》均不著錄。

佚已久。

禮記義證十卷　同上

見《隋志》。

《舊唐志》作"劉方"。

朱氏《經義考》云"佚"。

馬國翰由孔氏《正義》輯出六條，釐爲一卷，刊入《玉函山房輯佚書》。

案芳、方音形俱似，故《舊志》致誤。

儀禮義證五卷　同上

見《魏書》芳本傳，《北史》同。

《隋》、《唐志》均不著錄。

佚已久。

大戴禮記注十三卷　盧辯撰

《北史·盧同傳》："辯，字景宣，少好學，博通經籍。正光初，舉秀才，爲太學博士。以《大戴禮》未有訓詁，辯乃注之。其兄景裕爲當時碩儒，謂辯曰：'昔侍中注《小戴》，今汝注《大戴》，庶纂前修矣。'"

《隋》、《唐志》均不著錄。

案盧注《大戴禮記》，散佚已久，即間有一二存者，亦不題作注人姓名。朱子引《明堂篇》鄭氏注云"法龜文"，直以注歸之康成。至王伯厚，乃據注中徵引各家，下及楊孚《異物志》，然後定爲盧辯景宣之注。清開四庫館，戴東原等乃由《永樂大典》內輯出十六篇，又與諸本及古籍摭引《大戴禮記》之文者，參互校訂，案語於下，刊而傳之。

鄭玄注周官音一卷　劉芳撰

干寶注周官音一卷　同上

鄭玄注儀禮音一卷　同上

並見《魏書》芳本傳。

《隋》、《唐志》均不著録。

佚已久。

三禮宗略二十卷　元延明撰

見《隋志》,《唐志》同。

朱氏《經義考》云"佚"。

三禮大義四卷　劉獻之撰

見《魏書》獻之本傳,《北史》同。

《隋志》有二部,一作十三卷,均不著撰人。

《玉海》引《隋志》作十三卷。

朱氏《經義考》云"佚"。

禮質疑五卷　李公緒撰

《北史·李靈傳》:"公緒,字穆叔,性聰敏,博通經傳,雅好著
書。魏末為冀州司馬,屬疾去官,絶跡贊皇山。誓心不仕,其
所撰述,並行於世。"《玉海》同。

《隋》、《唐志》均不著録。

朱氏《經義考》云"佚"。

問禮俗十卷　董勛撰

見《隋志》,《唐志》同。

案其書久佚,各史又無勛傳,《隋》、《唐志》又未著時代。清王
謨由《荆楚歲時記》、《歲華紀麗》、《初學記》、《史記索隱》、《通
典》、《匡謬正俗》、《太平御覽》等書輯出十二條,薈為一卷,刊
入《漢魏遺書鈔》,僅題"魏人",意殊含混。今考其書中第六
節云:"董勛答問曰:'人日鏤金薄爲人,以貼屏風,戴于頭鬢,
起自晋代賈充妻李氏,夫人云俗人入新年,形容改舊從新

也。'"唐韓鄂《歲華紀麗·人日節》注文同,是則勗非曹魏時人明矣。《隋志》列梁何佟之《禮雜問答鈔》後,有以哉。

明堂圖説六卷　　封偉伯撰

《魏書·封懿傳》:"偉伯,字君良,博學有才思,弱冠除太學博士,每朝廷大議,偉伯皆預焉,雅為太保崔光、僕射游肇所知賞。尋經始明堂,廣集儒學,議其制度,九五之論,久而不定,偉伯乃搜檢經緯,上《明堂圖說》六卷。正光末,為蕭寶夤所殺,年三十六,時人惜之。"

《隋》、《唐志》均不著録。

佚已久。

明堂制度論一卷　　李謐撰

《魏書·逸士傳》:"謐,字永和,涿郡人,相州刺史安世之子。少好學,博通諸經,周覽百氏,不飲酒,好音律,十三通《孝經》、《論語》、《毛詩》、《尚書》,曆數之術尤盡其長。初師事小學博士孔璠,數年後,璠還就謐請業,州再舉秀才,公府二辟,並不就,惟以琴書為業,有絶世之心。覽《考工記》、《大戴禮·盛德篇》,以明堂之制不同,遂著《明堂制度論》。延昌四年卒,年三十二,宣武帝表其門曰文德,謐曰貞靜處士。"《北史》同。

宋李覯曰:"後魏時有李謐者,慼大禮之淪亡,憤先儒之異議,作《明堂制度論》以折衷於世,其指以《月令》爲宗,而採《周禮》、《大戴》之言以參合之。"

朱氏《經義考》云"佚"。

馬國翰《玉函山房輯佚書》載其全文,釐爲一卷。

案李氏原文俱載《魏書》及《北史》本傳,朱竹垞考《經義》,乃竟云"佚",未免失檢。

喪服章句一卷　　李公緒撰

見《北史·李靈傳》。

《隋》、《唐志》均不著録。

佚已久。

喪服要記　索敞撰

《魏書》敞本傳："敞，字巨振，敦煌人，爲劉昞助教，專心經籍，講授十餘年，以《喪服》散在衆篇，遂撰比爲《喪服要記》。"《北史》同。

《隋》、《唐志》均不著録。

佚已久。

禮記注　崔浩撰

見《魏書》浩本傳，《北史·崔宏傳》同。

《隋》、《唐志》均不著録。

佚已久。

禮記注　盧景裕撰

見《魏書》景裕本傳，《北史·盧同傳》同。

《隋》、《唐志》均不著録。

佚已久。

右禮類，共十一家，十七部，八十三卷。卷亡者三部，存疑。

樂類

樂書七卷　信都芳撰

見《隋志》。

《魏書·安豐王傳》："延明以河間人信都芳工算術，引之在館，其撰《古今樂事》九章十二圖，芳别爲之注，皆行於世。"

又《張淵傳》："河間信都芳，字王琳，好學，善天文算數，甚爲安豐王延明所知。延明家有群書，欲抄集《五經》算事爲《五經宗》及古今樂事為《樂書》,會延明南奔,芳乃自撰注。後隱於並州樂平之東山。武定中卒。"

《舊唐志》作"九卷,信都芳注"。

《新志》作"信都芳刪注《樂書》九卷"。

《太平御覽》前後共引十條。

馬國翰云"佚"。

案今《玉函山房輯佚書》存一卷,乃馬氏由《御覽》中輯出者,《北史》文同《魏書》,其究為撰為注,雖無從考訂,而《隋志》去古較近,姑從之。

鐘磬志議二卷　公孫崇撰

見《魏書・律曆志》,《玉海》同。

《隋志》作《鍾磬志》二卷。

《新唐志》作《鐘磬志》。

案其書久佚,作"鐘"為是,《隋志》誤。

樂元二卷　魏僧撰

見《隋志》。

案其書久佚,《國史經籍志》列於陳沙門智匠《樂錄》後、隋何妥《樂錄》前,按之史家通例,歸之元魏無疑,未知焦弱侯何所據也。

右樂類,共三家,三部,十一卷。

春秋類

春秋叢林十二卷　李謐撰

見《魏書・逸士傳》,《北史》同。

《隋志》不著撰人。

《册府元龜》云:"李謐鳩集諸經,廣校異同,比三傳事例,名

《春秋叢林》。"

朱氏《經義考》云"佚"。

春秋義章三十卷　徐遵明撰

《魏書·儒林傳》："遵明，字子判，華陰人，身長八尺，幼孤好
學。年十七，隨鄉人毛靈和等詣山東求學，至上黨，乃師屯留
王聰，受《毛詩》、《尚書》、《禮記》。一年，辭聰詣燕趙，師事張
吾貴，伏膺數月，乃私謂其友人曰：'張生名高而義無檢格，
凡所講說，不愜吾心，請更從師。'遂與平原田猛略就范陽孫
買德，受業一年。又詣平原唐遷，納之，居於蠶舍，讀《孝經》、
《論語》、《毛詩》、《尚書》、《三禮》，不出門院，凡經六年。又知
陽平館陶趙世業家有服氏《春秋》，是晉世永嘉舊本，乃往讀
之。復經數載，因手撰《春秋義章》，為三十卷。孝昌末，南渡
河，客於任城。永安二年，元顥入洛，任城太守李湛將舉義
兵，遵明同其事，夜至民間，為亂兵所害，時年五十五。"《北
史》同。

《隋》、《唐志》均不著錄。

朱氏《經義考》云"佚"。

春秋傳駁十卷　賈思同撰

《魏書·賈思伯傳》："思伯弟思同，字士明，與國子祭酒韓子
熙並爲侍講，授靜帝《杜氏春秋》。國子博士衛冀隆精服氏
學，上書難《杜氏春秋》六十三事，思同復駁冀隆乖錯者一十
餘條，互相是非，積成十卷。"《北史》同。

孔穎達《正義》引衛難秦釋五條、衛難蘇氏釋二條、衛難無名
氏釋二條。

朱氏《經義考》云"佚"。

馬國翰輯以上各條，釐爲一卷，題"賈思同撰，秦道静、姚文安
述"，刊入《玉函山房輯佚書》。

王謨輯秦、蘇二家釋及衞冀隆難八條,附於《春秋》正文後,題"難杜,魏遼西衞冀隆撰",釐爲一卷,刊入《漢魏遺書鈔》。

何休注公羊音一卷　劉芳撰
范寧注穀梁音一卷　同上

並見《魏書》芳本傳,《北史》同。

《隋》、《唐志》均不著録。

佚已久。

春秋三傳合成十卷　李彪撰

《魏書》彪本傳:"彪字道固,頓丘衞國人。少孤貧,有大志,篤學不倦。初受業於長樂監伯陽,晚與漁陽高悦、北平陽尼等將隱於名山,不果而罷。悦兄閭,博學高才,家富典籍,彪遂於悦家,手抄口誦,不暇寢食。既而還鄉里,舉孝廉。高祖初,爲中書教學博士,遷秘書丞參著作事。及文明太后崩,遷秘書令,其年,加員外散騎常侍,使於蕭賾。後車駕南征,假彪冠軍將軍、東道副將,車駕還京,遷御史中尉,領著作郎。世宗親政,詔彪兼通直散騎常侍,行汾州事,非彪好也,固請不行,有司切遣之。會遘疾累旬,景明二年卒。述《春秋三傳合成》十卷,行於世。"

《隋》、《唐志》均不著録。

佚已久。

三傳略例三卷　劉獻之撰

見《魏書》獻之本傳,《北史》同。

《隋》、《唐志》均不著録。

朱氏《經義考》作《春秋三傳略例》,云"佚"。

春秋注　崔浩撰

見《魏書》浩本傳,《北史·崔宏傳》同。

《隋》、《唐志》均不著録。

佚已久。

左氏公羊解　高允撰

見《魏書》允本傳,《北史》同。

《隋》、《唐志》均不著録。

佚已久。

右春秋類,共八家,九部,六十七卷。卷亡者二部,存疑。

孝經類

孝經注一卷　陳奇撰

《魏書》奇本傳:"奇,字修奇,河北人。博通墳籍,常非馬融、鄭玄解經失旨,志在著述五經,始注《孝經》、《論語》,頗傳於世,爲搢紳所稱。"《北史》同。

朱氏《經義考》云"佚"。

孝經注　崔浩撰

見《魏書》浩本傳,《北史・崔宏傳》同。

《隋》、《唐志》均不著録。

佚已久。

孝經注　盧景裕撰

見《魏書》景裕本傳,《北史》同。

《隋》、《唐志》均不著録。

佚已久。

孝經解詁　元懌撰

孝經解詁難例九條　封偉伯撰

《魏書・清河王傳》:"懌,字宣仁,幼而敏惠,博涉經史,兼綜群言。太和二十一年封,世宗初,拜侍中,轉尚書僕射。正光元年七月,爲劉騰等所害,年三十四。"

又《封懿傳》：“偉伯，有才思，太尉清河王懌辟參軍事，懌親為《孝經解詁》，命偉伯為《難例》九條，皆發起隱漏。”《北史》同。《隋》、《唐志》均不著録。

佚已久。

國語孝經一卷　侯伏侯可悉陵撰

見《隋志》。

《唐志》不著録。

佚已久。

右孝經類，共六家，六部，二卷，九條。卷亡者三部，存疑。

論語類

論語注　崔浩撰

見《魏書》浩本傳，《北史·崔宏傳》同。

《隋》、《唐志》均不著録。

佚已久。

論語注　陳奇撰

《魏書》奇本傳：“奇妹適常氏，有子曰矯之，仕歷郡守，奇所注《論語》，矯之傳掌，未能行於世。”

《册府元龜》：“奇《論語注》多異鄭氏，往往與司徒崔浩同。”

朱氏《經義考》云“佚”。

論語注　盧景裕撰

見唐臨《報應記》。

《隋志》有盧氏注七卷，不著撰人。

《新唐志》不著録。

佚已久。

右論語類，[①]共三家，三部。卷均佚。

經總類

五經宗略二十三卷　元延明撰

見《隋志》。

《唐志》作四十卷。

《國史經籍志》作二十二卷。

朱氏《經義考》云"佚"。

五經疑問十卷　房景先撰

《北史·房法壽傳》："景先，字光胄，清河東武城人。幼孤貧，無資從師，其母自授《毛詩》、《曲禮》，晝則樵蘇，夜誦經史，遂大通贍。太和中，解褐太學博士，時太常劉芳、侍中崔光當世儒宗，歎其精博，奏兼著作佐郎，修國史，累遷步兵校尉，作《五經疑問》百餘篇，其言典該。卒，贈洛州刺史，諡曰文。"

宋葉廷珪曰："房景先作《五經疑問》百餘篇，其言典詣。"

朱氏《經義考》云"佚"。

王謨由《魏書》景先本傳鈔出十四條，釐爲一卷，刊入《漢魏遺書鈔》。

五經辯疑十卷　王神貴撰

《册府元龜》曰："符璽郎王神貴益景先之書，名爲辯疑，合成十卷，亦有可觀，節閔帝時奏上之，帝親自執卷，與神貴往復，嘉其用心。"

《隋》、《唐志》均不著録。

朱氏《經義考》云"佚"。

---

① "類"，原無，據鈔本補。

六經略注一卷　　常爽撰

《魏書·儒林傳》：“爽，字仕明，河內溫人，少而聰敏，篤志好學，博聞強識，明習緯候，《五經》百家多所研綜。世祖西征涼土，爽歸款軍門，世祖嘉之，拜宣威將軍。尋置館溫水之右，教授門徒，尚書左僕射元贊、平原太守司馬貞安、著作郎程靈虯，皆是爽教所就，崔浩、高允並稱爽之嚴教，獎勵有方。因教授之暇，述《六經略注》，以廣制作，甚有條貫。其序曰：‘《傳》稱：“立天之道曰陰與陽，立地之道曰柔與剛，立人之道曰仁與義。”然則仁義者人之性也，經典者身之文也，皆以陶鑄神情，啓悟耳目，未有不由學而能成其器，不由習而能利其業。是故季路勇士也，服道以成忠烈之概；寧越庸夫也，講藝以全高尚之節，蓋所由者習也，所因者本也，本立而道生，身文而德備焉。昔者先王之訓天下也，莫不導以《詩書》，教以《禮樂》，移其風俗，和其人民。故恭儉莊敬而不煩者，教深於《禮》也；廣博易良而不奢者，教深於《樂》也；溫柔敦厚而不愚者，教深於《詩》也；疏通知遠而不誣者，教深於《書》也；潔靜精微而不賊者，教深於《易》也；屬辭比事而不亂者，教深於《春秋》也。夫《樂》以和神，《詩》以正言，《禮》以明體，《書》以廣聽，《春秋》以斷事，五者蓋五常之道，相須而備，而《易》為之源，故曰：“《易》不可見則乾坤其幾乎息矣。”由是言之，《六經》者先王之遺烈，聖人之盛事也。安可不遊心寓目，習性文身哉！頃因暇日，屬意藝林，略撰所聞，討論其本，名曰《六經略注》，以訓門徒焉。’其《略注》行於世。爽講肆經典二十餘年，時人號為‘儒林先生’。年六十三，卒於家。”《北史》同。朱氏《經義考》云“佚”。

馬國翰由《北史》爽本傳輯錄其《序》，並其本傳刊入《玉函山房輯佚書》，以備一家。

五經異同評十卷　張鳳撰

《北史·張湛傳》：“鳳，字孔鸞，敦煌深泉人，位國子博士、散騎常侍，著《五經異同評》十卷，為儒者所稱。”

《隋》、《唐志》均不著錄。

朱氏《經義考》云“佚”。

章句疏三卷　劉獻之撰

見《魏書》獻之本傳。

《北史》作二卷。

《隋》、《唐志》均不著錄。

佚已久。

禮傳詩易疑事數十條　封偉伯撰

見《北史·封懿傳》。

佚。

詩禮別義　元延明撰

見《魏書·安豐王傳》。

佚。

案魏時有辛馥其人，[①]以三傳經同說異，遂總為一部，傳注並出，校比短長，會亡未就，見《魏書·辛紹先傳》，不著錄。

右經總類，共七家，八部，五十七卷。卷亡者二部，存疑。

小學類

急就章注二卷　崔浩撰

見《隋志》。

《北史·崔宏傳》：“浩《上五寅元曆表》曰：‘太宗即位元年，勅

---

① “辛馥”，中華書局本《魏書·辛紹先傳》作“辛子馥”。

臣解《急就章》。'"不著卷數。

《四庫總目》云"今不傳"。

急就篇續注音義證三卷　劉芳撰

見《北史》芳本傳。

《四庫總目》云"今不傳"。

字統二十卷　陽承慶撰

見《北史·陽尼傳》。

《隋志》作"二十一卷,楊承慶撰"。

《唐志》作"二十卷,楊承慶撰"。

馬國翰曰:"楊承慶,不詳何代人。《隋志》'《字統》二十一卷',止題'楊承慶撰',列宋吳恭《字林音義》與陳顧野王《玉篇》之間,當是齊、梁時人。《唐志》'二十卷',視《隋志》少一卷,今佚。輯得三十七節,不知原書體例,姑依《説文》部居編次。"

《漢學堂叢書》存一卷,乃甘泉黃恩掄由《玉篇》、《廣韻》、《大集月藏分經》、《四分律》、《華嚴經》、《十無盡藏品》、《九經字樣》、《龍龕手鑑》、《太平御覽》、《列子》、《釋文》等書輯成,仍題"楊承慶"。

案承慶爲陽尼從孫,以尼撰《字釋》未就,乃爲《字統》二十卷,行於世。凡《隋》、《唐志》作"楊"者,均誤。馬氏乃疑爲齊、梁人,並以《唐志》二十卷爲佚,不知實《隋志》誤也。

古今文字四十卷　江式撰

《魏書·術藝傳》:"式,字法安,陳留濟陽人。六世祖瓊善蟲篆、詁訓。祖強,太延五年上書三十餘法,各有體例。式少專家學,篆體尤工,延昌三年三月,上表曰:'臣聞庖犧氏作而八卦列其畫,軒轅氏興而龜策彰其彩。古史倉頡覽二象之爻,觀鳥獸之跡,別創文字,以代結繩,用書契以維事。宣之王庭,則百工以敘;載之方策,則萬品以明。迄于三代,厥體頗異，雖依類取制，未能悉殊倉氏矣。故《周禮》八歲入小學，保氏教國子以六書：一曰指事，二曰象形，三曰諧聲，四曰會意，五曰轉注，六曰假借。蓋是史頡之遺法也。及宣王太史史籀著大篆十五篇，與古文或同或異，時人即謂之《籀書》。至孔子定《六經》，左丘明述《春秋》，皆以古文，厥意可得而言。其後七國殊軌，文字乖別，暨秦兼天下，丞相李斯乃奏蠲罷不合秦文者。斯作《倉頡篇》，中車府令趙高作《爰歷篇》，太史令胡毋敬作《博學篇》，皆取史籀大篆，或頗省改，所謂小篆者也。於是秦燒經書、滌除舊典，官獄繁多，以趣約易，始用隸書，古文由此息矣。隸書者，始皇使下杜人程邈附於小篆所作也，以邈徒隸，即謂之隸書。故秦有八體：一曰大篆，二曰小篆，三曰刻符書，四曰蟲書，五曰摹印，六曰署書，七曰殳書，八曰隸書。漢興，有尉律學，復教以籀書，又習八體，試之課最，以為尚書史。吏民上書，省字不正，輒舉劾焉。又有草書，莫知誰始，考其書形，雖無厥誼，亦是一時之變通也。孝宣時，召通《倉頡》讀者，獨張敞從之受。涼州刺史杜鄴、沛人爰禮、講學大夫秦近亦能言之。孝平時，徵禮等百餘人說文字於未央宮中，以禮為小學元士，黃門侍郎楊雄採以作《訓纂篇》。及亡新居攝，自以應運制作，使大司空甄豐校文字之部，頗改定古文。時有六書：一曰古文，孔子壁中書也；二曰奇字，即古文而異者；三曰篆書，云小篆也；四曰佐書，秦隸書也；五曰繆篆，所以摹印也；六曰鳥蟲，所以幡信也。壁中書者，魯恭王壞孔子宅而得《禮》、《尚書》、《春秋》、《論語》、《孝經》也。又北平侯張倉獻《春秋左氏傳》，書體與孔氏相類，即前代之古文矣。後漢郎中扶風曹喜，號曰工篆，小異斯法，而甚精巧，自是後學，皆其法也。又詔侍中賈逵修理舊文，殊藝異術，王教一端，苟有可以加於國者，靡不悉集。逮

即汝南許慎古文學之師也。後慎嗟時人之好奇，歎儒俗之穿
鑿，愍文毀於譽，痛字敗於毀，更詭任情變亂於世，故撰《說文
解字》十五篇，首一終亥，各有部屬，包括六藝群書之詁，評釋
百氏諸子之訓，天地、山川、草木、鳥獸、昆蟲、雜物、奇怪珍
異、王制禮儀、世間人事莫不畢載，可謂類聚群分，雜而不越，
文質彬彬，最可得而論也。左中郎將陳留蔡邕採李斯、曹喜
之法，為古今雜形，詔於太學立石碑，刊載《五經》，題書楷法，
多是邕書也。後開鴻都，書畫奇能，莫不雲集，於時諸方獻
篆，無出邕者。魏初博士清河張揖著《埤倉》、《廣雅》、《古今
字詁》，究諸《埤》、《廣》，綴拾遺漏，增長事類，抑亦於文為益
者。然其《字詁》，方之許慎篇，古今體用，或得或失矣。陳留
邯鄲淳亦與揖同時，博古開藝，特善《倉》、《雅》，許氏字指，八
體六書，精究閒理，有名於揖，以書教諸皇子，又建《三字石
經》於漢碑之西，其文蔚炳，三體復宣，校之《說文》，篆隸大
同，而古字少異。又有京兆韋誕、河東衛覬二家，並號能篆。
當時臺觀榜題、寶器之銘，悉是誕書，咸傳之子孫，世稱其妙。
晉世義陽王典祠令任城呂忱表上《字林》六卷，尋其況趣，附
託許慎《說文》，而按偶章句，隱別古籀奇惑之字，文得正隸，
不差篆意也。忱弟靜別放故左校令李登《聲類》之法，作《韻
集》五卷，宮商角徵羽各為一篇，而文字與兄便是魯衛，音讀
楚、夏，時有不同。皇魏承百王之季，紹五運之緒，世易風移，
文字改變，篆形謬錯，隸體失真。俗學鄙習，復加虛巧，談辯
之士，又以意說，炫惑於時，難以釐改。故傳曰，以眾非非行
正，信哉得之於斯情矣。乃曰追來為歸，巧言為辯，小兔為
毚，[1]神蟲為蠶，如斯甚眾，皆不合孔氏古書、史籀大篆、許氏

---

① "兔"，原作"兒"，據中華書局本《魏書》改。

《說文》、《石經》三字也。凡所關古,莫不惆悵焉。嗟夫! 文字者六藝之宗,王教之始,前人所以垂今,今人所以識古,故曰'本立而道生'。孔子曰:'必也正名乎。'又曰:'述而不作。'《書》曰:'予欲觀古人之象。'皆言遵修舊史而不敢穿鑿也。臣六世祖瓊家世陳留,往晉之初,與從父兄應元俱受學於衛覬,古篆之法,《倉》、《雅》、《方言》、《說文》之誼,當時並收善譽,而祖官至太子洗馬,出為馮翊郡,值洛陽之亂,避地河西,數世傳習,斯業所以不墜也。世祖太延中,皇威西被,牧犍內附,臣亡祖文威杖策歸國,奉獻五世傳掌之書,古篆八體之法,敘列於儒林,官班文省,家號世業。暨臣闇短,識學庸薄,漸漬家風,有忝無顯,但逢時來,恩出願外,每承澤雲津,廁沾漏潤,驅馳文閣,參預史官,題篆宮禁,猥同聖哲。既竭愚短,欲罷不能,是以敢藉六世之資,奉遵祖考之訓,竊慕古人之軌,企踐儒林之轍,輒求撰集古今文字,以許慎《說文》為主,爰採孔氏《尚書》、《五經》音注、《籀篇》、《爾雅》、《三倉》、《凡將》、《方言》、《通俗文》、《祖文宗》、《埤倉》、《廣雅》、《古今字詁》、《三字石經》、《字林》、《韻集》、諸賦文字有六書之誼者,皆以次類編聯,文無復重,糾為一部。其古籀、奇惑、俗隸諸體,咸使班於篆下,各有區別。詁訓假借之誼,僉隨文而解;音讀楚、夏之聲,並逐字而注。其所不知者,則闕如也。脫蒙遂許,冀省百氏之觀,而同文字之域,典書秘書所須之書,乞垂敕給,並學士五人嘗習文字者,助臣披覽,書生五人專司抄寫。侍中、黃門、國子祭酒,一月一監,評議疑隱,庶無紕繆。所撰名目,伏聽明旨。'詔曰"可如所請",式於是撰集字書,號曰《古今文字》,凡四十卷,大體依許氏《說文》為本,上篆下隸。正光中卒。"

《隋》、《唐志》均不著錄。

佚已久。

字略五篇　宋世良撰

《北史·宋隱傳》："世良，字元友，才識閑明，強學好屬文，撰《字略》五篇，官至太守，卒於東郡，贈信州刺史。"

《隋》、《唐志》均不著録。

佚已久。清甘泉黃奭由《詩》釋文、《韻會》、《大方廣佛華經攝大乘論》、《華嚴妙嚴品放光般若經》、《大灌頂經》、《四童子經》、《阿含經》、《出曜論佛本行集經》、《月燈三昧經》、《成具光明定意經》、《四分律》、《俱舍論》、《度世經》、《大智度論》、《六度集大愛道比邱尼經》、《阿毗達摩俱舍論》、《瑜珈師地論》、《阿毗達摩順正理論》、《明度無極經》、《除恐災橫經》、《維摩詰經》、《善見律》、《立世阿毗曇論》、《爾雅》、《文選注》等書輯出十九條，釐爲一卷，刊入《漢學堂叢書》。

悟蒙章　陸暐撰

《魏書·陸俟傳》："暐，字道暉，與弟恭之並有時譽，洛陽令賈禎見其兄弟，歎曰：'僕以老年，更睹雙璧。'又嘗共候黃門郎孫惠蔚，惠蔚謂諸賓曰：'不意二陸復在座隅，吾德謝張公，無以延譽。'暐起家司徒行參軍太尉西閤祭酒，兼尚書右民、三公郎，擬《急就篇》爲《悟蒙章》。正光中卒。孝昌中，贈恆州刺史。"《北史》同。

《隋》、《唐志》均不著録。

佚已久。

右小學類，共六家，六部，六十五卷，五篇。卷亡者一部，存疑。此外尚有袁式、陽尼二家《字釋》，未就，陽休之《韻略》一卷、《辨嫌書》二卷，李鉉《字辨》，《北齊書》有傳，均不著録。

方言類

方言三卷　劉昞撰

　　見《魏書》昞本傳,《北史》同。

　　《隋》、《唐志》均不著録。

　　佚已久。

趙語十二卷　李公緒撰

　　見《北史·李靈傳》。

　　《隋》、《唐志》均不著録。

　　佚已久。

國語物名四卷　侯伏侯可悉陵撰

國語雜物名三卷　同上

國語真歌十卷

國語十八傳一卷

國語御歌十一卷

國語號令四卷

國語雜文十五卷

　　《隋志》:"後魏初定中原,軍容號令皆以夷語。後染華俗,多不能通,故録其本言,相傳教習,謂之'國語',今取以附音韻之末。"

　　《唐志》不著録。

　　佚已久。

　　右方言類,共三家,九部,六十三卷。佚名者五家,存疑。

讖緯類

易林雜占百餘卷　吳遵世撰

《北史·藝術傳》：“遵世，字季緒，勃海人。少學《易》，後出遊京洛，以卜筮知名，著《易林雜占》百餘卷。預尉遲迥亂，死焉。”

《隋》、《唐志》均不著録。

佚已久。

五星要訣　陸旭撰

兩儀真圖　同上

《北史·陸俟傳》：“旭性雅淡，好《易》、緯候之學，撰《五星要訣》及《兩儀真圖》，頗得其指要。太和中，徵拜中書博士，稍遷散騎常侍。知天下將亂，遂隱於太行山，屢徵不起。卒後，贈並、汾、恆、肆四州刺史。”

《隋》、《唐志》均不著録。

佚已久。

右讖緯類，共二家，三部，百餘卷。卷亡者二部，存疑。

凡經類八十部，五百零八卷。

史類第二

史之類十有四：一曰正史，二曰編年，三曰霸史，四曰雜史，五曰起居注，六曰故事，七曰傳記，八曰詔令，九曰儀注，十曰譜牒，十一曰刑法，十二曰地理，十三曰圖志，十四曰史評。

正史類

漢書音義二卷　崔浩撰

見《新唐志》。

李善注《文選》屢引用之，不著撰人。

《崇文總目》及晁氏、陳氏各《志》均不著録。

佚已久。

范曄後漢書音一卷　劉芳撰

見《魏書》芳本傳。

酈道元注《水經》引用之，不著卷數。

《隋志》有《後漢書音》一卷，題“後魏太常劉芳撰”。

《新唐志》作“劉芳《後漢書音》一卷”。

佚。

晉後書五十餘卷　崔浩撰

《北史·崔宏傳》：“浩以《晉書》諸家並多誤，著《晉後書》，未就，傳世者五十餘卷。”

《隋》、《唐志》均不著録。

佚已久。

魏典　李彪撰

《魏書》彪本傳曰：“自成帝以來，至於太和，崔浩、高允著述《國書》，編年序録，爲《春秋》之體，遺落時事，三無一存。彪與祕書令高祐始奏從遷、固之體，創爲紀、傳、表、志之目焉……世宗踐祚，彪自託於王肅，又與邢巒詩書往來，迭相稱重，因論求復舊職，修史官之事……彪乃表曰：‘臣聞龍圖出而皇道明，龜書見而帝德昶，斯實冥中之書契也。自瑞官文而卑高陳，民師建而賤貴序，此乃人間之繩式也。是以《唐典》篆欽明之册，《虞書》銘愼徽之篇，《傳》著夏氏之《箴》，《詩》録商家之《頌》，斯皆國史明乎得失之跡也……唯我皇魏之奄有中華也，歲踰百齡，年幾十紀，太祖以弗違開基，武皇以奉時拓業，虎嘯域中，龍飛宇外，小往大來，物品咸亨。自兹以降，世濟其光。史官叙録，未充其盛。加以東觀中圮，册勳有闕，美隨日落，善因月稀，故諺曰：“一日不書，百事荒蕪。”至于太和之十一年，先帝、先后遠惟景業，綿綿休烈，若不恢史闡録，懼上業茂功始有缺矣。於是召名儒之士，充麟閣之選。于時忘臣眾短，采臣片志，令臣出納，授臣丞職，猥屬斯事，無所與讓。高祖時詔臣曰：“平爾雅志，正爾筆端，書而不法，後世何觀？”臣奉以周旋，不敢失墜，與著作等鳩集遺文，並取前記，撰爲《國書》……今大魏之史，職則身貴，祿則親榮，優哉遊哉，式穀爾休矣，而典謨弗恢者，其有以也。而故著作漁陽傅毗、北平陽尼、河間邢産、廣平宋弁、昌黎韓顯宗等，並以文才見舉，注述是同，皆登年不永，弗終茂績。前著作程靈虯同時應舉，共掌此務，今從他職，官非所司。唯崔光一人，雖不移任，然侍官兩兼，故載述致闕……今求都下乞一靜處，綜理國籍，以終前志，官給事力，以充所須。雖不能光啓大録，庶不爲飽食終日耳。近則期月可就，遠也三年有成，正本蘊之麟閣，副貳藏之名山。’……彪在祕書歲餘，史業

竟未及就，然區分書體，皆彪之功。又崔光表世宗曰：'伏見
前御史中尉臣李彪夙懷美意，創刊《魏典》，臣昔為彪所致，與
之同業積年。其志力貞強，考述無倦，督勸群寮，注綴略舉。
雖頃來契闊，多所廢離，近蒙收起，還綜厥事，老而彌厲，史
才日新，若克復舊職，專功不殆，必能昭明《春秋》，闡成
皇籍。'"

又《高祐傳》："祐，字子集，勃海人，博涉書史。初拜中書學
生，太和時拜秘書令。與李彪等奏曰：'臣等聞典謨興話言，
所以光著；載籍作成事，所以昭揚。然則《尚書》者記言之體，
《春秋》者錄事之辭，尋覽前志，斯皆言動之實錄也。夏殷以
前，其文弗具，自周以降，典章備舉。史官之體，文質不同，立
書之旨，隨時有異。至若左氏，屬詞比事，兩致並書，可謂存
史意，而非全史體。逮司馬遷、班固，皆博識大才，論敘今古，
曲有條章，雖周達未兼，斯寔前史之可言者也。至於後漢、
魏、晉咸以放焉。惟聖朝創制上古，開基《長髮》，自始均以
後，至於成帝，其間世數久遠，是以史弗能傳。臣等疏陋，忝
當史職，披覽《國記》，竊有志焉。愚謂自王業始基，庶事草
創，皇始以降，光宅中土，宜依遷、固大體，令事類相從，紀傳
區別，表志殊貫，如此修綴，事可備盡。'時李彪專統著作，祐
為令，時相關預而已。"

又《崔光傳》："初，光與李彪共撰《國書》。太和之末，彪解著
作，專以史事任光。彪尋以罪廢，世宗居諒闇，彪上表求成
《魏書》，詔許之。彪遂以白衣於秘書省著述。光雖領史官，
以彪意在專功，表解侍中著作以讓彪。"

《史通·正史篇》："太和十一年，詔秘書丞李彪、著作郎崔光，
始分為紀傳異科。"

《隋》、《唐志》均不著錄。

佚已久。

右正史類，共三家，四部，五十三卷。卷亡者一部，存疑。

編年類

漢紀音義三卷　崔浩撰

見《唐志》。

《太平御覽》引之，題"崔浩《漢紀音義》"，不著卷數。

佚。

魏紀三十卷　張始均撰

《魏書·張彝傳》："始均，字子衡，端潔好學，有文才。司徒行參軍，遷著作佐郎，兼左民郎中，遷員外常侍，仍領郎。才幹有美於父，改陳壽《魏志》爲編年之體，廣益異聞，爲三十卷。"

《北史》同。

《隋》、《唐志》均不著録。

佚已久。

魏國統二十卷　梁祚撰

見《隋志》。

《魏書·儒林傳》："祚，北地泥陽人，篤志好學，歷治諸經，尤善《公羊春秋》、鄭氏《易》，常以教授，有儒者之風。與幽州別駕平恆有舊，恆時相請屈，與論經史。辟秘書中散，稍遷秘書令，後出爲統萬鎮司馬，徵爲散令。撰並陳壽《三國志》，名曰《國統》。太和十二年卒。"

《舊唐志》作《國紀》十卷。

《新唐志》作《魏書國紀》十卷。

《初學記》作《魏國統》，前後共引十三事。

《太平御覽》引作梁祚《魏國統》，不著卷數。

《通志·藝文略》作《魏國紀》十卷。

章宗源《隋志考證》謂《新志》"書"字誤增，"紀"宜作"統"，《舊志》脫"魏"字，《通志略》誤認爲後魏，遂與盧彦卿《後魏紀》、元行冲《魏典》並列。

案《通志·列傳略》作《魏國統》，與《藝文略》不同，盖其書久佚，鄭浹際著《通志》即未之見。列傳鈔《北史》，藝文依《唐志》，不加考較，所以有此矛盾。至誤認曹魏爲元魏，其咎當歸之歐陽氏，不自浹際始也。

右編年類，共三家，三部，五十三卷。

霸史類

燕書二十卷　范亨撰

見《隋志》。

酈道元注《水經》引三事。

《史通·正史篇》："前燕有起居注，杜輔全録以爲《燕紀》。後燕建興元年，董統受詔草創《後書》，著本紀並佐命功臣王公列傳，合三十卷。慕容垂稱其叙事富贍，足成一家之言，但褒述過美，有慙董史之直。其後申秀、范亨各取前、後二《燕》，合成一史。"

《舊唐志》入編年類。

《太平御覽》引其《烈祖記》。

《資治通鑑考異》引其《武宣記》、《文明記》、《征虜仁傳》、《慕容翰傳》。

案其書久佚，各史皆無范亨傳。僅《魏書·崔浩傳》稱神廳二年，詔集諸文人撰録國書，浩及弟覽、高讜、鄧穎、晁繼、范亨、黄輔等共參著作，則亨爲魏之文人明矣。

《隋志》題偽燕尚書,誤。

涼書十卷　劉昞撰

見《魏書》昞本傳,《北史》同。

《隋志》題:"記張軌事,偽涼大將軍從事中郎劉景撰。"

《史通·正史篇》:"建康太守索暉、從事中郎劉昞,又各有《涼書》。"

又《雜説篇》:"士變著録,劉昞裁書,則磊落英才,粲然盈矚者矣。向使二賢不出,二郡無記,彼邊隅之君子,何以取聞於後世乎?"

案其書久佚,唐人諱"昞",《隋志》"劉景"即劉昞也。

敦煌實録二十卷　同上

見《魏書》昞本傳。

《宋書·氐胡傳》:"太祖元嘉十四年,河西王茂虔奉表獻方物,并獻書一百五十四卷,内有《敦煌實録》十卷、《涼書》十卷,不著撰人。"

《隋志》作十卷。

《北史·劉延明傳》有《敦煌實録》二十卷。

《北堂書鈔》引作留彦明《敦煌實録》。

《史通·雜述篇》:"郡書者,於其鄉賢,美其邦族,施於本國,頗得流行。置於他方,罕聞愛異,其有如常璩之詳審、劉昞之該博,而能傳諸不朽,見美來裔者,盖無幾焉。"

《舊唐志》雜傳類有《敦煌實録》二十卷,題"劉延明撰"。

《新志》偽史類有劉昞《敦煌實録》二十卷,雜傳類有劉昞《敦煌實録》二十卷。

《太平御覽》引作"劉彦明《敦煌實録》"。

《續漢書·五行志》注、《獨異記》、《太平寰宇記》、《太平廣記》及《玉海》均引作"劉昞《敦煌實録》"。

案是書佚已久，作“劉昞《敦煌實錄》”爲是。《北史》成於唐代，唐人諱“昞”，故改稱延明。延明，昞之字。《北堂書鈔》誤作“留彦明”，以留劉、彦延音近故也。《舊志》入雜傳，非。《新志》沿誤爲“實錄”，益非。敦煌，一作敦煌，《玉海》作“燉”，誤。

燕志十卷　高閭撰

見《隋志》。

《魏書》閭本傳：“閭，字閭士，漁陽雍奴人。早孤，少好學，博綜經史，文才儁偉，下筆成章。真君九年，徵拜中書博士。和平末，遷中書侍郎。歷仕顯祖、高祖二朝。世宗即位，閭表求致仕，景明三年十月卒於家。”

《初學記》及《太平御覽》均引之。

《舊唐志》有《燕志》十卷，不著撰人。

今佚。

秦紀十卷　姚和都撰

見《隋志》。

《史通·正史篇》：“後秦扶風馬僧虔、河東衞隆景，並著秦史。及姚氏之滅，殘缺者多。泓從弟和都仕魏，爲左民尚書，又追撰《秦紀》十卷。”

《唐志》不著錄。

佚已久。

馮氏燕志十卷　韓顯宗撰

《魏書·韓麒麟傳》：“顯宗，字茂親，性剛直，亦有才學，沙門法撫三齊稱其聰悟。太和初，舉秀才，對策甲科，除著作佐郎。高祖曾謂顯宗曰：‘見卿所撰《燕志》，及在齊詩詠，人勝比來之文，然著述之功，我所不見，當更訪之監令，校卿才能，可居中第。'二十一年，①車駕南伐，顯宗為右軍府長史，新野平，以顯宗為鎮南廣陽王嘉諮議參軍。顯宗後上表，頗自矜伐，訴前征勳，張彝奏免顯宗官。二十三年卒。撰《馮氏燕志》十卷。"

《史通·正史篇》"韓顯宗記馮氏"，即指此也。

《隋》、《唐志》均不著録。

佚已久。

趙記八卷　李公緒撰

見《北史·李靈傳》。

《太平御覽》引之，或作《李穆叔記》，或作《趙記》。

《太平寰宇記》引作"李公緒《趙記》"。

案《顏氏家訓·書證篇》云："柏人城東北有一孤山，李穆叔、季節兄弟並不能定鄉邑此山。"蓋顏氏已讀其書，知其人，而未舉其名。考《北史》，公緒，字穆叔。《太平御覽》稱其字，《寰宇記》稱其名，顏氏則表欽仰之意焉。此其可考見者，餘無徵，當久佚。

三晉記十卷　王遵業撰

《魏書·王慧龍傳》："遵業，風儀清秀，涉歷經史。位著作佐郎，遷右軍將軍兼散騎常侍。有當時譽，與中書令陳郡袁翻、尚書瑯琊王誦並領黃門郎，號曰三哲。爾朱榮入洛，兄弟在父喪中，以於莊帝有從姨兄弟之親，相率奉迎，俱見害河陰，議者惜其人才，而譏其躁競。贈並州刺史。著《三晉記》十卷。"

《隋》、《唐志》均不著録。

佚已久。案魏時撰《晉史》者，尚有裴伯茂、宋世景二家，均未

---

① "二十一"，中華書局本《魏書·韓麒麟傳》作"十一"。

就,不著録。

蒙遜記十卷　宗欽撰

《魏書》欽本傳:"欽,字景若,金城人。少而好學,有儒者之風,博綜群言,聲著河右,仕沮渠蒙遜爲中書郎。世祖平涼州入國,賜爵卧樹男,加鷹揚將軍,拜著作郎。崔浩之誅也,欽亦賜死。欽在河西,撰《蒙遜記》十卷,無足可稱。"

《隋》、《唐志》均不著録。

佚已久。

涼書十卷　高謙之撰

《魏書·高崇傳》:"謙之,字道讓,少事後母李以孝聞。及長,屏絶人事,專意經史,天文、曆算、圖緯之書,多所該涉。日誦數千言,好文章,留意《老》、《易》。襲爵,釋褐奉朝請。孝昌初,行河陰縣令,尋除國子博士。與袁翻、常景、酈道元、温子昇之徒,咸申款舊,以父舅氏沮渠蒙遜曾據涼土,國書漏闕,乃修《涼書》十卷,行於世。涼國盛事佛道,爲論貶之。"《北史·高道穆傳》同。

《隋志》題"高道讓撰"。

《唐志》不著録。

佚已久。

涼書十卷　宗欽撰

《史通·正史篇》:"宗欽記沮渠氏。"

《隋志》有《涼書》十卷,不著撰人,注云:"沮渠國史"。

清浦起龍曰:"據本文及史,當即是宗欽。"

《唐志》不著録。

佚已久。

燕記　崔逞撰

《北史》逞本傳:"逞,字叔祖,清河東武城人,魏中尉琰之五世

孫也。少好學,有文才。仕慕容暐,補著作郎。撰《燕記》,遷
黃門侍郎。及慕容驎立,携妻子歸魏,後以復晉將郗恢書失
旨賜死。"

《隋》、《唐志》均不著錄。

佚已久。

燕書　封懿撰

《魏書》懿本傳:"懿,字處德,勃海蓨人。僑偉有才氣,能屬
文。仕慕容寶,位至中書令、民部尚書。寶敗歸闕,除給事黃
門侍郎。太宗初,拜都坐大官,進爵為侯。泰常二年卒。撰
《燕書》,頗行於世。"

《隋》、《唐志》均不著錄。

佚已久。

夏書　張淵、趙逸撰

見《史通·正史篇》。

《魏書·術藝傳》:"張淵,不知何許人。明占候,曉内外星分。
世祖平統萬,以淵為太史令。神麚二年,世祖將討蠕蠕,淵與
徐辯皆謂不宜行,與崔浩爭於世祖前,淵專守常占,而不能鉤
深致遠,故不及浩。"

又《趙逸傳》:"逸,字思群,天水人也。好學夙成,仕姚興,歷
中書侍郎。世祖平統萬,見逸所著,曰:'此豎無道,安得為此
言乎!作者誰也?其速推之。'司徒崔浩進曰:'彼之謬述,亦
猶子雲之美新,皇王之道,固宜容之。'世祖乃止。拜中書侍
郎。神麚二年三月上巳,帝幸白虎殿,命百寮賦詩,逸製詩
序,時稱為善。性好墳典,白首彌勤,年逾七十,手不釋卷。"

《隋》、《唐志》均不著錄。

佚已久。

十六國春秋一百二卷　崔鴻撰

《魏書·崔光傳》:"鴻,字彥鸞,少好讀書,博綜經史。弱冠便有著述之志,見晉魏前史,皆成一家,無所措意,以劉淵、石勒、慕容儁、苻健、慕容垂、姚萇、慕容德、赫連屈子、張軌、李雄、呂光、乞伏國仁、禿髮烏孤、李暠、沮渠蒙遜、馮跋等並因世故,跨僭一方,各有國書,未有統一,鴻乃撰為《十六國春秋》,勒成百卷,因其舊記,時有增損褒貶焉……鴻附趙邕呈奏世宗表曰:'景明之初,搜集諸國舊史,屬遷京甫爾,率多分散,求之公私,驅馳數歲。又臣家貧祿薄,唯任孤力,至於紙盡,書寫所資,每不周接,暨正始元年,寫乃向備。謹於吏按之暇,草構此書,區分時事,各繫本録,破彼異同,凡為一體;約損煩文,補其不足。三豕五門之類,一事異年之流,皆稽以長曆,考諸舊志,删正差謬,定為實録,商校大略,著《春秋》百篇。至三年之末,草成九十五卷。唯常璩所撰李雄父子據蜀時書,尋訪不獲,所以未及繕成,輟筆私求,七載於今,此書本江南撰録,恐中國所無,非臣私力所能終得。其起兵僭號,事之始末,乃亦頗有,但不得此書,懼簡略不成……臣又別作《序例》一卷,《年表》一卷,仰表皇朝統括大義,俯明愚臣著録微體。'……鴻經綜既廣,多有違謬,至如太祖天興二年,姚興改號,鴻以為改在元年;太宗永興二年,慕容超擒於廣固,鴻又以為事在元年;太常二年,姚泓敗於長安,而鴻亦以為滅在元年。如此之失,多不考正。子子元於永安中,乃奏其父書,曰:'臣亡考故散騎常侍、給事黄門侍郎、前將軍、齊州大中正鴻,不殞家風,式纘世業,古學克明,在新必鏡,多識前載,博極群書,史才富洽,號稱籍甚,年止壯立,便斐然懷著述意。正始之末,任屬記言,撰緝餘暇,乃刊著趙、燕、秦、夏、涼、蜀等遺載,為之序贊,褒貶評論,先朝之日,草構悉了,唯有李雄《蜀書》,搜索未獲,闕茲一國,遲留未成。去正光三年,購訪始得，討論適訖，而先臣棄世。凡十六國，名為《春秋》，一百二卷，近代之事最為備悉。未曾呈上，弗敢宣流。今繕寫一本，敢以仰呈。'"

《隋志》作一百卷。

《唐志》作一百二十卷。

《史通·正史篇》："魏世黃門侍郎崔鴻，乃考覈衆家，辨其異同，除煩補闕，錯綜紀網，易其國書曰録，主紀曰傳，都謂之《十六國春秋》。鴻始以景明之初求諸國逸史，逮正始元年，鳩集稍備，而猶闕蜀事，不果成書。推求十有五年，始於江東購獲，乃增其篇目，勒爲一百二卷。鴻歿後，永安中，其子繕寫奏上，請藏諸秘閣，由是僞史宣布，大行於時。"

《藝文類聚》、《初學記》、《北堂書鈔》、《廣韻》、《開元占經》、《太平御覽》、《太平廣記》、《太平寰宇記》、《通鑑考異》均嘗引之。

《玉海》引《國史志》："鴻書世有二十餘卷，《舊志》乃五十卷，蓋獻書者妄分篇第。"又引晁説之曰："司馬休之言温公所考《十六國春秋》，非崔鴻全書。"

明吳翊寅謂鴻書佚於宋、元之間。

清朱彝尊曰："今世所傳《十六國春秋》，乃後人采《晋書》、《北史》、《册府元龜》、《太平御覽》等書集成之，非原書也。"

姚際恒曰："舊稱温公所考《十六國春秋》，猶非鴻全書，則散亡久矣。明屠喬孫、項琳之雖云爲之訂補，然即出此二人手也。"

浦起龍曰："崔氏書，自《宋史·藝文志》、馬貴與《通考》皆已闕載。至明乃有屠喬孫之本，賀燦然序之曰：'晋記流行，崔書放散，遷之博考旁稽，綴遺搜逸，爰訂斯編。'吁！何其不學也。屠果博聞，欲起斯廢，毋假初名，毋襲原數，謹循纂體，顯號補亡。各於正史載記之餘,人見書其人,事見書其事,而條疏其下,曰某人見某書、某事見某書,豈不卓而大雅,功高津逮哉?乃計不出此,而匿所自來,掩非己有,舉一切真書,胥變而爲贗書。愚因是歎書之禍,焚棄者猶小,竄亂者甚焉,冒出者又甚焉,明神、穆之際是也。"

錢大昕曰:"今世所傳《十六國春秋》,明萬曆中,嘉興屠喬孫、項琳之所刊,前有朱國祚《序》,凡百卷。蓋鈔撮《晋書·載記》,參以他書,附合成之,其實亦贗本也。考《宋史·藝文志》、《崇文總目》、晁、陳、馬三家書目,不載崔鴻《十六國春秋》,則鴻書失傳已久。龔穎《運歷圖》載前涼張實以下皆改元,晁氏謂不知所據,或云出崔鴻《十六國春秋》,鴻書久不傳于世,莫得而考焉。是宋人已無見此書者。明人好作僞書,自具眼者觀之,不直一哂耳。"

《四庫總目》曰:"鴻書亡於北宋,今本爲明嘉興屠喬孫、項琳之僞作。證以《藝文類聚》諸書,所引一一相同,遂行於世。論者或疑鴻身仕北朝,而仍用晋宋年號。今考劉知幾《史通·探賾篇》曰:'鴻書之紀網,皆以晋爲主,亦猶班書之載吳項,必繫漢年,陳《志》之述孫、劉,皆宗魏世。'喬孫等正巧附斯義,以售其欺,所摘者未中其疾。惟《魏書》載鴻子子元奏稱,刊著越、燕、秦、夏、梁、蜀遺載,爲之贊序,而此本無贊序。《史通·表曆篇》稱晋氏播遷,南據揚越,魏宗勃起,北雄燕代。其間諸僞,十有六家,不附正朔,自相君長。崔鴻著表,頗有甄明,而此本無表。是則檢閲偶疏,失於彌縫耳。"

章宗源曰:"其書現存,爲明人輯本。"

莫友芝曰:"《汲古閣秘書目》有精抄本二十册,二套,稱係從宋板抄出,在刻本之前。屠、項刻此書于萬曆中,而毛氏家藏已有抄本,即使僞託,亦前人所爲,決非二君自作自刻也。"

纂録十卷　同上

　　見清湯伯玕輯補本序。

　　《隋志》不著撰人。

　　《崇文總目》作《十六國春秋略》。

　　《通鑑考異》作《十六國春秋鈔》。

　　《四庫總目》作《別本十六國春秋》十六卷。

　　存。

　　右霸史類，共十三家，十六部，二百四十卷。卷亡者三部，
存疑。

雜史類

帝録二十卷　元順撰

　　《魏書·任城王傳》："順，字子和，九歲師事樂安陳豐，十六通
《杜氏春秋》，恆集門生討論同異。于時四方無事，國富民康，
豪貴子弟，率以朋游為樂，而順下帷讀書，篤志愛古。性謇
諤，淡於榮利，好飲酒，解鼓琴，每長吟永歎，吒詠虛室。起家
為給事中，超轉中書侍郎，俄遷太常少卿，後除征南將軍、右
光禄大夫，轉兼左僕射。爾朱榮之奉莊帝，召百官悉至河陰，
為陵户鮮于康奴所害，家徒四壁，無物斂屍，止有書數千卷而
已。撰《帝録》二十卷，今多亡失。"

　　《隋》、《唐志》均不著録。

　　佚已久。

韋昭注國語音一卷　劉芳撰

　　見《魏書》芳本傳，《北史》同。

　　《隋》、《唐志》均不著録。

　　佚已久。

國典十八篇　　王慧龍撰

《魏書》慧龍本傳：“慧龍，自云太原晉陽人，幼聰慧。泰常二
年，歸國。後拜洛城鎮將，配兵三千人鎮金墉。世宗初即位，
咸謂南人不宜委以師旅之任，遂停前授。後拜滎陽太守，領
長史。在任十年，農戰並修，大著聲績。撰《帝王制度》十八
篇，號曰《國典》。真君元年，拜使持節、甯南將軍、虎牢鎮都
副將，未至鎮而卒。”

《隋》、《唐志》均不著録。

佚已久。

帝王世紀注　　元延明撰

見《魏書·安豐王傳》，《北史·魏宗室傳》同。

《隋》、《唐志》均不著録。

佚已久。

右雜史類，共四家，四部，二十一卷、十八篇。卷亡者一部，
存疑。

起居注類

魏起居注三百三十六卷

見《隋志》。

《新唐志》作二百七十六卷。

佚。

國記十餘卷　　鄧淵撰

見《魏書》淵本傳，《崔浩傳》同。《高允傳》謂爲《太祖記》，《序
傳》謂鄧淵撰《代記》十餘卷。

《北史·崔宏傳》：“初，道武詔秘書郎鄧彦海著《國記》十餘
卷，編年次事，體例未成，逮于明元，廢而不著。”

《北齊書》作"鄧彦海撰《代記》十餘卷"。

《史通‧正史篇》："道武時，始令鄧淵著《國記》，唯爲十卷，而
條例未成。"

《隋》、《唐志》均不著錄。

佚已久。案彦海，鄧淵字。《北史》成於唐代，唐諱"淵"，故
《北史》稱其字。至《國記》、《代記》，乃以魏初國號代故也。

國書三十卷　崔浩撰

《魏書》浩本傳："太平真君八年，既平河西王沮渠牧犍，乃詔
浩總理史務，務從實錄。神䴥二年，詔集諸文人撰錄《國書》，
浩及弟覽、高讜、鄧穎、晁繼、范亨、黃輔等共參著作，敘成《國
書》三十卷。

《史通‧正史篇》："神䴥二年，詔集諸文士撰《國書》，爲三十
卷。特命浩總監史任，務從實錄。復以中書郎高允、散騎侍
郎張偉並參著作，續成前書，叙述國事，無隱所惡，而刊石寫
之，以示行路。浩坐此，夷三族，同作死者百二十八人。"

《隋》、《唐志》均不著錄。

佚已久。

高祖起居注　邢巒撰

《魏書‧序傳》："世宗時，命邢巒追撰《高祖起居注》，書至太
和十四年。又命崔鴻、王遵業補續焉，下訖肅宗，事甚委悉。"

又《李寶傳》："李伯尚，少有重名，弱冠除秘書郎。高祖敕撰
《太和起居注》。"

又《崔光傳》："崔鴻少好讀書，景明三年，遷員外郎、兼尚書虞
曹郎中，敕撰《起居注》。正光元年，加前將軍，修高祖、世宗
《起居注》。"

又《王慧龍傳》："長子遵業，風儀清秀，涉歷經史，位著作佐
郎，與司徒左長史崔鴻同撰《起居注》。遷右軍將軍，兼散騎

常侍,慰勞蠕蠕,乃詣代京,採拾遺文,以補《起居》所闕。"

續高祖起居注　崔鴻　王遵業撰

　見《魏書·序傳》。

世宗起居注　房景先撰

　《魏書·房法壽傳》:"崔光奏景先兼著作佐郎,修國史。尋除
　司徒祭酒、員外郎。侍中穆紹又啓景先撰《世宗起居注》。"

肅宗起居注　崔鴻　王遵業撰

　見《魏書·序傳》。

莊帝起居注　溫子昇撰

　《魏書》子昇本傳:"建義初,為南主客郎中,修《起居注》。"

　《史通·正史篇》:"溫子昇復修《莊帝紀》。"

　案以上各起居注,《隋》、《唐志》均不著錄,而《隋》、《唐志》所
　錄者,又不著撰人,或疑《隋》、《唐志》所著之起居注,即爲各
　家集成本,理當然也。

　右起居注類,共六家,七部,三百七十六卷。卷亡者四部,佚
　名者一家,均存疑。

故事類

魏永安故事三卷　溫子昇撰

　見《新唐志》。

　《史通·叙事篇》"處道受責於少期,子昇取譏於君懋",原注:
　"王邵《齊志》曰:'時議恨邢子才不得掌興魏之書,悵怏,溫子
　昇亦若此,而撰《永安記》,率是支言。'"

　案《隋志》不著錄,而地理類有《永安記》三卷,《唐志》無之。
　《魏書·子昇傳》亦僅有《永安記》,而無《永安故事》。二者當
　爲一書,歐陽氏蓋依其性質而別之歟?宋各家志均不著錄,

佚已久。

右故事類，一家，一部，三卷。

傳記類

顯忠録二十卷　　元懌撰

見《唐志》。

《魏書·清河王傳》：“懌，字宣仁，幼而敏惠，博涉經史，兼綜群言。世宗初，拜侍中，轉尚書僕射。靈太后臨朝，以懌蕭宗懿叔，德先具瞻，委以朝政，事擬周霍。懌竭力匡輔，以天下為己任。領軍元义，[①]太后之妹夫也，恃寵驕盈。懌裁之以法，每抑黜之，為义所疾。义黨人通直郎宗準愛希义旨，[②]告懌謀反。懌以忠而獲謗，乃鳩集昔忠烈之士，為《顯忠録》二十卷，以見意焉。”《北史·孝文五王傳》同。

《崇文總目》及晁、陳《志》均不著録。

佚已久。

科録二百七十卷　　元暉撰

《魏書·常山王傳》：“暉，字景襲，少沉敏，雅好文學，招集儒士崔鴻等，撰録百家要事，以類相從，名爲《科録》，凡二百七十卷，上起伏犧，迄於晋，凡十四代。疾篤，表上之。”《北史·魏宗室傳》同。

《隋志》子部雜家類有七十卷。

《唐志》有《秘録》二百七十卷，題“元暉等撰”。

《史通·六家篇》：“其後元魏濟陰王暉業又著《科録》二百七

---

① “义”，中華書局本《魏書·清河王傳》作“叉”，下同。
② “宗準”，中華書局本《魏書》作“宋維”。

十卷,其斷限亦起自上古,而終於宋年。其編次多依放通史,而取其行事尤相似者,共爲一科,故以《科錄》爲號。"

浦起龍曰:"案本文誤以撰人爲濟陰王元暉業,郭延年辯之,謂暉業所撰乃《辨宗錄》,非《科錄》也。《史通》既誤,王伯厚《玉海》再誤云。"

案其書隋時僅存七十卷,至唐或已全佚,劉知幾、劉昫均未見其原書,所以一誤撰人,一誤《科錄》爲《秘錄》。考魏代著述,並無稱《秘錄》者,元暉與崔鴻等所撰,亦祇此書而已。必科、秘二字形似致誤,歐陽氏撰《新志》盲從之耳。

孝友傳十卷　韓顯宗撰

見《魏書·韓麒麟傳》,《北史》同。

《隋》、《唐志》均不著錄。

佚已久。

崔氏世傳七卷　崔鴻撰

見《新唐志》。

《北堂書鈔·設官部》崔瑗上疏曰"察舉孝廉,限年三十,恐失賢才之士也"一節,係引《崔氏家傳》原文。

《隋志》有《崔氏五門家傳》二卷,不著撰人。章宗源考證曰:"按崔瑗爲汲令事,《御覽·人事部》又載之,題'崔鴻《崔氏家傳》',則《隋志》僅注崔氏,當改崔鴻無疑。"

案章氏所考確鑿可據,惟其書久佚,不得一睹為快。

鑒戒象讚一卷　常景撰

《魏書》景本傳:"景,字永昌,河内人。少聰敏,初讀《論語》、《毛詩》,一受便覽。及長,有才思,雅好文章。廷尉公孫良舉為律博士,後為門下錄事、太常博士。性好經史,若遇新異之書,殷勤求訪,或復質買,不問價之貴賤,必以得為期。武定六年,以老疾去官。八年薨。景善與人交,終始若一,其游處者皆服其深遠之度，未曾見其矜吝之心。好飲酒，澹於榮利，自得懷抱，不事權門。性和厚恭慎，每讀書，見韋弦之事，深薄之危。乃圖古昔可以鑒戒，指事爲象，讚而述之。"《北史·常爽傳》同。

《玉函山房輯佚書》載其原文，釐爲一卷。

名妃賢后傳四卷　元孚撰

《魏書·臨淮王傳》："孚，字秀和，少有令譽。累遷兼尚書右丞。靈太后臨朝，宦者干政，孚乃總括古今名妃賢后，凡爲四卷，奏之。"《北史·太武五王傳》同。

《隋》、《唐志》均不著録。

佚已久。

儒林列女傳各數十篇　常景撰

見《魏書》景本傳，《北史·常爽傳》同。

《隋》、《唐志》均不著録。

佚已久。

前漢功臣序讚　李仲尚撰

《魏書·李寶傳》："仲尚少以文學知名，二十著《前漢功臣序讚》，侍中高聰、尚書邢巒見而歎曰：'後生可畏，非虛言也。'起家京兆王愉行參軍，景明中，坐兄事賜死。"

佚。

廣州先賢傳七卷　劉芳撰①

見《新唐志》。

《隋志》不著録，章宗源《考證》補之。

案《魏書》及《北史》芳本傳均不見，宋各家志亦闕載其書，當久佚。《通志·藝文略》、《國史經籍志》雖存其名，蓋由《唐

① 按此條稿本無，據鈔本補。

志》轉鈔。

右傳記類,共九家,八部,三百十二卷、數十篇,卷亡者一部,
存疑。

詔令類

門下詔書四十卷　常景撰

《魏書》景本傳:"景在樞密十有餘年,延昌初,受敕撰《門下詔
書》,凡四十卷。"《北史·常爽傳》同。

《隋》、《唐志》均不著録。

案其書久佚。《玉海》引作"常裴",誤。

詔集十六卷

見《隋志》總集類。

《唐志》不著録。

佚已久。

皇誥十八篇　馮太后撰

《魏書·皇后傳》:"文成文明皇后馮氏,長樂信都人。父朗,
秦、雍二州刺史,母樂浪王氏,后生於長安。性聰達,自入宫
掖,粗學書計。及登尊極,省决萬機。太后以高祖富於春秋,
乃作《皇誥》十八篇。"

《隋》、《唐志》均不著録。

佚已久。

魏大誥　蘇綽撰

《北史》綽本傳載其原文。

《玉海·藝文類》列爲後魏一家。

右詔令類,共四家,四部,五十六卷、十八篇。卷亡者一部,佚
名者一家。存疑。

儀注類

太和之後朝儀五十餘卷　　常景撰

《魏書》景本傳：“先是，太常劉芳與景等撰朝令，未及班行。別典儀注，多所草創。未成，芳卒，景纂成其事。及世宗崩，召景赴京，還修儀注。拜謁者僕射，奉敕撰太和之後朝儀，已施行者凡五十餘卷。”

又《文苑傳》：“邢昕，字子明，河間人。太昌初，除中書侍郎，未幾，受詔與秘書監常景典儀注事。又盧觀，字伯舉，范陽涿郡人。除太學博士、著作佐郎，與太常少卿李神儁、光祿大夫王誦等在尚書上省，撰定朝儀。”

又《崔辯傳》：“長子景儁，好古博涉，以經明行修，徵拜中書博士。後為員外散騎侍郎，與著作郎韓興宗參定朝儀。”

《隋志》有《後魏儀注》五十卷，不著撰人。

《舊唐志》有《後魏儀注》三十二卷，題“常景撰”。

《新志》作常景《儀注》五十卷。

今佚。

趙李家儀十卷　　錄一卷　　李公緒撰

見《隋志》。

案其書久佚，《隋志》作李穆叔。穆叔，公緒之字，今改正。

祀典五卷　　盧辯撰

見《新唐志》。

《崇文總目》及晁、陳《志》均不著錄。

佚已久。

婚儀祭儀二卷　　崔浩撰

見《國史經籍志》。

《魏書》浩本傳僅云：“浩能為雜說，不長屬文，而留心於制度、科律及經術之言，作《家祭法》，次序五宗蒸嘗之禮，豐儉之節，義理可觀。”

佚。

女儀　同上

見唐韓鄂《歲華紀麗》。

崔寔《四民月令》“獻履襪”條下云：“近古婦人，常以冬至獻履襪于舅姑，踐長至之義也。出《女儀》。”宋李昉等輯《太平御覽》亦嘗引此文，題出“崔浩《女儀》”。

《初學記》“駙馬第七”條辨公主翁主之分，引見崔浩《義》。

案古義、儀字通用，疑即崔浩《女儀》也。又《隋志》有《四人月令》一卷，題“後漢大尚書崔寔撰”。案《隋書》成於唐，唐人諱“民”，故改稱《四人月令》，即《四民月令》也。考《後漢書·崔駰傳》，無寔著《四民月令》之文，即使有之，亦不當下採《女儀》，然則《四民月令》必出崔浩《女儀》後無疑。《隋志》題“漢崔寔撰”，恐爲假託者所欺罔，惜浩書久佚，無從參證。

冠婚儀　游肇撰

見《魏書·游明根傳》，《北史·游雅傳》同。

佚。

朝覲饗宴郊廟社稷儀　董謐撰

《魏書·崔玄伯傳》：“玄伯同郡董謐，好學傳父業。中山平，入朝，拜儀曹郎，撰《朝覲饗宴郊廟社稷儀》。”

佚。

右儀注類，共六家，七部，六十七卷。卷亡者三部，存疑。

譜牒類

辨宗室録四十卷　元暉業撰

《魏書·濟陰王傳》:“暉業,少險薄,多與寇盜交通。長乃變節,涉子史,亦頗屬文,而慷慨有志節。其在晉陽也,無所交通,居常閒暇,乃撰魏藩王家世,號為《辨宗室録》四十卷,行於世。”

《北史·魏宗室傳》作《辨宗録》。

《魏書·序傳》作三十卷,《北齊書·魏收傳》同。

《隋志》有《後魏辨宗録》二卷,題“元暉業撰”。

《史通·正史篇》:“濟陰王暉業撰《辨宗室録》。”

《唐志》作“元暉業《後魏辨宗録》二卷”,《通志》同。

案其書久佚。《北史》脱“室”字,《隋志》作“曄”,誤。

魏皇帝宗族譜四卷

見《隋志》,《唐志》同。

《崇文總目》及晁、陳《志》均不著録。

佚已久。

魏譜二卷

見《唐志》。

《國史經籍志》作十卷。

佚。

魏孝文列姓族牒一卷

見《隋志》。

《唐志》不著録。

佚已久。

魏方思格一卷

見《唐志》。

《史通·書志後論篇》:“江左有《兩王百家譜》,中原有《方思殿格》。”

《唐書·柳冲傳》:“魏太和時,詔諸郡中正,各列本土姓族次第爲選舉格,名曰《方思格》。”

《崇文總目》及晁、陳《志》均不著録。

佚已久。

封氏本録六卷　　封偉伯撰

見《魏書·封懿傳》，《北史》同。

《隋》、《唐志》均不著録。

佚已久。

宋氏别録五卷　　宋世良撰

見《北史·宋隱傳》。

《隋》、《唐志》均不著録。

佚已久。

中表實録二十卷　　盧懷仁撰

《北史·盧玄傳》：“懷仁，字子友，涉學有辭，性恬靜，蕭然有閑雅致，撰《中表實録》二十卷。”

《隋》、《唐志》均不著録。

佚已久。

親表譜録四十卷　　高涼撰

《魏書·高祐傳》：“涼，字修賢，少好學，多識强記，造《親表譜録》四十許卷，自五世以下，内外曲盡，覽者服其博記。正光中，死元法僧難。”

《隋》、《唐志》均不著録。

佚已久。

右譜牒類，共九家，九部，一百十九卷。佚名者四家，存疑。

刑法類

魏律二十卷

見《隋志》。

《洛陽伽藍記》:"《魏律》十二篇,常景、高僧裕、王元龜、祖瑩、李琰之、元飀、劉芳等共撰。"

《魏書·刑罰志》:"世祖即位,以刑禁重,神廳中,命司徒崔浩定律令。正平元年,游雅、胡方回等改定律制,盜律復舊,加故縱、通情、止舍之法及他罪,凡三百九十一條,門誅四,大辟一百四十五,刑二百二十一條。太安四年,又增律七十九章,門房之誅十有三,大辟三十五,刑六十二。太和三年,命高閭集中秘官等修改舊文,隨例增減,凡八百三十二章,門房之誅十有六,大辟之罪二百三十五,刑三百七十七。除群行剽劫、首謀門誅律,重者止梟首。"

《通典》:"後魏正平初,令胡方回、游雅改定律制,凡三百七十條。文成帝太安中,又增律七十九章。孝文太和初,又令高閭修改舊文,隨例增減,凡八百三十二章。"

《唐六典》:"後魏初,命崔浩定令。後命游雅等成之,史失篇目。"

《唐志》不著録。

佚已久。

魏六條一卷　蘇綽撰

《北史》綽本傳載其原文。

《崇文總目》作一卷。

大統式三卷　同上

見《新唐志》。

《玉海》作《後魏大統式》,不分卷。

佚。

中興永式五卷　同上

《北史·周帝紀》:"大統十五年七月,魏帝以帝前後所上二十四條及十二條新制,定爲《中興永式》,命尚書蘇綽更損益之,總爲五卷。"

《隋》、《唐志》均不著録。

佚已久。

麟趾新制十五篇　　温子昇、邢子才撰

見《洛陽伽藍記》。

案《新唐志》有《麟趾格》四卷，不著撰人，列《北齊律令》後，注云："文襄帝時譔。"當即此也。

佚已久。

魏職令

見《太平御覽·設官部》。

佚。

右刑法類，共四家，六部，二十九卷、十五篇。卷亡者一部，佚名者二家，存疑。

地理類

十三州志十卷　　闞駰撰

見《十六國春秋》，《隋志》同。

《唐志》作十四卷。

《文選》注引作《十三州記》。

《史通·雜述篇》："地理書者，若朱贛所採，浹於九州；闞駰所書，彌於四國，斯則言皆雅正，事無偏党者矣。"

《太平御覽》引用，至不一其例，時或作闞駰《十洲記》。

案其書久佚。元胡氏注《通鑑》，於"唐高宗永徽五年，睦州女子陳碩真攻陷於潛"條下，引宋宋白之言云："《吳越春秋》'徙大越鳥語之人實之替'，闞駰《十三州志》'替'讀爲潛。"今《二酉堂叢書》內之二卷，乃張澍由《水經注》、《顏氏家訓》、《北堂

書鈔》、顔注《漢書·地理志》、《後漢書》注、《藝文類聚》、《初
學記》、《太平寰宇記》、《括地志》、《太平御覽》、《博物志》、《太
平廣記》、宋敏求《長安志》、《史記索隱》、《史記正義》、《玉
海》、《路史》等書集成之。

徐州人地録二十卷　劉芳撰

見《魏書》芳本傳,《北史》同。

《唐志》作《徐地録》一卷。

《北堂書鈔》及《太平寰宇記》並引用之。

《通志·藝文略》作《徐地記》一卷,《列傳略》作三十卷。

案其書久佚,《通志·藝文》鈔《唐志》,《列傳》鈔《北史》,故彼
此互異。

洛陽伽藍記五卷　楊衒之撰

見《隋志》,《舊唐志》同。

《新志》入道家類釋氏,作陽衒之。

《史通·補注篇》作羊衒之,《書志後論》"於北則有《洛陽伽藍
記》"。晁氏《讀書志》同,作三卷。

《太平御覽》引作楊衒之撰,陳氏《書録解題》同,作五卷。

《太平廣記》引十餘條,不著撰人。

案衒之,《魏書》無傳。羊、陽、楊各家互異,其書現存,計五
卷,仍作楊衒之,故從楊。

李諧行記一卷　李諧撰

見《隋志》。

佚。

水經注四十卷　酈道元撰

《魏書·酷吏傳》:"道元,字善長,范陽人也。太和中,為尚書
主客郎。性好學,歷覽奇書,撰注《水經》四十卷。肅宗時,雍
州刺史蕭寶夤反狀稍露,遣為關右大使,遂為寶夤所害,死於

陰盤驛亭。"《北史·酈範傳》同。

《隋志》有《水經》四十卷,題"酈善長注"。《唐志》改題"酈道元注"。

《初學記》、《文選》注、《元和郡縣志》、《太平廣記》、《太平御覽》、《太平寰宇記》、《資治通鑑》注均引用之。

《四庫總目》曰:"自晋以來,注《水經》者凡二家。郭璞注三卷,杜佑作《通典》時猶見之。今惟道元所注存,其《自序》一篇,由《永樂大典》内鈔出。"

魏諸州記二十卷

見《唐志》。

《隋志》作《大魏諸州記》二十一卷。

案其書久佚,各志均不著撰人,《舊志》列闞駰《十三州志》後,《新志》直作"後魏",《隋志》蓋本當日原本,魏人自述,故作"大魏"。前有《序例》,故多一卷,其實三志所著一書也。清王謨搜輯殘遺,刊入《漢晋遺書鈔》,題爲《大魏諸州記》,從《隋志》也。

魏國以西十一國事一卷　宋雲撰

見《唐志》。

佚。

嵩高山廟記　盧元明撰

見《隋書·崔廓傳》。

《水經注》、《齊民要術》均引作《嵩山記》。

《藝文類聚》、《初學記》、《文選·洛神賦》注均引作《嵩高山記》。

《太平御覽》屢引之,或作《嵩高山記》,或作《嵩山記》,或作《盧氏嵩山記》,不一其例。《寰宇記》引作盧元明《嵩山記》。

《隋》、《唐志》均不著録。

佚已久。

魏土地記

見《水經注》。

《隋》、《唐志》均不著録。

佚已久。案《水經注》出酈道元之手，其所引《魏土地記》又言
道武事，則其書爲魏人所撰無疑。

右地理類，共九家，九部，九十七卷。卷亡者二部，佚名者二
家，存疑。

圖志類

歷帝圖五卷　　張彝撰

《魏書》彝本傳：“彝，字慶賓，清河東武城人。性公強，有風
氣，歷覽經史。高祖初，襲祖侯爵，為主客令，轉太中大夫，遷
散騎常侍。世宗初兼侍中，久之，除光禄大夫，加金章紫綬。
上表曰：‘臣聞元天高朗，尚假列星以助明；洞庭淵湛，猶藉
衆流以增大。莫不以孤照不詣其幽，獨深未盡其廣。先聖識
其若此，必取物以自誠。故堯稱則天，設謗木以曉未明；舜稱
盡善，懸諫鼓以規政闕。虞人獻箴規之旨，盤盂著舉動之銘，
庶幾見善而思齊，聞惡以自改。眷眷於悔往之衢，孜孜於不
逮之路，用能聲高百王，卓絶千古，經十氏而不渝，歷二千以
孤鬱……輒私訪舊書，竊觀圖史，其帝皇興起之元，配天隆家
之業，修造益民之奇，龍麟雲鳳之瑞，卑官愛物之仁，釋網改
祝之澤，前歌後舞之應，圄圄寂寥之美，可為輝風景行者，輒
謹編丹青，以標睿範。至如太康好田，遇窮后迫禍；武乙逸
禽，罹震雷暴酷；夏桀淫亂，南巢有非命之誅；殷紂昏酗，牧
野有倒戈之陳；周厲逐獸，滅不旋踵；幽王遇惑，死亦相尋。

暨於漢成失馭，亡新篡奪；桓靈不綱，魏武遷鼎；晉惠闇弱，骨肉相屠。終使聰曜鴟視並州，勒虎狼據燕趙。如此之輩，罔不畢載。起元庖犧，終於晉末，凡十六代，百二十八帝，歷三千二百七十年，雜事五百八十九，合成五卷，名曰《歷帝圖》，亦謗木、諫鼓、虞人、盤盂之類。脫蒙置御坐之側，時復披覽，冀或起予左右，上補未萌。伏願陛下遠惟宗廟之憂，近存黎民之念，取其賢君，棄其惡主，則微臣雖沉淪地下，無異乘雲登天矣。'世宗善之。神龜二年二月卒。"《北史》同。

《隋》、《唐志》均不著錄。

佚已久。

輿地圖　李義徽撰

見《通志·列傳略》。

佚。

魏輿地圖風土記

見《太平御覽》卷四十五。

清王謨由各類書輯出數條，刊入《漢晉遺書鈔》，不分卷。

案其書久佚，《初學記》有《後魏輿國風土記》，前後共引六條，不著撰人，不分卷數。《寰宇記》引之尤多，或作《後魏風土記》，或作《後魏輿地圖風土記》，不知與《初學記》所引爲一書也？爲二書也？要此等記載，均爲魏人所撰無疑，附誌於此，留待異日考訂。

右圖志類，共三家，三部，五卷。卷亡者二部，佚名者一家，存疑。

史評類

略記八十四卷　劉昞撰

《魏書》昞本傳：“昞以三史文繁，著《略記》百三十篇，八十四卷。”

《北史·劉延明傳》同。

佚。

要略三十卷　元勰撰

《魏書·彭城王傳》：“勰敦尚文史，物務之暇，披覽不輟。撰自古帝王賢達，至於魏世子孫，三十卷，名曰《要略》。”《北史·獻文六王傳》同。

佚。

古今略記二十卷　李公緒撰

見《北史·李靈傳》。

《隋》、《唐志》均不著録。

佚已久。

略注百餘篇　平恒撰

《魏書·儒林傳》：“恒，字繼叔，耽勤讀誦，研綜經籍，鉤深致遠，多所博聞。自周以降，暨於魏世，帝王傳代之由，貴臣升降之緒，皆撰録品第，商略是非，號曰《略注》，合百餘篇。好事者覽之，咸以爲善焉。”《北史》同。

佚。

政典要論二十餘篇　崔浩撰

見《北史·崔宏傳》。

《魏書》浩本傳：“寇謙之謂浩曰：‘吾行道隱居，不營世務，忽受神中之訣，當兼修儒教，輔助太平真君，繼千載之絶統，而學不稽古，臨事闇昧，卿爲吾撰列王者治典，並論其大要。’浩乃著二十餘篇，上推太初，下盡秦漢變弊之迹，大旨先以復五等爲本。”

佚。

史宗並注数十卷　信都芳撰

見《北史》都芳本傳。

《魏書·張淵傳》:"都芳撰《史宗》,仍自注之,合數十卷。"

佚。

右史評類,共六家,六部,一百五十四卷,一百二十篇。

凡史類八十七部,一千五百八十五卷。

子部第三

　　子之類十有四：一曰儒家，二曰兵家，三曰法家，四曰農家，五曰名家，六曰道家，七曰雜家，八曰天文，九曰曆算，十曰五行，十一曰雜藝，十二曰醫藥，十三曰小説，十四曰佛家。

儒家類

典言十卷　李公緒撰

　　見《北史・李靈傳》。

　　《隋志》雜家類有《典言》四卷，題“後魏人李穆叔撰”。

　　《舊唐志》有《典言》四卷，題“李若等撰”。

　　《新志》仍作四卷，惟改題“李公緒撰”。

　　案其書久佚。《隋志》入雜家類，非。《舊志》作“李若等”，誤。

　　而卷數三志均同，或隋以後存者僅四卷也。

皇誥宗制一卷　元澄撰

訓詁一卷　同上

　　《魏書・任城王傳》：“澄，字道鎮，少而好學。及康王崩，居喪以孝聞……世宗崩，肅宗沖幼，靈太后臨朝，澄表上《皇誥宗制》並《訓詁》各一卷，意欲皇太后覽之，思勸戒之益。”

　　《隋》、《唐志》均不著録。

　　佚已久。

墳典三十卷　盧辯撰

　　見《唐志》。

　　《隋志》雜家類同。

《崇文總目》及晁、陳《志》均不著録。

佚已久。

篤學文一卷　甄琛撰

《魏書》琛本傳:"琛,字思伯,中山毋極人,漢太保甄邯後也。少敏悟,入都從許叡、李彪假書研習,聞見益優。太和初,拜中書博士。世宗踐祚,為中散大夫。琛母服未闋,復喪父,琛於塋兆之内,手種松柏,①隆冬之月,負掘水土,鄉老哀之,咸助加力。十餘年中,墳成木茂,與弟僧林誓以同居没齒。專事產業,親躬農圃,時以鷹犬馳逐自娛。撰《篤學文》一卷,頗行於世。"

佚。

玄子五卷　李公緒撰

見《北史·李靈傳》。

《隋》、《唐志》均不著録。

佚已久。

石子十卷　石曜撰

《北史·孫惠蔚傳》:"曜,字白曜,中山安善人,以儒學進,居官清儉。著《石子》十卷,言甚淺俗。位終譙州刺史。"

《隋》、《唐志》均不著録。

佚已久。

靖恭堂銘一卷　劉昞撰

見《魏書》昞本傳,《北史》同。

《隋》、《唐志》均不著録。

佚已久。

話林數卷　鄭羲撰

---

① 種,原作持,據中華書局本《魏書·甄琛傳》改。

見《續古文苑》。

佚。

新集三十篇　明元帝撰

《魏書》帝紀第三："帝禮愛儒生，好覽史傳，以劉向所撰《新序》、《說苑》於經典正義多有所闕，乃撰《新集》三十篇，采諸經史，該洽古義。"《册府元龜》同。

《舊唐志》有《後魏明帝集》一卷。

案其書久佚，劉昫撰《唐志》，或僅見一卷，未明其宗旨，率爾列之集類。

教誡二十餘篇　刁雍撰

《魏書》雍本傳："雍，字淑和，勃海饒安人。汎施愛士，恬静寡欲，著《教誡》二十餘篇，以訓子孫。"

案《北史》作十餘篇，豈李延壽即未見其全耶？《隋》、《唐志》均不列其目，蓋已全佚。

家誨二十篇　甄琛撰

見《魏書》琛本傳，《北史》同。

佚。

忠誥一篇　李藉之撰

《北史·李靈傳》："藉之，字脩遠，性謹正，粗涉書史，位司徒諮議參軍、太中大夫，著《忠誥》一篇。卒，贈定州刺史。"

佚。

東宫侍臣箴一篇　宗欽撰

見《魏書》欽本傳。

存。

務德慎言遠佞防姦四戒　封軌撰

《魏書·封懿傳》："軌，字廣度，沉謹好學，博通經傳。太和中，拜著作佐郎，稍遷尚書儀曹郎中，兼員外散騎常侍，尋除國子博士。軌既以方直自業，以務德慎言，修身之本；姦回讒佞，世之巨害，乃為務德、慎言、遠佞、防姦四戒。卒，贈右將軍、濟州刺史。"

佚。

孔顏謠　鄭犧撰

見《續古文苑》。

佚。

孔門師弟讚　附圖　李平撰

履虎尾踐薄冰頌　附圖　同上

《魏書》平本傳："平，字曇定，頓丘人。少有大度，及長，涉獵群書，好《禮》、《易》，頗有文才。太和初，拜通直散騎侍郎。世宗即位，除黃門郎，詔以本官行相州事。平勸課農桑，修飾太學，簡試通儒以充博士，選五郡聰敏者以教之，圖孔子及七十二子於堂，親為立讚。前來臺使，頗好侵取，平乃畫'履虎尾'、'踐薄冰'於客館，注頌其下，以示誡焉。加平東將軍，徵拜長兼度支尚書。肅宗初，轉吏部尚書，熙平元年冬，卒。"

佚。

右儒家類，共十四家，十八部，五十九卷，四十二篇。卷亡者四部，存疑。

兵家類

十二陣圖　源賀撰

《魏書》賀本傳："賀，自署河西王禿髮傉檀之子也。偉容貌，善風儀。世祖素聞其名，及見，器其機辯，賜爵西平侯，加龍驤將軍。討吐京胡，先登陷陳，進號平西將軍。高宗即位，轉征北將軍……依古今兵法及先儒耆舊之說，略採至要，為十二陣圖以上之，顯祖覽而嘉焉。太和三年秋薨。”《北史》同。
《隋》、《唐志》均不著録。

佚已久。

黃石公三略注　劉昞撰

見《魏書》昞本傳。

《唐志》有《黃石公三略》三卷，不著撰注人。

案昞注在當世已行，今佚，而孫僧化、孫安都之兵法未就，不
著録。

兵法孤虛成立圖　王宜弟撰

《魏書·太祖紀》：“天賜三年四月，車駕幸犲山宮，占授著作
郎王宜弟造《兵法孤虛立成圖》三百六十時，遂登定襄角
史山。”

案《魏書》無宜弟傳，《北史·藝術傳》有王早，亦善角候兵法，
明元時人，與太祖前後亦相當，究不知與宜弟為一人也？抑
二人也？惜無以證明之耳。

右兵家類，共三家，三部。卷均亡，存疑。

法家類

韓子注　劉昞撰

見《魏書》昞本傳，《北史》同。

《隋》、《唐志》均不著録。

佚已久。

右法家類，一家，一部，卷存疑。

農家類

齊民要術十卷　賈思勰撰

見《隋志》,《宋志》同。

《舊唐志》作"《齊人要術》十卷,賈勰撰"。

《新志》作"賈思勰《齊民要術》十卷"。

宋李昉等輯《太平御覽》屢引用之,不著撰人。

《四庫總目》曰:"思勰始末未詳,惟知其官爲高平太守而已。

《自序》稱'起於耕農,終於醯醢,資生之樂,靡不畢書,凡九十

二篇。'"

案《舊志》落一"思"字,《新志》誤一"勰"字,其書現存。

荆楚歲時記一卷　宗懍撰

見《新唐志》,《宋志》同。

《舊志》雜家類作十卷。

《通考》時令類作四卷。

清修《河南通志》:"宗懍,字元懍,南陽涅陽人。好讀書,晝夜

不倦。魏破江陵,與王褒等入關,宇文泰甚禮重之。保定

中卒。"

案今本題爲晉人,誤。

右農家類,共二家,二部,十一卷。

名家類

人物志注三卷　劉昞撰

《魏書》昞本傳:"昞注《人物志》,行世,不著卷數。"《北史·劉

延明傳》同。

《唐志》有劉炳《人物志注》三卷。

《四庫總目》曰:"劉昞,字延明,敦煌人。舊本名上結銜,題

'涼儒林祭酒',蓋李暠時嘗授是官。然《十六國春秋》稱沮渠

蒙遜平酒泉,授昞秘書郎,專管注記。魏太武時,又授樂平從

事中郎,則昞歷事三主,惟署涼官者,誤矣。……昞注不涉訓
詁,惟疏通大意,而文詞簡古,猶有魏晉之遺。"

案劉昞,《唐志》作"炳",《通志》作"昺",《通考》作"昞",均誤。

辨類三卷　劉芳撰

見《魏書》芳本傳,《北史》同。

《隋》、《唐志》均不著録。

佚已久。

物祖十五卷　劉懋撰

《魏書·劉芳傳》:"懋,字仲華,聰敏好學,博綜經史,詩誄賦
頌及諸文筆,見稱於時。又撰諸品物造作之始十五卷,名曰
《物祖》。"《北史》芳傳同。

《隋》、《唐志》均不著録。

佚已久。

右名家類,共三家,三部,二十一卷。

道家類

老子道德經注二卷　盧景裕撰

見《隋志》。

《魏書》景裕本傳"先是,景裕注《老子》"云云,《北史·盧同
傳》同,均不分卷數。

《新唐志》有盧景裕、梁曠等注二卷。

案景裕注今不傳。唐張君相《集三十家注老子》八卷,内有羅
什、盧裕二家。竊疑羅什即後秦釋鳩摩羅什,盧裕即盧景裕
也。而君相之書,今亦不可得見。《隋志》疑脱一"注"字,今
改正。

老子道德經品四卷　梁曠撰

《隋志》有《老子》四卷,題"梁曠撰"。

《舊唐志》有《老子道德經品》四卷,題"梁曠注"。

《新志》僅列梁曠《道德經品》四卷,不言撰、注。

案曠注今亦不傳,無從考訂。疑《隋志》落"道德經品"四字,舊志題"注",亦非,蓋既云《道德經品》,不言注自是注,與其題"注",不若題"撰"爲較當。如襲其原名,若《隋志》,則斷乎不可題"撰"矣。

文子注十二卷　李暹撰

見晁氏《志》。

佚。

南華仙人莊子論三十卷　梁曠撰

見《唐志》。

《隋志》有梁曠《南華論》二十五卷,注云"本三十卷"。

案其書久佚,因《南華》爲莊子所著,故或作《南華論》,或作《莊子論》,隋時已佚五卷,故云"本三十卷"。

洞極真經一卷　關朗撰

見《玉函山房輯佚書》。

案前有朗《自序》一篇,謂受之其祖,質之秌先生,因先生之翼則附於經,又編其遺言爲《洞極論》,凡十一篇。

列仙傳注　元延明撰

見《魏書·安豐王傳》。

《隋》、《唐志》均不著録。

佚已久。

道德經章句注　盧光撰

《北史·盧同傳》:"光,字景仁,性溫謹,博覽群書,精於《三禮》,善陰陽,解鐘律,又好玄言。孝昌初,釋褐司空府參軍事,敬信佛道,注《道德經章句》行於世。"

《隋》、《唐志》均不著錄。

佚已久。

無談子論　崔纂撰

《魏書‧崔挺傳》：“挺族子纂，字叔則，博學有文才，景明中太學博士。既不為時知，乃著《無談子論》。後為給事中。延昌中，除梁州征虜府長史。熙平初，為甯遠將軍、廷尉正，後為洛陽令。正光中卒。”

佚。

陰符經　寇謙之撰

姚際恒曰：“出于唐李筌，其云得于石壁中，上封云‘上清道士寇謙之藏諸名山，同傳同好’。於是筌詭爲黃帝所作，後遇驪山老母，說其玄義。案此書言虛無之道，言修煉之術，以氣爲炁，乃道家書，必寇謙之所作，而筌得之耳。其云得于石壁中，則妄也。若云黃帝所作，驪山老母爲之解說，則更妄矣。”

案今所傳《陰符經》分上、中、下三篇，題“張良注”，不著撰人。

右道家類，共八家，九部，四十九卷。卷亡者四部，存疑。

雜家類

帝王集要三十卷　崔宏撰

見《新唐志》。

《隋志》有《帝王集要》三十卷，題“崔安撰”。

案《魏書‧崔玄伯傳》“玄伯名犯高祖諱”，高祖名宏，是玄伯即崔宏。《北史》有《崔宏傳》，而各史均無崔安其人。雖其書久佚，無從考訂，必宏、安二字形似，《隋志》傳寫致譌也。

稱謂五卷　盧辯撰

見《新唐志》。

佚。

史子新論數十篇　盧元明撰

《魏書·盧同傳》：“元明，字幼章，涉歷群書，兼有文義，風彩閒潤，進退可觀。永安初，長兼尚書令。永熙末，居洛東緱山。天平中，兼吏部郎中，副李諧使蕭衍，南人稱之。元明善自標置，不妄交遊，飲酒賦詩，遇興忘返，性好玄理，作《史子新論》數十篇。”

佚。

右雜家類，共三家，三部，三十五卷，數十篇。

天文類

星占七十五卷

《魏書·張淵傳》：“永熙中，詔通直散騎常侍孫僧化，與太史令胡世榮、張龍、趙洪慶，及中書舍人孫子良等，在門下外省校比天文書，集甘、石二家星經，及漢魏以來二十三家經占，集爲五十五卷。後集諸家撮要，前後所上雜占，以類相從，日、月、五星、二十八宿、中外官圖，合爲七十五卷。”《北史·張深傳》同。

《隋志》作二十八卷。

《唐志》作三十三卷。

案其書久不完，各志皆就所見本著之，故互異。今全失傳。

天文占六卷　李暹撰

見《隋志》。

佚。

天文災異八篇　高允撰

《魏書》允本傳：“允表曰：‘往年被敕令臣集天文災異，使事類相從，約而可觀。臣聞箕子陳謨而《洪範》作，宣尼述史而《春秋》著，皆所以章明列辟景測皇天者也。故先其善惡，而驗以災異，隨其失得，而效以禍福，天人誠遠，而報速如響，甚可懼也。自古帝王莫不尊崇其道，而稽其法數，以自修飭。厥後史官並載其事，以為鑒誡。漢成時，光祿大夫劉向見漢祚將危，權歸外戚，屢陳妖眚而不見納。遂因《洪範》、《春秋》災異報應者而為其傳，覬以感悟人主，而終不聽察，卒以危亡，豈不哀哉！伏惟陛下神武則天，叡鑒自遠，欽若稽古，率由舊章，前言往行，靡不究鑒，前皇所不逮也。臣學不洽聞，識見寡薄，懼無以裨廣聖德，仰酬明旨。今謹依《洪範傳》、《天文志》，撮其事要，略其文辭，凡為八篇。'世祖覽而善之，曰：'高允之明災異，亦豈減崔浩乎？'"《北史》同。

佚。

右天文類，共三家，三部，八十一卷，八篇。

曆算類

律曆術一卷　崔浩撰

曆日義統一卷　同上

曆日吉凶注一卷　同上

並見《新唐志》。

案以上三種均佚。《隋志》有《曆術》一卷，《舊志》有《曆疏》一卷，疑即《律曆術》，不復著錄。

玄始曆三卷　趙𦊆撰

見《魏書·律曆志》。

佚。

五寅元曆　崔浩

《魏書》浩本傳:"浩表曰:'太宗即位元年,敕臣解《急就章》、
《孝經》、《論語》、《詩》、《尚書》、《春秋》、《禮記》、《周易》,三年
成訖。復詔臣學天文、星曆、易式、九宮,無不盡看,至今三十
九年,晝夜無廢。臣稟性弱劣,力不及健婦人,更無餘能……
漢高祖以來,世人妄造曆術者有十餘家,皆不得天道之正,大
誤四千,小誤甚多,不可言盡。臣愍其如此,今遭陛下太平之
世,除僞從真,宜改誤曆以從天道,是以臣前奏造曆,今始
成訖。'"

又《高允傳》:"浩集諸術士,考校漢元以來日月薄蝕、五星行
度,並識前史之失,別為《魏曆》以示允……允曰:'案《星傳》,
金水二星常附日而行。冬十月,日在尾箕,昏沒於申南,而東
井方出於寅北。二星何因背日而行?是史官欲神其事,不復
推之於理。'浩曰:'欲為變者,何所不可,君獨不疑三星之聚,
而怪二星之來?'……後歲餘,浩謂允曰:'先所論者,本不注
心,及更考究,果如君語,以前三月聚於東井,非十月也。'"

又《律曆志》:"真君中,司徒崔浩為《五寅元曆》,未及施行,浩
誅,遂寢。"

佚。

甲寅元曆序一卷　趙歐撰

見《隋志》。

佚。案《隋志》重出。

河西壬辰元曆一卷　同上

見《唐志》。

佚。

神龜壬子元曆一卷　祖瑩撰

見《隋志》。

《魏書·律曆志》:"神龜初,太傅、太尉公、清河王懌等以天道

至遠,非卒可量,請立表候影,期之三載,乃採其長者,更議所從。於是張洪等與前鎮東府長史祖瑩等研窮其事,爾來三年,再歷寒暑,積勤構思,大功獲成……總合九家,共成一曆,元起壬子,律始黄鐘,考古合今,謂為最密……壬子北方,水之正位,龜為水畜,實符魏德,修母子應,義當《麟趾》,請定名為《神龜曆》。今封以上呈,乞付有司,重加考議,事可施用,並藏秘府,附於志典。肅宗以曆就,大赦改元,因名《正光曆》,班於天下。"

又《肅宗紀》:"正光三年十有一月丙午,詔曰:'治曆明時,前王茂軌;考辰正律,奕代通規,是以北平革定於漢年,楊偉草算於魏世。自皇運肇基,典章猶缺,推步晷曜,未盡厥理。先朝仍世,每所慨然。'至神龜中,始命儒官改創疏蹟,回度易憲,始會璇衡。今天正斯始,陽煦將開,品物初萌,宜變耳目,所謂魏雖舊邦,其曆維新者也。便可班宣内外,號曰《正光曆》。"

《唐志》不著録。

佚已久。

壬子元曆一卷　李業興撰

甲子元曆一卷　同上

並見《隋志》。

《新唐志》作《後魏甲子曆》。

佚。

河西甲寅元曆一卷　趙㪍撰

見《隋志》。

《舊唐志》題李淳風撰。

《新志》列《趙㪍河西壬辰元曆》下,不著撰人。案其書久佚。《舊志》誤。

陰陽曆術一卷　同上

見《隋志》。

佚。

殷甲寅曆一卷　李業興修

黃帝辛卯曆一卷　同上

《魏書·儒林傳》："業興，上黨長子人。少耿介，志學精力，負帙從師，不憚勤苦。耽思章句，好覽異說。博涉百家，圖緯、風角、天文、占候無不討練，[①]尤長算曆。愛好墳籍，鳩集不已，手自補治，躬加題帖，其家所有，垂將萬卷。舉孝廉，為校書郎，累遷奉朝請。以《殷甲寅曆》、《黃帝辛卯》，徒有積元，術數亡缺，又修之，各為一卷，傳於世。"

《隋》、《唐志》均不著録。

佚已久。

永安曆一卷　孫僧化撰

見《新唐志》。

《魏書·張淵傳》："僧化，東莞人。識星分，案天占以言災異，時有所中。永熙中，為通直散騎常侍中散大夫，出帝入關，遂罷。元象中死於晉陽。"

佚。

太史堪輿曆一卷　殷紹撰

見《通志·藝文略》。

待考。

甲午甲戌二元曆　張洪等撰

《魏書·律曆志》："崔光表曰：'景明初，奏求奉車都尉太史令趙樊生、著作佐郎張洪、給事中領太樂令公孫崇等造曆，功未

---

① "討"，中華書局本《魏書·儒林傳》作"詳"。

及訖，而樊生又喪，洪出除涇州長史，唯崇獨專其任。暨永平初，亦已略舉。時洪府解停京，又奏令重修前事，更取太史令趙勝、太廟令龐靈扶、明豫子龍祥共集秘書，與崇等詳驗，推建密曆。然天道幽遠，測步理深，候觀遷延，歲月滋久，而崇及勝前後並喪。洪所造曆為甲午、甲戌二元。'"

佚。

甲子元曆　張龍祥撰

《魏書‧律曆志》："龍祥在京，獨修前事，以皇魏運水德，為甲子元。"

佚。

戊子元曆　李業興撰

《魏書‧律曆志》："校書郎李業興亦私造曆，為戊子元。"

又業興本傳："業興以世行趙厞曆，節氣後辰下算，延昌中，乃為《戊子元曆》上之。於時屯騎校尉張洪、盪寇將軍張龍祥等九家，各獻新曆，世宗詔令共為一曆。洪等後遂推業興為主，成《戊子曆》，正光三年奏行之。"

佚。

武定曆一卷

見《隋志》，《唐志》同。

佚。

景明曆　公孫崇撰

《魏書‧律曆志》："正始四年冬，崇表曰：'高宗踐祚，乃用敦煌趙厞《甲寅》之曆，然其星度稍為差遠，臣輒鳩集異同，研其損益，更造新曆。以甲寅為元，考其盈縮，晷象周密，又從約省。起自景明，因名《景明曆》。然天道盈虛，豈曰必協，要須參候是非，乃可施用。'"

甲子乙亥二元曆[①]　張洪撰

見《魏書·律曆志》。

佚。

靈憲曆　信都芳撰

《北史·藝術傳》："李業興撰新曆,自以為長於趙𪠡、何承天、祖冲之三家,芳難業興五事,乃私撰曆書,名曰《靈憲曆》,算月頻大頻小,食必以朔,證據甚甄明,每云:'何承天亦為此法,而不能精,《靈憲》若成,必當百代無異議者。'"

佚。

興光曆　李業興撰

見《資治通鑑》。

佚。

九宮行綦曆　同上

《魏書·儒林傳》："業興造《九宮行綦曆》,以五百為章,四千四十為部,九百八十七為斗分,還以己未為元,始終相維,不復移轉,與今曆法術不同。至於氣序交分,景度盈縮,不異也。"

佚。

七曜本起三卷　甄叔遵撰

七曜曆數算經一卷　趙𪠡撰

七曜曆疏一卷　李業興撰

七曜義疏一卷　同上

並見《隋志》。

佚。

算術三卷　高允撰

---

① "乙",原誤作"已",據鈔本改。

《魏書》允本傳:"允明算法,為《算術》三卷。"

《隋》、《唐志》均不著録。

佚已久。

算經一卷　趙駛撰

見《隋志》,《國史‧經籍志》同。

佚。

器準三卷　信都芳撰

見《新唐志》。

《魏書‧安豐王傳》:"延明以河間人信都芳工算術,引之在館,其撰《古今樂事》九章十二圖,又集《器準》九篇,芳別為之注,皆行於世。"

《北史‧藝術》都芳本傳:"元延明聚渾天、欹器、地動、銅烏、漏刻、候風諸巧事,並圖畫,為《器準》,並令芳算之。會延明南奔,芳乃自撰注。"《魏書‧張淵傳》同。

《隋志》小説家類有《器準圖》三卷,題"後魏丞相士曹行參軍信都芳撰"。

案其書久佚,《隋》、《唐志》所著,當為一種。

四術周髀宗二篇　同上

《北史》都芳本傳:"都芳著《四術周髀宗》,序曰:'漢成帝時,學者問蓋天,楊雄曰:"蓋者,未幾也。"問渾天,曰:"洛下閎為之,鮮于妄人度之,耿中丞象之,幾乎莫之息矣。"此言蓋差而渾密也。蓋器測影,而造用之日久,不同於祖,故曰"未幾也"。渾器量天,而作乾坤,大象隱見難變,故曰"幾乎"。是時,太史令尹咸窮研晷蓋易古周法,雄乃見之,以為難也。自昔周公定影王城,至漢朝蓋器一改焉。渾天覆觀,以《靈憲》為文;蓋天仰觀,以《周髀》為法,覆仰雖殊,大歸是一。'芳以渾算精微,術機萬首,故約本為之省要,凡述二篇,合六法,名

《四術周髀宗》。"

《隋》、《唐志》均不著錄。

佚已久。

重差勾股注　同上

見《北史》都芳本傳。

《隋》、《唐志》均不著錄。

佚。

五經宗　同上

《魏書·張淵傳》："都芳，善天文算數，甚為安豐王延明所知。延明家有群書，欲抄集五經算事為《五經宗》。會南奔，都芳乃自撰注。"

佚。

甲寅曆　趙𣉛撰[①]

見《魏書·律曆志》。

佚。

右曆算類，共十二家，三十五部，三十一卷，二篇。卷亡者十一部，佚名者一家，存疑。

五行類

六甲周天曆一卷　孫僧化撰

見《隋志》，《舊唐志》同。

《新志》作《六甲開天曆》二卷。

佚。

遞甲三十三卷　信都芳撰

見《隋志》。

《北史》僅云著《遞甲經》,不著卷數。

《新唐志》有《遞甲經》二卷。

佚。

四序堪餘二卷　　殷紹撰

見《隋志》。

《魏書·術藝傳》:"紹,長樂人也。少聰敏,好陰陽術數,遊學諸方,達《九章》、《七曜》。世祖時為算生博士,給事東宮西曹,以藝術為恭宗所知。太安四年夏,上《四序堪輿》,表曰:'臣以姚氏之世,行學伊川,時遇游遁大儒成公興,從求《九章要術》。興字廣明,自云膠東人也。山居隱跡,希在人間。興時將臣南到陽翟九崖巖沙門釋曇影間,興即北還,臣獨留住,依止影所,求請《九章》。影復將臣向長廣東山,見道人法穆,法穆時共影為臣開述《九章》數家雜要,披釋章次意況大旨。又演隱審五藏六府心髓血脈、商功大算端部、變化玄象、土圭、《周髀》。練精銳思,蘊習四年,從穆所聞,粗皆仿佛。穆等仁矜,特垂憂閔,復以先師所注《黃帝四序經文》三十六卷,合有三百二十四章,專說天地陰陽之本。其第一《孟序》,九卷八十一章,說陰陽配合之原。第二《仲序》,九卷八十一章,解四時氣王休殺吉凶。第三《叔序》,九卷八十一章,明日月辰宿交會相生為表裏。第四《季序》,九卷八十一章,具釋六甲刑禍福德。以此等文傳授於臣。山神禁嚴,不得齎出,尋究經年,粗舉網要。山居險難,無以自供,不堪窘迫,心生懈怠。以甲寅之年,日維鶉火,月呂林鐘,景氣鬱盛,感物懷歸,奉辭影等。自爾至今,四十五載。歷觀時俗《堪輿八會》,逕世已久,傳寫謬誤,吉凶禁忌,不能備悉。或考良日而值惡會,舉吉用凶,多逢殃咎。又史遷、郝振中、吉大儒亦各撰注,流行於世，配會大小，序述陰陽，依如本經，猶有所闕。臣前在東宮，以狀奏聞，奉被景穆皇帝聖詔，敕臣撰録，集其要最。仰奉明旨，謹審先所見《四序經文》，抄撮要略，當世所須吉凶舉動，集成一卷。上至天子，下及庶人，又貴賤階級、尊卑差別、吉凶所用，罔不畢備。未及内呈，先帝晏駕。臣時狼狽，幾至不測。停廢以來，逯由八載，思欲上聞，莫能自徹。加年夕齒頹，餘齡旦暮，每懼殂殞，填仆溝壑，先帝遺志，不得宣行。夙夜悲憤，理難違匿，依先撰録奏，謹以上聞。請付中秘通儒達士，定其得失。事若可行，乞即班用。'其《四序堪輿》，遂大行於世。"

《舊唐志》作《黄帝四序堪餘》二卷。

《新志》作一卷。

佚。

五行論　崔浩撰

《魏書·律曆志》："浩博涉淵通，更修曆術，兼著《五行論》。"

佚。

右五行類，共四家，四部，三十六卷。卷亡者一部，存疑。

雜藝類

儒碁格一卷　游肇撰

《魏書·游明根傳》："明根子肇，字伯始，幼為中書學生，博通經史。高祖初，為内秘書。景明末，為廷尉少卿，兼侍中。謙廉不競，曾撰《儒碁》以表志焉。"《北史·游雅傳》同。

明陳繼儒《錦囊小史》及陶宗儀《說郛》，均作一卷。

案此書今存。陳、陶二家均題"侍中肇"，當為游肇無疑。

右雜藝類，一家，一部，一卷。

醫藥類

崔氏食經九卷　崔浩撰

《魏書》浩本傳："浩著《食經》，序曰：'余自少及長，耳目聞見，諸母諸姑所修婦功，無不蘊習酒食。朝夕養舅姑，四時供^{"供"}字從《北史》增。祭祀，雖有功力，不任僮使，常手自親焉。昔遭喪亂，饑饉仍臻，饘蔬餬口，不能具其物用，十餘年間，不復備設。先妣慮久廢忘，後生無所^{"所"字從《北史》增。}知見，而少不習業^{《北史》無"業"字。}書，乃占授為九篇，文辭約舉，婉而成章，聰辯強記，皆此類也。親沒之後，值^{《北史》作"遇"。}國龍興之會，平暴除亂，拓定四方。余備位臺鉉，與參大謀，賞獲豐厚，牛羊蓋澤，貲累巨萬，衣則重錦，食則粱肉。遠惟平生，思季路負米之時，不可復得。故序遺文，垂示來世。'"

賈思勰《齊民要術》前後共引三十條，僅題《食經》，不著撰人。

《隋志》題《崔氏食經》四卷，亦不著撰人。

案其書久佚，茲從《唐志》。

藥方三十五卷　王顯撰

《魏書·術藝傳》："顯，字世榮，陽平樂平人。少歷本州從事，雖以醫術自通，而明敏有決斷才用。世宗自幼有微疾，久未差愈，顯攝療有效，因是稍蒙眄識。後遂詔顯撰《藥方》三十五卷，班布天下，以療諸疾。"《北史》同。

《隋》、《唐志》均不著錄。

佚已久。

諸藥方百餘卷　李修撰

《魏書·術藝傳》："修，字思祖，本陽平館陶人。少遵父業研習眾方，晚入代京，歷位中散令。以功賜爵下蔡子，遷給事中。太和中,常在禁内。高祖、文明太后時有不豫,修侍鍼藥,治多有效。集諸學士及工書者百餘人在東宫,撰《諸藥方》百餘卷,皆行於世。遷洛,為前軍將軍,領太醫令。"《北史》同。

《隋》、《唐志》均不著録。

佚已久。

右醫藥類,共三家,三部,一百四十四卷。

小説家類

世説注十卷　劉孝標撰

見《隋志》。

佚。

博物志删正數十篇　常景撰

見《魏書》景本傳,《北史·常爽傳》同。

佚。

右小説家類,二家,二部,十卷,數十篇。

佛家類

金剛般若波羅蜜經一卷　菩提留支譯

見隋《衆經目録》。

《大唐内典録》云:"永平二年於胡相國第出,僧朗筆受,與羅什出小異。"

《開元釋教録》云:"菩提留支者,魏言道希,北印度人。徧通三教,妙入總持,志在弘法,廣流視聽。遂挾道宵征,遠蒞葱左,以永平之歲至止東華。宣武下敕,慇懃敬勞。後處之永寧大寺,供待甚豐,七百梵僧並皆周給,敕以留支為譯經之元匠也。自永平元年至鄴,迄孝靖《魏書》作"孝靜"。天平二年,將三十載,相繼翻譯出《金剛般若》等經、《十地》論等共三十部。"

《洛陽伽藍記》云:"共譯《十地》、《楞伽》及《諸經論》二十三部。"

存。

得無垢女經一卷　瞿曇般若留支譯

見《大周刊定眾經目錄》,《隋眾經目錄》同。

《大唐內典錄》作《無垢女經》,云"興和三年出"。

《開元釋教錄》云:"瞿曇般若留支,魏言智希,中印度人,波羅奈城淨志之種。少學佛法,妙閑經旨,神理標異,領悟方言,以孝明帝熙平元年流寓洛陽,從元象初至興和末,在鄴城譯經。"

存。

毗耶娑問經二卷　勒那摩提譯

見《大周刊定眾經目錄》。

《大唐內典錄》云:"勒那摩提,或云婆提,魏言寶意,正始五年來洛譯,僧朗、覺意、崔光等筆受。"

待考。

又一部二卷　般若留支譯

見《開元釋教錄》,注云:"初出,與《寶積廣博仙人會》同本。"

存。

又一部二卷　菩提留支譯

見《隋眾經目錄》,《大唐內典錄》同。

《開元釋教錄》於本條下引長房等《錄》云"寶意於洛陽譯",今按《經序》乃云"興和四年瞿曇留支於鄴都譯"。

案瞿曇留支即般若留支，或即指前部而言也。

奮迅王問經二卷　留支譯

見《隋衆經目録》。

《大唐内典録》作菩提留支。

《開元釋教録》有二部，一作般若留支，一作菩提留支，前者引《長房等録》云菩提留支，今改正，後者云第二出，與羅什《自在王經》同本。

案今《大藏經》僅存般若留支一部。

大方廣菩薩十地經一卷　吉迦夜譯

見《大周刊定衆經目録》，《出三藏記集》同。

《開元釋教録》並云："吉迦夜，魏言何事，西域人。遊化在慮，導物於心，以孝文延興二年為昭玄統沙門曇曜譯，劉孝標筆受。"

《大唐内典録》不著卷數，云"曇曜重譯，劉孝標筆受"。

存。

大薩遮尼乾子經七卷　菩提留支譯

見《隋衆經目録》。

《大唐内典録》作《大薩遮尼乾子受記經》十卷，云"正光元年流支於洛陽為司州牧汝南王譯"。

《開元釋教録》作十卷。注云："或加'受記'無'所説'字，或七卷，或八卷，一名《菩薩境界奮迅法門經》。"又於"菩薩境界奮迅法門經"條下云："《寶唱録》云'菩提留支譯'，今以即是《薩遮尼乾子經》異名，不别存也。"

勝思惟梵天所問經六卷　菩提留支譯

見《大周刊定衆經目録》，《隋衆經目録》同。

《開元釋教録》云："神龜元年於洛陽譯，是第三出，與法護《持心》、羅什《思益》並同本異譯。"

存。

無字寶篋經一卷　　留支譯

見《隋眾經目錄》。

《大唐內典錄》有二部,一作菩提留支譯,云僧朗筆受,不著卷數,一作佛陀扇多譯。

《開元釋教錄》亦二部,同《內典錄》。

案今《大藏經》僅存菩提留支譯本,而佛陀扇多之本無徵。

如來莊嚴智慧光明入一切佛境界經二卷　　曇摩流支譯

見《大周刊定眾經目錄》,云宣武時出。

《大唐內典錄》作《如來入一切佛境界經》,又有《如來嚴智光入佛境界經》一卷,題菩提流支譯。

《開元釋教錄》云:"曇摩流支,魏云法希,亦云法樂,南印度人。棄家入道,偏以律藏傳名,弘道為務,感物而動。宣武帝世,遊化洛陽。譯《信力等經》三部,沙門道寶筆受。"

存。

又一部二卷　　菩提留支譯

見《隋眾經目錄》。

待考。

深密解脫經五卷　　同上。

見《大周刊定眾經目錄》。

《隋眾經目錄》僅題留支譯。

《大唐內典錄》並云"僧辯筆受"。

《開元釋教錄》云:"僧辯所受為初譯,延昌三年於洛陽出。"

存。

如來師子吼經一卷　　佛陀扇多譯

見《大周刊定眾經目錄》。

《隋眾經目錄》云:"菩提留支共佛陀扇多譯。"《大唐內典錄》

同,惟不著卷數。

《開元釋教録》云:"佛陀扇多,魏言覺定,北印度人。神悟聰敏,内外博通,特善方言,尤工藝術。共譯十法等經十部,此經爲正光六年出。"

存。

銀色女經一卷　同上

見《大周刊定眾經目録》。

《大唐内典録》不著卷數。

《開元釋教録》云:"元象二年於鄴都出,第二出與西晉法炬《前世世轉經》同本。"

存。

正恭敬經一卷　同上

見《大周刊定眾經目録》,云:"正光六年至元象二年於洛陽白馬寺譯。"

《大唐内典録》作《正法恭敬經》,不著卷數,云:"亦云《威德陀羅尼中說經》。"

存。

轉有經一卷　同上。

見《大周刊定眾經目録》。

《大唐内典録》不著卷數。

《開元釋教録》云:"元象二年於鄴都譯,第二出,與菩提留支《方等修多羅經》同本。"

存。案《釋教録》"菩提留支"下疑脱一"大"字。

大方等修多羅王經一卷　菩提留支譯

見《隋眾經目録》。

《大唐内典録》僅題"留支譯"。

《開元釋教録》云:"初出,與覺定《轉有經》同本。"

存。

文殊師利巡行經一卷　同上。

見《開元釋教録》。

《隋眾經目録》題"留支菩提譯"。

《大唐内典録》不著卷數，云"覺意筆受"。

存。

提謂波利經二卷　曇靖撰

見《出三藏記集》，《大唐内典録》同。

待考。

不必定入印經一卷　菩提留支譯

見《大周刊定眾經目録》。

《隋眾經目録》僅題"留支譯"。

《大唐内典録》作"般若留支譯，覺意筆受"。

《開元釋教録》有二部，一多"定入"二字，注云："初出，與唐義

淨《入定不定印經》同本。"

案《大藏經》有般若留支《不必定入定入印經》一卷，或菩提留

支譯本久經散佚耶？

第一義法勝經一卷　同上。

《大周刊定眾經目録》云"永平至天平年譯，又一部作《第一議

法勝經》"，譯人卷數均同。

《隋眾經目録》云"興和年，留支譯"。

《大唐内典録》有二部，均不著卷數，一作"菩提留支譯"，一僅

作"留支譯"。

《開元釋教録》亦二部，一作般若留支，一作菩提留支，云："初

出，與《大威燈光仙人經》同本，曇林筆受。"

案今《大藏經》僅有般若留支譯本，而無菩提留支，窺《釋教

録》之意，或者菩提所譯為第二出，姑著一部。《大周刊目》作

"議法"，當誤。

辯意長者子經一卷　　法場譯

見《大周刊定眾經目録》。

《隋眾經目録》作《辯意長者子所問經》，《大唐内典録》同，注云"一名《長者辯意經》"。

《開元釋教録》云"其本見在"。

存。

無垢優婆夷問經一卷　　般若留支譯

見《大周刊定眾經目録》，《開元釋教録》同。

《大唐内典録》不著卷數。

存。

佛説不增不減經一卷　　菩提留支譯

見《大周刊定眾經目録》。

《隋眾經目録》作《不增不減經》，僅題"留支譯"。

《大唐内典録》作二卷，云"正光年於洛陽譯"。《開元釋教録》同，云"作二卷者，誤"。

存。

正法念處經七十卷　　般若留支譯

見《大周刊定眾經目録》，《隋眾經目録》同。

《大唐内典録》云："瞿曇般若留支從元象初至興和末在鄴都譯，時有菩提留支，雖復前後，亦同出經，而眾録相傳抄寫，去"菩提"及"般若"字，唯云"留支譯"，不知是何"留支"，迄今群録交涉相參，謬濫相入，難得詳定。"

《開元釋教録》同，注云"興和元年於高澄第譯，僧昉筆受"。

存。

護諸童子陀羅尼經一卷　　菩提留支譯

見《開元釋教録》，注云"亦名《護諸童子請求男女陀羅尼經》"。

《大唐内典録》不著卷數，云"檢失本，今獲"。

案今《大藏經》有《佛說護諸童子陀羅尼經》一卷，當與是為一種。

大吉義神咒經四卷　曇曜譯

見《大周刊定眾經目録》，云"太和十年譯"。

《開元釋教録》云："曜，未詳何許人。少出家，攝行堅貞，風鑒閑約，以魏和平年中住北臺，昭玄統，綏緝僧眾，妙得其心。太平真君七年，司徒崔浩令帝崇重道士寇謙之，拜為天師，殘害釋種，焚毀寺塔，至庚寅年浩誅。壬辰太武崩，文成立，搜訪經典，三寶還興。曜慨前陵廢，欣今重復，以和平三年壬寅，於北臺石窟，集諸德僧，對天竺沙門釋《吉義》等經，流通後賢，意存無絕。"

存。

僧伽吒經四卷　月婆首那譯

見《大周刊定眾經目録》。

《隋眾經目録》作"月支婆首那"。

《大唐内典録》云："元象元年中，天竺優禪尼國王子月婆首那，魏言'高空'，於鄴城譯。"《續高僧傳》同。

存。

法集經八卷　菩提留支譯

見《大周刊定眾經目録》，《隋眾經目録》同，注云"或七卷，或六卷"。《開元釋教録》同。

《大唐内典録》同，云"僧朗筆受"。

案今《大藏經》有《佛說法集經》六卷，當為一種，卷數之異，或本有不同也。

佛名經十三卷　菩提留支譯

見《大周刊定眾經目録》,注"或作十二卷"。

《大唐内典録》云"正光年出"。

《續高僧傳》云"正光年於胡相國宅譯"。

存。

八部佛名經一卷　　瞿曇般若留支譯

見《大周刊定眾經目録》。

《出三藏記集》不著撰人,云"今並有其本"。

《大唐内典録》作《八佛名經》,不著卷數。

《開元釋教録》云"興和四年於金華寺出,曇林筆受"。

存。

稱揚諸佛功德經三卷　　吉迦夜譯

見《大周刊定眾經目録》,注云:"一名《佛華經》,一名《集華經》,一名《現在佛名經》,亦名《諸佛華經》。"

《大唐内典録》作《稱揚諸佛經》,云"曇曜重譯,劉孝標筆受"。

存。

佛語經一卷　　菩提留支譯

見《大唐内典録》,云"僧朗筆受"。

《開元釋教録》云[①]"初出,與周世崛多出者同本"。

存。

金色王經一卷　　般若留支譯

見《開元釋教録》,云"第二出,興和四年於金華寺譯",《大唐内典録》同。

存。

又一部一卷　　曇摩留支譯

見《開元釋教録》。

---

① "開",原作"釋",據鈔本改。

《大唐内典録》不著卷數，云"正始四年出，菩提留支後更重勘"。

佚。

金剛上味陀羅尼經一卷　佛陀扇多譯

見《隋眾經目録》。

《大唐内典録》不著卷，云"佛陀扇多，魏言'覺定'，在洛陽譯"。

《開元釋教録》同，注云"正光六年出，第一譯，與隋崛多《金剛場經》同本"。

存。

阿難目佉尼訶離陀尼經一卷　同上

見《隋眾經目録》。

《大唐内典録》作《阿難多目佉尼訶離陀羅尼經》，不著卷。

《開元釋教録》作《阿難陀目佉尼訶離陀隣尼經》。

案《大藏經》上多"佛說"二字，作"佛馱扇多譯"，馱、陀音同，梵文譯成，固不足異。

解脫戒經一卷　般若留支譯

見《大周刊定眾經目録》。

《隋眾經目録》云"出迦葉毗律"。

《大唐内典録》作《解脫戒本》。

《開元釋教録》云"僧昉筆受並制序"。

存。

小乘經單本一百八部四百三十四卷　同上

見《隋眾經目録》。

待考。

謗佛經一卷　菩提留支譯

見《大周刊定眾經目録》，云"永平二年至天平年在洛及鄴譯”。《開元釋教録》同，云“第二出，與西晉法護《決定總持經》同本。

《隋衆經目録》僅題“留支譯”，《大唐内典録》同，不著卷。

存。

衆經目録　洛陽清信士李廓撰

見《大唐内典録》。

《開元釋教録》云：“廓學通玄素，條貫經論，雅有標擬，故其録云：‘三藏法師留支房内經論梵本，可有萬夾。[①] 所翻新文筆受藥本，滿一間屋。然其慧解，與勒那相亞，而神悟聰敏，洞善方言，兼工咒術，則無抗衡矣。’”

案其録佚已久，觀此則知，其所論者，亦最該備。

迦葉經二卷　月婆首那譯

見《大周刊定衆經目録》，云“興和二年於鄴都譯”。

《大唐内典録》作《士迦葉經》二卷。

《開元釋教録》同，注曰“亦名《大迦葉經》，今編入《寶積當第二十三會》”。

待考。

頻婆娑羅王問佛供養經一卷　同上

見《開元釋教録》。

《大唐内典録》不著卷，云“興和三年於鄴城譯”。

佚。

菩薩行方便境界神通變化經三卷　菩提留支譯

見《隋衆經目録》，云“與《大薩遮尼乾子經》同本異譯”。

佚。

大乘方等要慧經一卷　留支譯

---

① “夾”，原作“甲”，據文淵閣《四庫全書》本《開元釋教録》改。

見《隋眾經目録》。

待考。

無畏德女經一卷　佛陀扇多譯

見《大周刊定眾經目録》,《隋眾經目録》同。

《大唐内典録》不著卷,云"與《阿術達菩薩經》同本異出,曇林筆受"。

《開元釋教録》作《無畏德菩薩經》,注云"今編入《寶積當第三十一會》"。

待考。

寶意貓兒經一卷　般若留支譯

見《大周刊定眾經目録》。

《大唐内典録》不著卷。

《開元釋教録》云:"於鄴城金華寺為高仲密出,李希義筆受。"

待考。

差摩波帝受記經一卷　菩提留支譯

見《大周刊定眾經目録》。

《隋眾經目録》脱"菩提"二字。

《大唐内典録》云"正光年洛陽出"。

存。

寶車經一卷　曇辯撰

見《出三藏記集》,云"青州比丘道侍改治"。

《大唐内典録》作《寶本菩薩經》,不著卷。

待考。

入楞伽經十卷　菩提留支譯

見《大周刊定眾經目録》,《隋眾經目録》同。

《大唐内典録》云"延昌元年出"。

《開元釋教録》云:"延昌三年是第三出,僧朗、道湛筆受。"

存。

付法藏因緣經六卷　　吉迦夜、曇曜譯

見《出三藏記集》，《隋衆經目録》同，注"或作四卷"。

《大唐内典録》作二卷，劉孝標筆受。

存。

賢愚經十三卷　　釋慧覺等譯

見《開元釋教録》，云："其本見在，釋慧覺一云曇覺，涼州人。墻仞連霄，風神爽悟，戒地清拔，慧鑒通徹，於于闐國得經梵本，以太平真君六年從于闐還到高昌國，共沙門威德譯《賢愚經》一部。"

存。

雜寶藏經十三卷　　吉迦夜、曇曜共譯

見《出三藏記集》，《隋衆經目録》作十卷。

《大周刊定衆經目録》作八卷，《開元釋教録》同。

《大唐内典録》云"劉孝標筆受"。

案今《大藏經》存十卷。

一切法高王經一卷　　菩提留支譯

見《大周刊定衆經目録》。

《隋衆經目録》僅題"留支譯"。

《大唐内典録》不著卷，云"與《諸法勇王經》同本別出"。

《開元釋教録》有二部，譯人卷數均同，其一云："一名《一切法義王經》，第三出，與《諸法勇王經》等同本，曇林筆受。"

案今《大藏經》有《佛說一切法高王經》一卷，當同。

聖善住意天子所問經三卷　　瞿曇般若留支譯

見《開元釋教録》。

《隋衆經目録》作"留支波若譯"。

《大唐内典録》作"般若留支譯，曇林筆受，又一部僅作留支

譯"。

案今《大藏經》作毗目智化、菩提留支等譯,或者般若留支譯為另一部,而《眾經目錄》恐誤。

度諸佛境界智光嚴經一卷　菩提留支譯

見《大周刊定眾經目錄》。

佚。

南京信力入印法門經五卷　曇摩留支譯

見《大唐内典錄》。

案今《大藏經》有《信力入印法門經》五卷,當為一種。

金剛般若波羅密經論三卷　天親菩薩造　菩提留支譯

見《開元釋教錄》。

《大唐内典錄》有二部,一作《金剛般若經論》,一作《金剛波若論》。

存。

攝大乘論二卷　阿增伽作　佛陀扇多譯

見《大唐内典錄》,又一部作《攝大乘本論》,僅題佛陀扇多譯。

《開元釋教錄》同,注云"普泰元年於洛陽出,阿僧佉作"。

存。

文殊師利菩薩問菩提經論二卷　菩提留支譯

見《大周刊定眾經目錄》。

《大唐内典錄》有《伽耶頂經論》二卷,云:"天平二年鄴城殷周寺出,一云《文殊師利問菩提心經論》,僧辯、道湛筆受。"

《開元釋教錄》同,注"一名《伽耶山頂經論》,婆藪盤豆菩薩造"。

案今《大藏經》作天親菩薩造。

十地經論十二卷　勒那摩提、菩提留支譯

見《隋眾經目錄》。

《大周刊定眾經目錄》有二部，一題武帝正始五年勒那摩提，於洛陽殿内譯，注云“初譯”；一題宣武永明年菩提留支譯於洛陽，帝筆受。

《開元釋教錄》云：“今案崔光論序，菩提留支、勒那摩提二人在洛陽殿内譯，佛佗扇多傳語，帝親筆受，二錄各存，理將未可，今合為一本。”

案今《大藏經》作天親菩薩造，菩提留支譯。

妙法蓮華經論二卷　菩提留支譯　曇林筆受

見《大唐内典錄》。

案今《大藏經》作《妙法蓮華經憂波提舍》，婆藪槃豆菩薩造。

妙法蓮華經論優波提舍二卷　婆藪槃豆菩薩造　勒那摩提譯

見《開元釋教錄》，云：“亦名《法華經論》，或作一卷，初出，與菩提留支譯者，大同小異。勒那摩提，魏言寶意，中印度人。學識優贍，理事兼通，三藏教義，①凡誦一億偈，偈三十二字。尤明禪觀，意存遊化，以宣武帝正始五年初屆洛陽，遂譯《法華論》等三部，僧朗、崔光等筆受。”見在。

存。

又一部二卷　菩提留支譯

見《大周刊定眾經目錄》。

《大唐内典錄》不著卷。

《開元釋教錄》作《法華經論》，云：“曇林筆受並製序，第二出，與前寶意出者同本。初有《歸敬頌》者是。”

待考。

三具足經論一卷　毗目智仙譯

見《開元釋教錄》。

---

①　“義”，文淵閣《四庫全書》本《開元釋教錄》作“文”。

《大唐内典録》作"菩提留支譯,正始五年侍中崔光筆受"。

案今《大藏經》有《三具足經優波提舍》一卷,當為一種,惟菩提留支所譯,今不可得見,不著録。

彌勒菩薩所問經一卷　菩提留支譯

見《開元釋教録》,注云:"第二出,與《大乘方等要慧經》同本,於趙欣宅譯,覺意筆受,今編入《寶積當第四十一會》,改名《彌勒菩薩問八法會》。"

《大唐内典録》不著卷。

待考。

彌勒菩薩所問經論五卷　同上

見《大周刊定眾經目録》,《開元釋教録》同。

《大唐内典録》僅題留支譯。

案今《大藏經》作九卷。

無量壽經論一卷　菩提留支譯

見《隋眾經目録》。

《大唐内典録》作《無量壽經優波提舍論》,不著卷,云"普泰元年僧朗筆受"。

《開元釋教録》同,注云:"題《無量壽經優波提舍願生偈》,婆藪盤豆菩薩造,永安二年僧辨於永寧寺筆受。"[①]

案今《大藏經》所録,正與《開元釋教録》所題同,當為一種。

轉法輪經一卷　菩提留支譯

見《隋眾經目録》。

《開元釋教録》同,注云"一名《轉法輪經優波提舍》,天親菩薩造",《大唐内典録》同。

待考。

---

① "安",原作"寧",據文淵閣《四庫全書》本《開元釋教録》改。

又一部一卷　毗目智仙譯

見《開元釋教錄》，《大唐内典録》同，不著卷。

案今《大藏經》有《轉法輪經優波提舍一卷》，題天親菩薩造，毗目智仙譯，當即此也。

十二因緣論一卷　淨意菩薩造　菩提流支譯

見《大周刊定衆經目録》，《隋衆經目録》。

《出三藏記集》云“今並有其經，建武三年出”。

《大唐内典録》不著卷。

存。

壹輸盧迦論一卷　龍樹菩薩造　瞿曇留支譯

見《開元釋教録》，云“或作《伊迦輸盧迦論》”。

存。

業成就論一卷　瞿曇般若留支譯

見《大周刊定衆經目録》，《隋衆經目録》同。

《大唐内典録》不著卷，云“興和三年於金華寺出，曇林筆受”。

《開元釋教録》同，注云：“初出，與唐譯《大乘成業論》同本。”

案今《大藏經》有毗目智仙譯本，而般若留支之本不可考，豈智仙所譯為第二出也。

大寶積經論四卷　菩提留支譯

見《大周刊定衆經目録》。

《隋衆經目録》作《寶積經論》。

《大唐内典録》作《寶積經論》，不著卷。

案其經今存，《衆經目録》誤。

又一部四卷　勒那摩提譯

見《大唐内典録》。

《開元釋教録》云：“第二出，與菩提留支《大乘寶積經論》同本。”

佚。

菩薩四法經一卷　瞿曇般若留支譯

見《大周刊定眾經目錄》。

《大唐內典錄》云"曇林李希義於興華寺筆受"。

《開元釋教錄》作金華寺。

待考。

寶髻菩薩四法經論一卷　菩提留支譯

見《大周刊定眾經目錄》,《大唐內典錄》同,不著卷。

《開元釋教錄》注云"題《寶髻經四清優波提舍》"。

待考。

又一部一卷　毗目智仙譯

見《開元釋教錄》。

案其書今存,《大藏經》並題天親菩薩造。

唯識論一卷　天親菩薩造　般若留支譯

見《大周刊定眾經目錄》,《隋眾經目錄》同。

《大唐內典錄》作《唯識無境界論》,注亦曰《唯識論》,又一部作十九卷。

《開元釋教錄》同,注:"一名《破色心》,或云《唯識無境界論》,在金華寺出,第一譯,與陳真諦《唯識論》及唐譯《二十唯識論》並同本。

存。

究竟一乘寶性論五卷　勒那摩提譯

見《大周刊定眾經目錄》,注:"或四卷,或三卷,亦云《寶性分別大乘曾上論》。"

《開元釋教錄》云:"第二譯,與菩提留支譯者同本,見在。"

存。

順中論二卷　般若留支譯

見《開元釋教録》，又一部注云："無著菩薩造，武定元年八月十日於尚書令儀同高公第譯，沙門曇林筆受。"

《大周刊定眾經目録》、《隋眾經目録》及《大唐内典録》均作菩提留支譯，崔光筆受。

案今《大藏經》作龍勝菩薩造，無著菩薩釋，般若留支譯，或者菩提所譯為第二出也。

迴諍論一卷　　般若留支譯

見《大周刊定眾經目録》。

《隋眾經目録》作瞿曇留支譯。

《大唐内典録》同，云"元象元年曇林筆受"。

《開元釋教録》注云："與《業成就論》、長房等《録》云均為瞿曇留支譯，今按經初序記，乃云毗目智仙，今依經記為正。"

案今《大藏經》作龍樹菩薩造，毗目智仙共瞿曇留支譯，或後世將二譯合成一本，亦意中事。

百字論一卷　　提婆菩薩造　　菩提留支譯

見《隋眾經目録》，《大唐内典録》、《開元釋教録》均同。

存。

方便心論一卷　　吉迦夜、曇曜譯

見《大周刊定眾經目録》。

《隋眾經目録》云"延興年出"。

《出三藏記集》作二卷，《大唐内典録》同，並云"劉孝標筆受"。

《開元釋教録》同，注"或作二卷"。

存。

破外道四宗論一卷　　菩提留支譯

見《隋眾經目録》，《開元釋教録》同。

《大唐内典録》不著卷。

案今《大藏經》有提婆菩薩《破楞伽經中外道小乘四宗論》一

卷，當即此也。

破外道涅槃論一卷　同上

　　見《隋眾經目録》，《大唐内典録》、《開元釋教録》均同。

　　案今《大藏經》有提婆菩薩《破楞伽經中外道小乘涅槃論》一

　　卷，當即此也。

淨度三昧經一卷　釋曇曜譯

　　見《開元釋教録》。

北台淨度三昧經二卷　寶雲譯

　　見《大唐内典録》

　　均待考。

伽耶山頂經一卷　菩提留支譯　僧朗筆受

　　見《大周刊定眾經目録》，《隋眾經目録》同。

　　《大唐内典録》不著卷。

　　《開元釋教録》同，注云：“亦云《伽耶頂經》，第二出，與羅什

　　《文殊問菩提經》同本。”

　　存。

犢子道人問論一卷　般若留支譯

　　見《大周刊定眾經目録》。

　　《大唐内典録》作李希義筆受，不著卷。

　　待考。

十八空論　吉迦夜　曇曜譯

　　見《大唐内典録》。

　　待考。

勝思惟經論十卷　菩提留支譯

　　見《大唐内典録》，云：“普泰元年僧朗、僧辯筆受，又一部作四

　　卷，僅題留支譯。”

　　案《隋眾經目録》作四卷，亦題菩提留支譯，豈菩提當日即譯

二本也？今所存者為十卷。

實性論四卷　菩提留支譯

見《大周刊定眾經目錄》,《隋眾經目錄》同。

《開元釋教錄》云:"或作五卷,初出,與實意出者同本。"

案其書久佚,《大唐內典錄》作《實性論》,誤。

眾經論目錄一卷　菩提留支撰

見《開元釋教錄》。

《大唐內典錄》作《譯眾經論目錄》,不著卷,並云"菩提留支共譯經三十九部,合一百二十七卷"。

佚。

發菩提心論二卷　瞿曇留支譯

見《隋眾經目錄》,《大唐內典錄》同。

佚。

決定藏論二卷　同上

見《大周刊定眾經目錄》。

待考。

觀所緣緣論　同上

見《大唐內典錄》。

佚。

龍樹菩薩和香方凡十五法。**一卷**　菩提留支譯

見《開元釋教錄》。

《大唐內典錄》作勒那摩提譯。

待考。

維摩十地二經義疏三十餘卷　崔光撰

見《魏書》光本傳,《北史》同。

佚。

祇洹精舍圖偈六卷　源賀撰

見《魏書》賀本傳,《北史·趙柔傳》同。

佚。

十法經一卷　佛陀扇多譯

見《開元釋教録》,云:"元象元年於鄴都出,[①]第二譯,與梁僧伽婆羅出者同本。今編入《寶積當第九會》,名《大乘十法會》。"

《大唐内典録》不著卷。

存。

祇洹精舍圖偈注六卷　趙柔撰

見《北史》柔本傳。

佚。

伐魔詔一卷　釋懿撰

見《廣弘明集》

存。

觀心論一卷　菩提達摩撰

見晁氏《讀書志》。

待考。

如來智印經　留支譯　興和年。

見《大唐内典録》。

待考。

佛性論　蘇綽撰

見謝氏《西魏書》綽本傳。

佚。

大丈夫論二卷　釋道泰譯

入大乘論二卷　同上

---

① "元年",文淵閣《四庫全書》本《開元釋教録》作"二年"。

并見《彙刻書目》。

存。

十地楞伽及諸經論二十三部　菩提流支譯

見《洛陽伽藍記》。

待考。

佛説第一文法勝經一本　瞿曇　般若流支等譯　同上

一切法高王經一本

均見本校《漢文書目》。

存。

十住經六卷　菩提留支譯

見本校《漢文書目》

今存二本。

大般涅槃經論　釋達摩菩提譯[1]

見《彙刻書目》。

右佛家類,共二十二家,二百十四部,七百八十七卷。卷亡者
五部,存疑。

凡子類共三百一部,一千零六十五卷。

---

[1] 按自《大丈夫論》二卷以下七條,稿本無,據鈔本補。

集部第四

集之類有三：一曰別集，二曰總集，三曰詩文評。

別集類

孝文帝集三十九卷

見《隋志》。

《唐志》作四十卷。

《魏書·孝文本紀》："帝諱宏，獻文長子，母曰李夫人。皇興三年立為皇太子，五年八月即位，改元延興，五年又改承明，踰年改太和，共在位二十九年。雅好讀書，手不釋卷。五經之義，覽之便講，學不師受，探其精奧。史傳百家，無不該涉。善談《老》、《莊》，尤精釋義。才藻富贍，好為文章，詩賦銘頌，任興而作，有大文章，馬上口授，及其成也，不改一字。自太和十年已後詔册，皆帝之文也。自餘文章，百有餘篇。諡曰孝文，廟號高祖。"

又《劉昶傳》："太和十八年，除使持節都督吳越楚彭城諸軍事大將軍。及發，高祖親餞之，命百寮賦詩贈昶，又以其《文集》一部賜昶。"

又《崔挺傳》："高祖謂挺曰：'別卿已來，倏焉二載。吾所綴文，已成一集，今當給卿副本，時可觀之。'"

案其書久佚，今擇其鉅製鴻篇，共得文一百四十四，而片字手詔概不錄。

1. 求直言極諫詔　見《魏書·孝文紀上》。

2. 改元太和詔　同上。

3. 勸農桑詔　同上。

4. 督課田農詔　同上。

5. 工役不染清流詔　同上。

6. 斬不裸形詔　見《魏書·刑罰志》。

7. 詔皮懽喜　見《魏書·皮豹子傳》。

8. 定婚葬律令詔　見《魏書·孝文紀上》。

9. 明功罪詔　同上。

10. 詔皮懽喜速城駱谷　見《魏書·皮豹子傳》。

11. 憂旱詔　見《魏書·孝文紀上》。

12. 決遣罪囚赴農詔　同上。

13. 南伐與劉昶詔　見《魏書·劉昶傳》。

14. 詔責高句麗王槤　見《魏書·高句麗傳》。

15. 法秀逆黨降罪詔　見《魏書·孝文紀上》。

16. 決遣獄囚詔　同上。

17. 為馮太后造塔詔　見《魏書·文明馮后傳》。

18. 免災民租算詔　見《魏書·孝文紀上》。

19. 對狀不實詔　同上。

20. 詔群官　同上。

21. 旌兒先氏詔　見《魏書·涇州孝女兒先氏傳》。

22. 禁同姓為婚詔　見《魏書·孝文紀上》。

23. 班祿大赦詔　同上。

24. 令官民各上便宜詔　同上。

25. 禁圖讖詔　同上。

26. 令官民各上書極諫詔　同上。

27. 以李冲為咸陽王禧師詔　見《魏書·咸陽王禧傳》。

28. 還買饑民良口詔　見《魏書·孝文紀上》。

29. 均田詔　同上。

30. 重檢户籍詔　見《魏書·孝文紀下》。

31. 黨里推長者以教民詔　同上。

32. 出府庫以班賚軍民詔　同上。

33. 停拷問詔　同上。

34. 為里黨法詔　見《魏書·食貨志》。

35. 還免流徙年老及死刑親老詔　見《魏书·孝文紀下》。

36. 月蝕慎刑詔　同上。

37. 議祫禘詔　見《魏書·禮志》。

38. 祫禘互取鄭王二義詔　同上。

39. 六宗詔　同上。

40. 南安王楨削爵詔　見《魏書·南安王楨傳》。

41. 為薛虎子辨誣詔　見《魏書·薛野豬傳》。①

42. 議五德詔　見《魏書·禮志》。

43. 葬文明馮太后詔　見《魏書·文明馮太后傳》。

44. 詔答東陽王丕等　見《魏書·禮志》。

45. 詔游明根高閭等　同上。

46. 詔李彪等　同上。

47. 詔東陽王丕　同上。

48. 變服從練禮詔　見《魏書·孝文紀下》及《禮志》。

49. 衰服過期詔　見《魏書·孝文紀下》。

50. 答群官詔　同上。

51. 冬至入臨詔　同上。

52. 還吐谷渾俘獲詔　見《魏書·吐谷渾傳》。

53. 以李彪為秘書令詔　見《魏書·李彪傳》。

---

① "豬"，中華書局本《魏書》作"腊"。

54. 旱災責己詔　見《魏書·孝文紀下》。

55. 下尚書思慎營建明堂詔　見《南齊書·魏虜傳》。

56. 改營太廟定昭穆詔　見《魏書·禮志》。

57. 立崇虛寺詔　見《魏書·釋老志》。

58. 罷幕中設五帝座詔　見《魏書·禮志》。

59. 減省群祀詔　同上。

60. 敕雍州供祭馮誕廟詔　同上。

61. 罷祀水火等神詔　同上。

62. 議朝日夕月詔　同上。

63. 祥日不卜詔　同上。

64. 遷主大廟詔　同上。

65. 五品詔　見《南齊書·魏虜傳》。

66. 為高麗王槤舉哀詔　見《魏書·禮志》。

67. 簡置樂官詔　見《魏書·樂志》。

68. 召見李安祖兄弟四人詔　見《魏書·李惠傳》。

69. 祭用孟月詔　見《魏書·禮志》。

70. 營改太極殿詔　見《魏書·李沖傳》。

71. 祀先代諸聖詔　見《魏書·禮志》。

72. 令高閭與大樂詳采古今音律詔　見《魏書·樂志》。

73. 檢察農民詔　見《魏書·孝文紀下》。

74. 選舉詔　同上。

75. 許尉元致仕詔　見《魏書·尉元傳》。

76. 以尉元、游明根為三老五更詔　同上。

77. 給三老五更俸祿詔　同上。

78. 講武詔　見《魏書·孝文紀下》。

79. 省白登廟祀詔　見《魏書·禮志》。

80. 聽游明根致仕詔　見《魏書·遊明根傳》。

81. 諡鄭羲詔　見《魏書·鄭羲傳》。

82. 元會優賜邊蕃詔　見《魏書·孝文紀下》。

83. 報盧淵議親伐江南詔　見《魏書·盧玄傳》。

84. 行職員令詔　見《魏書·孝文紀下》。

85. 賜諡尉元詔　見《魏書·尉元傳》。

86. 以高道悦為主爵下大夫詔　見《魏書·高道悦傳》。

87. 退師詔　見《南齊書·魏虜傳》。

88. 詔群官　見《魏書·宗室元丕傳》。

89. 追詔高聰等　見《魏書·高聰傳》。

90. 初置司州以元贊為刺史詔　見《北史·秦王翰傳》。

91. 立僧尼制詔　見《初學記》二十三。

92. 考績黜陟詔　見《魏書·孝文紀下》。

93. 敕勒蠻民勿侵暴詔　同上。

94. 報高道悦詔　見《魏書·高道悦傳》。

95. 諡馮誕詔　見《魏書·馮熙傳》。

96. 遷都奉迎靈主詔　見《魏書·禮志》。

97. 報廣陵王羽内考京官詔　見《魏書·廣陵王羽傳》。

98. 手詔徵王肅入朝　見《魏書·王肅傳》。

99. 詔太傅元丕　見《魏書·宗室元丕傳》。

100. 皇太子冠禮有三失詔　見《魏書·禮志》。

101. 除薛真度為荆州刺史詔　見《魏書·薛安都傳》。

102. 臨廣川王諧表詔　見《魏書·廣川王略傳》。

103. 廣川王不得就妃葬代詔　同上。

104. 議圓丘禮詔　見《魏書·禮志》。

105. 詔廣陵王羽　見《魏書·廣陵王羽傳》。

106. 吏民為刺史服詔　見《魏書·公孫表傳》。

107. 制定代人姓族詔　見《魏書·官氏志》。

108. 久旱得雨詔　見《魏書·孝文紀下》。

109. 詔僕射李冲領軍于烈　見《魏書·陸俟傳》。

110. 原元拔養子從罪詔　見《魏書·李冲傳》。

111. 為鳩摩羅什舊堂所建浮圖詔　見《魏書·釋老志》。

112. 恤老病詔　見《魏書·孝文紀下》。

113. 命公孫延景宣詔房伯玉　見《魏書·房法壽傳》。

114. 增彭城王勰邑户詔　見《魏書·彭城王勰傳》。

115. 詔王肅　見《魏書·王肅傳》。

116. 詔答王肅　同上。

117. 酬賚徐謇詔　見《魏書·徐謇傳》。

118. 贈李冲詔　見《魏書·李冲傳》。

119. 轉薛安度為豫州刺史詔　見《魏書·薛安都傳》。

120. 為六弟聘室詔　見《魏書·咸陽王禧傳》。

121. 推問斬盜馬賊詔　見《魏書·趙郡王幹傳》。

122. 詔酈範　見《魏書·酈範傳》。

123. 詔皇太子　見《魏書·彭城王勰傳》。

124. 以僧顯為沙門都統詔　見《廣弘明集》二十四。

125. 聽諸法師一月三入殿詔　同上。

126. 令諸州眾僧安居講說詔　同上。

127. 贈徐州僧統並設齋詔　同上。

128. 歲施道人應統帛詔　同上。

129. 為慧紀法師亡施帛設齋詔　同上。

130. 敕副使王清石　見《魏書·盧玄傳》。

131. 敕答成淹諫汎泗入河　見《魏書·成淹傳》。

132. 戒南安王楨　見《魏書·南安王楨傳》。

133. 誡高陽王雍　見《魏書·高陽王雍傳》。

134. 誡太子恂以冠義　見《魏書·廢太子恂傳》。

135. 遺曹虎書　見《南齊書‧曹虎傳》。

136. 為家人書與彭城王勰　見《魏書‧彭城王勰傳》。

137. 顧命宰輔　見《魏書‧孝文紀下》。

138. 祭恒嶽文　見《初學記》五。

139. 祭嵩高山文　同上。

140. 吊殷比干墓文　見《金石萃編》。

141. 祭岱嶽文　見《初學記》五。

142. 祭河文　同上。

143. 祭濟文　同上。

144. 舉賢詔　見《六朝文絜》。

司空高允集二十一卷

見《隋志》。

《魏書》允本傳僅云：“別有集行於世……自高宗迄于顯祖，軍國書檄，多允文也。”

《唐志》作二十卷。

案其書久佚，今《漢魏六朝百三家集》之一卷，亦係輯佚而成，其文可考見者僅十八篇。

1. 鹿苑賦　見《釋藏策》七。

2. 上天文災異表　見《魏書》允本傳。

3. 承詔議興學校表　同上。

4. 諫皇太子營立田園　同上。

5. 諫文成帝起宮室　同上。

6. 諫文成帝不釐改風俗　同上。

7. 答宗欽書　見《魏書‧宗欽傳》。

8. 筮論　見《魏書‧樂平王丕傳》。

9. 塞上公亭詩序　見《御覽》百九十四。

10. 徵士頌並序。　見《魏書》允本傳。

11. 北伐頌　同上。

12. 酒訓　同上。

13. 祭岱宗文　見《初學記》五。

14. 高士頌　同上。

15. 名字論文佚。　見《魏書》允本傳。

16. 告老詩文佚。　同上。

17. 代都賦文佚。　同上。

18. 諸侯箴文佚。　同上。

高閭集四十卷

見《北史》。

《魏書》閭本傳:"閭好為文章,軍國書檄詔令碑頌銘贊,百有餘篇,集為三十卷。其文亦高允之流,後稱二高,為當時所服。"

案其書久佚,今可考見者如下:

1. 諫討淮北表　見《魏書》閭本傳。

2. 議斷祿表　同上。

3. 請築長城表　同上。

4. 應詔陳損益表　同上。

5. 諫應曹虎表　同上。

6. 論淮南不宜留戍表　同上。

7. 請使公孫崇韓顯宗參知音律表　見《魏書·律曆志》。

8. 請裁鄴中密后廟應罷應新表　見《魏書·禮志》。

9. 對詔議祫禘　同上。

10. 六宗議　同上。

11. 五德議　同上。

12. 既葬即吉議　見《通典》八十。

13. 至德頌並表。　見《魏書·高閭傳》。

14. 濟陰太守魏悅頌德碑　見《魏書·鉅鹿魏溥妻房氏傳》。

15. 宣命賦_{胡叟作序，文佚。}　見《魏書·胡叟傳》。

16. 鹿苑頌_{文佚。}　見《魏書》閒本傳。

17. 北伐碑_{文佚。}　同上。

薛孝通集八十卷

《北史·薛辯傳》："孝通，字士達，博學有儁才。正光中，蕭寶夤引為驃騎府參軍，後去職。永安中，除員外散騎侍郎。外兄裴伯茂性峻，多所輕忽，唯欽賞孝通，每有著述，共參異同。孝通以裴宏放過甚，每謂之曰：'兄以阮籍、嵇康何如管仲、樂毅？'普泰初拜銀青光祿大夫，永熙末為常山太守，興和二年卒。文集八十卷，行於時。"

《唐志》存六卷。

案其書久佚，今僅有文一篇：

1. 博譜　見《御覽》七百五十四。

太常卿陽固集三卷

見《隋志》，《唐志》同。

案其書久佚，今可考見者如下：

1. 演賾賦　見《魏書·陽尼傳》。

2. 上讜言表　同上。

3. 上汝南王悅書　見《魏書·汝南王悅傳》。

4. 刺讒疾佞詩二首　見《魏書·陽尼傳》。

5. 終制_{《魏書》作《緒制》。文佚。}　見《北史·陽尼傳》。

6. 北都賦_{文佚。}　見《魏書·陽尼傳》。

7. 南都賦_{文佚。}　同上。

司空祭酒袁躍集十三卷

見《隋志》。

《魏書·文苑傳》:"躍,字景驕,[1]陳郡人。博學儁才,性不矯俗,釋褐司空行參軍,歷位尚書都兵郎中,加員外散騎常侍。後遷車騎將軍、太傅、清河王懌文學,雅為懌所愛賞,懌之文表,多出於躍,所制文集行於世。"《北史·袁翻傳》同。

《唐志》作九卷。

案其書久佚,嚴可均《全後魏文》遺躍一家,今可考見者如下:

1. 上孝文帝諡議代。　見《魏書·彭城王勰傳》。
2. 奏駁甄琛弛監禁議代。　見《魏書·甄琛傳》。
3. 明堂議文佚。　見《魏書》躍本傳。
4. 代朝臣與蠕蠕主阿那瓌書文佚。　同上。

散騎常侍溫子昇集三十九卷

見《隋志》。

《魏書·文苑傳》:"正光末,廣陽王淵為東北道行台,召子昇為郎中,軍國文翰皆出其手,於是才名轉盛。黃門郎徐紇受四方表啓,答之敏速,於淵獨沉思曰:'彼有溫郎中,才藻可畏。及莊帝殺爾朱榮也,子昇預謀,當時赦詔,子昇詞也。'……蕭衍使張皋寫子昇文筆,傳於江外。衍稱之曰:'曹植、陸機復生於北土,恨我辭人,數窮百六。'陽夏太守傅摽使吐谷渾,見其國主牀頭,有書數卷,乃是子昇文也。濟陰王暉業嘗云:'江左文人,宋有顏延之、謝靈運,梁有沈約、任昉,我子昇足以陵顏轢謝,含任吐沈。'卒後,太尉長史宋遊道集其文筆為三十五卷。"

《舊唐志》作二十五卷。

《新志》作三十五卷,《通志·藝文略》同。

今存一卷,計詩文三十五篇,刊《漢魏六朝百三家集》。其餘

---

[1]　"驕",原作"勝",據中華書局本《魏書·文苑傳》改。

可考見者，尚有文三十篇：

1. 孝莊帝殺爾朱榮大赦詔　見《魏書·孝莊紀》及《藝文類聚》五十二。

2. 孝莊帝生皇子赦詔　見《藝文類聚》十六及《初學記》十。

3. 遷都拜廟鄴宮赦詔　見《藝文類聚》五十二。

4. 孝武帝答高歡敕　見《北齊書·神武紀下》。

5. 魏帝納皇后群臣上禮章　見《藝文類聚》十五及《初學記》十。

6. 為上黨王元天穆讓太宰表　見《藝文類聚》四十五、《御覽》二百六。

7. 為西河王謝太尉表　見《藝文類聚》四十六。

8. 為安豐王延明讓國子祭酒表　同上。

9. 為司徒高敖曹謝表　見《藝文類聚》四十七。

10. 為臨淮王或謝封開府尚書令表　見嚴可均《全後魏文》五十一。

11. 為南陽王寶炬讓尚書令表　見《藝文類聚》四十八。

12. 為廣陽王淵讓吏部尚書表　同上。

13. 為廣陽王淵北征請大將表　見《藝文類聚》五十九。

14. 為御史中丞元匡奏劾于忠　見《魏書·于栗磾傳》、《全後魏文》五十一。

15. 為廣陽王淵上書言邊事　見《魏書·廣陽王建閭傳》。

16. 為廣陽王淵上言　同上。

17. 為廣陽王淵具言城陽王徽搆隙意狀　同上。

18. 鐘銘　見《初學記》十六。

19. 舜廟碑　見《藝文類聚》十一。

20. 常山公主碑　見《藝文類聚》十六。

21. 寒陵山寺碑　見《藝文類聚》七十七。

22. 卬山寺碑　同上。

23. 大覺寺碑　同上。

24. 定國寺碑　同上。

25. 司徒元樹墓誌銘　見《藝文類聚》四十七。

26. 司徒祖塋墓銘　同上。

27. 閶闔門上梁祝文　見《藝文類聚》六十三、《初學記》二十四。

28. 侯山祠堂碑文佚。　見《魏書》子昇本傳。

29. 齊獻武王碑文佚。　同上。

30. 永熙中造甎浮圖碑 文佚。　見《洛陽伽藍記》。

司農卿李諧集十卷

《北史·李崇傳》:"諧,字虔和,幼有風采。文辯為時所稱,歷位中書侍郎。後遷秘書監,卒於大司農。文集十餘卷。"

《魏書·李平傳》僅云:"所著文章,別有集録,行於世。"

《隋志》作十卷,《新唐志》同。

《舊志》有《李諧集》十卷。

案《魏書》及《北史》,均無李諧其人,必諧、諧二字形似,《舊志》傳寫致誤。今僅存《述身賦》一篇。見《魏書·李平傳》。

著作佐郎韓顯宗集十卷

見《隋志》。

《魏書·韓麒麟傳》僅云:"所作文章,頗傳於世。"

《唐志》作《韓宗集》五卷。

案其書久佚,《唐志》脫一"顯"字。其文可見者,僅四篇:

1. 上書陳時務　見《魏書·韓麒麟傳》。

2. 上言時務　同上。

3. 贈御史中尉李彪詩五言。　同上。

4. 上高祖訴前征勳表文佚。　同上。

太常卿盧元明集十七卷

見《隋志》。

《唐志》作六卷。

案其書久佚，今僅有诗文三篇：

1. 劇鼠賦　見《初学記》二十九、《御览》九百十一。

2. 晦日汎舟應詔詩　見《藝文類聚》、《御覽》。

3. 幽居賦文佚。　見《魏書·盧玄傳》、《北史》三十。

司徒太保崔光集五十餘卷

《魏書》光本傳："凡所為詩賦銘贊誄頌表啓數百篇五十餘卷，別有集。"《北史》同。

《隋》、《唐志》均不著録。

案其書久佚，今僅有文二十五篇：

1. 請復李彪史職表　見《魏書·李彪傳》。

2. 答詔問雞禍表　見《魏書》光本傳。

3. 答敕示太極西序菌表　同上。

4. 求取高綽等檢驗曆法表　見《魏書·律曆志》。

5. 乞降階授張彝李韶汎級表　見《魏書·張彝傳》。

6. 上婦人文章録表　見《魏書》光本傳。

7. 諫靈太后頻幸王公第宅表　同上。

8. 求補綴石經表　同上。

9. 上神龜曆表　見《魏書·律曆志》。

10. 諫靈太后登永寧寺九層佛圖表　見《魏書》光本傳。

11. 諫靈太后幸嵩高表　同上。

12. 答詔示禿鶩表　同上。

13. 上言文昭太后改葬服制　見《魏書·禮志四》、《通典》一百二。

14. 奏免趙霸　見《魏書·酷吏張赦提傳》。

15. 奏簡高顯碑銘　見《魏書·常景傳》。

16. 奏停刑元愉妾李氏　見《魏書》光本傳。

17. 奏定五時朝服　見《魏書·禮志四》。

18. 奏上太后母諡　見《魏書·胡國珍傳》。

19. 奏免劉昞子孫碎役　見《魏書·劉昞傳》。

20. 臨廣川王諧喪議　見《魏書·廣川王略傳》。

21. 又議　同上。

22. 清河王懌為所生母服議　見《魏書·禮志四》。

23. 為婿乞徐州長史啓　見《魏書》光本傳。

24. 疾甚敕子姪等　同上。

25. 十地經論序　見《釋藏惻》一及《大藏經》內《十地經論》。

著作郎宗欽集二卷

見《唐志》。

案其書久佚，今僅有文二篇：

1. 東宮侍臣箴　見前儒家类。

2. 與高允書并诗十二首。　見《魏書·欽本傳》。

光禄大夫高聰集二十卷

《魏書》聰本傳：“聰，字僧智，本渤海蓨人，涉獵經史，頗有文才，族祖允言之朝廷，云：‘青州蔣少游與從孫僧智，雖為孤弱，然皆有文情。’由是與少遊同拜中書博士，積十年，轉侍郎。太和十七年，兼員外散騎侍郎。世宗末，拜散騎常侍、平北將軍。蕭宗踐祚，出為幽州刺史。久之，拜光禄大夫。正光元年卒。所作文筆二十卷，別有集。”

《隋》、《唐志》均不著録。

案其書久佚，僅《水經注》云“《陰山講武碑》出其手”。本傳云：“趙修嬖倖，聰深朋附，及詔追贈修父，聰為碑文，又為修作表，陳當時便宜，教其自安之術。”

太常少卿蔣少文集十卷

《魏書·術藝傳》：“少游，樂安博昌人。慕容白曜之平東陽，見俘，入於平城，充平齊戶。性機巧，有文思，吟詠之際，時有短篇，遂留寄平城，以備寫書為業，而名猶在鎮。後被召為中書寫書生，與高聰俱依高允，允愛其文用，遂並薦之，與聰俱補中書博士。後高祖修船乘，以其多有思力，除都水使者，遷前將軍，兼將作大匠……雖有文藻，而不得伸其才用，景明二年卒，有《文集》十卷。”《北史》同。

《隋》、《唐志》均不著録。

案其文全佚，僅《水經注》云“《皇信堂題壁》出其手”。

徐紇文筆駁論数十卷

《魏書·恩倖傳》：“紇，字武伯，樂安博昌人。少好學，有名理，頗以文詞見稱。察孝廉，對策上第，高祖拔為主書。世宗初，除中書舍人，尋加鎮南將軍、金紫光禄大夫，著文筆駁論數十卷，多有遺落，時或存於世焉。”

《北史》凡十二作十卷。

佚。

太學博士封肅集十餘篇

《魏書·文苑傳》：“肅，字元邕，渤海人，早有文思，博涉經史，位太學博士，修起居注。正光中，京兆王西征，引為大行台郎中，委以書記。還，除尚書左中兵郎中，卒。所製文章多亡失，存者十餘卷。”《北史·封懿傳》同。

案其文久佚，即《還園賦》一篇，亦不可見。

袁飜文集百餘篇

《魏書》飜本傳：“飜，字景翔，陳郡項人也。少以才學擅美一時，初為奉朝請。景明初，李彪在東觀，引兼著作佐郎，以參史事。正始初，除豫州中正。孝昌中，領給事黃門侍郎，與徐紞俱在門下，並掌文翰。建義初，遇害於河陰，年五十三。所著文筆百餘篇，行於世。"《北史》同。

案其書久佚，今僅有文七篇。

1. 思歸賦　見《魏書》飜本傳。
2. 安置蠕蠕表　見同上、《通典》百九十六。
3. 乞加金紫表　見同上。
4. 奏駁太常議甄琛謚　見《魏書·甄琛傳》。
5. 明堂議　見《魏書》飜本傳。
6. 選邊戍事議　同上。
7. 涇州刺史淮陽男陸希道墓誌銘　見《金石萃編》。

通直散騎常侍李彪集百餘篇

《魏書·李彪傳》："彪著詩賦誄章奏雜筆百餘篇，別有集。"《北史》同。

案其書久佚，今僅有文四篇：

1. 表上封事七條　見《魏書》彪本傳。
2. 求復修國史表　同上。
3. 五德議　見《魏書·禮志一》。
4. 拜散騎常侍啓　見《魏書·郭祚傳》。

司徒元順集數十篇

《魏書·任城王傳》："順撰詩賦表頌數十篇，今多亡失。"《北史》同。

案其書久佚，今僅有文三篇：

1. 蠅賦並序。　見《魏書·任城王傳》。
2. 奏事　見《魏書·元子思傳》、《通典》二十四。
3. 魏頌文佚。　見《魏書·任城王傳》。

光禄大夫常景集數百篇　封偉伯作《序》。

見《洛陽伽藍記》。

《魏書》景本傳僅云"景所著述數百篇"。《北史·常爽傳》同。

案其書久佚,今僅有文十二篇:

1. 家令為公主無服議　見《魏書》景本傳。

2. 司馬相如讚　同上。

3. 王褒讚　同上。

4. 嚴君平讚　同上。

5. 揚雄讚　同上。

6. 圖古像讚述　見前,即《鑒戒象讚》。

7. 洛橋銘　見《洛陽伽藍記》。

8. 永寧寺碑　見《中州金石記》。

9. 護軍將軍高顯碑銘_{文佚}。　見《魏書》景本傳。

10. 釋奠詩_佚。　同上。

11. 遺德頌_佚。　同上。

12. 瓮山懷古_{擬劉琨扶風歌}。　十二首_佚。　同上。

太學博士邢臧集百餘篇

《魏書·文苑傳》:"臧,字子良,河間人,博學有藻思。神龜中,舉秀才,問策五條,考上第,為太學博士。正光中,出為本州中從事,永安初,徵為金部郎中,後除濮陽太守,尋卒,其文筆凡百餘篇。"

案其書久佚,今僅有文三篇:

1. 與王昕王暉書　見《北齊書·王晞傳》。

2. 特進甄琛行狀_佚。　見《魏書》臧本傳。

3. 立明堂議_佚。　同上。

國子祭酒鄭道昭集數十篇

《魏書·鄭羲傳》:"道昭,字僖伯,少而好學,綜覽群言。初為中書學生,遷秘書郎,尋正除中書郎,遷國子祭酒,熙平元年卒,謚曰文恭。好為詩賦,凡數十篇。"《北史》同。

案其書多佚，今可考見者僅九篇：

1. 求樹漢魏石經表　見《魏書·鄭羲傳》。
2. 請置學官生徒表　同上。
3. 又表　同上。
4. 天柱山銘　見《天下名勝志》。
5. 齊亭銘　見《北齊書·鄭述祖傳》。
6. 從高祖征漢沔歌　見《魏書·鄭羲傳》。
7. 登雲峰山觀海島詩　見《續古文苑》。
8. 與道俗九人登雲峰山論經詩　同上。
9. 與諸門徒登青陽嶺掃石置壇詩　同上。

李文烈公集

《魏書·李平傳》：“平於熙平元年冬卒，贈侍中驃騎大將軍、儀同三司、冀州刺史，謚文烈公。所制詩賦箴諫詠頌，別有集錄。”《北史·李崇傳》同。

案其書久佚，今僅有文五篇：

1. 諫幸鄴表　見《魏書·李平傳》。
2. 表糾崔亮　見《魏書·崔亮傳》。
3. 奏張回轉賣費羊皮女罪　見《魏書·刑罰志》。
4. 奏清河國臣為君母服　見《魏書·禮志四》。
5. 奏立宗室犯法定式　見《魏書·刑罰志》。

宗懍文集二十卷

見清修《河南通志》。

佚。

散騎常侍魏季景集二百餘篇

《北史》季景本傳：“季景少孤，清苦自立，博學有文才。莊帝時，為中書侍郎，普泰中，為尚書右丞。太昌中，位給事黃門侍郎。天平初，因遷都，遂居柏人西山，內懷憂悔，乃為《擇居賦》。元象初,兼給事黃門侍郎。所著文筆二百餘篇。"

佚。

程駿文集

《魏書》駿本傳:駿,字騄駒,本廣平曲安人也。六世祖良,晉都水使者,坐事流于涼州。祖父肇,呂光民部尚書。駿師事劉昞,性機敏好學,晝夜無倦。太延五年,世祖平涼,遷於京師,為司徒崔浩所知。文成踐阼,拜著作佐郎。延興末,拜秘書令。太和九年正月卒,年七十二,謚曰憲。所制文筆,自有集錄。

案其書久佚,今僅有文五篇:

1. 神主祔廟執事官不必賜爵表　見《魏書》駿本傳。

2. 請停兵招諭淮南表　同上。

3. 慶國頌 並序　同上。

4. 得一頌 始于《固業》,終于《無為》,十篇,今佚。　同上。

5. 遺令　見《北史》四十。

征南將軍刁雍百餘篇

《魏書·刁雍傳》:"雍性寬柔,好尚文典,手不釋書,明敏多智。凡所為詩賦頌論並雜文百有餘篇。"《北史》同。

案其書久佚,今僅有文五篇:

1. 為薄骨律鎮將至鎮上表　見《魏書·刁雍傳》、《通典》二。

2. 表請水運　見《北堂書鈔》一百五十九。

3. 表請河西造城　見《魏書·刁雍傳》。

4. 興禮樂表　同上。

5. 行孝論　見《魏書·刁沖傳》。

中書舍人馮元興文集百餘篇

《魏書》元興本傳:"元興,字子盛,肥鄉人。其世父僧集,官至東清河、西平原二郡太守,元興隨僧集在平原,因就中山張吾貴、常山房蚪學,通禮傳,頗有文才。年二十三,還鄉教授,常數百人,領寮孝廉,對策高第。太保崔光臨薨,薦元興為侍讀尚書,賈思伯為侍講,授肅宗《杜氏春秋》,元興為摘句。普泰初,為安東將軍。太昌初,卒於家,贈征東將軍、齊州刺史。文集百餘篇。"

案其文全佚,今僅存《浮萍詩》一首,見《魏書》元興本傳。

著作郎陸恭之集千餘篇

《魏書·陸俟傳》:"恭之,字季順,釋褐侍御史著作佐郎。建義初,除中書侍郎,領著作郎,尋除河北太守。前廢帝初,拜廷尉卿,孝靜初,出除征南將軍、東荆州刺史,天平四年卒。贈散騎常侍、衛將軍、吏部尚書、定州刺史,謚曰懿。所著文章詩賦凡千餘篇。"《北史》同。

佚。

征虜將軍高謙之集百餘篇

見《魏書·高崇傳》。

案其書久佚,今僅有文四篇:

1. 求鑄三銖錢表　見《魏書》謙之附傳、《通典》九。
2. 乞復舊制京令得面陳得失疏　見《魏書》謙之附傳。
3. 陳時務疏　同上。
4. 涼書述　《廣弘明集》七。

通直常侍邢昕集

《魏書·文苑傳》:"昕,字子明,河間人,幼好學,早有才情。蕭寶夤引為東閣祭酒,委以文翰。太昌初,除中書侍郎,加平東將軍、光禄大夫。時言冒竊官級,為中尉所劾,免官,乃為《述躬賦》。出帝行釋奠禮,與校書郎裴伯茂等俱為録義。永熙末,入為侍讀,與温子昇、魏收參掌文詔。天平初,與侍中從叔子才、魏季景、魏收同徵赴都。昕既有才藻,兼長几案自孝昌之後，天下多務，世人競以吏工取達，文學大衰。司州中從事宋道遊以公斷見知，時與昕嘲謔，昕謂之曰：'世事同知文學外。'道遊有慚色。[①]　興和中卒，贈車騎將軍，謚曰文。所著文章，自有集錄。"

案其文全佚，即《述躬賦》亦不可見。

散騎常侍封偉伯集數十篇

《魏書·封懿傳》："偉伯撰詩賦碑誄雜文數十篇。"《北史》同。

案其書久佚，今僅有文一篇：

清河國臣為君母服議　見《魏書·禮志四》。

太常少卿盧道將集數十篇

《魏書·盧玄傳》："道將涉獵經史，頗有文才，為一家後來之冠，諸父並敬憚之。彭城王勰為中軍大將軍，辟行參軍，遷司徒東閣祭酒、尚書左外兵郎中，轉秘書丞。所為文筆數十篇。"《北史》同。

佚。

著作佐郎盧觀集

《魏書·文苑傳》："觀，字伯舉，范陽涿人也。少好學，有儁才，舉秀才，射策甲科，除太學博士。孝昌元年卒。"

案其文均佚，今僅存一篇：

胡太后父廟制議　見《魏書·禮志二》。

盧仲宣集

《北史·盧觀傳》："觀弟仲宣，才學優洽，乃逾於觀，但文體頗細。兄弟俱以文章顯，論者美之。孝莊帝初，遇害河陰。及兄觀並無子，[②]文集莫為撰次，罕有存者。"

---

① "道遊"，原作"遊道"，據中華書局本《魏書》乙正。

② "及"，原作"乃"，中華書局本《北史·盧觀傳》據《通志·文苑傳》改，茲從之。

佚。

太尉記室盧懷仁集二萬餘言

見《北史·盧玄傳》。

佚。

冠軍將軍陸暐集數十篇　《七誘》、《十醉》、表章。

見《魏書·陸俟傳》,《北史》同。

佚。

太尉公元彧文集

《魏書·臨淮王傳》:"彧,字文若,少有才學,與從兄安豐王延明、中山王熙並以宗室博古、文學齊名。彧美風韻,善進止,博覽群書,不為章句。所著文藻,雖多亡失,猶有傳於世者。"

案其書久佚,今僅有文三篇:

1. 諫孝莊帝以高祖為伯考表　見《魏書·臨淮王傳》。

2. 又表　同上。

3. 奏言宋遊道事狀　見《北齊書·宋遊道傳》。

侍中游肇集七十五篇

《魏書·遊明根傳》云:"肇撰《白珪論》詩賦表啓七十五篇,皆傳於世。"《北史·遊雅傳》同。

案其書久佚,今僅有文三篇:

1. 諫赴援郁洲表　見《魏書·游明根傳》。

2. 諫伐蜀　同上。

3. 奏請更議劉輝事　見《魏書·刑罰志》。

中書侍郎趙逸集五十餘篇

《魏書》逸本傳:"逸,字思群,天水人。神麚二年三月上巳,世祖幸白虎殿,命百寮賦詩,逸製詩序,時稱為善……性好墳典,白首彌勤,年逾七十,手不釋卷,凡所著述詩、賦、銘、頌五十餘篇。"

佚。

馮太后勸戒歌三百餘章

見《魏書·后妃傳》。

佚。

員外常侍張始均集數十篇

見《魏書·張彝傳》，云“今亡失”。

佚。

儀同三司祖瑩集

《魏書》瑩本傳：“瑩，字元珍，范陽遒人也。八歲能誦《詩》、《書》，十二為中書學生，好學耽書，以晝繼夜。時中書博士張天龍講《尚書》，瑩誤持同房生李孝怡《曲禮》卷上座，博士嚴毅，不敢還取，乃置《禮》於前，誦《尚書》三篇，不遺一字，講罷，孝怡異之，向博士說，舉學盡驚。後高祖聞之，拜為太學博士，與陳郡袁翻齊名秀出，時人謂之語曰：‘京師楚楚袁與祖，洛中翩翩祖與袁。’後侍中崔光舉為國子博士，以文學見重，常語人曰：‘文章須自出機杼，成一家風骨，何能共人同生活也？’蓋譏世人好偷竊他文以為己用。而瑩之筆札，亦無乏天才，但不能均調玉石，兼有製裁之體，減於袁、常焉。其文集行於世。”

案其書久佚，今僅有文一篇：

樂舞名議　見《魏書·樂志》。

左光祿大夫崔孝芬集數十篇

《魏書·崔挺傳》：“孝芬，字恭梓，博陵安平人，早有才識，博學好文章。太昌初，兼殿中尚書。尋除車騎大將軍，後加儀同三司。孝芬博文口辯，善談論，愛好後進，終日忻然，商榷今古，間以嘲謔，聽者忘疲。所著文章數十篇。熙平中，任城王澄奏《地制八條》，孝芬所參定也。”

佚。

蘇亮文筆數十篇

見《通志·列傳略》。

佚。

光祿少卿邢虬集三十餘篇

《魏書·邢巒傳》:"虬,字神虎,少為三禮鄭氏學,有文思。舉
秀才上第,為中書議郎,轉司徒屬、國子博士,尋除司徒右長
史。年四十九卒。贈征虜將軍,謚曰威。所作碑頌雜筆三十
餘篇。"

案今僅存文一篇:

駁奏害母事　見《魏書·邢巒傳》。

侍中甄琛文集

《魏書》琛本傳云:"琛所著文章,鄙碎無大體,時有理詣,《碣
四聲》、《姓族廢興》、《會通緇素》三論,頗行於世。"

案其書久佚,今僅存文三篇:

1. 請弛監禁表　見《魏書》琛本傳。

2. 請取武官領里尉以請輦轂表　同上。

3. 奏彈張彝邢巒　見《北史·張彝傳》。

散騎常侍李騫集

《魏書·李順傳》:"騫,字希義,博涉經史,文藻富盛。年十
四,國子學生,以聰達見知。歷大將軍府法曹參軍、太宰府主
簿,轉中散大夫,遷中書舍人,加通直散騎常侍。尋除征南將
軍、給事黃門侍郎。死於晉陽。所著詩賦碑誄,別有集錄。
贈本將軍、太常、殷州刺史,謚曰文惠。"

案其書久佚,今僅有詩文各一篇:

1. 釋情賦並序。　見《魏書·李順傳》。

2. 贈親友盧元明魏收詩　同上。

郎中柳虯文集數十篇

《北史》虯本傳：虯，字仲盤，河東解人。年十三，便專精好學。時貴游子弟就學者，並車服華盛，唯虯不事容飾，遍受五經，略通大義，兼涉子史，雅好屬文。孝昌中，舉秀才，兗州刺史馮儁引為府主簿。有文章數十篇行於世。《西魏書》同。

案其文多佚，今可見者僅二篇：

1. 上文帝論史官疏　見《北史·柳虯傳》、《文苑英華》六百九十。

2. 書簡　見《周書·文帝紀下》。

著作佐郎裴景融集

《魏書·裴延儁傳》："景融，字孔明，篤學好屬文。正光初，舉秀才，射策高第，除太學博士，稍遷輔國將軍、諫議大夫。出帝時，詔撰《四部要略》，令景融專典，竟無所成。元象中，為錄事參軍。武定四年卒……才不稱學，而緝綴無倦，文詞汎濫，理會處寡，所作文章，別有集錄。又作《鄴都》、《晉都賦》二篇。"

佚。

張普惠作　答訪烈懿太妃題碑　見《魏書》普惠本傳。

密表太后父不可稱太上　同上。

表論時政得失　同上。

諫崇佛法不親郊祀　同上。

諫送蠕蠕阿那壞回國疏　同上。

上疏答詔訪冤屈　同上。

廣陵北海二王為所生祖母服議　同上。

奏記任城王澄　同上。

與刁整論葬儀書　見《魏書·刁冲傳》。

裴伯茂作　豁情賦 序存賦佚。　見《魏書》伯茂本傳。

遷都賦_佚。　同上。

裴延儁作　諫宣武帝專心釋典不事墳籍疏　見《魏書・裴延
儁傳》。

　上言王買劉景暉赦後復合死坐　見《魏書・刑罰志》。

裴宣作　懷田賦_佚。　見《魏書・裴駿傳》。

　上言葬埋戰亡者　同上。

元勰作　蠅賦_佚。　見《魏書・彭城王勰傳》。

元萇作　溫泉頌_{並序}。　見《關中金石記》。

元羽作　奏請内考京官　見《魏書・廣陵王羽傳》。

元劭作　奉家財以充軍用表　見《魏書・彭城王勰傳》。

元詳作　奏劾甄琛李憑　見《魏書・甄琛傳》。

　奏請改制條還附律處　見《魏書・北海王詳傳》。

　上言集議祫禘儀注　見《魏書・禮志二》。

元顥作　入洛上梁武帝表　見《梁書・陳慶之傳》。

元懌作　乞議定喪禮表　見《魏書・禮志四》。

　官人失序表　見《通典》十六。

　奏立表伺晷度　見《魏書・律曆志》。

　奏請追奪于忠賞爵　見《魏書・于栗磾傳》。

　奏定五時冠服　見《魏書・禮志四》。

　胡太后父廟制議　見《魏書・禮志二》。

　又議　見《通典》四十八。

　作主議　同上。

元亶作　承制大赦　見《魏書・出帝紀》。

元珍作　上言乙龍虎居喪並數閏月求仕　見《魏書・禮志四》。

元子思作　尚書公事不應送御史　見《通典》二十四。

元丕作　諫南征表　見《魏書・宗室武衛將軍謂傳》。

　奏議斬絞刑　見《魏書・刑罰志》。

對詔奏既葬即吉　見《魏書・禮志三》。

又奏　同上。

奏遷主太廟　同上。

元志作　**上言獄成不許家人陳訴**　見《魏書・刑罰志》。

元儀作　**請御衰服**　見《魏書・道武紀》。

元景作　**墓誌自銘**　見《魏書・宗室元壽興傳》。

元暉作　**簡御史表**　見《魏書・宗室元暉傳》。

　請布耳目以訪牧守疏　同上。

　上書論要政　同上。

元鑒作　**請免程靈虯官表**　見《魏書・河南王躍傳》。

元繼作　**討高車表**　見《魏書・江陽王繼傳》。

　請議宗室預祭表　見《魏書・禮志二》。

元義作　**矯皇太后歸政詔**　見《魏書・孝明紀》。

元範作　**上書以柳谷石文宣告四海**　見《魏書・靈徵志》。

元晃作　**監國令**　見《魏書・太武紀》下附。

元休作　**請依成式公除表四篇**　均見《魏書・禮志三》。

元變作　**請移華州治馮翊表**　見《魏書・安定王休傳》。

　造石窟像記　碑拓本。

元遙作　**求仍屬籍表**　見《魏書・京兆王傳》。

元澄作　**討梁表**　見《魏書・任城王傳》。

　請修立宗室四門學表　同上。

　言革世事不宜案校表　同上。

　諫加女侍中貂蟬表　見《北史》十八卷。

　畜力聚財表　見《魏書・任城王傳》。

　太和五銖與新鑄五銖及古錢宜並通用　見《魏書・食貨志》。

　奏停祫祭應待年終　見《魏書・禮志二》。

　奏參李琰之等議宗室助祭　同上。

奏請移禘祀在中旬　同上。

奏請賞陟及守宰二篇　均見《魏書·任城王傳》。

奏利國濟民所宜振舉者十條　同上。

奏配四中郎將兵數二篇　同上。

奏修都城府寺　同上。

奏劾高陽王雍　同上。

奏言尚書奏事防宣露　同上。

奏禁私造僧寺　見《魏書·釋老志》。

皇太后輿駕議　見《魏書·禮志四》。

答張普惠書　見《魏書·張普惠傳》。

元嵩作　謀舉河南表　見《魏書·任城王傳》。

元世俊作　與梁請和移文　見《文苑英華》六百五十。

元英作　乞乘虛取河南表二篇　均見《魏書·安南王楨傳》。

圍鐘離未克乞寬假日期表　同上。

奏請遣使就郡校練學生　同上。

元熙作　表討元義　同上。

將死與知故書　同上。

元翰作　人日登壽張安仁山銘　見《太平御覽》三十。

元孚作　陳賑恤阿那瓌便宜表　見《魏書·臨淮王譚傳》。

修樂器表　同上。

元雍作　考格表　見《通典》十五。

自陳六罪表　見《魏書·高陽王雍傳》。

請限賤妾奴婢服飾表　同上。

奏禁鹽池復罪監司取稅　見《魏書·食貨志》。

奏請用薛欽船運計　同上。

奏分置阿那瓌婆羅門　見《魏書·蠕蠕傳》。

費羊皮張回事議　見《魏書·刑罰志》。

南郊明堂配食議　見《魏書·禮志二》。

停元匡所制尺度議　見《魏書·廣平王傳》。

元端作　宗室助祭議　見《魏書·禮志二》。

　上言集議郊禘配　同上。

　羊祉謚議　見《魏書·羊祉傳》。

　上言羊祉謚應如前議　同上。

衛操作　桓帝功德頌碑　見《魏書》操本傳。

許謙作　遺楊佛嵩書　見《魏書》謙本傳。

　與楊佛嵩盟　同上。

張袞作　疾篤上明元帝疏　見《魏書》袞本傳。

張白澤作　諫獻文帝表　同上。

　諫文明太后　同上。

張倫作　諫遣使報蠕蠕表　同上。

長孫嵩作　答吐谷渾幕瓆議　見《魏書·吐谷渾傳》。

長孫稚作　復收鹽池稅表　見《魏書·長孫道生傳》。

　上表乞定樂舞名　見《魏書·樂志》。

張淵作　觀象賦並序。　見《魏書》淵本傳、《十六國春秋》六十九。

崔宏作　國號議　見《魏書·崔玄伯傳》。

崔浩作　廣德殿碑頌　見《水經·河水注三》。

　册封沮渠蒙遜為涼王　見《魏書·沮渠蒙遜傳》。

　議軍事表　見《魏書》浩本傳。

　讚明寇謙之受神誥事疏　見《魏書·釋老志》。

　論諸葛武侯　見《魏書·毛修之傳》。

崔道固作　請罪表　見《魏書·崔玄伯傳》。

崔僧淵作　復族兄惠景書　同上。

崔亮作　開銅鑛奏　見《魏書·食貨志》。

上言袷禘　　見《通典》五十。

　答劉景安書　　見《魏書·崔亮傳》。

崔光韶作　子孫誡　　同上。

崔休作　諸子誡　　見《北史》二十四。

　議用薛欽朱元旭船運計　　見《魏書·食貨志》。

奚斤作　伐涼州議　　見《魏書》斤本傳。

叔孫建作　豫備宋軍表　　見《魏書》建本傳。

劉潔作　恤南州災民奏　　見《魏書》潔本傳。

司馬楚之作　請降表　　見《魏書·司馬楚之傳》。

　請乘勝南伐疏　　同上。

許鍾作　廟祭有神異疏　　見《魏書·禮志》。

皮豹子作　乞遣高平兵赴仇池表　　見《魏書》豹子本傳。

尉元作　戰士見白頭翁表　　見《魏書·靈徵志下》。

　求運粟濟彭城表二篇　　均見《魏書》元本傳。

　宜釋青冀先定東南表　　同上。

　換兵戍彭城表　　同上。

源賀作　請入死者恕死徙邊書　　見《魏書》賀本傳。

　對詔問戰攻之計　　同上。

　上書請案律斷獄　　同上。

　上言禦邊長計　　同上。

　遺令敕諸子　　同上。

毛修之作　請伐蜀表　　見《魏書》修之本傳。

宜勒庫莫提作　移梁益二州書　　見《宋書·索虜傳》。

若庫辰樹蘭作　移豫州書　　同上。

封敕文作　乞遣大軍助擊梁會表　　見《魏書》敕文本傳。

陳建作　請南征表　　見《魏書》建本傳。

陸叡作　請班師表　　見《魏書·陸俟傳》。

韓麒麟作　陳時務表　見《魏書》麒麟本傳。

　推用新附表　同上。

韓子熙作　理清河王懌書　同上。

　清河國臣為君母服議　見《魏書‧禮志四》。

李敞作　祭石廟祝文　見《魏書‧禮志一》。

李敷作　留程駿為著作郎奏　見《魏書‧程駿傳》。

李安世作　請孝明帝均田疏　見《通典》一。

李豹子作　上孝明帝書乞襲爵　見《魏書‧李孝伯傳》。

李瑒作　請禁絶戸為沙門疏　見《魏書‧李孝伯傳》、《廣弘明集》六。

　自理　見《魏書‧李孝伯傳》。

　駁司州斷李憐生事　見《魏書‧刑罰志》。

李謐作　神士賦　見《魏書‧逸士傳》。

李憲作　周伏興夢狀表　見《魏書‧靈徵志下》。

李崇作　請減佛寺功材以修學校表　見《魏書‧李崇傳》。

　更申集考公孫崇所調音律奏　見《魏書‧樂志》。

　辭北伐啓　見《魏書‧李崇傳》。

劉昶作　請葬竟陵王誕上宋前廢帝表　見《宋書‧竟陵王誕傳》。

　乞停更與宋主書表　見《魏書》昶本傳。

　求邊戍表　同上。

王叡作　疾篤疏　見《魏書》叡本傳。

王椿作　上孝武帝讜言疏　同上。

韓秀作　敦煌移就涼州議　見《魏書》秀本傳。

薛虎子作　請屯田表　見《魏書‧薛野猪傳》[①]

上疏請寬省徵調　同上。

孔伯恭作　喻下邳宿豫城內書　見《魏書》伯恭本傳。

穆亮作　請孝文帝居喪節哀表　見《魏書·穆崇傳》。

　奏七廟無宜闕一　見《魏書·禮志》、《通典》四十七。

　上言從李彪魏爲水德議　見《魏書·禮志一》。

穆紹作　皇太后輿駕議　見《魏書·禮志四》。

公孫叡作　制殿名奏　見《魏書·公孫表傳》。

成淹作　追理慕容白曜表　見《魏書·慕容白曜傳》。

鄧宗慶作　請采京南山青碧石柱奏　見《魏書·靈徵志下》。

源懷作　增置恒代城戍表　見《魏書·源賀傳》。

　求追論勳封表　同上。

　請以諸鎮水田給民並減吏佐表　同上。

　免逃吏奏二篇。　均同上。

　奏請乘釁伐齊　同上。

源子恭作　訪梁亡人許周奏　同上。

　上書請成辟雍明堂　同上。

李冲作　答詔表　見《魏書·陸俟傳》。

　諫預召兵戍南鄭表　見《魏書》冲本傳。

　彈李彪表二篇。　均見《魏書·李彪傳》。

　上書言宜立三長　見《魏書·食貨志》。

　奏養子不從坐　見《魏書》冲本傳。

　奏錄劉昞子孫　見《魏書·劉昞傳》。

李韶作　獄成許家人訴枉奏　見《魏書·刑罰志》。

李琰之作　宗室助祭議　見《魏書·禮志二》。

于忠作　病中上胡太后表　見《魏書·于栗磾傳》。

張彝作　臨終口占上啓　見《魏書》彝本傳。

郭祚作　請伐梁表　見《魏書》祚本傳。

奏奸吏逃刑止徙妻子　同上。

奏請定考格二篇。　同上。

奏停營明堂國學　同上。

盧淵作　議親伐江南表　見《魏書‧盧玄傳》。

盧昶作　掩據胸山表　同上。

　請增兵表二篇　同上。

　白鼠見宜飭吏治　同上。

　奏府寺議源懷謚不同　見《魏書‧源賀傳》。

盧同作　請杜冒功竊階表　見《魏書》同本傳。

　奏造勳簿格　同上。

劉芳作　立學表　見《魏書》芳本傳。

　修理金石樂器表　同上。

　郊壇疏　同上。

　社稷宜樹木疏　同上。

　彭城王勰謚議　見《魏書‧彭城王勰傳》。

　上尚書言　見《魏書‧樂志》。

　上言參制舞名並制新曲　同上。

　陳終德為祖母持重議二篇。　均見《魏書‧禮志四》。

　窮通論文佚。　見《魏書》芳本傳。

賈思伯作　明堂議　見《魏書》思伯本傳。

孫惠蔚作　請校補秘書疏　見《魏書》惠蔚本傳。

　上書言童子衰麻如成人　見《魏書‧禮志三》。

　上言禫終應祫明年應禘　見《魏書‧禮志二》、《通典》五十。

　重議有喪不作鼓吹　見《魏書‧禮志四》。

樓毅作　諫南伐表　見《魏書‧樓伏連傳》。

崔挺作　諫連坐充役疏　見《魏書》挺本傳。

崔孝直作　顧命諸子　見《魏書‧崔挺傳》。

崔楷作　治河疏　見《魏書·崔辯傳》。

　至殷州請兵仗表　同上。

崔纂作　請更議劉輝事奏　見《魏書·刑罰志》。

　獄成許家人陳訴議　同上。

　劉景暉七歲且赦後不合死坐議　同上。

封軌作　明堂辟雍議　見《魏書·封懿傳》。

封祖胄作　叔母及兄子喪出入不作鼓吹議　見《魏書·禮志
四》。

楊椿作　子孫誡　見《魏書·楊播傳》。

　上書諫内徙蠕蠕降户　同上。

楊鈞作　加兵送阿那瓌入國表　見《魏書·蠕蠕傳》。

楊侃作　鑄五銖錢奏　見《魏書·楊播傳》。

　移報梁豫州刺史裴邃　同上。

　班告軍士　同上。

長孫慮作　列辭尚書　見《魏書》慮本傳。

孫道相作　通津頌　見《水經·淄水注》。

趙嶷作　通津頌　同上。

郭欽作　通津頌　同上。

李義徽作　諫靈太后使沙門惠憐以呪水療病表　見《魏書·清
河王傳》。

高道悦作　諫水路幸鄴表　見《魏書》道悦本傳。

邢巒作　請增兵糧圖蜀表二篇。　均見《魏書》巒本傳。

　請不渡淮表　同上。

　言鍾離必無冠狀表　同上。

　奏蕃供非要須者不受　同上。

　奏議王公五等爵犯罪　見《魏書·刑罰志》。

　奏高季賢赦後不宜復官　同上。

護軍將軍高顯碑銘_{文佚}。　見嚴氏《全後魏文》四十三。

邢產作　孤蓬賦_{文佚}。　見《魏書·邢巒傳》。

邢遜作　太尉韓公墓誌銘　見《藝文類聚》四十六。

公孫崇作　請以高肇監樂務表　見《魏書·樂志》。

　　上景明曆表　見《魏書·律曆志上》。

孫紹作　修律令上表　見《魏書》紹本傳。

　　陳軍國利害表　同上。

　　釋典論　同上。

辛雄作　明賞罰疏　見《魏書》雄本傳。

　　選舉疏　見《通典》十四。

　　上書論祿養　見《魏書》雄本傳。

　　奏理元匡　同上。

　　獄成訴枉宜復斷理議　同上。

　　奉使慰勞關西啓六事　同上。

王顯作　劾元匡奏　見《魏書·廣平王傳》。

　　劾石榮抱老壽奏　見《魏書·抱嶷傳》。

田益宗作　請乘機取義陽表　見《魏書》益宗本傳。

　　上表自理　同上。

侯剛作　駁元端等羊祉諡議　見《魏書·酷吏傳》。

高肇作　定大枷奏　見《魏書·刑罰志》。

　　請以元和子伯宗襲爵河南王　見《魏書·河南王曜傳》。

　　奏使劉芳更造樂器　見《魏書·樂志》。

　　奏請推處僧暹等逼召僧祇户　見《魏書·釋老志》。

高顯作　請勒銘射所奏　見《魏書·高聰傳》。

蕭寶寅作　考功表　見《魏書》寶寅本傳。

　　論蕭正德來降表　同上。

　　奏不許陳仲儒再造樂器　見《魏書·樂志》。

夏侯道遷作　請拔漢中歸誠表　見《魏書》道遷本傳。

裴衍作　請隱嵩高表　見《魏書·裴叔業傳》。

魏子建作　上言安撫州城事　見《魏書·序傳》。

　密與張普惠書　見《魏書·張普惠傳》。

　疾篤敕子收祚　見《魏書·序傳》。

魏蘭根作　上李崇言　見《北史》五十六。

孟廣達作　孫秋生等造像銘　見《金石萃編》、《中州金石目》。

孟達作　慧成造像銘　見嚴氏《全後魏文》四十八。

孟建作　洛州刺史始平公造像記　見《中州金石目》。

董紹作　高平牧馬詩　見《魏書》紹本傳。

　御天馬頌文佚。　同上。

孫景邕作　陳終德為祖母持重議二篇。　均見《魏書·禮志四》、《通典》八十九。

李苗作　請定巴蜀書　見《魏書》苗本傳。

　上書言秦隴兵事　同上。

蔣雅哲作　叔母及兄子喪出入作鼓吹議　見《魏書·禮志四》。

韓神固作　叔母及兄子喪出入作鼓吹議　同上。

孔璠作　李謐學行疏　見《魏書·李謐傳》。

李業興作　乞贈諡徐遵明表　見《魏書·徐遵明傳》。

　對信都芳駁新曆　見《魏書·律曆志下》。

路思令作　陳兵事疏　《魏書·路恃慶傳》。

荀濟作　論佛教表　見《廣弘明集》七。

　見執下辯　見《北史》八十三。

劉洛真作　造像記　見嚴氏《全後魏文》五十一。

王延業作　皇太后輿駕議　見《魏書·禮志四》。

　胡太后父廟制議　見《魏書·禮志二》。

王僧奇作　宗室助祭議　同上。

劉季明作　改葬尼太后服制議　見《魏書・禮志四》。

鄭六作　改葬尼太后服制議　同上。

薛欽作　上言船運租調　見《魏書・食貨志》。

朱元旭作　用薛欽船運計議　同上。

陳仲儒作　答有司符問立準以調八音狀　見《魏書・樂志》。

羊深作　上前廢帝疏　見《魏書》深本傳。

劉景安作　規崔亮書　見《魏書》亮本傳。

高恭之作　請鑄永安五銖錢表　見《魏書・高崇傳》、《通典》九。

　　請復置司直疏　見《魏書・高崇傳》。

　　奏記御史中尉元匡　同上。

李彥作　臨終遺誡其子昇明等　見《北史》七十。

慕容紹宗作　檄梁文　見《魏書・蕭衍傳》。

孫騰作　犯盜宜準律令奏　見《魏書・刑罰志》。

竇瑗作　乞評議麟趾制母殺父條　見《魏書・竇瑗傳》。

　　奏請長廣王禪位　同上。

　　難封君義判　同上。

雷紹作　敕子遺囑　見《北史》四十九。

姜質作　亭山賦　見《洛陽伽藍記》。

王正言作　獨孤信復職議　見《周書・獨孤信傳》。

封君義作　判竇瑗表改麟趾制母殺父條　見《魏書・竇瑗傳》。

信都芳作　駁李業興甲子元曆　見《魏書・律曆志下》。

于子建作　武德郡沁水石橋記　見《續古文苑》。

路僧妙作　造釋迦像記　見嚴氏《全後魏文》五十五。

王方略作　造須彌塔記　同上。

岐法起作　造像記　同上。

曹續生作　造像記　同上。

洪寶作　張法壽造像記　見嚴氏《全後魏文》六十。

魏靈藏作　造釋迦石像記　見嚴氏《全後魏文》五十四。

李和之作　造像記　同上。

釋僧演作　造像記　見嚴氏《全後魏文》六十。

元寧作　造像記　見嚴氏《全後魏文》五十三。

僧略作　造彌勒像記　見嚴氏《全後魏文》六十。

釋法生作　造像記　同上。

釋法衍作　造定光像記　同上。

慧暢作　造彌勒像記　同上。

惠深作　上言立僧尼制　見嚴氏《全後魏文》六十。

優波扇多作　法勝阿毗曇心論序　《釋藏》承五。

菩提達磨作　真性頌　見嚴氏《全後魏文》六十。

釋曇寧作　深密解脫經序　見《釋藏》常三。

僧昉作　解脫戒本經序　見《釋藏》傳九。

曇林作　善住意天子所問經翻譯記　見《釋藏》裳九。

　迴諍論翻譯記　見《釋藏》華三。

　業成就論翻譯記　見《釋藏》爵九。

　轉法輪經翻譯記　見《釋藏》次十一。

　三具足經翻譯記　見《釋藏》造十。

　毗邪娑問經翻譯記　見《釋藏》推九。

　奮迅王問經翻譯記　見《釋藏》發九。

　金色王經翻譯記　見《釋藏》忘九。

　第一義法勝經翻譯記　見《釋藏》貞七。

　順中論翻譯記　見《釋藏》移四。

　寶髻經四法優波提舍翻譯記　見《釋藏》弗十一。

　不必定入定入印經翻譯記　見《釋藏》法。

釋僧懿作　奉伐魔啓　見《廣弘明集》三十八。

慰勞魔書　同上。

釋道安作　檄魔文　同上。

魔主報檄文　同上。

破魔露布文　同上。

平魔赦文　同上。

奉平魔赦文啓　同上。

平心露布文　同上。

李譜文作　授寇謙之為内宮太真太寶九州真師誥　見《魏書·釋老志》。

寇謙之作　奉請至道壇受符　同上。

中嶽嵩高靈廟記　見《中州金石目》。

盧景裕作　景林寺碑　景林寺石銘_{文佚}。　均見《洛陽伽藍記》。

祖鴻勳作　與陽休之書　《六朝文絜》。

義主。□賢作　張猛龍碑　見《金石文鈔》。

桓嵩作　神龜造像記　見《中州金石目》。

王遠作　石門銘_{並序}。　見《關中金石記》。

李仲璇作　修孔子廟碑　見《曝書亭集》。

鄭羲作　靈巖頌　見《續古文苑》。

李仲尚作　季父司空冲誄_{文佚}。　見《魏書·李寶傳》。

游雅作　太華殿賦_{文佚}。　見《魏書》雅本傳。

高湛作　養生論　見《御覽》七百二十。

王慧龍作　祭伍子胥文_{文佚}。　見《魏書》慧龍本傳。

柳玄達作　大夫論　喪服論_{文佚}。　見《魏書·裴叔業傳》。

成淹作　接輿釋遊論_{文佚}。　均見《魏書》淹本傳。

鹿悆作　贈元子直五言詩_{二首}。　見《魏書》悆本傳。

梁祚作　代都賦_{文佚}。　均見《魏書》祚本傳。

眭夸作　知命論　朋友篇　均見《魏書》夸本傳。

高涼作　陳刀冲業行議狀　見《魏書·刀冲傳》。

賈元壽作　北邙寺碑_{文佚}。　見《魏書·馮熙傳》。

段承根作　贈敦煌公李寶詩_{七首}。　見《魏書》承根本傳。

宋道璵作　挽歌詞_佚。　見《魏書·宋翻傳》。

　　贈著作佐郎張始均詩_{不全}。　同上。

莊弻作　遺張普惠書　見《魏書·張普惠傳》。

王肅作　請依舊考檢奏　見《魏書》肅本傳。

　　請增彭城王勰邑户奏　見《魏書·彭城王勰傳》。

　　悲平城詩　見《魏書·祖瑩傳》。

甄密作　風賦_{文佚}。　見《魏書·甄琛傳》。

穆子客作　修太公廟碑　見《中州金石目》、《金石文鈔》。

　　案今本均作穆子容，兹據《太平廣記》引龐元英《談藪》云"子客使梁，主館者謂子名爲客而作客"一節，改正。

李昭徽集十卷

　　見《通志·列傳略》。

　　佚。

石曜集十卷

　　見《北史·孫惠蔚傳》。

　　佚。

盧伯源文筆數十篇

　　見《北史·盧玄傳》。

　　佚。

劉延明作　酒泉頌　見《北史》延明本傳。

刀冲作　行孝論　見《魏書·儒林傳》。[①]

　　右別集類，共二百六十二家，三百九十四卷、二千七百六十

---

① 按自《李昭徽集》十卷以下五條，稿本無，據鈔本補。

篇。凡各籍載魏時文闕名者，概不著錄。

總集類

賦集八十六卷　崔浩撰

見《隋志》。

佚。

百三郡國詩百三卷　崔光撰

《魏書》光本傳："太和中，光依宮商角徵羽本音而為五韻詩，以贈李彪，彪為十二次詩以報光。光又為百三郡國詩以答之，國別為卷，為百三卷焉。"《北史》同。

《唐志》作二十九卷。

《通志》作四十三卷。

佚。

婦人文章錄一帙　同上

《魏書》光本傳："熙平元年二月，靈太后臨朝，每於後園親執弓矢。光乃表上中古婦人文章，因以致諫曰：'孔子云："士志於道，據於德，依於仁，游於藝。"藝謂禮、樂、書、數、射、御。明前四業丈夫婦人所同修者，若射、御，唯主男子，事不及女。古之賢妃烈媛，母儀家國，垂訓四海，宣教九宗，可秉道懷德，[①]率遵仁禮，是以漢后馬鄧，術邁祖考，羊嬪蔡氏，具體伯喈……以為舉非蠶織，事存無功，豈謂應乾順民，裁成輔相者哉。臣不勝慶幸，謹上《婦人文章錄》一帙，其集具在內，伏願以時披覽，仰裨未聞，息彎挾之勞，納閑拱之泰，頤精養壽，棲神翰林。'"

---

① "德"，原無，中華書局本《魏書》光本傳據《册府元龜》補，茲從之。

《隋》、《唐志》均不著録。

佚已久。

百一詩二卷　李彪撰

見《通志·藝文略》。

佚。

採詩七卷　張彝撰

《魏書》彝本傳：“彝表曰：‘竊惟皇王統天，必以窮幽為美，盡理作聖，亦假廣採成明。故詢於芻蕘，著之周什，輿人獻箴，流於夏典。不然，則美刺無以得彰，善惡有時不達。逮於兩漢、魏、晉，雖道有隆污，而被繡傳檄，未始闕也……高祖遷鼎成周，永兹八百，偃武修文，憲章斯改，實所謂加五帝、登三王，民無德而名焉。猶且慮獨見之不明，欲廣訪於得失，乃命四使，觀察風謠。臣時忝常伯，充一使之列，遂得仗節揮金，宣恩東夏，周歷於齊魯之間，遍馳於梁宋之域，詢採詩頌，研檢獄情，實庶片言之不遺，美刺之俱顯，而才輕任重，多不遂心。所採之詩，並自申目，而值鑾輿南討，問罪宛鄧，臣復忝行軍，樞機是務。及鑾駕之返，膳御未和，續以大諱奄臻，四海崩慕，遂爾推遷，不及聞徹。未幾，改牧秦蕃，違離闕下，繼以譴疾相纏，甯丁八歲。常恐所採之詩永淪丘壑，是臣夙夜所懷，以為深憂者也。陛下垂日月之明，行雲雨之施，察臣往罪之濫，矜臣貧病之切……且臣一二年來，所患不劇，尋省本書，粗有仿佛。凡為七卷，今寫上呈，伏願昭覽，勑付有司。使魏代所採之詩，不堙於丘井，臣之願也。’”《北史》同。

《隋》、《唐志》均不著録。

佚已久。

右總集類，共四家，五部，一百九十八卷。卷亡者一部，存疑。

詩文評類

文譜 邢臧撰

《魏書‧文苑傳》："臧撰古來文章，並敘作者氏族，號曰《文譜》。"

佚。

文質論 柳虯撰

《北史》虯本傳："時人論文體者，有今古之異，虯以為時有古今，非文有古今，乃為《文質論》。"謝氏《西魏書》同。

佚。

右詩文評類，共二家，二部，卷均亡。

凡集類共五十七部，五百九十二卷。

附録

冠帶録 張始均撰

見《魏書‧張彝傳》，①《北史》同。

本志十三卷 酈道元撰

七聘 同上

並見《魏書》道元本傳，《北史‧酈範傳》同。

案以上三部均佚，無從辨其性質，姑附於此，留待異日考訂。

論雜解何鄭膏肓事百餘篇 高允撰

見《魏書》允本傳，《北史》同。

佚。（整理者案：稿本此條下有批註云："請將此種加入經部

---

① "張彝"，原作"均彝"，據鈔本改。

春秋類為盼"）

衆文經

《魏書·太祖紀》："天興四年冬十二月，集博士儒生，比眾經文字，義類相從，凡四萬餘字，號曰《眾文經》。"《北史》同。

佚。

始光新字

《魏書·世祖紀》："始光二年三月，初造新字千餘，詔曰：'在昔帝軒，創制造物，乃命倉頡因鳥獸之跡以立文字。自兹以降，隨時改作，故篆隸草楷，並行於世。然經歷行遠，傳習多失其真，故令文體錯謬，會義不愜，非所以示軌則於來世也。孔子曰"名不正則事不成"，此之謂矣。今制定文字，世所用者，頒下遠近，永為楷式。'"《北史》無詔文。

佚。

（整理者案：稿本此處批注云："請將此二部加入經部小學類為盼。經部最後總結處，並望斟酌改正。"）

補北齊書藝文志

［清］

徐仁甫　撰

李　林　整理

底本：《志學月刊》1945 第 19-20 期

補北齊書藝文志

二十九年九月二十八日再稿

甲、經

一、易
易注

　　權會撰，見本傳。《北史》同。《隋志》未收。

周易義例

　　李鉉撰，見本傳。《北史》同。《隋志》未收。

周易上下繫注

　　杜弼撰，見本傳。《北史》同。《隋志》未收。

　　右易三部，無卷數，未收入《隋志》。

二、詩
毛詩義疏

　　李鉉撰，見本傳。《北史》同。《隋志》未收。

毛詩章句

　　張思伯撰，見本傳。《北史》同。《隋志》未收。

　　右詩二部，無卷數，未收入《隋志》。

三、禮
喪服章句一卷

　　李公緒撰，見本傳。《北史》同。《隋志》未收。

禮質疑五卷

　　李公緒撰，見本傳（無"禮"字）。《北史》同（有"禮"字）。《隋志》未收。

三禮義疏

李鉉撰,見本傳。《北史》同。《隋志》未收。

　　右禮三部,卷數可考者二部六卷,卷數失考者一部。未入
　　《隋志》。

四、樂

樂書七卷

信都芳撰,見本傳,無卷數。《北史》同。《魏書》同。《隋志》:
七卷,後魏信都芳撰。

樂書

李神威撰,見《李義深傳》。《北史》見《李之良傳》。《隋志》未收。

龍吟十弄

鄭述祖撰,見本傳。《北史》同。《隋志》未收。

　　右樂三部,卷數可考者一部七卷,卷數失考者二部。已收
　　入《隋志》者一部七卷,未收入《隋志》者二部。

五、春秋

左氏傳刊例十卷

張思伯撰,見本傳。《北史》同。《隋志》未收。

左傳服氏解駁妄

姚文安撰,見《北史·李崇祖傳》。《齊書》文安、崇祖俱無傳。
《隋志》未收。

三傳異同

李鉉撰,見本傳。《北史》同。《隋志》未收。

　　右《春秋》四部,卷數可考者一部十卷,卷數失考者三部。
　　未收入《隋志》。

六、孝經
孝經義疏
李鉉撰，見本傳。《北史》同。《隋志》未收。

右《孝經》一部，無卷數，未收入《隋志》。

七、論語
論語義疏
李鉉撰，見本傳。《北史》同。《隋志》未收。

右《論語》一部，無卷數，未收入《隋志》。

八、小學
韻略一卷
陽休之撰，見《隋志》。兩《唐志》同（陽誤爲楊）。任大椿《小學鉤沉》、馬國翰《玉函山房》均有輯本。

辯嫌音二卷
陽休之撰，見兩《唐志》（陽誤爲楊）。《隋志》未收。

續修音韻決疑十四卷
李概撰，見《隋志》。《唐日本見在書目》："《音韻決疑》十卷，齊太子舍人李節撰。"（脱"季"字）又"《音韻決疑》二卷，李概撰。"案，概字季節。

音譜四卷
李概撰，見《隋志》。《北史·李公緒傳》無卷數。《齊書》公緒傳未載。

訓俗文字略一卷
顏之推撰，見《隋志》。

筆墨法一卷
顏之推撰，見《唐書·藝文志》、《經籍》，[1]未著撰人。《隋志》

---

[1]　此"經籍"指《舊唐書·經籍志》。

未收。

證俗音字略六卷

　　顏愍楚撰，見《隋志》（不著撰人）。《日本書目》作"一卷，顏愍楚撰"。兩《唐志》作《證俗音略》。

字辯

　　李鉉撰，[①]見本傳。《北史》同。《隋志》未收。

字略五篇

　　宋世良撰，見本傳。《北史》同（作"士良"）。《隋志》未收。

　　右小學九部，卷數可考者八部三十四卷，卷數失考者一部。已收入《隋志》者五部二十六卷，未收入《隋志》者四部八卷。

　　凡八類二十六部，卷數可考者十二部五十七卷，卷數失考者十四部。已收入《隋志》者六部三十三卷，未收入《隋志》者二十部二十四卷。

乙、史

一、正史

後魏書一百三十卷

　　魏收撰，見《隋志》。本傳同。《北史》同。兩《唐志》同。

東魏國史

　　宇文忠之撰，見本傳，《北史》同。魏收撰，見本傳，《北史》同。李廣撰，見本傳，《北史》同。李概撰，見《北史·李公緒傳》，《齊書》公緒傳未載。房謨撰，見《北史》本傳，《齊書》無傳。

---

　　① "鉉"，原誤作"顯"。按李顯無《字辯》之作，茲據中華書局1972年點校本《北齊書·李鉉傳》、1974年點校本《北史·李鉉傳》改。"辯"，《北齊書·李鉉傳》作"辨"。

《隋志》未收。

齊國史

高隆之撰，見本傳，《北史》同。崔劼撰，見本傳，《北史》本傳同。魏收撰，見《北史》本傳，《齊書》收傳未載。趙隱撰，見《趙彥深傳》，《北史》本傳同。陽休之撰，見本傳，《北史》同。劉逖撰，見本傳，《北史》同。祖珽撰，見本傳，《北史》同。權會撰，見本傳，《北史》同。張雕撰，見本傳，《北史·張雕武傳》同。崔季舒撰，見《本傳》，《北史》同。《隋志》未收。

王隱晉書注

宋繪撰，見《宋顯傳》。《北史》顯傳未載。《隋志》未收。

中興書注

宋繪撰，見《宋顯傳》。《北史》顯傳未載。《隋志》未收。

右正史五部，卷略可考者一部一百三十卷，卷略失考者四部。已收入《隋志》者一部一百三十卷，未收入《隋志》者四部。

二、別史

戰國春秋二十卷

李概撰，見《隋志》。《北史·李公緒傳》無卷數。《齊書》公緒傳未載。《隋志》霸史類重出。《舊唐》入編年。《新唐》入偽史。

右別史一部二十卷，已收入《隋志》。

三、雜史

左史六卷

李概撰，見《隋志》。《唐·藝文志》同。

平西策一卷

盧叔武撰，見本傳。《北史·盧叔彪傳》同。《隋志》未收。

右雜史二部七卷，已收入《隋志》者一部六卷，未收入《隋志》者一部一卷。

四、霸史

趙語十三卷

李公緒撰，見本傳。《北史》作十二卷。《隋志》未收。

　　右霸史一部十三卷，未入《隋志》。

五、起居注

東魏孝靜帝起居注

崔㥄撰，見《北史·崔㥄傳》。《齊書》、《隋書》㥄傳未載。《隋志》未收。

齊文宣起居注

陽休之撰，見本傳，《北史》同。崔㥄撰，見本傳，《北史》同。《隋志》未收。

後主起居注

王晞撰，見本傳。《北史》同。《隋志》未收。

　　右起居注三部，無卷數，未收入《隋志》。

六、舊事

魏獻文禪子故事

祖珽撰，見本傳。《北史》同。《隋志》未收。

魏帝皇太后故事

祖珽撰，見本傳。《北史》同。《隋志》未收。

　　右舊事二部，無卷數，未收入《隋志》。

七、儀注

東魏孝靜朝儀

李繪撰，見《北史·李渾傳》。《齊書》繪傳未載。《隋志》未收。

齊禪禮儀注

楊愔撰，見《高德正傳》，《北史》同。邢邵撰，見《高德正傳》。

《北史》同。崔悛撰，見《高德正傳》並本傳，《北史》同。陸操撰，見《高德正傳》，《北史》同。王昕撰，見《高德正傳》並《北史》本傳。裴讓之撰，見《高德正傳》並《裴佗傳》，《北史》同。李渾撰，見本傳，《北史》同。皇甫亮撰，見《北史·皇甫和傳》，《齊書》和傳未載。崔肇師撰，見《崔瞻傳》，《北史·崔亮傳》同。《隋志》未收。

齊國初禮式

崔昂撰，見本傳，《北史》同。邢邵撰，見《崔昂傳》，《北史》同。薛琡撰，見《崔昂傳》，《北史》同。李鉉撰，見本傳，《北史》同。魏收撰，見《李鉉傳》，《北史》同。李希禮撰，見《北史·李順傳》，《魏書》希禮傳未載，《齊書》希禮無傳。《隋志》未收。

後齊儀注二百九十卷

無撰人姓名，見《隋志》。案撰《齊五禮者》有：趙郡王叡撰，[①]見本傳，《北史》同。馮子琮撰，見本傳，《北史》同。胡長粲撰，[②]見《胡國珍傳》，《北史》同。袁聿修撰，見本傳，《北史》同。魏收撰，見本傳，《北史》同。和士開撰，見《魏收傳》，《北史》同。徐之才撰，見《魏收傳》，《北史》同。趙彥深撰，見《魏收傳》，《北史》同。馬敬德撰，見《魏收傳》，《北史》同。熊安生撰，見《魏收傳》，《北史》同。權會撰，見《魏收傳》，《北史》同。崔儦撰，見《崔瞻傳》，《北史》本傳同。崔子樞撰，見《北史·崔鑒傳》，[③]《魏書》鑒傳未載。

北齊吉禮七十二卷

趙彥深撰，見兩《唐志》。《隋志》當在《儀注》二百九十卷中。

---

① “王”後原衍“又”字，據《北齊書·趙郡王傳》刪。
② “撰”，原作“們”，據文義改。
③ “見”，原作“志”，據文義改。

北齊王太子喪圖皇太子喪圖十卷

趙彥深撰，見《唐書·經籍志》、《唐書·藝文志》。《隋志》當在《儀注》二百九十卷中。

軍禮

李繪撰，見本傳。《北史·李渾傳》同。《隋志》未收。

孝昭太子婚禮儀注

崔瞻與崔劼同，①見本傳。《北史》同。《隋志》未收。

雜嘉禮三十八卷

不著撰人，見《隋志》，在後齊儀注之後，當亦後齊人撰。

趙李家儀十卷錄一卷

李穆叔，見《隋志》。

> 右儀注十部，卷數可考者五部四百二十一卷，卷數失考者五部，已收入《隋志》者三部三百三十九卷，未收入《隋志》者七部八十二卷。

---

① 據中華書局 1997 年縮印本《北史·崔瞻傳》，"同"後當有"撰"字。

補周書藝文志

［清］ 徐仁甫　撰

李　林　整理

底本：《志學月刊》1945 第 17-18 期

補周書藝文志

二十九年九月三日再稿

甲、經

一、易
周易義記
蕭歸撰，見本傳。《北史》同。《隋書》同。亦見《隋書·藝文志》。《隋志》未收。

右易一部，卷數無可考，未收入《隋志》。

二、書
尚書義疏三十卷
蔡大寶撰，見《隋志》。蕭詧附傳無卷數。《北史》同。兩《唐志》同。

右書一部，三十卷，已收入《隋志》。

三、詩
毛詩義疏二十八卷
沈重撰，見《隋志》。本傳作《毛詩義》，卷數同。《北史》同。

毛詩音二卷
沈重撰，見本傳。《北史》同。《隋志》未收。馬氏《玉函山房》、王氏《漢魏遺書鈔》均有輯本。

毛詩序論
樂遜撰，見本傳。《北史》同。《隋志》未收。

右詩三部，卷數可考者二部三十卷，卷數失考者一部。已收入《隋志》者一部二十八卷，未收入《隋志》者二部二卷。

四、禮

周官禮義疏四十卷

沈重撰，見《隋志》。《日本書目》、兩《唐書》同。本傳作《周禮義》三十一卷。《北史》同。馬氏有輯本。

周禮音一卷

沈重撰，見本傳。《北史》同。《隋志》未收。

周禮義疏二十卷

熊安生撰，見本傳。《北史》同。《隋志》未收。

儀禮義三十五卷

沈重撰，見本傳。《北史》同。《隋志》未收。

儀禮音一卷

沈重撰，見木傳。《北史》同。《隋志》未收。

士喪禮注五卷

蕭大圜撰，見本傳。《北史》同。《隋志》未收。

喪服經義五卷

沈重撰，見本傳。《北史》同。《隋志》未收。

喪服疑問一卷

樊深撰，見《隋志》（《志》作樊氏，無名）。本傳作“問疑”。《北史》同。

大戴禮解詁

盧辯撰，見本傳。《北史》作《大戴禮注》。《隋志》未收。

禮記義疏四十卷

沈重撰，見《隋志》。兩《唐志》同。本傳：“《禮記義》三十卷。”《北史》同。馬氏有輯本。

禮記音二卷

沈重撰，見本傳。《北史》同。《隋志》未收。

禮記義疏四十卷

熊安生撰，見本傳。兩《唐志》同，《北史》作三十。《隋志》未收。

右禮十二部，卷數可考者十一部一百九十卷，卷數失考者
一部。已收入《隋志》者三部八十一卷，未收入《隋志》者九
部一百九卷。

五、樂

樂律義四卷

沈重撰，見《隋志》。

鍾律義一卷

沈重撰，見《隋志》，《志》不著撰人。本傳《鍾律》無卷數。《北
史》同。兩《唐志》"《鍾律》五卷，沈重撰"，蓋合《隋志》《樂
律》、《鍾律》爲一。馬氏有輯本。

樂典十卷

斛斯徵撰，見本傳。《北史》同。《隋志》未收。

右樂三部，十五卷。已收入《隋志》者二部五卷，未收入《隋
志》者一部十卷。

六、春秋

春秋序義

樂遜撰，見本傳。《北史》同。《隋志》未收。

左氏春秋序論

樂遜撰，見本傳。《北史》同。《隋志》未收。

右春秋兩部，卷數失考，未收入《隋志》。

七、孝經

孝經問疑一卷

樊深撰，見本傳。《北史》同。《隋志》未收。

孝經義疏一卷

熊安生撰,見本傳。《北史》同。《隋志》未收。

孝經義記

蕭歸撰,見本傳。《北史》同。《隋志》未收。

孝經序論

樂遜撰,見本傳。《北史》同。《隋志》未收。

右《孝經》四部,卷數可考者二部二卷,卷數失考者二部。未收入《隋志》。

八、論語

論語序論

樂遜撰,見本傳。《北史》同。《隋志》未收。

右《論語》一部,無卷數,未收入《隋志》。

九、五經總義

五經大義十卷

樊文深撰,見《隋志》(樊深字文深)。

七經義二十九卷[①]

樊文深撰,見《隋志》。兩《唐志》作《七經義綱略論》三十卷。本傳作《義經略論》并目録三十一卷。《史》深傳未載。[②]

七經論三卷

樊文深撰,見《隋志》。本傳作《七經異同》三卷。《史》同。

質疑五卷

樊文深撰,見《隋志》。兩《唐志》同。

七經論

蘇綽撰,見本傳。《史》同。《隋志》未收。

---

① 中華書局 1973 年點校本《隋書·經籍志》"義"後有"綱"字。

② 整理者按：此處"史"係指《北史》,下同。

右經總義五部，卷數可考者四部四十七卷，卷數失考者一部。已收入《隋志》者四部四十七卷，未收入《隋志》者一部。

十、小學

刊定隸書六體

趙文深撰，見本傳。《北史》同。《隋志》有《六文書》一卷，《日本書目》有《六文字》一卷，皆不著撰人。

鮮卑號令一卷

周武帝撰，見《隋志》。

右小學二部，卷數可考者一部一卷，卷數失考者一部。已收入《隋志》者一部一卷，未收入《隋志》者一部。

凡經十類三十四部，卷數可考者二十四部三百一十五卷，卷數失考者十部。已收入《隋志》者十二部一百九十二卷，未收入《隋志》者二十二部一百二十三卷。

乙、史

一、正史

西魏国史

檀翥撰，见《李昶傳》，《北史》見本傳。蘇亮撰，見本傳，《北史》同。柳虬撰，見本傳，《北史》同。薛寘撰，見本傳，《北史》同。李昶撰，見本傳，《北史》同。《隋志》未收。

周國史

柳敏撰，見本傳。《北史》同。《隋志》未收。

梁史百卷

蕭欣撰，見本傳，云"遭亂失本"。《北史》本傳未載。《隋志》未收。

　　右正史二部，卷數可考者一部百卷，卷數失考者二部。未
　　收入《隋志》。

二、別史

梁典三十卷

　　劉璠撰，見《隋志》。本傳同。《北史》同。《唐·經籍志》"二
　　十卷"。《唐·藝文志》"三十卷"。

淮海亂離志四卷

　　蕭世怡撰，見《隋志》。蕭圓肅撰，見本傳。蕭大圜撰，見《唐
　　志》及《史通》。

　　　右別史二部，三十四卷，已收入《隋志》。

三、雜史

帝王世録一卷

　　甄鸞撰，見《隋志》。《周書》、《北史》無傳。從《法苑珠林》及
　　《四庫提要》，入周。

　　　右雜史一部一卷，已收入《隋志》。

四、起居注

西魏孝武起居注

　　張軌撰，見本傳，《北史》同。李彥撰，見本傳，《北史》同。《隋
　　志》"《後魏起居注》三百三十六卷"，不著撰人。

西魏文帝起居注

　　申徽撰，見本傳，《北史》同。柳虯撰，見本傳，《北史》同。盧
　　柔撰，見本傳，《北史》同。

西魏廢帝起居注

　　薛寘撰，見本傳，《北史》同。王述撰，見《北史》本傳，《周書》
　　述傳未載。

後周太祖號令三卷

　　見《隋志》。

右起居注四部，卷數可考者一部三卷，卷數失考者三部。已收入《隋志》者一部三卷，未收入《隋志》者三部。

五、舊事

梁舊事三十卷

蕭大圜撰，見《隋志》，《志》"圜"作"環"。本傳同。《北史》同。《新唐志》作《梁魏舊事》。《太平寰宇記》引作《梁陳舊事》。

右舊事一部，三十卷，已收入《隋志》。

六、職官

九命典

見《文帝紀》。《北史》同。《隋志》未收。

六官

蘇綽撰，見《文帝紀》，《北史》同。盧辯撰，見《文帝紀》，《北史》同。崔猷撰，見本傳，《北史》同。《隋志》未收。

文案程式及計帳戶籍法

蘇綽撰，見本傳。《北史》同。《隋志》未收。

右職官三部，卷數無考，未收入《隋志》。

七、儀注

西魏文帝朝儀

薛憕撰，見本傳，《北史》同。盧辯撰，見本傳，《北史》同。檀翥撰，見《薛憕傳》，《北史》同。唐瑾撰，見本傳，《北史》同。徐招撰，見本傳，《北史》同。周惠達撰，見本傳，《北史》同。

周朝儀

盧辯撰，見本傳。《北史・裴政傳》同。《隋志》未收。

周五禮

熊安生撰，見本傳，《北史》同。斛斯徵撰，見《北史・盧昌衡傳》，《隋書・昌衡傳》同。柳敏撰，見《北史・崔仲方傳》，《隋書・崔仲方傳》同。《隋志》未收。

士喪儀注五卷

蕭大圜撰,見本傳。《北史》大圜傳未載。《隋志》未收。

服要記

王褒撰,見《北堂書鈔》卷八十。有序一首。《隋志》未收。

書儀十卷

唐瑾撰,見《隋志》。本傳作"《新儀》十篇"。《史》同。

婦人書儀八卷

唐瑾撰,見《隋志》,《志》不著撰人。兩《唐志》題唐瑾撰。[①]

右儀注七部,卷數可考者三部二十三卷,卷數失考者四部。已收入《隋志》者二部十八卷,失收入《隋志》者五部五卷。

八、刑法

周律二十五卷

趙素等撰,見《隋志》,《志》不著撰人。據《刑法志》爲趙素、拓跋迪。兩《唐志》題"趙素撰"。亦見蕭本傳,《北史》同。柳敏撰,見本傳,《北史》同。斛斯徵撰,見《北史·崔仲方傳》,《隋書》仲方傳同。

周大統式三卷

蘇綽撰,見《隋志》,《志》未著撰人。據《刑法志》爲蘇綽、趙肅。《唐·藝文志》題"蘇綽撰"。《周書·文帝紀》、《北史》、《隋·刑法志》、《唐六典》皆作五卷。柳敏撰,見本傳,《北史》同。

刑書新制

見《武帝本紀》。《北史》同。《隋志》未收。

宣政九條制

見《宣帝本紀》。《北史》同。《隋志》未收。

---

① "撰",原作"傳",據中華書局 1975 年點校本《舊唐書·經籍志》、1975 年點校本《新唐書·藝文志》改。

刑經聖制

　　見《宣帝本紀》。《北史》同。《隋志》未收。

　　　右刑法五部，卷數可考者二部二十八卷，卷數失考者三部。
　　　已收入《隋志》者二部二十八卷，未收入《隋志》者三部。

九、雜傳

王氏江左世家傳二十卷

　　王褒撰，見《隋志》。

裴潛傳

　　裴俠撰，見本傳。《北史》同。《隋志》未收。

　　　右雜二部，卷數可考者一部二十一卷，卷數失考者一部。
　　　已收入《隋志》一部二十一卷，未收入《隋志》一部。

十、地記

行記三卷

　　姚僧垣撰，見本傳。《北史》同。《隋志》未收。

西京記三卷

　　薛寘撰，見本傳。《隋志》不著撰人。兩《唐志》作薛冥撰，“冥”爲“寘”誤。

荆楚歲時記一卷

　　宗懔撰，見存。《隋志》未收。

國都城記九卷

　　周明帝撰，見兩《唐志》。《隋志》“《國都城記》二卷”，不著撰人。

周地圖記一百九卷

　　見《隋志》，不著撰人。新、舊《唐志》：“《周地圖》九十卷。”“《周地圖》一百三十卷。”

　　　右地記五部，一百二十五卷，已收入《隋志》二部十二卷，未收入《隋志》三部一百十三卷。

十一、譜系

世譜五百卷

見《明帝本紀》。《北史》作一百卷。蕭撝撰,見本傳。《隋志》未收。

右譜系一部,五百卷,未收入《隋志》。

凡史十一類。

丙、子

一、道家

老子道德經品四卷

梁曠撰,見兩《唐志》。《隋志》作《老子》四卷。曠見《薛善傳》,未載。《北史》見《薛慎傳》,未載。

道德經三十卷

盧光撰,見本傳。《北史》作《道德經章句注》。《隋志》未收。

南華論三十卷

梁曠撰,見《隋志》。兩《唐志》作《南華仙人莊子論》。

右道家三部,卷數可考三十四卷,卷數無考一部。未收入《隋志》者二部三十四卷,收入《隋志》者一部。[①]

二、雜家

稱謂五卷

盧辯撰,見《隋志》。《新唐志》同。

墳典三十卷

盧辯撰,見《隋志》。兩《唐志》同入儒家。與辛彥之同撰,亦見《隋書藝文志》。

---

① 按,未收入《隋志》者爲一部三十卷,已收入《隋志》者爲二部三十四卷。

宗誡

西魏文帝寶炬撰，見《北史·周本紀》。《周書·寶炬傳》未載。《隋志》未收。

寓記三卷

蕭大圜撰，見本傳。《北史》同。《隋志》未收。

要決二卷

蕭大圜撰，見本傳。《北史》大圜傳未載。《隋志》未收。

幼訓

王褒撰，見《梁書·王規傳》（褒字子漢）。《隋志》未收。

　　右雜家七部，卷數可考者五部四十三卷，卷數失考者二部。已收入《隋志》者二部三十五卷，未收入《隋志》者五部八卷。

三、小說

瓊林七卷

陰顥撰，見《隋志》。《梁書·陰子春傳》作二十卷。《周書》、《北史》顥皆無傳。《冊府元龜》亦二十卷。

　　右小說一部，七卷，已收入《隋志》。

四、兵家

兵書要略五卷

齊王宇文憲撰，見《隋志》。本傳作五篇。《北史》同。兩《唐志》作十卷。

象經一卷

周武帝撰，見《隋志》。本紀無卷數。《北史》同。兩《唐志》入雜藝術類，同。

象經一卷

王褒注，見《隋志》。本紀無卷數。《史》同，《新唐志》雜藝術類：王褒《象經》一卷。

象經發題義一卷

不著撰人,見《隋志》。姚氏云:"《周書·武帝本紀》:'帝制《象經》成,集百僚講說。'此殆所講之發題義歟?"

右兵家四部,八卷,皆收入《隋志》。

五、天文

周髀一卷

甄鸞重述,見《隋志》。兩《唐志》作甄鸞注。

五星要訣

陸旭撰,見《陸騰傳》。《北史·陸俟傳》同。《隋志》未收。

兩儀真圖

陸旭撰,見《陸騰傳》。《北史·陸俟傳》同。《隋志》未收。

右天文三部,一部一卷,二部無卷數。一部一卷已收入《隋志》,二部未收。

六、曆數

周天和年曆一卷

甄鸞撰,見《隋志》,亦見《曆志》。兩《唐志》:曆術一卷,甄鸞撰。

周大象年曆一卷

王琛撰,見《隋志》。兩《唐志》作二卷。《隋書·滕嗣王綸傳》有術者王琛。

曆術一卷

王琛撰,見《隋志》。

周武成曆

明帝敕明克讓撰,見本紀。《北史》克讓傳同。《隋志》未收。《周書》無克讓傳,《隋志》有傳,未載此書。

七曜本起二卷

甄叔遵撰作,後魏人,見《隋志》。《舊唐志》:"《七曜本起

曆》二卷。"①不著撰人。《新唐志》:"《七曜本起曆》五卷,甄
鸞撰。"②由此可知鸞字叔遵。

七曜算術二卷

甄鸞撰,見《隋志》。兩《唐志》作《七曜曆算》。

漏刻經

尹公正、馬顯撰。見《隋·天文志》。《隋志》未收。

九章算術二卷

徐岳、甄鸞重述,見《隋志》。兩《唐志》:《九章算經》,甄鸞撰。

九章算經二十九卷

徐岳、③甄鸞等撰,見《隋志》。

五經算術一卷

不著撰人,見《隋志》。《四庫提要》及錢氏《隋書考異》皆以爲
甄鸞撰。

數術記遺一卷

甄鸞注,見兩《唐志》。《隋志》未收。

五曹算經五卷

甄鸞撰,見兩《唐志》。《隋志》未收。

孫子算經三卷

甄鸞撰注,見兩《唐志》。《隋志》未收。

張丘建算經一卷

甄鸞注,見兩《唐志》。《隋志》未收。

夏侯陽算經三卷

甄鸞注,見兩《唐志》。《新唐志》作一卷。《隋志》未收。

---

① "起曆二",原闕,據中華書局 1975 年點校本《舊唐書》補。
② "起曆五",原闕,據中華書局 1975 年點校本《新唐書》補。按,中華點校本無
"甄鸞撰"三字。
③ "徐",原闕,據中華書局 1973 年點校本《隋書》補。

董泉三等數一卷

甄鸞注,見兩《唐志》。《隋志》未收。

> 右曆數十七部,卷數可考者十四部五十四卷,卷數失考者
> 三部。已收入《隋志》者八部四十卷,未收入《隋志》者九部
> 十四卷。

七、五行

九宮行基立成法一卷

王琛撰,見《隋志》(《志》誤爲"九宮九州","琛"誤爲"深")。
兩《唐志》同。

太一飛鳥曆一卷

王琛撰,見《隋志》。

黃帝九宮遁甲一卷

王琛撰,見《隋志》。

六情法一卷

王琛撰,見《隋志》。兩《唐》:《風角六情訣》一卷,王琛撰。

遁甲開山圖一卷

王琛撰,見《隋志》,《志》不著撰人。據兩《唐志》係王琛撰(張
彥遠《歷代名畫記》作王粲,"粲"爲"琛"之誤)。

推產婦何時產法一卷①

王琛撰,見《隋志》。兩《唐志》同。

廣堪十卷

蕭圓肅撰,見本傳。《北史》同。《隋志》未收。

元包數五卷

衛元嵩撰,見嚴氏《全後周文》。《隋志》未收。

> 右五行八部,二一卷,已收入《隋志》六部六卷,未收入《隋

---

① "推",原作"准",據中華書局 1973 年點校本《隋書》改。

　　志》二部十五卷。

八、醫方

姚大夫集驗方十二卷

　　姚僧垣撰，見《隋志》。本傳同。《北史》同。①《日本書目》：
　　《雜藥方》一卷，《集驗》十二卷，大夫撰。

集驗方十卷

　　姚僧垣撰，見《隋志》。兩《唐志》同。《日本書目》：《集驗方》
　　十二卷，姚僧垣撰。

　　　右醫方二部，二十二卷，已收入《隋志》。

　　　凡子八類。

丁、集

一、別集

後周明帝集九卷

　　見《隋志》。本紀作十卷。《北史》同。兩《唐志》同（《新志》誤
　　作十卷）。嚴輯文十四篇。馮輯詩三篇。

後周趙王集八卷

　　本傳作十卷。《北史》同。兩《唐志》同。《日本書目》同。馮
　　輯詩一首。

後周滕簡王集八卷

　　本傳無卷數。《北史》同。兩《唐志》作十二卷。嚴輯文二篇，
　　云"《集》九卷"。馮輯詩四首。

宗懍集十二卷并録

　　本傳作二十卷。《北史》作二十八。《舊唐志》"三十卷"。《新

―――――――

　　① "同"，原闕，據文義補。

唐志》"三十卷"。馮輯詩四首。

沙門釋亡名集十卷

亡誤作忘。兩《唐志》同。《日本書目》同。《法苑珠林》作二
十卷。嚴輯文三篇。馮輯詩六首。

王褒集二十一卷并録

《舊唐志》"三十卷"。《新唐志》"二十卷"。嚴輯文二十六篇。
馮輯詩二十九篇，樂府十八篇。張輯同。

蕭撝集十卷

本傳無卷數。《北史》同。兩《唐志》"十卷"。嚴輯文一篇。
馮輯詩五首。

庾信集二十一卷并録

本傳作二十卷。《北史》同。兩《唐志》、《日本書目》同。

　　以上八家八部見《隋志》。

王衡集三卷

見兩《唐志》。《隋志》未收。

蕭圓肅集十卷

見本傳，《北史》同。《隋志》未收。嚴輯文一篇。

蕭大圜集二十卷

見本傳。《北史》作十卷。《隋志》未收。嚴輯文二篇。

薛慎集

見本傳。《北史》同。《隋志》未收。

薛寘集二十餘卷

見本傳。《北史》作三十卷。《隋志》未收。

蘇亮集

見本傳。《北史》同。《隋志》未收。

柳虯集

見本傳。《北史》同。《隋志》未收。

柳弘集

見本傳。《北史》本傳同。《隋志》未收。

唐瑾集

見本傳。《北史》同。《隋志》未收。

吕思禮集

見本傳。《北史》同。《隋志》未收。

劉璠集二十卷

見本傳。《北史》同。《隋志》未收。嚴輯文一篇。

顔之儀集十卷

見本傳。《北史》同。《隋志》未收。

蕭詧集十五卷

見本傳。《北史》同。《隋志》未收。

蕭歸集

見本傳。《北史》同。《隋志》未收。

蔡大寶集二十卷

見本傳。《北史》作三十卷。《隋志》未收。

甄玄成集二十卷

見本傳。《北史》同。《隋志》未收。

岑善方集十卷

見本傳。《北史》同。《隋志》未收。

傅淮集二十卷

見本傳。《史》無傳。《隋志》未收。

蕭欣集三十卷

見本傳。《史》無傳，《隋志》未收。

范迪文集十卷

見本傳。《史》無傳。《隋志》未收。

沈君游文集十卷

見本傳。《北史》無傳。《隋志》未收。

盧柔集

見本傳。《北史》無傳。《隋志》未收。

二、總集

文海五十卷

蕭圓肅撰，見《隋志》（志不著撰人）。本傳作四十卷。《北史》同。兩《唐志》作三十六卷（脱“肅”字）。

詔集區分四十一卷

宗幹撰，見《隋志》。兩《唐志》：《詔集區別》二十七卷，宗幹撰。

後周雜詔八卷

不著撰人，見《隋志》。

後周與齊軍國書二卷

不著撰人，見《隋志》。

諫苑四十一卷

樂運撰，見本傳。《北史》同。《隋志》未收。

梁元帝玄覽賦注

蔡大寶撰，見本傳。《北史》本傳未載。《隋志》未收。

右總集六部，卷數可考者五部一百四十二卷，卷數失考者一部。已收入《隋志》者四部一百一卷，未收入《隋志》者二部四十一卷。

附佛經

內典華嚴般若法華金光明義疏四十六卷

蕭詧撰，見本傳。《北史》作三十六卷。《隋志》未收。

大小乘幽微十四卷

蕭巋撰，見本傳，無卷數。《北史》同。《隋書》本傳作十四卷。
亦見《隋藝文志》。《隋志》未收。

佛性論

蘇綽撰，見《齊書·杜弼傳》。《北史》同。《隋志》未收。

三教序

韋敻撰，見本傳。《北史》同。《隋志》未收。

補南北史藝文志

徐　崇　撰

張海峰　整理

底本:1955 年中華書局影印開明書店《二十五史補編》本

序

　　自《前漢書》有《藝文志》、《隋書》有《經籍志》，由是作者繼起，《舊唐書》志曰經籍，《新唐書》暨《宋》、《明》兩史志曰藝文，蓋學術之淵源，風氣之變遷，人才之消長，胥於此覘其大概焉。惟二十四史官書中具藝文或經籍志者凡六，已見上。闕者十八。洎乎清代，私家著述步武前賢，故《後漢書》、《三國志》藝文志，則侯氏康所撰也。《後漢書》、《三國志》其藝文各爲一書。《晉書》藝文志，則丁氏國鈞、文氏廷式所撰也。丁、文兩氏各爲一書。《五代史》藝文志則顧氏櫰三所撰也。《遼》、《金》、《元》三史藝文志，則倪氏璠、盧氏文弨、金氏門詔所撰也。倪、盧、金各爲一書，而金書又名《補三史藝文志》。顧猶未足，《宋史·藝文志》則盧氏文弨補之。《宋史》本有《藝文志》，此其補撰。《元史》藝文志，則錢氏大昕補之。《金》、《遼》、《元》三史，錢氏僅補《元史》藝文。大昕弟大昭，又撰《續漢書藝文志》，以續《漢書》，不在二十四史內，故不列入。其好事者，若鎮海張氏壽榮，又彙刻諸家爲《八史經籍志》。內分《前漢書·藝文志》一卷、《隋书·經籍志》四卷、《新唐書·藝文志》四卷、《舊唐書·經籍志》二卷、《宋史·藝文志》八卷、盧文弨《補宋史藝文志》一卷、《補遼金元藝文志》一卷、金門詔《補三史藝文志》一卷、錢大昕《補元史藝文志》四卷、《明史·藝文志》四卷。雖然，獨《南》、《北史》無藝文志，同時八書中亦僅《隋書》有《經籍志》。世人不詧，每疑《隋·經籍志》兼羅往代，可括八朝，抑知《隋志》經籍與兩史藝文頗多歧出，爲延壽史計，爲八朝藝文計，志皆不容不作。道光間，江寧汪先生士鐸，撰《南北史補志》，《藝文》實居其一，惜稿經流散。同、光間，方都轉濬頤及余家選樓各得殘本，而《藝文》一志均付闕如，滋可憾耳！徐生子高，好古纂業，夙承庭訓，近從余游，稔其原委，遂慨然以補輯爲已任。爰先酌定體例,檢校史册,晨抄暝寫,考異録同,期年而竟竣事。計成《南史藝文志》一卷,《北史藝文志》一卷,《載記》一卷。頃持副本來質於余,並句爲作序。余思生補此志,不必掩古人所已能,要在詳古人所未及,與《隋志》爲殊別,而又與《隋志》爲因依,方克宏延壽之旨趣。兹觀其部署,極相讓相生之致,具相維相繫之情。是以有《隋書·經籍志》而八朝藝文幸見其半,有《南北史藝文志》而八朝藝文益覩其全。且令八朝學術之淵源,風氣之變遷,人才之消長,咸一一著其端緒。吾知時趨衆勢,縱賤遠而貴近,厭故而喜新,然中國歷史亘古不磨,即延壽兩史亘古不廢,將此志附驥,以行事裨實用,或亦士林所不棄歟?上章敦牂玄月九日,江都李肇偁書於不忘履齋。

自序

　　唐李延壽《南》、《北史》有紀有傳而無志，元蔡珪《補南北史志》六十卷，見錢大昕《元史藝文志》。名存書佚，内有《藝文志》否，無從考質。清道光間，江寧汪先生士鐸，爲江夏童太守濂輯補《南北史志》，凡三十卷，《表》一卷。草創甫就，太守遽殁，會東南兵燹，稿亦流落。同治壬申，定遠方都轉濬頤，購獲原册，付諸剞劂，即今淮南局本是也。顧缺而不完，僅刻《天文》、《地理》、《五行》、《禮儀》四志，餘若《輿服》、《樂律》、《刑法》、《職官》、《食貨》、《氏族》、《釋老》、《藝文》及《表》，均有目無書。近見江都選樓李氏收藏先生剩稿，舉局本所未刻者，歷歷具在，衹闕《藝文志》及《表》而已。案清周氏嘉猷撰有《南北史表》六卷，《史表》一卷、《皇帝世系表》一卷、《世系表》四卷，乾隆癸卯年刊。差可參閱，特《藝文志》必需重編。然而欲補斯志，審慎區畫，要當自體例始。今夫史有史體，志爲《南》、《北史》作，例緣體起，盂圓水圓，盂方水方，豈容增損，請先即其體而論之。南北八朝著述繁富，《隋書·經籍志》及《南》、《北史》紀、傳兩書藝文，往往錯不一致。蓋延壽《南》、《北史》本與八書別行，南朝《宋》、《齊》、《梁》、《陳》四書，北朝《魏》、《齊》、《周》、《隋》四書。《隋書·經籍志》本爲延壽所撰，《北史》載延壽《進南北史表》云：貞觀十年，《隋書》十志敕召延壽撰録。又云：其志始末是臣所修。《經籍志》乃《隋書》十志之一，自是延壽所撰。今《隋志》結銜稱長孫無忌等，則延壽必在其中，當無疑義。惟《隋·經籍志》限於秘閣現存殘帙，說見《隋書·經籍志》序。而《南》、《北史》紀、傳除八代正史，即前所稱八書。更勘雜史一千餘卷，皆以編入。說見延壽《進南北史表》。于是藝文之所來異源，無怪藝文之所載歧出，此宜就其體以酌其例者矣。試再即其例而言之，《隋書》已志經籍，《南》、《北史》又志藝文，説者謂兼羅並納，方顯博綜，余意不然。竊思延壽《南》、《北》二史既與八書別行，則采擇藝文，允合以《南》、《北史》紀、傳爲準。凡藝文不見於《南》、《北史》紀、傳者，《志》概不錄。《隋書‧經籍志》既爲延壽親撰，則四部門目，不妨以《隋‧經籍志》爲衡。惟《隋志》有此門目，而《南》、《北史》紀、傳中無藝文可入者，其門目從闕。但使藝文與紀、傳相符，復與《隋志》相配，内不失延壽之意旨，外不越延壽之法程。此宜定其例，以從其體者矣。至于志中加注，首及紀、傳，示核實也。次徵八書，供參考也。下列《隋志》，重互證也。時綴按語，詳顛末也。攟拾經年，排比粗畢，計得《南》、《北史藝文志》各一卷，附《載記》一卷。凡藝文不見於《南》、《北史》紀、傳，而僅見於八書中者，載記於此，《隋書‧經籍志》除外。蓋有此《載記》，可補《南》、《北史》藝文所未采，而南朝《宋》、《齊》、《梁》、《陳》，北朝《魏》、《齊》、《周》七書，其藝文志並可省撰。卷雖無多，而藝文大備。其不見於《隋志》者，竟居十之六七，好古君子，尚其鑒諸。若夫金石碑版，此當立金石志，故省。零章隻句，此嫌篇幅破碎，故省。禁書妖讖，此嫌誕妄矯誣，故省。如《孔子閉房記》等書是。删遵前規，遵汪氏《南北史補志》序及《藝文志》贊。吾無恤焉。庚午九月朔日，南陵徐崇自識於靈華館之南軒。

補南北史藝文志卷一

南史

經

經之類，凡九：曰易，曰尚書，曰詩，曰禮，曰樂，曰春秋，曰孝經，曰論語，_{附五經總義。}曰小學。

易

[宋]

駁顧悅之難王弼易義　關康之撰，見本傳。《宋書》同。《隋·經籍志》未收。

[齊]

易義釋　祖沖之撰，見本傳。《齊書》同。《隋·經籍志》未收。

王弼易二繫注　顧歡撰，見本傳。《齊書》同。《隋·經籍志》未收。

周易兩繫注　沈麟士撰，見本傳。《齊書》同。《隋·經籍志》未收。

易經要略　沈麟士撰，見本傳。《齊書》同。《隋·經籍志》未收。

[梁]

周易講疏 武帝撰,見本紀。《梁書》同。《隋·經籍志》:《周易講疏》三十五卷,梁武帝撰。

六十四卦二繫文言序卦等義 武帝撰,見本紀。《梁書》同。《隋·經籍志》:《周易大義》一卷,《周易繫辭義》一卷,梁武帝撰。

周易講疏十卷 元帝撰,見本紀。《梁書》同。《隋·經籍志》未收。

易講疏 朱异撰,見本傳。《梁書》同。《隋·經籍志》注:朱异集注《周易》一百卷,亡。

續朱異集注周易一百卷① 孔子祛撰,見本傳。《梁書》同。《隋·經籍志》未收。

周易集解 伏曼容撰,見本傳。《梁書》同。《隋·經籍志》注:伏曼容注《周易》八卷,亡。

易講疏 駕瑒撰,見本傳。《梁书》同。《隋·经籍志》未收。

[陳]

周易講疏十六卷 周弘正撰,見本傳。《陳書》同。《隋·經籍志》同。

周易義 張譏撰,見本傳。《陳書》譏傳:《周易》三十卷。② 《隋·經籍志》:《周易講疏》三十卷,張譏撰。

右易十四部,已收《隋·經籍志》者六部,未收《隋·經籍志》者八部。

---

① "朱異",汲古閣本、武英殿本、中華書局標點本(以下簡稱中華本)《南史·孔子祛傳》作"朱异"。

② "周易",汲古閣本、武英殿本、中華本《陳書·張譏傳》作"周易義"。

尚書

[宋]

古文尚書注

姜道盛撰,見《劉懷敬傳》。《宋書》道盛見《劉懷肅傳》,同。
《隋·經籍志》:《集釋尚書》十一卷,姜道盛撰。

[齊]

尚書要略　沈麟士撰,見本傳。《齊書》同。《隋·經籍志》
未收。

[梁]

尚書大義　武帝撰,見本紀。《梁書》同。《隋·經籍志》:《尚書
大義》二十卷,梁武帝撰。

尚書義二十卷　孔子袪撰,見本傳。《梁書》同。《隋·經籍志》
未收。

尚書集注二十卷　孔子袪撰,見本傳。《梁書》同。《隋·經籍
志》未收。

[陳]

尚書義十五卷　張譏撰,見《本傳》。《陳書》同。《隋·經籍志》
未收。

右尚書六部,已收《隋·經籍志》者二部,未收《隋·經籍志》者
四部。

詩

[宋]

毛詩義　關康之撰,見本傳。《宋書》同。《隋·經籍志》未收。

毛詩六義　周續之撰,見本傳。《宋書》同。《隋·經籍志》
未收。

[梁]

毛詩答問　武帝撰,見本紀。《梁書》同。《隋·經籍志》未收。

毛詩總集六卷　何胤撰,見本傳。《梁書》同。《隋·經籍志》
注:《毛詩總集》六卷,何胤撰,亡。

毛詩隱義十卷　何胤撰,見本傳。《梁書》同。《隋·經籍志》
注:《毛詩隱義》十卷,何胤撰,亡。

風雅比興義十五卷　許懋撰,見本傳。《梁書》同。《隋·經籍
志》未收。

毛詩集注二十二卷　崔靈恩撰,見本傳。《梁書》同。《隋·經
籍志》:《集注毛詩》二十二卷,崔靈恩撰。

毛詩集解　伏曼容撰,見本傳。《梁書》同。《隋·經籍志》
未收。

[陳]

毛詩義八卷　張譏撰,見本傳。《陳書》譏傳:《毛詩義》二十卷。
《隋·經籍志》未收。

毛詩義疏　顧越撰,見本傳。《陳書》越傳未載。《隋·經籍志》
未收。

右詩十部,已收《隋·經籍志》者三部,未收《隋·經籍志》者
七部。

禮

[宋]

禮論　文帝撰,見《傅隆傳》。《宋書》同。《隋·經籍志》未收。
按《南史》隆傳:"文帝以新撰《禮論》付隆,使更下意。隆表上

五十二事。"

禮論 何承天撰,見本傳。《宋書》承天傳:《禮論》三百卷。《隋·經籍志》:《禮論》三百卷,宋御史中丞何承天撰。

禮論十卷 關康之撰,見本傳。《宋書》同。《隋·經籍志》未收。

禮論 周續之撰,見本傳。《宋書》同。《隋·經籍志》未收。

禮記中庸篇注 戴顒撰,見本傳。《宋書》同。《隋·經籍志》:《禮記中庸傳》二卷,戴顒撰。

禮答問 徐廣撰,見本傳。《宋書》同。《隋·經籍志》:《禮論答問》八卷,徐廣撰。

[齊]

何承天禮論別抄 條目十三卷 王儉撰,見本傳。《齊書》儉傳未載。《隋·經籍志》未收。

古今喪服集記 王儉撰,見本傳。《齊書》問。《隋·經籍志》:《喪服古今集記》三卷,王儉撰。

世行五卷 王逡之撰,見本傳。《齊書》同。《隋·經籍志》:《喪服世行要記》十卷,齊王逸撰。按《南史》逡之傳:"王儉撰《古今喪服集記》,逡之難儉十一條,更撰《世行》五卷。"《隋志》作齊王逸撰,"逡"作"逸",並省去"之"字。

禮記要略 沈麟士撰,見本傳。《齊書》同。《隋·經籍志》未收。

喪服要略 沈麟士撰,見本傳。《齊書》同。《隋·經籍志》注:《喪服經傳義疏》一卷,沈麟士撰。

禮捃拾三十卷 婁幼瑜撰,見本傳,并《劉瓛傳》。《齊書》幼瑜見《徐伯珍傳》,有《禮捃遺》三十卷。《隋·經籍志》未收。

[梁]

中庸講疏 武帝撰,見本紀。《梁書》同。《隋·經籍志》:《中庸講義》一卷，梁武帝撰。

制旨禮記正言　武帝撰，見《張縉傳》。《梁書》同。《隋・經籍志》未收。按《南史》縉傳："大同四年，出爲豫章内史，在郡述《制旨禮記正言》義。"

禮大義　簡文帝撰，見本紀。《梁書・簡文紀》：《禮大義》二十卷。《隋・經籍志》未收。

禮記隱義二十卷　何胤撰，見本傳。《梁書》同。《隋・經籍志》未收。

禮答問五十五卷　何胤撰，見本傳。《梁書》同。《隋・經籍志》未收。

喪服集注二卷　裴子野撰，見本傳。《梁書》子野傳：《喪服集注》三卷。《隋・經籍志》：《喪服傳》一卷，裴子野撰。

孝經喪服義十五卷　明山賓撰，見本傳。《梁書》山賓傳：《孝經喪禮服義》十五卷。《隋・經籍志》未收。

禮疑義　周捨撰，見《孔休源傳》。《梁書》同。《隋・經籍志》：《禮疑義》五十五卷，周捨撰。按《南史》休源傳："時周捨《禮疑義》自漢魏至于齊、梁，並皆搜采休源所有奏議，咸預編録"。

禮論　范岫撰，見本傳。《梁書》同。《隋・經籍志》未收。

禮講疏　朱异撰，見本傳。《梁書》同。《隋・經籍志》未收。

禮講疏　賀瑒撰，見本傳。《梁書》同。《隋・經籍志》未收。

喪服集解　伏曼容撰，見本傳。《梁書》同。《隋・經籍志》未收。

周禮集注四十卷　崔靈恩撰，見本傳。《梁書》同。《隋・經籍志》：《集解周官禮》二十卷，崔靈恩撰。

禮議　何佟之撰，見本傳。《梁書》佟之傳作《禮義》。《隋・經籍志》：《禮答問》十卷，梁二十卷，何佟之撰。

續何承天禮論一百五十卷　孔子袪撰，見本傳。《梁書》同。《隋・經籍志》未收。

禮記講疏五十卷　皇侃撰，見本傳。《梁書》同。《隋·經籍志》：《禮記講義》四十八卷，皇侃撰。

禮記義　皇侃撰，見本傳。《梁書》同。《隋·經籍志》：《禮記義疏》九十九卷，皇侃撰。

喪服儀文字體例　庾曼容撰，見《庾詵傳》。《梁書》同。《隋·經籍志》未收。

三禮講疏　賀琛撰，見本傳。《梁書》同。《隋·經籍志》未收。

三禮義宗三十卷　崔靈恩撰，見本傳。《梁書》靈恩傳：《三禮義宗》四十七卷。《隋·經籍志》同。

[陳]

三禮義記　戚袞撰，見本傳。《陳書》同。《隋·經籍志》未收。

禮記義四十卷　戚袞撰，見本傳。《陳書》同。《隋·經籍志》未收。按《南史》袞傳："袞於梁代撰《三禮義記》，逢亂亡失。惟《禮記義》四十卷行於世。"此即《三禮義記》之一。

禮記義記　沈文阿撰，見本傳。《陳書》文阿傳未載。《隋·經籍志》未收。

喪服義疏　顧越撰，見本傳。《陳書》越傳未載。《隋·經籍志》未收。

禮記音二卷　王元規撰，見本傳。《陳書》同。《隋·經籍志》未收。

右禮三十七部，已收《隋·經籍志》者一十四部，未收《隋·經籍志》者二十三部。

樂

[宋]

新弄五部　戴勃撰，見《戴顒傳》。《宋書》同。《隋·經籍志》

未收。

新弄十五部 長弄一部 戴顒撰,見本傳。《宋書》同。《隋·經籍志》未收。按《南史》顒傳:"父逵,兄勃。顒及兄勃並受琴於父,父殁,所傳之聲不忍復奏,各造《新弄》。勃制五部,顒制十五部,顒又制《長弄》一部,並傳於世。"《隋志》有《琴譜》四卷,戴氏撰。有姓,無名,疑即此書。

[梁]

樂社義 武帝撰,見本紀。《梁書》同。《隋·經籍志》:《樂社大義》十卷,梁武帝撰。

右樂三部,已收《隋·經籍志》者一部,未收《隋·經籍志》者二部。

春秋

[宋]

穀梁春秋注 孔默之撰,見《孔淳之》傳。《宋書》同。《隋·經籍志》未收。

公羊注 周續之撰,見本傳。《宋書》同。《隋·經籍志》未收。

左氏列國篇 及 木圖 謝莊撰,見本傳。《宋書》同。《隋·經籍志》未收。按《南史》莊傳:"分《左氏》經傳,隨國立篇。製木方丈,圖山川土地,各有分理。離之則州郡殊別,合之則宇内爲一。"

[齊]

春秋例苑三十卷。 蕭子懋撰,見本傳。《齊書》同。《隋·經籍志》:《春秋左傳例苑》十九卷。無撰人姓名。

春秋要略 沈麟士撰,見本傳。《齊書》同。《隋·經籍志》未收。

[梁]

春秋答問　武帝撰,見本紀。《梁書》同。《隋·經籍志》未收。

春秋義　劉之遴撰,見本傳。《梁書》同。《隋·經籍志》未收。按《南史》之遴傳:"時《周易》、《尚書》、《禮記》、《毛詩》並有武帝義疏,唯《左氏》尚闕,之遴乃著《春秋大意》十科,《左氏》十科,《三傳異同》十科,合三十事上之。帝大悦,詔答曰:'省所撰《春秋義》,比事論書,辭旨微遠。'"

申杜難服　虞僧誕撰,見《崔靈恩傳》。《梁書》同。《隋·經籍志》未收。按《南史》靈恩傳:"靈恩著《左氏條義》申服難杜,時助教虞僧誕又精杜學,因作《申杜難服》以答靈恩,世並傳焉。"

左氏經傳義二十二卷　崔靈恩撰,見本傳。《梁書》同。《隋·經籍志》:《春秋左氏傳立義》十卷,崔靈恩撰。

左氏條例十卷　崔靈恩撰,見本傳。《梁書》同。《隋·經籍志》:《春秋申先儒傳論》十卷,崔靈恩撰。按《南史》靈恩傳:"靈恩先習《左傳》服解,不爲江東所行,乃改説杜義。每文句常申服以難杜,遂著《左氏條義》以明之。"傳又云:"撰《左氏條例》十卷。"當與《左氏條義》爲一書。《隋志》所載《申先儒傳論》十卷,《唐書·藝文志》稱《申先儒傳例》,因知與《左氏條例》亦當爲一書。

公羊穀梁文句義十卷　崔靈恩撰,見本傳。《梁書》同。《隋·經籍志》未收。

[陳]

春秋義記　沈文阿撰,見本傳。《陳書》文阿傳未載。《隋·經籍志》:《春秋左氏經傳義略》二十五卷,沈文阿撰。

春秋發題辭及義記十一卷　王元規撰,見本傳。《陳書》同。《隋·經籍志》:《續沈文阿春秋左氏傳義略》十卷,王元規撰。

左氏音　王元規撰,見本傳。《陳書》同。《隋·經籍志》未收。

右春秋十四部,已收《隋·經籍志》者五部,未收《隋·經籍志》
　者九部。

孝經

[宋]

孝經注　釋慧琳撰,見《天竺迦毗黎國傳》。《宋書》同。《隋·
　經籍志》:《孝經》一卷,釋慧琳撰。①

[齊]

孝經注　祖冲之撰,見本傳。《齊書》同。《隋·經籍志》未收。

孝經要略　沈麟士撰,見本傳。《齊書》同。《隋·經籍志》未收。

孝經義疏　周顒撰,見《文惠皇太子傳》。《齊書》同。《隋·經
　籍志》注《齊永明三年東宫講孝經義疏》一卷,亡。按《南史·
　文惠皇太子長懋傳》:"永明三年,於崇正殿講《孝經》,少傅王
　儉令太子僕周顒撰爲《義疏》。"

[梁]

孝經義　武帝撰,見本紀。《梁書》同,《隋·經籍志》:《孝經義
　疏》十八卷,梁武帝撰。

孝經喪服義十五卷　明山賓撰,見本傳。《梁書》山賓傳:《孝經
　喪禮服義》十五卷。《隋·經籍志》未收。

孝經注　江避撰,見《何遜傳》。《梁書》同,"避"誤作"遜"。②
　《隋·經籍志》注:《孝經》一卷,江遜注。"遜"亦"避"字之誤。

---

①　"撰",武英殿本、中華本《隋書·經籍志》作"注"。

②　"避",武英殿本、中華本《梁書·何遜傳》作"避",徐崇所用汲古閣本作"遜"。
下"論語注"條同。

孝經集注　陶弘景撰,見本傳。《梁書》弘景傳未載。《隋·經籍志》注:陶弘景《集注孝經》一卷,亡。

[陳]

孝經義疏　顧越撰,見本傳。《陳書》越傳未載。《隋·經籍志》未收。

孝經義疏　張譏撰,見本傳。《陳書》同。《隋·经籍志》未收。

孝經義記　沈文阿撰,見本傳。《陳書》文阿傳未載。《隋·經籍志》未收。

孝經義記二卷　王元規撰,見本傳。《陳書》同。《隋·經籍志》未收。

孝經疏二卷　周弘正撰,見本傳。《陳書》同。《隋·經籍志》:《孝經私記》二卷,周弘正撰。

右孝經十三部,已收《隋·經籍志》者六部,未收《隋·經籍志》者七部。

論語　并五經總義

[宋]

續衛瓘論語注　明帝撰,見本紀。《宋書》同。《隋·經籍志》注:《論語補闕》二卷,宋明帝補衛瓘闕,亡。

[齊]

論語注　祖冲之撰,見本傳。《齊書》同。《隋·經籍志》未收。

論語要略　沈麟士撰,見本傳。《齊書》同。《隋·經籍志》未收。

五經論問　虞愿撰,見本傳。《齊書》同。《隋·經籍志》未收。

[梁]

孔子正言　武帝撰,見本紀。《梁書》同。《隋·經籍志》:《孔子正言》二十卷,梁武帝撰。

五經講疏　武帝撰，見《簡文帝紀》及《孔子袪傳》。《梁書》同。《隋·經籍志》未收。按《南史·簡文紀》："嘗於玄圃講武帝所製《五經講疏》，聽者傾朝野。"《子袪傳》："武帝撰《五經講疏》，專使孔子袪檢閲羣書以爲義證。"今《武帝紀》及《隋志》祇有《周易講疏》，《隋志》并記明三十五卷，餘均未載。

論語注　江避撰，見《何遜傳》。《梁書》同，"避"誤作"遜"。《隋·經籍志》未收。

論語義　伏曼容撰，見本傳。《梁書》同。《隋·經籍志》未收。

論語義　皇侃撰，見本傳。《梁書》侃傳：《論語義》十卷。《隋·經籍志》同。

論語集注　陶弘景撰，見本傳。《梁書》弘景傳未載。《隋·經籍志》注：陶弘景注《論語》十卷，亡。

五經義　賀瑒撰，見本傳。《梁書》同。《隋·經籍志》未收。按《南史》瑒傳："天監四年，初開五館，以瑒兼五經博士，別詔爲皇太子定禮，撰《五經義》。"

五經滯義　賀琛撰，見本傳。《梁書》同。《隋·經籍志》未收。

長春義記一百卷　簡文帝撰，見本紀。《梁書》同。《隋·經籍志》同。按《南史·徐陵傳》："梁簡文在東宮撰《長春義記》，使陵爲序。"《沈文阿傳》："梁簡文撰《長春義記》，多使文阿撮異聞以廣之。"《許懋傳》："中大通三年，太子詔與諸儒録《長春義記》。"

朝廷博士議　賀瑒撰，見本傳。《梁書》同。《隋·經籍志》未收。按《南史》瑒傳："所著《朝廷博士議》數百篇。"

新謚法　賀琛撰，見本傳。《梁書》同。《隋·經籍志》：《謚法》五卷，梁太府賀瑒撰，"琛"誤"瑒"。①

---

①　"梁太府賀瑒"，姚振宗《隋書經籍志考證》認爲當是"梁太府卿賀琛"。

附益謚法一卷 裴子野撰，見本傳。《梁書》同。《隋·經籍志》
未收。

[陳]

論語疏十一卷 周弘正撰，見本傳。《陳書》同。《隋·經籍志》
未收。

論語義 張譏撰，見本傳。《陳書》譏傳:《論語義》二卷。《隋·
經籍志》未收。

論語義記 沈文阿撰，見本傳。《陳書》文阿傳未載。《隋·經
籍志》未收。

論語義疏 顧越撰，見本傳。《陳書》越傳未載。《隋·經籍志》
未收。

經典大義 沈文阿撰，見本傳。《陳書》文阿傳:《經典大義》十
八卷。《隋·經籍志》:《經典大義》十二卷，沈文阿撰。

續經典大義十四卷 王元規撰，見本傳。《陳書》同。《隋·經
籍志》未收。

游玄桂林二十四卷 張譏撰，見本傳。《陳書》同。《隋·經
籍志》:《游玄桂林》九卷，張譏撰。按《隋志》子部道家:
《游玄桂林》二十一卷，目一卷，張譏撰。與此互見，而卷
各殊。

右論語并五經總義，二十三部，已收《隋·經籍志》者八部，未收
《隋·經籍志》者一十五部。

小學

[宋]

纂文 何承天撰，見本傳。《宋書》同。《隋·經籍志》注:梁有
《纂文》三卷，亡，無撰人姓名。

[齊]

四聲切韻　周顒撰,見本傳。《齊書》顒傳未載。《隋·經籍志》
未收。

四聲論　王斌撰,見《陸厥傳》。《齊書》厥傳未載。《隋·經籍
志》未收。按《南史》厥傳:"時有王斌者,不知何許人,著《四
聲論》,行於世。"

[梁]

千字文　蕭子範撰,見《蕭子廉傳》。《梁書》子範傳同。《隋·
經籍志》未收。

蕭子範千字文注　蔡邁撰,見《蕭子廉傳》。《梁書》子範傳同。
《隋·經籍志》未收。

千字文　周興嗣撰,見本傳。《梁書》同。《隋·經籍志》:《千字
文》一卷,周興嗣撰。

字訓　范岫撰,見本傳。《梁書》同。《隋·經籍志》未收。按
《南史·劉杳傳》:"范岫撰《字書音訓》又訪杳焉。"

四聲譜　沈約撰,見本傳。《梁書》同。《隋·經籍志》:《四聲》
一卷,梁太子少傅沈約撰。

[陳]

玉篇　顧野王撰,見本傳。《陳書》野王傳:《玉篇》三十卷。
《隋·經籍志》:《玉篇》三十一卷,陳左將軍顧野王撰。按《南
史·蕭子顯傳》:"顯子愷,才學譽望,時論以方其父。先是太
學博士顧野王奉令撰《玉篇》,簡文嫌其簡略未當,愷以博
學,[1]於文字尤善,使更與學士刪改。"蓋野王仕終於陳,故傳
在《陳書》,而撰《玉篇》則固在梁時也。

右小學九部,已收《隋·經籍志》者四部,未收《隋·經籍志》者

---

① "愷以",汲古閣本、武英殿本、中華本《南史·蕭子顯傳》作"以愷"。

五部。

凡經類一百二十九部,已收《隋·經籍志》者四十九部,未收《隋·經籍志》者八十部。

史

史之類,凡十有三:曰正史,曰別史,曰雜史,曰霸史,曰起居注,曰舊事,曰職官,曰儀注,曰刑法,曰雜傳,曰地記,曰譜系,曰簿録。

正史

[宋]

後漢書　范曄撰,見本傳。《宋書》同。《隋·經籍志》:《後漢書》九十七卷,范曄撰。

司馬遷史記注　裴駰撰,見《裴松之傳》。《宋書》同。《隋·經籍志》:《史記》八十卷,宋南中郎外兵參軍裴駰注。

陳壽三國志注　裴松之撰,見本傳。《宋書》同。《隋·經籍志》:《三國志注》六十卷,裴松之撰。

晉書　謝靈運撰,見本傳,《宋書》同。《隋·經籍志》:《晉書》三十六卷,謝靈運撰。按《南史》靈運傳:"奉令撰《晉書》,粗立條流,書竟不就。"《隋志》所載即此,實靈運未就之書也。

晉中興書　何法盛撰,見《徐廣傳》。《宋書》法盛無傳。《隋·經籍志》:《晉中興書》七十八卷,何法盛撰。按《南史》廣傳:

"時有高平郄紹作《晋中興書》,數以示何法盛,盛有意圖之。書成,在齋廚中,法盛詣紹,紹不在,直入竊書。紹還失之,無復兼本。於是遂行何書焉。"

宋國史 何承天撰,見本傳,《宋書》同。裴松之撰,見本傳,《宋書》同。山謙之撰,見《徐爰傳》,《宋書》同。蘇寶生撰,見《徐爰傳》,《宋書》同。徐爰撰,見本傳,《宋書》同。丘巨源撰,見本傳,《齊書》同。《隋‧經籍志》未收。按《南史》承天傳:"元嘉十六年,除著作佐郎,撰《國史》。"松之傳:"拜中散大夫,尋爲國子博士,大中大夫。使續成何承天《國史》,未及撰述,卒。"爰傳:"元嘉中,使何承天草創《國史》。孝武初,又使山謙之、蘇寶生踵成之。孝建六年,又以爰領著作郎,使終其業。爰因前作,而專成一家之書。上表'起元義熙,爲王業之始,序宣力,①爲功臣之斷。'"巨源傳:"宋明帝大明五年,敕助爰撰《國史》。"爰所撰,別見下。

宋書 徐爰撰,見本傳。《宋書》同。《隋‧經籍志》:《宋書》六十五卷,徐爰撰。又《志》注:梁有宋大明所撰《宋書》六十一卷,亡,無撰人姓名。

[齊]

晋書一百一十卷 臧榮緒撰,見本傳。《齊書》同。《隋‧經籍志》同。

晋史 袁仲明撰,見《丘巨源傳》。《齊書》見《王智深傳》。《隋‧經籍志》未收。按《南史》巨源傳:"仲明,陳郡人,撰《晋史》,未收而卒。"又按《齊書》智深傳:"陳郡袁炳,字叔明,著《晋書》,未成,卒。"

宋書 劉祥撰,見本傳。《齊書》同。《隋‧經籍志》未收。按

---

① 汲古閣本、武英殿本、中華本《南史‧徐爰傳》"序"上有"載"字。

《南史》祥傳:"祥撰《宋書》,譏斥禪代。"

宋書　陸澄撰,見本傳。《齊書》同。《隋·經籍志》未收。按《南史》澄傳:"澄欲撰《宋書》,竟未成。王儉戲之曰'陸公,書廚也'。"

齊國史　檀超撰,見本傳,《齊書》同。江淹撰,見本傳,《梁書》同。謝超宗撰,見本傳,《齊書》同。沈約撰,見本傳,《梁書》同。《隋·經籍志》未收。按《南史》超傳:"制著十志,功未就,江淹足成之。"淹傳:"建元二年,始置史官,與司徒左長史檀超共掌其任。爲《齊史》傳、志十三篇。"超宗傳:"武帝即位,使掌國史。"約傳:"齊建元四年,被敕撰《國史》。永明六年,畢功,上之,爲《齊紀》二十卷。"超所撰十志,與淹撰《齊史》傳、志,爲一書。約所撰《齊紀》二十卷,均別見下。

[梁]

漢書注一百一十五卷　元帝撰,見本紀。《梁書》同。《隋·經籍志》注:梁元帝注《漢書》一百一十五卷,亡。

後漢書一百卷　蕭子顯撰,見本傳。《梁書》同。《隋·經籍志》注:蕭子顯《後漢書》一百卷,亡。

後漢書注　蕭方等撰,見本傳。《梁書》同。《隋·經籍志》未收。按《南史》方等傳:"注范曄《後漢書》未就。"

後漢書集注一百八十卷　劉昭撰,見本傳。《梁書》同。《隋·經籍志》:《後漢書》一百二十五卷,范曄本,梁剡令劉昭注。

後漢書注九十卷　吳均撰,見本傳。《梁書》同。《隋·經籍志》未收。

續漢書注二百卷　王規撰,見本傳。《梁書》同。《隋·經籍志》未收。

漢書真本校異　劉之遴撰,見本傳。《梁書》同。《隋·經籍志》

未收。按《南史》之遴傳："得鄱陽嗣王範得班固真本《漢書》獻東宮，[①]皇太子令之遴、張纘、到溉、陸襄等參校異同，之遴録其異狀數十事。"又按《蕭琛傳》："琛爲宣城太守，有北僧南渡，唯齎一瓠蘆，中有《漢書叙傳》。僧云：'三輔舊書相傳，以爲班固真本。'固求得之，其書多有異今者。後以餉鄱陽王範，獻於東宮。"之遴校異，蓋即據此本也。

漢書續訓二卷　韋稜撰，見本傳。《梁書》稜傳：《漢書續訓》三卷。《隋·經籍志》：《漢書續訓》三卷，韋稜撰。

晋書一百一十卷　蕭子雲撰，見本傳。《梁書》同。《隋·經籍志》：《晋書》十一卷，本一百二卷，梁有，今殘缺，蕭子雲撰。

晋書　沈約撰，見本傳。《梁書》約傳：一百一十卷。《隋·經籍志》注：沈約撰《晋書》一百一十卷，亡。

晋書　陸煦撰，見《陸杲傳》。《梁書》同。《隋·經籍志》未收。按《南史》杲傳："弟煦位太子家令，撰《晋書》未就。"

宋書　沈約撰，見本傳。《梁書》約傳：《宋書》六十卷。《隋·經籍志》：《宋書》一百卷，沈約撰。

齊書六十卷　蕭子顯撰，見本傳。《梁書》同。《隋·經籍志》同。

齊史傳志十三篇　檀超撰，見本傳，《齊書》同。江淹撰，見本傳，《梁書》同。《隋·經籍志》注：江淹撰《齊史》十三卷，亡。按《南史》超傳："建元二年，初置史官，與驃騎記室江淹掌史職。上表立條例：'開元紀號，不取宋年；封爵各詳本傳，无假年表。'又制著十志，多爲左僕射王儉所不同。既與物忤，史功未就。徙交州，於路見殺。江淹足成之，猶不備也。"淹傳：

"建元二年,始置史官,淹與司徒左長史檀超共掌其任。所爲
條例,並爲王儉所駁,其言不行。淹任性文雅,不以著述在
懷,所撰十三篇,竟無次序。"

齊紀二十卷　沈約撰,見本傳。《梁書》同。《隋·經籍志》同。

通史六百卷　梁武帝撰,見本紀。《梁書》同。《隋·經籍志》:
《通史》四百八十卷,梁武帝撰。起三皇迄梁。按《南史·吴
均傳》:"武帝有敕召見,使撰《通史》,起三皇迄齊代,均草本
紀、世家已畢,惟列傳未就,卒。"

梁國史　周捨撰,見本傳,《梁書》同。劉杳撰,見本傳,《梁書》
同。傅昭撰,見《劉顯傳》,《梁書》同。劉顯撰,見本傳,《梁
書》同。裴子野撰,見本傳,《梁書》同。任孝恭撰,見本傳,
《梁書》同。姚察撰,見本傳,《陳書》同。《隋·經籍志》未收。
按《南史》捨傳:"梁武帝即位,召拜尚書祠部郎,遷尚書吏部
郎,太子右衛將軍,①兼掌國史。"杳傳:"佐周捨撰《國史》。"顯
傳:"工兵尚書傅昭掌著作,②撰《國史》,顯自兼廷尉正,被引
爲佐。"子野傳:"吏部尚書徐勉言之於武帝,以爲著作郎,掌
修《國史》。"孝恭傳:"帝聞其才學,召入西省撰史。"察傳:"元
帝於荆州即位,授察原鄉令。後爲佐著作,撰史。"察所撰《梁
史》,別見下。

[陳]

漢書訓纂三十卷　姚察撰,見本傳。《陳書》同。《隋·經籍
志》同。

齊書并志五十卷　許亨撰,見本傳。《陳書》同。《隋·經籍志》

①　"太子右衛將軍",汲古閣本、武英殿本、中華本《南史·周捨傳》作"太子右衛
率,右衛將軍"。

②　"工",汲古閣本、武英殿本、中華本《南史·劉顯傳》作"五"。

未收。

梁史五十八卷　許亨撰,見本傳。《陳書》同。《隋·經籍志》:
《梁史》五十三卷,許亨撰。

梁史　杜之偉撰,見本傳,《陳書》同。顧野王撰,見本傳,《陳
書》同。《隋·經籍志》未收。按《南史》之偉傳:"陳武帝受
禪,除鴻臚卿,再遷大中大夫,仍撰《梁史》。"野王傳:"太建
中,知撰《梁史》事。"

梁史　姚察撰,見本傳。《陳書》同。《隋·經籍志》:《梁書》七
卷,姚察撰。

通史要略一百卷　顧野王撰,見本傳。《陳書》同。《隋·經籍
志》未收。

陳國史　庾持撰,見本傳,《陳書》同。陸瓊撰,見本傳,《陳書》
同。顧野王撰,見本傳,《陳書》同。許善心撰,見本傳,《隋
書》同。《隋·經籍志》未收。按《南史》持傳:"陳天嘉中,歷
鹽官令,秘書丞監,①知國史事。"瓊傳:"陳太建中,領大著作,
撰《國史》。"野王傳:"太建中,領大著作,掌國史。"察傳:"陳
永定中,徐陵爲大著作,復引爲史佐。後主立,兼東宮通事舍
人,知撰史。"善心傳:"至德初,兼撰《陳史》。"瓊所撰《陳史》,
野王所撰《國史紀傳》,察所撰《陳史》,均別見下。

陳史　陸瓊撰,見本傳。《陳書》同。《隋·經籍志》:《陳書》四
十二卷,陸瓊撰。

國史紀傳二百卷　顧野王撰,見本傳。《隋·經籍志》未收。按《南
史》野王傳:"太建中,掌國史,撰《國史紀傳》二百卷,未就而卒。"

陳史　姚察撰,見本傳。《陳書》同。《隋·經籍志》未收。

續司馬遷史記　陸從典撰,見《陸瓊傳》。《陳書》同。《隋·經

---

①　"秘書丞監",汲古閣本、武英殿本、中華本《南史·庾持傳》作"秘書監"。

籍志》未收。按《南史》瓊傳:"子從典,陳亡入隋,任著作佐郎。楊素奏從典續司馬遷《史記》以迄於隋,其書未就。"按從典,《北史》、《隋唐》無傳,今依《南史》附於此。

右正史四十部,已收《隋·经籍志》者二十二部,未收《隋·经籍志》者一十八部。

別史

[宋]

晋紀 裴松之撰,見本傳。《宋書》同。《隋·经籍志》未收。

晋史四十二卷 徐廣撰,見本傳。《宋書》廣傳:《晋紀》四十六卷。《隋·經籍志》:《晋紀》四十五卷,徐廣撰。按《南史》廣傳:"宋武帝二年,尚書奏廣撰成《晋史》,廣所撰《晋紀》四十二卷。"又《荀伯子傳》:"徐廣重其才學,舉伯子及王韶之,並爲佐郎,同修《晋史》。"韶之傳未載。

晋紀二十卷 劉謙之撰,見本傳。《宋書》謙之見《劉康祖傳》,同。《隋·經籍志》:《晋紀》三十三卷,劉謙之撰。

晋安帝陽秋 王韶之撰,見本傳。《宋書》同。《隋·經籍志》:《晋紀》十卷,王韶之撰。按《南史》韶之傳:"韶之得父偉之舊書,因私撰《晋安帝陽秋》。及成,時人謂宜居史職,即除著作佐郎,使續後事,訖義熙九年。善叙事,辭論可觀。"又《蕭韶傳》:"湘東王謂韶曰:'昔王韶之爲《隆安記》十卷。'"知《晋安帝陽秋》一名《隆安記》。

續晋陽秋二十卷 檀道鸞撰,見《檀超傳》。《齊書》超傳未載。《隋·經籍志》:《續晋陽秋》二十卷,宋檀道鸞撰。

[齊]

齊典 熊襄撰,見《檀超傳》。《齊書》同。《隋·經籍志》未收。

按《南史》超傳：“時有豫章熊襄者，著《齊典》，上起十代。其
序云：‘《尚書・堯典》謂之《虞書》，則附所述，通謂之《齊書》，
名爲《河洛金匱》。’”

宋紀三十卷　王智深撰，見本傳。《齊書》同。《隋・經籍志》
未收。

［梁］

干寶晉紀注四十卷　劉彤撰，見《劉昭傳》。《梁書》同。《隋・
經籍志》未收。

宋略二十卷　裴子野撰，見本傳。《梁書》同。《隋・經籍
志》同。

齊春秋三十卷　吳均撰，見本傳。《梁書》同。《隋・經籍志》同。

三十國春秋　元帝世子蕭方等撰，見本傳。《梁書》同。《隋・
經籍志》：《三十國春秋》三十一卷，梁湘東王世子萬等撰。按
《南史》，忠烈世子名“方等”，《隋志》作“萬等”，當係“方”誤作
“万”，又由“万”誤作“萬”也。

齊梁春秋　裴子野撰，見本傳。《梁書》同。《隋・經籍志》
未收。

梁武紀十四卷　沈約撰，見本傳。《梁書》同。《隋・經籍志》
未收。

太清紀十卷　蕭韶撰，見本傳。《梁書》韶無傳。《隋・經籍
志》同。

［陳］

梁典三十卷　何之元撰，見本傳。《陳書》同。《隋・經籍志》
同。按《南史》之元傳：“著《梁典》，起齊永明元年，迄於王琳
被獲，七十五年行事，爲三十卷。”

右別史十五部，已收《隋・經籍志》者九部，未收《隋・經籍志》
者六部。

雜史

[宋]

要記五卷　江夏王劉義恭撰,見本傳。《宋書》同。《隋·經籍志》未收。按《南史》義恭傳:"撰《要記》五卷,起前漢,迄晉太元。表上之,詔付秘閣。"

平定漢中本末　蕭思話撰,見本傳。《宋書》同。《隋·經籍志》未收。按《南史》思話傳:"文帝使思話上《平定漢中本末》,下之史官。"

前傳雜語　何承天撰,見本傳。《宋書》同。《隋·經籍志》:《春秋前雜傳》九卷,何承天撰。

南越志　沈懷遠撰,見《沈懷文傳》。《宋書》同。《隋·經籍志》:《南越志》八卷,沈氏撰。有姓無名。

[齊]

史漢漏事　崔慰祖撰,見本傳。《齊書》同。《隋·經籍志》未收。按《南史》慰祖傳:"臨卒,與從弟緯書云:'欲更注遷、固二史,採《史》、《漢》所漏二百餘事,在廚簏中,可檢寫之,以存大意。'"

蕭太尉記　蘇侃撰,見本傳。《齊書》同。《隋·經籍志》未收。按《南史》侃傳:"侃爲帝太尉諮議,事高帝既久,備悉起居。乃與丘巨源撰《蕭太尉記》,載帝征伐之功。"

大駕南討記　丘靈鞠撰,見本傳。《齊書》同。《隋·經籍志》未收。按《南史》靈鞠傳:"泰始中,明帝使著《大駕南討記》。"

[梁]

皇帝實錄　周興嗣撰,見本傳。《梁書》同。《隋·經籍志》:《皇帝實録》三卷，周興嗣記武帝事。

乘輿龍飛記　鮑行卿撰，見本傳。《梁書》行卿無傳。《隋·經籍志》未收。

普通北伐記五卷　蕭子顯撰，見本傳。《梁書》同。《隋·經籍志》未收。

先聖本記十卷　劉紹撰，見本傳。《梁書》同。《隋·經籍志》同。

史記抄二十卷　袁峻撰，見本傳。《梁書》同。《隋·經籍志》未收。

漢書抄　袁峻撰，見本傳。《梁書》同。《隋·經籍志》未收。

後漢事合抄四十餘卷　裴子野撰，見本傳。《梁書》同。《隋·經籍志》未收。

後漢晋書抄三十卷　張緬撰，見本傳。《梁書》緬傳："抄《後漢書》四十卷，《晋抄》三十卷。"《隋·經籍志》：《後漢略》二十五卷，張緬撰；《晋書抄》三十卷，張緬撰。

皇德記　周興嗣撰，見本傳。《梁書》同。《隋·經籍志》未收。

帝代年曆　陶弘景撰，見本傳。《梁書》同。《隋·經籍志》未收。

帝曆二十卷　庾詵撰，見本傳。《梁書》同。《隋·经籍志》未收。

右雜史十八部，已收《隋·經籍志》者五部，未收《隋·經籍志》者一十三部。

霸史

[宋]

秦記十卷　裴景仁撰，見《沈曇慶傳》。《宋書》同。《隋·經籍

志》未收。按《南史》曇慶傳："景仁本北人，多悉關中事。曇
慶使撰《秦記》十卷，歷叙苻氏事，其書傳於世。"

右霸史一部，已收《隋·經籍志》者無部，未收《隋·經籍志》者
一部。

起居注

[齊]

武帝永明起居注　王逡之撰，見本傳，《齊書》同。沈約撰，見
本傳，《梁書》同。周顒撰，見本傳，《齊書》同。《隋·經籍
志》：《齊永明起居注》二十五卷，注：梁有三十四卷，無撰
人姓名。按《南史》逡之傳："轉國子博士，兼著作，《永明
起居注》。"約傳："永明二年，兼著作郎，撰次《起居注》"
顒傳："轉太子僕，兼著作，撰《起居注》。"惟傳中不詳何
年。據《齊文惠太子長懋傳》云："永明二年，太子於崇正
講《孝經》，少傅王儉令太子僕周顒爲《義疏》。"顒爲太子
僕在永明二年，其兼著作，撰《起居注》，當亦在永明初年
無疑也。

明帝建武起居注　王思遠撰，見本傳。《齊書》同。《隋·經
籍志》注：《隆昌延興建武起居注》四卷，亡，無撰人姓名。
按《南史》思遠傳："思遠，晏從父弟。上既誅晏，思遠遷爲
侍中，掌優策及起居注。"據《齊書·王晏傳》："建武四年
南郊，未郊前一日，敕停行。元會畢，乃召晏於華林省誅
之。"是則晏誅在建武四年，知思遠遷侍中，掌優策及起居
注，亦在四年。隆昌，鬱林王年號。延興，海陵王年號。
《隋志》注謂三《起居注》共四卷，書已亡，蓋《建武起居
注》，卷數今不可曉。

[梁]

武帝天監起居注　王僧孺撰，見本傳，《梁書》同。周興嗣撰，見本傳，《梁書》同。裴子野撰，見本傳，《梁書》同。《隋·經籍志》未收。按《南史》僧孺傳：“天監中，拜中書侍郎，領著作，復直文德省，撰《起居注》。”興嗣傳：“普通三年，卒。① 所撰《皇帝實録》、《皇德記》、《起居注》、《職儀》等百餘卷。”普通，武帝年號，前即天監。知興嗣修《起居注》當在天監中。子野傳：“沈約言於武帝，以爲著作郎，掌修國史及起居注。”然約薦子野爲著作郎，在子野由齊入梁時，知子野修《起居注》亦當在天監中也。

流別起居注六百六十卷　徐勉撰，見本傳。《梁書》勉傳：《別起居》六百卷。《隋·經籍志》：《流別起居注》三十七卷，無撰人姓名。按《南史》勉傳：“常以起居注煩雜，乃撰爲《流別起居注》六百六十卷”。

[陳]

永定起居注十卷　劉師知撰，見本傳。《陳書》同。《隋·經籍志》：《陳永定起居注》八卷，無撰人姓名。按《南史》師知傳：“文帝敕師知撰《起居注》，自永定二年秋至天嘉元年爲十卷。”

右起居注五部，已收《隋·經籍志》者四部，未收《隋·經籍志》者一部。

舊事

[宋]

漢魏以來廢諸王故事　王僧綽撰，見本傳。《宋書》同。《隋·

---

① “三年”，汲古閣本、武英殿本、中華本《南史·周興嗣傳》作“二年”。

經籍志》未收。按《南史》僧綽傳:"文帝欲廢太子劭,令撰《漢魏以來廢諸王故事》。"

[梁]

西京雜記六十卷　蕭賁撰,見《蕭昭胄傳》。《齊書》昭胄傳未載。《梁書》賁無傳。《隋·經籍志》:《西京雜記》二卷,無撰人姓名。

晉朝雜事五卷　庾詵撰,見本傳。《梁書》同。《隋·經籍志》:《晉朝雜事》二卷,無撰人姓名。

南宮故事一百卷　丘仲孚撰,見本傳。《梁書》同。《隋·經籍志》未收。

右舊事四部,已收《隋·經籍志》者二部,未收《隋·經籍志》者二部。

職官

[宋]

尚書條制　張永撰,見本傳。《宋書》永見《張茂度傳》,同。《隋·經籍志》未收。按《南史》永傳:"先是尚書中條制繁雜,元嘉十八年,欲加修撰,徙永爲删定郎,掌其任。"

[齊]

齊職儀五十卷　王珪之撰,見《王逡之傳》。《齊書》同。《隋·經籍志》同。

[梁]

梁官　賀琛撰,見《沈峻傳》。《梁書》同。《隋·經籍志》未收。按《南史》峻傳:"中書舍人賀琛奉敕撰《梁官》,乃啓峻及孔子袪補西省學士,助撰録。書成,入兼中書通事舍人。"又《孔子袪傳》:"爲西省學士,助賀琛撰録。書成,兼司文侍郎,不就。”

梁職儀　周興嗣撰,見本傳。《梁書》同。《隋·經籍志》未收。

選品三卷　徐勉撰,見本傳。《梁書》勉傳:《選品》五卷。《隋·經籍志》:《梁選簿》三卷,徐勉撰。按《南史》勉傳:“天監初,官名互有省置,勉立《選簿》奏之,有詔施用。其制開九品爲十八班。”

百官九品二卷　裴子野撰,見本傳。《梁書》同。《隋·經籍志》:《梁百官九品》一卷,無撰人姓名。

右職官六部,已收《隋·經籍志》者三部,未收《隋·經籍志》者三部。

儀注

[宋]

宋儀注　王准之撰,見本傳。《宋書》同。《隋·經籍志》:《宋儀注》十卷,又《宋儀注》二十卷,均不著撰人姓名。

宋武帝朝儀　何承天撰,見本傳。《宋書》同。《隋·經籍志》未收。按《南史》承天傳:“宋臺建,爲尚書祠部郎中,[①]與傅亮共撰《朝儀》。”

宋孝武朝儀　徐爰撰,見本傳,《宋書》同。《隋·經籍志》未收。

車服儀注　徐廣撰,見本傳。《宋書》廣傳:撰《軍服儀注》。《隋·經籍志》:《車服儀注》一卷,徐廣撰。按《宋書》“車服”作“軍服”,“軍”字誤。

東宮儀記　張鏡撰,見《昭明太子蕭統傳》。《宋書》鏡見《張裕傳》,未載。《隋·經籍志》:《宋東宮儀記》二十三卷,張鏡撰。

---

①　汲古閣本、武英殿本、中華本《南史·何承天傳》無“中”字。

按《南史》統傳:"始興王憺薨,舊事以東宮禮絕旁親,書翰並
依常儀。太子以爲疑,命僕射劉孝綽議其事。綽乃案張鏡撰
《東宮儀記》以爲對。"惟《南史》鏡見《張裕傳》,内未載此書,
然既見《統傳》及《隋志》,自當據以收入。

王侯貶損格　見《江夏王義恭傳》。《宋書》同。《隋·經籍志》
未收。按《南史》義恭傳:"孝建元年,與驃騎大將軍、竟陵王
誕奏陳王侯貶損之格九條,詔外詳議。于是有司奏九條之格
猶有未盡,更加附益,凡二十四條。"

[齊]

江左以來儀典　武帝敕撰,見《徐孝嗣傳》。《齊書》同。《隋·
經籍志》未收。按《南史》孝嗣傳:"王儉亡,上徵孝嗣爲五兵
尚書。其年,敕撰《江左以來儀典》,令諮受孝嗣。"又《齊書》
孝嗣傳:"武帝敕陳淑、王景之、朱玄直、陳義民撰《江左以來
儀典》,令諮受孝嗣。"

齊儀禮　王逡之撰,見本傳。《齊書》同。《隋·經籍志》:《禮儀
制度》十三卷,王逡之撰。

齊五禮　何胤撰,見本傳。《梁書》胤傳同。《隋·經籍志》未
收。按《南史》胤傳:"王儉受詔撰《新禮》,未就而卒。復使張
緒續成之,緒又卒,屬在司徒王子良。子良以讓胤。"又《劉繪
傳》云:"助何胤修《禮議》。"[①]亦即此事。《杜栖傳》云:"何胤
掌禮事,重栖以爲學士,掌冠昏儀。"又按《徐勉傳》云:"齊永
明二年,太子步兵校尉伏曼容表求制一代禮樂。于時參議,
置新舊學士十人,止修《五禮》,諮稟衛將軍丹陽尹王儉,學士
亦分住郡中,制作歷年,猶未克就。及文憲薨,遺文散佚,又
以付國子祭酒何胤,經涉九載,猶復未畢。建武四年,胤還東

① "禮議",汲古閣本、武英殿本、中華本《南史·劉繪傳》作"禮儀"。

山，齊明帝敕委尚書令徐孝嗣，舊事本末，隨在南第。永元中，孝嗣於此遇禍，又多零落。當時鳩集所餘，權付尚書左丞蔡仲熊、驍騎將軍何佟之共掌其事。時禮局住在國子學中門外，東昏之際，頻有軍火，其所散失，又踰大半。”蓋齊定五禮始末具此。《南史》除何胤、劉繪、杜栖三傳外，餘傳未載。胤由齊入梁，雖傳列《梁書》，然撰《五禮》則在齊時。茲從胤傳收入，而附識大概如右。

和帝上尊號禮儀　宗史撰，見《蕭穎冑傳》。《齊書》同。《隋·經籍志》未收。

［梁］

制旨吉凶軍賓嘉五禮一千餘卷　見武帝紀。《梁書》同。《隋·經籍志》：《梁吉禮儀注》十卷，明山賓撰。《梁賓禮儀注》九卷，賀瑒撰。《志》注又云：“梁明山賓撰《吉禮儀注》二百六卷，錄六卷。嚴植撰《凶禮儀注》四百七十九卷，錄四十五卷。陸璉撰《軍禮儀注》一百九十卷，錄二卷。司馬褧撰《嘉禮儀注》一百一十二卷，錄三卷。並亡。存者唯士《吉禮》及《賓》，合十九卷。”按《南史》山賓傳：“山賓撰《吉禮儀注》二百二十四卷。”《梁書》同。植之傳：“植之主《凶禮》。”《梁書》：“植之撰《凶禮儀注》四百七十九卷。”瑒傳：“瑒撰《賓禮儀注》一百四十五卷。”《梁書》同。《司馬褧傳》：“褧撰《嘉禮儀注》一百一十二卷。”《梁書》同。惟陸璉撰《軍禮儀注》若干卷，《南史》、《梁書》璉皆無傳，故卷數未詳。又按《南史·徐勉傳》：“勉受詔知撰《五禮》事，普通六年功畢，表上之。表略云：‘天監元年，何佟之據齊《五禮》啓審省置之宜，於是尚書僕射沈約等參議，請五禮各置舊學士一人，各自舉學士二人，相助抄撰。乃以舊學士明山賓掌吉禮，嚴植之掌凶禮，賀瑒掌賓禮，陸璉掌軍禮，司馬褧掌嘉禮，何佟之總其事。佟之亡後，以伏晅代之。後又以晅代嚴植之掌凶禮。晅尋遷官,以繆昭掌凶禮,更使沈約、張充及臣勉三人同參厥務,勉又奉别敕總知其事。又使周捨、庾於陵復豫參知。以天監六年上《嘉禮儀注》一百一十六卷,五百三十六條。《賓禮儀注》一百三十三卷,五百四十五條。天監九年上《軍禮儀注》一百八十九卷,二百四十條。天監十一年上《吉禮儀注》二百二十四卷,一千五條。《凶禮儀注》五百一十四卷,五千六百九十三條。大凡一千一百七十六卷,八千一十九條。又列副秘閣及五經典書各一通,繕寫校定,以普通五年二月始獲洗畢。'"勉傳叙述既詳,餘傳從省,然《許懋傳》:"天監初,吏部尚書范雲舉懋參詳五禮。"《賀琛傳》:"武帝命琛參軍禮事。"勉表未載,今附録於此。

禮儀二十卷 明山賓撰,見本傳。《梁書》同。《隋・經籍志》未收。

郊廟儀注 賀琛撰,見本傳。《梁書》琛傳:諸《儀注》凡百餘篇。《隋・經籍志》未收。按《南史》琛傳:"琛前後居職,凡郊廟諸儀,多所創定。"所撰諸《儀注》凡百餘篇,當即郊廟諸儀。

雜儀 范岫撰,見本傳。《梁書》同。《隋・經籍志》未收。

皇室儀十三卷 鮑行卿撰,見《鮑泉傳》。《梁書》行卿無傳。《隋・經籍志》同。

新儀三十卷 鮑泉撰,見本傳。《梁書》泉傳:撰《新儀》四十卷。《隋・經籍志》:《新儀》三十卷,鮑泉撰。

尚書具事雜儀 丘仲孚撰,見本傳。《梁書》同。《隋・經籍志》未收。

梁武朝儀 周捨撰,見本傳,《梁書》同。朱异撰,見本傳,梁書同。沈峻撰,見《沈文阿傳》,《陳書》文阿傳同。《隋・經籍志》未收。按《南史》捨傳:"武帝召拜尚書祠部郎,禮儀損益,多自捨出。"异傳:"撰《儀注》。"又云:"周捨卒後,朝儀國典,詔誥敕書,并典掌之。"文阿傳:"父峻,梁武帝時常掌朝儀,頗有遺稿。"

皇典二十卷　　丘仲孚撰,見本傳。《梁書》同。《隋·經籍志》同。

江左遺典三十卷　　江蒨撰,見本傳。《梁書》同。《隋·經籍志》未收。

東宮新記二十卷　　蕭子雲撰,見本傳。《梁書》同。《隋·經籍志》同。

東宮新舊記三十卷　　劉杳撰,見本傳。《梁書》同。《隋·經籍志》未收。

齊東宮新記　　王僧孺撰,見本傳。《梁書》同。《隋·經籍志》未收。按《南史》僧孺傳:"仕齊爲太學博士,尚書僕射王晏深相賞好。晏爲丹陽尹,召補功曹,使撰《東宮新記》。"僧孺由齊入梁,傳在《梁書》,然撰此記,則固齊時也。

紹泰儀禮　　沈文阿撰,見本傳。《梁書》文阿見《沈峻傳》,未載。《陳書》文阿傳:撰《儀禮》八十餘卷。《隋·經籍志》未收。按《南史》文阿傳記:"紹泰三年,領步兵校尉,兼掌儀禮,自太清之亂,臺閣故事無有在者。文阿父峻,梁武時掌朝儀,頗有遺稿,於是斟酌裁撰,禮度皆從此出。所撰《儀禮》八十餘條。"又《沈洙傳》:"陳武帝入輔,除國子博士,與沈文阿同掌儀禮。"

梁武帝同泰寺捨身儀注　　杜之偉撰,見本傳。《梁書》之偉無傳。《陳書》之偉傳同。《隋·經籍志》未收。按《南史》之偉傳:"大同元年,梁武帝幸同泰寺捨身,敕徐勉撰《儀注》。勉以先無此禮,召之偉草具其儀。"

［陳］

五禮儀注　張崖撰，見本傳。《陳書》同。《隋·經籍志》未收。按《南史》崖傳："天嘉元年，爲尚書儀曹郎，廣沈文阿《儀注》，撰《五禮》。"

五禮儀一百卷　沈不害撰，見本傳。《陳書》同。《隋·經籍志》未收。按《南史》不害傳："爲國子博士，領羽林監，敕修《五禮》，掌策文謚議等事。著《五禮儀》一百卷。"又按《陳書》不害傳："天嘉五年，除瀬令，入爲尚書儀曹郎，遷國子博士。"餘均同。

陳五禮　周弘正撰，見本傳，《陳書》同。宗元饒撰，見本傳，《陳書》同。顧野王撰，見本傳，《陳書》同。蔡徵撰，見本傳，《陳書》同。江總撰，見《蔡徵傳》，《陳書》同。《隋·經籍志》：《陳吉禮》一百七十卷，《陳賓禮》六十五卷，《陳軍禮》六卷，《陳嘉禮》一百二卷，《陳凶禮》未載，皆無撰人姓名。按《南史》弘正傳："廢帝嗣位，領都官尚書，總知五禮事。"元饒傳："宣帝時遷御史中丞，知五禮事。"野傳："太建中，爲黃門侍郎，知五禮。"徵傳："至德中，授左戶尚書，與僕射江總，知撰《五禮》事。"

武帝受禪儀注　劉師知撰，見本傳。《陳書》同。《隋·經籍志》未收。按《南史》師知傳："兵亂後，朝儀多闕，武帝爲丞相及加九錫，並受禪，其儀注多師知所定。"

文帝即位謁廟儀注　沈文阿撰，見本傳。《陳書》同。《隋·經籍志》未收。按《南史》文阿傳："文帝即位，剋日謁廟，尚書左丞詔遣博士議其禮。文阿撰《謁廟還升正寢羣臣陪薦儀注》如別，詔可施行。"

右儀注三十部，已收《隋·經籍志》者一十部，未收《隋·經籍志》者二十部。

刑法

[齊]

齊律文二十卷 録序一卷 孔珪撰，見本傳。《齊書·孔稚珪傳》同。《隋·經籍志》未收。按《南史》珪傳：“永明中，歷位黄門郎、太子中庶子、廷尉。江左承用晉時張、杜律二十卷，武帝留心法令，數訊囚徒，詔獄官詳正舊注。先是尚書删定郎王植撰定律，奏之，削其煩害，録其允衷，取張斐注七百三十一條，杜預注七百九十一條，或二家兩釋於義乃備者，又取一百七條，其注相同者取一百三條，集爲一書，凡一千五百三十二條，爲二十卷。請付外詳校，摘其違謬。詔從之。於是公卿八坐參議，考正舊注，有輕重處，竟陵王子良下議多使從輕。其中朝議不能斷者，則制旨平决。至九年，珪表上《律文》二十卷，《録序》一卷。”又按《齊書》“孔珪”作“孔稚珪”，其傳内《進律表》云：“臣與公卿八座共删注律。謹奉聖旨，諮審司徒臣子良，稟受成規，創立條緒，使兼監臣宋躬、兼平臣王植等抄撰同異，定其去取。詳議八座，裁正大司馬臣嶷。其中洪疑大議，衆論相背者，聖照玄覽，斷自天筆。始就成立《律文》三十卷，《録序》一卷，凡二十一卷。”“三”乃“二”字之誤。《南史》、《齊書》《武帝紀》、《竟陵王子良》、《豫章文獻王嶷傳》均未載，王植、宋躬均無傳，兹據《孔珪傳》收入。

[梁]

梁律二十卷 令三十卷 科四十卷 見《武帝紀》。《梁書》同。《隋·經籍志》：《梁律》二十卷，蔡法度撰；《梁令》三十卷，録一卷；《梁科》三十卷，無撰人姓名。按《南史·武帝紀》：“天監元年，命中書監王瑩等八人參定律令。二年，尚書删定郎

蔡法度上《梁律》二十卷，《令》三十卷，《科》四十卷。”蔡法度，
《南史》無傳。又按《隋書·刑法志》：“梁武帝承齊昏虐之餘，
刑法多僻，既即位，欲議定律，得齊時舊郎濟陽蔡法度，家傳
律學，云齊武時，刪定郎王植之，集注張、杜舊律，合爲一書，
爲一千五百三十條，事未施行，其文殆滅，法度能言之。於是
以爲兼尚書刪定郎，使損益植之舊本，以爲《梁律》。天監元
年，以尚書令王亮、侍中王瑩、尚書僕射沈約、吏部尚書范雲、
長史兼侍中柳惲、給事黃門侍郎傅昭、通直散騎常侍孔靄、御
史中丞樂藹、太常丞許懋等，參議斷定，定爲二十篇。二年四
月癸卯，法度表上新律，又上《令》三十卷，《科》三十卷。帝乃
以法度守廷尉卿，詔頒新律於天下。”計參議新律者，《南史·
武帝紀》則稱八人，《隋書·刑法志》則有九人，《梁書》與《南
史》同。《南史》孔靄無傳，惟《柳惲傳》云：“天監元年，與僕射
沈約等共定新律。”餘傳均未載。《梁書》亦與《南史》同。

兩臺彈事五卷　王僧孺撰，見本傳。《梁書》同。《隋·經籍志》
未收。

左丞彈事五卷　徐勉撰，見本傳。《梁書》同。《隋·經籍志》
未收。

奏議彈文十五卷　孔珪撰，見本傳。《梁書·孔稚珪傳》同。
《隋·經籍志》未收。按孔珪，《梁書》作孔稚珪。

［陳］

陳律令　見《武帝紀》。《陳書》同。《隋·經籍志》：《陳律》九
卷，范泉撰。《陳令》三十卷，范泉撰。《陳科》三十卷，范泉
撰。按《南史·武帝紀》：“永定元年，立刊定郎，刊定律令。”
又按《隋書·刑法志》：“陳氏承梁喪亂，刑典疏闊。及武帝即
位，思革其弊。於是稍求得梁時明法吏，令與尚書刪定郎范
泉參定律令。又敕尚書僕射沈欽、吏部尚書徐陵、兼尚書左

丞宗元饒、兼尚書左丞賀朗參知其事,制《律》三十卷,《令》、《科》四十卷。"①又按《南史·王冲傳》:"陳武帝受禪,領太子少傅,加特進、左光禄大夫,丹陽尹,參撰律令。"又《沈洙傳》:"梁代舊律,測囚之法,日一上,起自晡鼓,盡於二更,及比部郎范泉删定律令,以舊法測立時久,非人所堪,分其刻數,日再上。廷尉以爲新制過輕,請集八坐丞郎並祭酒孔奂、行事沈洙五舍人會尚書省詳議。時宣帝録尚書事,集衆議之。都官後從洙議,依范泉前制。"是范泉所改律令,亦名《新制》,《隋·經籍志》:《陳新制》六十卷。當即此書。

彈文四卷 孔奂撰,見本傳。《陳書》同。《隋·經籍志》未收。右刑法七部,已收《隋·經籍志》者二部,未收《隋·經籍志》者五部。

雜傳

[宋]

孝子傳八卷 師覺授撰,見本傳。《宋書》覺授無傳。《隋·經籍志》同。

孝傳三卷 王韶之撰,見本傳。《宋書》韶之傳未載。《隋·經籍志》:《孝子傳讚》三卷,宋王韶之撰。

嵇康高士傳注 周續之撰,見本傳。《宋書》同。《隋·經籍志》:《聖賢高士傳贊》三卷,嵇康撰,周續之注。按《南史》續之傳:"常以嵇康《高士傳》得出處之美,因遂爲之注。"②

徐州先賢傳 劉義慶撰,見《臨川王道規傳》。《宋書》同。

---

① "令科",汲古閣本同,武英殿本、中華本《隋書·經籍志》作"令律"。

② 汲古閣本、武英殿本、中華本《南史·周續之傳》无"遂"字。

《隋·經籍志》:《徐州先賢傳贊》九卷,劉義慶撰。又《徐州先賢傳》一卷,無撰人姓名。

瑞命記　顧招之撰,①見《鄧琬傳》。　《宋書》琬傳作顧照之撰,同。《隋·經籍志》未收。按《南史》琬傳:"袁顗勸琬奉子勛即僞位。琬乃稱説符瑞,命顧招之撰爲《瑞命記》。"

妒婦記　虞通之撰,見《王藻傳》。《宋書》虞通之、王藻均無傳。《隋·經籍志》:《妒婦記》二卷,虞通之撰。按《南史》藻傳:"宋世諸主莫不嚴妒,明帝每嫉之。湖熟令袁紹妻以妒賜死,使近臣虞通之爲撰《妒婦記》。"

[齊]

續皇甫謐高士傳三卷　宗測撰,見本傳。　《齊書》同。《隋·經籍志》未收。

三吳決録　孔逭撰,見《丘巨源傳》。《齊書》巨源傳未載。《隋·經籍志》未收。

海岱籍四十卷　崔應祖撰,見本傳。②《齊書》同。《隋·經籍志》:《海岱志》二十卷,崔應祖撰。按《南史》應祖傳:"《海岱志》起太公,迄西晋人物,爲四十卷,半成。"

雜傳　陸澄撰,見本傳。《齊書》同。《隋·經籍志》:《雜傳》十九卷,陸澄撰。

聖皇瑞命記一卷　蘇侃撰,見本傳。《齊書》同。《隋·經籍志》未收。按《南史》侃傳:"高帝即位,侃撰《聖皇瑞命記》一卷奏之。"

孝子傳　劉虬撰,見《解叔謙傳》。《齊書》叔謙無傳。《隋·經

---

① "顧招之",汲古閣本同,武英殿本、中華本《南史·鄧琬傳》作"顧昭之"。下同。

② "籍",據下文當作"志"。汲古閣本、武英殿本、中華本《南史》、《南齊書》均作"崔慰祖",汲古閣本《隋書·經籍志》作"崔蔚祖",中華本《隋書·經籍志》據《南齊書》改"崔蔚祖"作"崔慰祖。"

籍志》未收。按《南史》叔謙傳:"庾震喪父母,居貧無以葬,賃書以營事,至手掌穿然後葬事獲濟。南陽劉虬由此爲撰《孝子傳》。"

[梁]

昭明太子傳五卷　簡文帝撰,見本紀。《梁書》同。《隋·經籍志》未收。

諸王傳三十卷　簡文帝撰,見本紀。《梁書》同。《隋·經籍志》未收。

孝德傳三十卷　元帝撰,見本紀。《梁書》同。《隋·經籍志》同。

忠臣傳三十卷　元帝撰,見本紀。《梁書》同。《隋·經籍志》同。按《南史·阮孝緒傳》:"湘東王著《忠臣傳》,先簡孝緒而後施行。"

丹陽尹傳十卷　元帝撰,見本紀。《梁書》同。《隋·經籍志》同。按《南史·阮孝緒傳》:"湘東王著《丹陽尹錄》,先簡孝緒而後施行。"

懷舊傳二卷　元帝撰,見本紀。《梁書》同。《隋·經籍志》:《懷舊志》九卷,梁元帝撰。

古今全德志一卷　元帝撰,見本紀。《梁書》同。《隋·經籍志》同。

古今同姓名錄一卷　元帝撰,見本紀。《梁書》同。《隋·經籍志》同。

續裴氏家傳　裴子野撰,見本傳。《梁書》子野傳:《續裴氏家傳》三卷。《隋·經籍志》未收。

衆僧傳二十卷　裴子野撰,見本傳。《梁書》同。《隋·經籍志》同。

列女傳三卷　庾仲容撰,見本傳。《梁書》同。《隋·經籍志》:

《列女傳要録》三卷，無撰人姓名。

仁政傳　柳恢撰，見本傳。《梁書》同。《隋·經籍志》未收。

貴儉傳三卷　蕭子顯撰，見本傳。《梁書》子顯傳：《貴儉傳》三十卷。《隋·經籍志》未收。

妙門傳　陸杲撰，見本傳。《梁書》同。《隋·經籍志》未收。

陸史十五卷　陸煦撰，見《陸杲傳》。《梁書》同。《隋·經籍志》：《陸史》十五卷。無撰人姓名。

陸氏驪泉志一卷　陸煦撰，見《陸杲傳》。《梁書》同。《隋·經籍志》未收。

高士傳二卷　劉杳撰，見本傳。《梁書》同。《隋·經籍志》未收。

山栖志　劉峻撰，見本傳。《梁書》同。《隋·經籍志》未收。

雜傳二百四十七卷　任昉撰，見本傳。《梁書》同。《隋·經籍志》：《雜傳》三十六卷，任昉撰，注又云：本一百四十七卷，亡。

幼童傳一卷　劉昭撰，見本傳。《梁書》昭傳：《幼童傳》十卷。《隋·經籍志》：《幼童傳》十卷，劉昭撰。

良吏傳十卷　鍾岏撰，見《鍾嶸傳》。《梁書》嶸傳：岏作《良史傳》十卷。《隋·經籍志》：《良吏傳》十卷，鍾岏撰。按《梁書》作《良史傳》，“史”當是“吏”之譌。

錢唐先賢傳五卷　吳均撰，見本傳。《梁書》同。《隋·經籍志》未收。

高隱傳三篇　阮孝緒撰，見本傳。《梁書》同。《隋·經籍志》：《高隱傳》十卷，阮孝緒撰。按《南史》孝緒傳：“著《高隱傳》，上自炎皇，終於天監末。斟酌分爲三品：言行超逸，名氏弗傳，爲上篇；始終不耗，姓名可録，爲中篇；挂冠人世，棲心塵表，爲下篇。”

列仙傳十卷　江禄撰，見本傳。《梁書》禄無傳。《隋·經籍志》

未收。

晋仙傳五篇　顏協撰,見本傳。《梁書》同。《隋·經籍志》未收。

鄧玄傳　周捨撰,見《鄧郁傳》。《梁書》郁無傳,捨傳亦未載。《隋·經籍志》未收。

研神記　元帝撰,見《阮孝緒傳》。《梁書》元帝紀、孝緒傳均未載。《隋·經籍志》:《研神記》十卷,蕭繹撰。按《南史》孝續傳:"湘東王著《研神記》,先簡孝緒而後施行。"又按繹,梁元帝名。

夢記　陶弘景撰,見《蕭鏗傳》。《梁書》弘景傳同。《隋·經籍志》未收。按《南史》鏗傳:"初鏗出閣時,年七歲,陶弘景爲侍讀。八九年中,甚相接遇。後弘景隱山,忽夢鏗來,慘然言別,云:'某日命過,無罪,後三年當生某家。'弘景訪以幽中事,多秘不出。覺後即遣信出都參訪,果與事符同,弘景因著《夢記》云。"

嘉瑞記　陸雲公撰,見《陸瓊傳》。《梁書》雲公傳未載。《隋·經籍志》未收。按《南史》瓊傳:"瓊父雲公,奉梁武敕撰《嘉瑞記》。"

[陳]

續嘉瑞記　陸瓊撰,見本傳。《陳書》同。《隋·經籍志》:《嘉瑞志》三卷,[①]陸瓊撰。按《南史》瓊傳:"瓊父雲公,奉梁武敕撰《嘉瑞記》,瓊述其旨而續焉,自永定訖于至德,勒成一家之言。"

續洞冥記一卷　顧野王撰,見本傳。　《陳書》同。《隋·經籍志》未收。

顧氏譜傳十卷　顧野王撰,見本傳。《陳書》同。《隋·經籍志》

---

① "嘉瑞志",汲古閣本、武英殿本、中華本《隋書·經籍志》作"嘉瑞記"。

未收。

玉璽記一卷　姚察撰，見本傳。《隋書》同。[1]《隋·經籍志》未收。

三鍾記一卷　姚察撰，見本傳。《陳書》同。《隋·經籍志》未收。

右雜傳四十六部，已收《隋·經籍志》者二十二部，未收《隋·經籍志》者二十四部。

地記

[齊]

地理書　陸澄撰，見本傳。《齊書》同。《隋·經籍志》:《地理書》一百四十九卷，録一卷，陸澄合《山海經》以來一百六十家，以爲此書。

會稽記　虞愿撰，見本傳。《齊書》同。《隋·經籍志》未收。

衡陽郡記　顧憲之撰，見本傳。《梁書》同。《隋·經籍志》未收。

衡山記　宗測撰，見本傳。《齊書》測傳:《衡山記》一卷。《隋·經籍志》:《衡山記》一卷，宋居士撰，有姓無名。按"宋"乃"宗"字之誤。

廬山記　宗測撰，見本傳。《齊書》測傳:《廬山記》一卷。《隋·經籍志》未收。

[梁]

地記二百五十二卷　任昉撰，見本傳。《梁書》同。《隋·經籍志》:《地記》二百五十二卷，梁任昉增陸澄之八十四家，因以

---

① 《隋書》無《姚察傳》，"隋書"當為"陳書"。

爲此記。

衆家地理書二十卷　庾仲容撰,見本傳。《梁書》同。《隋·經籍志》未收。

荆南地記一卷　元帝撰,見本紀。《梁書·元帝紀》作《荆南志》。《隋·經籍志》:《荆南地志》二卷,蕭世誠撰。按《南史》,世誠,元帝字。

江州記　元帝撰,見本紀。《梁書》同。《隋·經籍志》未收。

貢職圖　元帝撰,見本紀。《梁書》同。《隋·經籍志》未收。

方國使圖一卷　裴子野撰,見本傳。《梁書》同。《隋·經籍志》未收。

續黄图　江子一撰,見本傳。《梁書》同。《隋·經籍志》未收。

十二州記十六卷　吳均撰,見本傳。《梁書》同。《隋·經籍志》未收。

廟記十卷　吳均撰,見本傳。《梁書》同。《隋·經籍志》:《廟記》一卷,無撰人姓名。

赤縣經　江淹撰,見本傳。《梁書》淹傳未載。《隋·經籍志》未收。按《南史》淹傳:"嘗欲爲《赤縣經》以補《山海》之闕,竟不成。"

古今州郡記　陶弘景撰,見本傳。《梁書》弘景傳未載。《隋·經籍志》未收。

續伍端休江陵記一卷　庾詵撰,見本傳。《梁書》同。《隋·經籍志》未收。

益州記三卷　李膺撰,見本傳。《梁書》膺無傳。《隋·經籍志》:《益州記》三卷,李氏撰,有姓無名。按《南史》膺傳:"膺以益州主簿使至都,武帝悦之,乃以爲益州別駕,著《益州記》三卷行於世。"

述行記四卷　許懋撰,見本傳。《梁書》同。《隋·經籍志》

未收。

新安遊記　蕭幾撰，見本傳。《梁書》同。《隋·經籍志》未收。按《南史》幾傳：“幾爲新安太守，郡多山水，特其所好，適性遊履，遂爲之記。”

[陳]

輿地志三十卷　顧野王撰，見本傳。《陳書》同。《隋·經籍志》同。

北征道里記三卷　江德藻撰，見本傳。《陳書》江德操，同。《隋·經籍志》：《聘北道里記》三卷，江德藻撰。按《南史》德藻傳：“天嘉中，兼散騎常侍，與中書郎劉師知使齊，著《北征道里記》三卷。”《陳書》，德藻，德操字。

西聘道里記一卷　姚察撰，見本傳。《陳書》同。《隋·經籍志》未收。按《南史》察傳：“太建初，補宣明殿學士。尋爲通直散騎常侍，報聘於周。著《西聘道里記》一卷。”

建康記一卷　姚察撰，見本傳。《陳書》同。《隋·經籍志》未收。

建安地記二篇　顧野王撰，見本傳。《陳書》同。《隋·經籍志》未收。按《南史》野王傳：“年十二，隨父之建安，撰《建安地記》二篇。”

右地記二十五部，已收《隋·經籍志》者八部，未收《隋·經籍志》者一十七部。

譜系

[宋]

百家譜　劉湛撰，見《王僧孺傳》。《宋書》湛傳未載。《梁書》僧孺傳未載。《隋·經籍志》注：梁有劉湛《百家譜》二卷，亡。

按《南史》僧孺傳：“劉湛爲選曹，始撰《百家》以助銓序，而傷於寡略。”

[齊]

百家譜抄　王儉撰，見《賈希鏡傳》。《齊書·賈淵傳》同。《隋·經籍志》：《百家集譜》十卷，王儉撰。按《南史》希鏡傳：“希鏡三世傳業，凡十八州士族譜，合百帙，七百餘卷，該究精悉，皆如貫珠，當時莫比。永明中，衛將軍王儉抄次《百家譜》，與希鏡參懷撰定。”又按《王僧孺傳》：“劉湛爲選曹，始選《百家》，①以助銓序，而傷於寡略。齊衛將軍王儉復加去取，得繁簡之衷。”又希鏡，賈淵字。

氏族要狀　賈希鏡撰，見本傳。《齊書·賈淵傳》同。《隋·經籍志》：《氏族要狀》十五卷，無撰人姓名。又希鏡，賈淵字。

見客譜　賈希鏡撰，見本傳。《齊書·賈淵傳》同。《隋·經籍志》未收。按《南史》希鏡傳：“竟陵王子良使希鏡撰《見客譜》。”希鏡，賈淵字。

[梁]

集十八州譜七百一十卷　王僧孺撰，見本傳。《梁書》同。《隋·經籍志》未收。按《南史》僧孺傳：“僧孺好墳籍，聚書至萬餘卷，率多異本，集《十八州譜》七百一十卷。”

百家譜集抄十五卷　王僧孺撰，見本傳。《梁書》同。《隋·經籍志》同。按《南史》僧孺傳：“《百家譜集抄》十五卷。僧孺之撰，通范陽張等九族以代雁門解等九姓。其東南諸譜別爲一部，②不在百家之數焉。”

東南譜集抄十卷　王僧孺撰，見本傳。《梁書》同。《隋·經籍

---

① “選”，汲古閣本、武英殿本、中華本《南史·王僧孺傳》作“撰”。
② “譜”，汲古閣本、武英殿本、中華本《南史·王僧孺傳》作“族”。

志》未收。

異姓苑五卷　顧協撰,見本傳。《梁書》同。《隋·經籍志》
未收。

天監中表簿　王僧孺撰,見本傳。《梁書》同。《隋·經籍志》
未收。

韋氏譜七卷　韋鼎撰,見本傳。《隋書》同。《隋·經籍志》:《京
兆尹韋氏譜》二卷,①無撰人姓名。按《南史》鼎傳:"起家湘東
王法曹參軍。陳武帝在南徐州,鼎望氣知其當王,遂寄孥焉。
陳亡仕隋。時吏部尚書韋世康兄弟顯貴,隋文帝從容謂鼎
曰:'世康與公遠近?'對曰:'臣宗族南徙,昭穆非臣所知。'帝
曰:'卿百代卿族,豈忘本也。'命官給酒肴,遣世康請鼎還杜
陵。鼎乃自楚太傅孟以下二十餘世,並考論昭穆,作《韋氏
譜》七卷示之,歡飲十餘日乃還。"

右譜系十部,已收《隋·經籍志》者五部,未收《隋·經籍志》者
五部。

簿錄

[宋]

江左以來文章志　明帝撰,見本紀。《宋書》同。《隋·經籍
志》:《晉江左文章志》三卷,宋明帝撰。

四部書大目四十卷　殷淳撰,見本傳。《宋書》同。《隋·經籍
志》未收。

[齊]

宋元徽四部目　王儉撰,見本傳。《齊書》同。《隋·經籍志》:

---

①　汲古閣本、武英殿本、中華本《隋書·經籍志》無"尹"字。

《宋元徽元年四部書目録》四卷,王儉撰。按《南史》儉傳,儉後事齊,故《齊書》有傳,然撰《元徽四部書目》則在宋時。又按元徽,宋後廢帝元號。

七志四十卷　王儉撰,見本傳。《齊書》同。《隋·經籍志》:《今書七志》七十卷,干儉撰。按《南史》儉傳:"年十八,解褐秘書郎,太子舍人,超遷秘書丞。依《七略》撰《七志》四十卷,表獻之。"又按《宋書·後廢帝紀》:"元徽元年八月,秘書丞王儉表上所撰《七志》三十卷。"疑《隋志》所載《今書》七十卷,當即《宋書·廢帝紀》所稱三十卷,與《南史》儉傳所稱四十卷合本。儉仕宋,後仕齊,故《宋書》無傳,而《齊書》有之,但其撰造《七志》,則實爲宋時事也。

江左文章録序　丘靈鞠撰,見本傳。《齊書》同。《隋·經籍志》未收。按《南史》靈鞠傳:"著《江左文章録序》,起太興,迄元熙。"

能書人名一卷　羊欣撰,見《王僧虔傳》。《齊書》同。《隋·經籍志》未收。

[梁]

校定秘閣四部書目　任昉撰,見本傳,《梁書》同。殷鈞撰,見本傳,《梁書》同。《隋·經籍志》:《梁天監六年四部書目録》四卷,殷鈞撰。按《南史》昉傳:"武帝時轉御史中丞,秘書監。自齊永元以來。秘閣四部篇卷紛雜,昉手自讎校,由是篇目定焉。"鈞傳:"梁武帝時,起家秘書郎,太子舍人,司徒主簿,秘書丞,啓校定秘閣四部書目。"《隋·經籍志》序,梁有秘書監任昉、殷鈞《四部書目》云。

西省法書古跡品目　殷鈞撰,見本傳。《梁書》同。《隋·經籍志》未收。

任氏藏書目　任昉撰,見本傳。《梁書》同。《隋·經籍志》未收。按《南史》昉傳:"昉家雖貧,聚書至萬餘卷,率多異本。及卒,武帝使學士賀縱共沈約勘其書目，官無者就其家取之。"

古今四部書目五卷　劉杳撰，見本傳。《梁書》同。《隋・經籍志》未收。

七録　阮孝緒撰，見本傳。《梁書》同。《隋・經籍志》：《七録》十二卷，阮孝緒撰。

文章志三十卷　沈約撰，見本傳。《梁書》約傳：《宋文章志》三十卷。《隋・經籍志》：《宋世文章志》二卷，沈約撰。

右簿録十二部，已收《隋・經籍志》者六部，未收《隋・經籍志》者六部。

凡史類二百一十九部，已收《隋・經籍志》者九十八部，未收《隋・經籍志》者一百二十一部。

子

子之類，凡十：曰道家，曰名家，曰縱橫家，曰雜家，曰小説家，曰兵家，曰天文，曰曆數，曰五行，曰醫方。

道家

[宋]

莊子逍遙篇注　何偃撰，見本傳。《宋書》同。《隋・經籍志》未收。

莊子逍遙篇注　釋慧琳撰，見《天竺迦毗黎國傳》。《宋書》同。《隋・經籍志》未收。

逍遙論　戴顒撰，見本傳。《宋書》同。《隋・經籍志》未收。

[齊]

老子義釋　祖冲之撰,見本傳。《齊書》同。《隋·經籍志》未收。

莊子義釋　祖冲之撰,見本傳。《齊書》同。《陳·經籍志》未收。

老子要略　沈麟士撰,見本傳。《齊書》同。《隋·經籍志》未收。

莊子内訓篇注　沈麟士撰,見本傳。《齊書》同。《隋·經籍志》未收。

政綱一卷　顧歡撰,見本傳。《齊書》歡傳作《治綱》一卷。《隋·經籍志》:《老子義綱》一卷,顧歡撰。按《南史》歡傳:"齊高帝輔政,徵爲揚州主簿。及踐阼乃至,稱'山谷臣顧歡'上表,進《政綱》一卷。"又按《齊書》歡傳載《上書表》文,有曰:"謹删撰《老氏》,獻《治綱》一卷。"知《隋志》《老子義綱》即歡此書。

夷夏論　顧歡撰,見本傳。《齊書》同。《隋·經籍志》:《夷夏論》一卷,顧歡撰。

[梁]

老子講疏　武帝撰,見本紀。《梁書》同。《隋·經籍志》:《老子講疏》六卷,梁武帝撰。

老子講疏四卷　元帝撰,見本紀。《梁書》同。《隋·經籍志》未收。

莊子義　簡文帝撰,見《徐陵傳》。《梁書·簡文紀》:《莊子義》二十卷。《隋·經籍志》:《莊子講疏》十卷,梁簡文帝撰,本二十卷,今闕。按《南史》陵傳:"梁簡文令於少傅府述今所制《莊子義》。"

老子講疏　賀瑒撰,見本傳。《梁書》同。《隋·經籍志》未收。

莊子講疏　賀瑒撰,見本傳。《梁書》同。《隋·經籍志》未收。

老子義　伏曼容撰，見本傳。《梁書》同。《隋·經籍志》未收。

莊子義　伏曼容撰，見本傳。《梁書》同。《隋·經籍志》未收。

老子義疏　廋曼倩撰，見《廋詵傳》。①《梁書》同。《隋·經籍志》未收。

莊子義疏　廋曼倩撰，見《廋詵傳》。《梁書》同。《隋·經籍志》未收。

二旨義性情幾神等論義　南平王偉撰，見本傳。《梁書》同。《隋·經籍志》未收。按《南史》偉傳："晚年崇信佛理，尤精玄學，著《二暗義》、制《性情》、《幾神》等論義。"又按《梁書》偉傳："著《二旨義》，別爲《新通》。又製《性情》、《幾神》等論。"其《義》，《南史》"二旨"作"二暗"，"暗"乃"旨"字之誤，兹從《梁書》改正。

[陳]

老子疏五卷　周弘正撰，見本傳。《陳書》同。《隋·經籍志》未收。

莊子疏八卷　周弘正撰，見本傳。《陳書》同。《隋·經籍志》：《莊子內篇講疏》八卷，周弘正撰。

老子義疏　顧越撰，見本傳。《陳書》越傳未載。《隋·經籍志》未收。

老子義十一卷　張譏撰，見本傳。《陳書》同。《隋·經籍志》未收。

莊子內篇義十二卷　莊子外篇義二十卷　莊子雜篇義十卷　張譏撰，見本傳。《陳書》同。《隋·經籍志》未收。

遊玄桂林二十四卷　張譏撰，見本傳。《陳書》同。《隋·經籍志》：《遊玄桂林》二十一卷，目一卷，張譏撰。按《隋志》經部五

---

① "廋"，據汲古閣本、武英殿本、中華本《南史》，當作"庾"。下"莊子義疏"條同。

　經總義:《遊玄桂林》九卷,張譏撰。與此互見,而卷各不同。

玄部通義十二卷　張譏撰,見本傳。《陳書》同。《隋·經籍志》
　未收。

右道家二十六部,已收《隋·經籍志》者六部,未收《隋·經籍
　志》者二十部。

名家

[齊]

三名論　顧歡撰,見本傳。《齊書》同。《隋·經籍志》未收。

[梁]

班固九品　江子一撰,見本傳。《梁書》同。《隋·經籍志》未收。

右名家二部,已收《隋·經籍志》者無部,未收《隋·經籍志》者
　二部。

縱橫家

[梁]

補闕子十卷　元帝撰,見本紀。《梁書》同。《隋·經籍志》注
　同,書亡。

右縱橫家一部,已收《隋·经籍志》者一部,未收《隋·经籍志》
　者無部。

雜家

[宋]

古今善言二十四篇　范泰撰,見本傳。《宋書》同。《隋·經籍

志》:《古今善言》三十卷,范泰撰。

文釋　江邃之撰,見《江秉之傳》。《宋書》秉之傳未載。《隋·經籍志》未收。

均善論　釋慧琳撰,見《天竺迦毗黎國傳》。《宋書》同。《隋·經籍志》未收。

[齊]

史林三十篇　高帝敕撰,見本紀。《齊書》同。《隋·經籍志》未收。按《南史·高帝紀》:“詔東觀學士撰《史林》三十篇,魏文帝《皇覽》之流也。”

四部要略一千卷　蕭子良撰,見本傳。《齊書》同。《隋·經籍志》未收。按《南史》子良傳:“建元五年,正位司徒,給班劍二十人,侍中如故。移居雞籠山西邸,集學士抄五經百家,依《皇覽》例爲《四部要略》千卷。”

賢聖雜語　劉善明撰,見本傳。《齊書》同。《隋·經籍志》未收。按《南史》善明傳:“高帝踐阼,善明至都上,表陳事,又撰《賢聖雜語》奏之,託以諷諫。”

禽獸決録　卞彬撰,見本傳。《齊書》同。《隋·經籍志》未收。按《南史》彬傳:“爲《禽獸決録》。目禽獸云:‘羊性淫而狠,猪性卑而率,鵝性頑而傲,狗性險而出。’皆指斥貴勢。羊淫狠,指呂文顯;猪卑率,指朱隆之;鵝頑傲,指潘敞;狗險出,指文度。其險詣如此。”

問律　張融撰,見本傳。《齊書》同。《隋·經籍志》未收。按《南史》融傳:“永明中,遇疾,爲《問律》。”又按《齊書·顧歡傳》引作《門律》。“門”疑“問”字之誤。

[梁]

華林徧略　武帝敕撰,見《劉峻傳》。《梁書》峻傳未載。《隋·經籍志》:《華林徧略》六百二十卷,梁綏安令徐僧權等撰。按

《南史》峻傳:"峻爲安成王秀撰《類苑》,梁武帝命諸學士撰
《華林徧略》以高之。"又按《何思澄傳》:"天監十五年,敕徐勉
舉學士,入華林撰《徧略》。勉舉思澄、顧協、劉杳、王子雲、鍾
嶼等五人以應選。八年乃成書,合七百卷。"又按《南史·徐
伯陽傳》:"父僧權梁東宮通事舍人,領祕書,以善書知名。"未
言及撰《徧略》事。僧權,《南史》無傳,今據《隋志》,知僧權亦
撰《徧略》者之一。

論書一卷　武帝撰,見《蕭子雲傳》。《梁書》同。《隋·經籍志》
未收。按《南史》子雲傳:"自十餘年,始見敕旨《論書》一卷,
商略筆狀,洞澈字體,始變子敬,全範元常。"

法寶連璧三百卷　簡文帝撰,見本紀。《梁書》同。《隋·經籍
志》未收。按《南史·陸杲傳》:"杲弟子煦子罩。初,簡文在
雍州,撰《法寶聯璧》,罩與羣賢並撰區分者數歲。大通六年
書成,令湘東王爲序。其作者有侍中國子祭酒南蘭陵蕭子顯
等三十人,以比王象、劉邵之《皇覽》焉。"

内典博要一百卷　元帝撰,見本紀。《梁書》同。《隋·經籍
志》:《内典博要》三十卷,無撰人姓名。

金樓子十卷　元帝撰,見本紀。《梁書·元帝紀》未載。《隋·
經籍志》:《金樓子》二十卷,梁元帝撰。

篤静子　蕭方等撰,見本傳。《梁書》方等傳作《静住子》。
《隋·經籍志》:《净住子》二十卷,齊竟陵王蕭子良撰。按《南
史》、《齊書·蕭子良傳》并未云著此書,《隋志》誤,當依《南
史》中《蕭方等傳》正之。

類苑一百二十卷　劉峻撰,見本傳。《梁書》峻傳:《類苑》無卷
數。《隋·經籍志》同,注又云:梁《七録》八十二卷。按《南
史》峻傳:"安成王秀雅重峻,及安成王遷荆州,引爲户曹參
軍。給其書籍,使撰《類苑》。未及成,復以疾去。後峻《類

苑》成,凡一百二十卷。"又按《安成王秀傳》:"秀精意學術,搜
集經記,招學士平原劉孝標使撰《類苑》,書未及畢,而已行於
世。"孝標,劉峻字。

鴻寶一百卷　張纘撰,見本傳。《梁書》同。《隋·經籍志》:《鴻
寶》十卷,無撰人姓名。

會林五十卷　徐勉撰,見本傳。《梁書》同。《隋·經籍志》:《會
林》五卷,無撰人姓名。按《南史》勉傳:"以孔、釋二教殊途同
歸,撰《會林》五十卷。"

學苑一百卷　陶弘景撰,見本傳。《梁書》弘景傳未載。《隋·
經籍志》未收。

子書抄三十卷　庾仲容撰,見本傳。《梁書》同。《隋·經籍
志》同。

要雅五卷　劉杳撰,見本傳。《梁書》同。《隋·經籍志》未收。

俗語釋八卷　劉霽撰,見本傳。《梁書》同。《隋·經籍
志》同。

續文釋五卷　吳均撰,見本傳。《梁書》同。《隋·經籍志》
未收。

衆僧傳二十卷　裴子野撰,見本傳。《梁書》同。《隋·經籍
志》同。

[陳]

子集抄　陸瑜撰,見本傳。《陳書》同。《隋·經籍志》未收。按
《南史》瑜傳:"太建中,遷太子洗馬,中舍人。時皇太子好學,
欲博覽羣書,以子集繁多,命瑜抄撰,竟未就。"

道覺論　馬樞撰,見本傳。《陳書》樞傳:《道覺論》二十卷。
《隋·經籍志》未收。

右雜家二十五部,已收《隋·經籍志》者一十一部,未收《隋·經
籍志》者一十四部。

小説家

[宋]

世説十卷 劉義慶撰，見《臨川王道規傳》。《宋書》義慶見道規傳，《世説》未載。《隋·經籍志》:《世説》八卷，宋劉義慶撰。

[齊]

郭子注 賈希鏡撰，見本傳。《齊書·賈淵傳》同。《隋·經籍志》未收。按《南史》，希鏡，賈淵字。

[梁]

瑣語十卷 顧協撰，見本傳。《梁書》同。《隋·經籍志》:《瑣語》一卷，梁顧協撰。

邇言十卷 沈約撰，見本傳。《梁書》同。《隋·經籍志》未收。

邇言集注 沈旋撰，見本傳。《梁書》旋無傳。《隋·經籍志》未收。按《南史》旋傳，沈約子。

邇説十卷 伏挺撰，見本傳。《梁書》同。《隋·經籍志》:《邇説》一卷，伏捶撰。按"捶"，疑"挺"字之誤。

[陳]

説林十卷 姚察撰，見本傳。《隋書》同。《隋·經籍志》未收。
右小説家七部，已收《隋·經籍志》者三部，未收《隋·經籍志》者四部。

兵家

[宋]

永明碁品 王抗撰，見《蕭惠基傳》。《齊書》同。《隋·經籍志》未收。按《南史》惠基傳:"永明中，敕使抗品碁，竟陵王子良使惠基掌其事。"

[梁]

金海三十卷　武帝撰,見本紀。《梁書·武帝紀》作《金策》三十卷。《隋·經籍志》:《金策》十九卷,無撰人姓名。

玉簡五十卷　簡文帝撰,見本紀。《梁書·簡文紀》未載。《隋·經籍志》未收。

玉韜十卷　元帝撰,見本紀。《梁書》同。《隋·經籍志》同。

馬槊譜一卷　簡文帝撰,見本紀。《梁書·簡文紀》未載。《隋·經籍志》:《馬槊譜》一卷,注梁二卷,無撰人姓名。

碁品五卷　簡文帝撰,見本紀。《梁書·簡文紀》未載。《隋·經籍志》未收。

彈碁譜一卷　簡文帝撰,見本紀。《梁書·簡文紀》未載。《隋·經籍志》未收。

天監棊品三卷　柳惲撰,見本傳。《梁書》惲傳:《碁譜》無卷數。《隋·經籍志》注:《天監碁品》一卷,柳惲撰,亡。按《南史》惲傳:"梁武帝好弈碁,使惲定碁譜,登格者二百七十八人,第其優劣,爲《碁品》三卷。"又《梁書》惲傳:"天監元年,惲善弈碁,帝每敕侍坐,仍令定碁譜,第其優劣。"

大同碁品　陸雲公撰,見《陸瓊傳》。《梁書》雲公傳未載。《隋·經籍志》:《碁品序》一卷,陸雲撰。按《南史》瓊傳:"父雲公,大同末受梁武帝詔,校定《碁品》。"又按《隋志》《碁品序》一卷,陸雲撰,惟自次梁武帝《圍碁品》下,知撰此《碁品》非晉之陸雲,乃梁陸雲公,《隋志》誤脱"公"字。

[陳]

軍制十三條　毛喜撰,見本傳。《陳書》同。《隋·經籍志》未收。按《南史》喜傳:"宣帝議北伐,敕喜撰《軍制》十三條,詔頒天下。"

右兵家十部，已收《隋·經籍志》者五部，未收《隋·經籍志》者
　五部。

天文

[梁]

日月災異圖二卷　顧協撰，見本傳。《梁書》同。《隋·經籍志》
　未收。

[陳]

分野樞要一卷　顧野王撰，見本傳。《陳書》同。《隋·經籍志》
　未收。

玄象表一卷　顧野王撰，見本傳。《陳書》同。《隋·經籍志》
　未收。

右天文三部，已收《隋·經籍志》者無部，未收《隋·經籍志》者
　三部。

曆數

[宋]

永初曆　見《武帝本紀》。《宋書》同。《隋·經籍志》未收。按
　《南史·武帝紀》：“永初元年六月，即皇帝位。己卯，改晋《泰
　始曆》爲《永初曆》。”又按《宋書·曆志》：“晋《泰始曆》，本魏
　《景初曆》，魏楊偉撰。其曆法行之已久，直至宋元嘉時，始改
　何承天《新曆》。”《知泰始曆》改《永初曆》，曆名雖改，法未
　改也。

元嘉曆　見《文帝本紀》。《宋書》同。《隋·經籍志》：《宋元嘉
　曆》二卷，何承天撰。按《南史·文帝紀》：“元嘉二十二年春

正月朔,改用御史中丞何承天《元嘉新曆》。"又承天傳云:"改定《元嘉曆》。"

漏刻經　何承天撰,見本傳。《宋書》承天傳未載。《曆志》同。《隋‧經籍志》:《漏刻經》一卷,何承天撰。按《南史》承天傳:"改漏刻用二十五箭,從之。"

[齊]

建元曆　見《高帝本紀》。《齊書》同。《隋‧經籍志》未收。按《南史‧高帝紀》:"建元元年,改《元嘉曆》爲《建元曆》。"又按《隋書‧律曆志》:"宋世元嘉,何承天造曆,迄于齊末,相仍用之。"知改《元嘉曆》爲《建元曆》,特以受禪改變曆名,其曆法則仍元嘉也。

宋大明新曆法　祖冲之撰,見本傳。《齊書》同。《隋‧經籍志》未收。按《南史》冲之傳:"宋元嘉中,用何承天所製曆,比古十一家爲密。冲之以爲尚疏,乃更造《新法》,上表言之。會宋孝武崩,事不行。"蓋冲之先仕宋,後仕齊,故《齊書》有傳,然造曆則在宋大明時也。

綴術數十篇①　祖冲之撰,見本傳。《齊書》同。《隋‧經籍志》:《綴術》六卷,無撰人姓名。

[梁]

天監曆　祖暅之撰,見本傳。《梁書》暅之無傳。《隋‧經籍志》未收。按《南史》暅之傳:"父冲之所改何承天曆時尚未行,梁天監初,暅之更修之,於是始行焉。"又按《隋書‧律曆志》:"天監三年,下詔定曆,祖暅奏曰:'宋大明中,臣先人考古法,以爲正曆。垂之於後,事皆符驗。不可改張。'至天監九年正月,用祖冲之所造《甲子年曆》頒朔。"此事《南史‧梁武帝紀》

---

① "綴術",汲古閣本、武英殿本、中華本《南史‧祖冲之傳》作"綴述"。

中未載。

七曜新舊術疏　陶弘景撰,見本傳。《梁書》弘景傳未載。
《隋‧經籍志》未收。

七曜曆術　庾曼倩撰,見《庾説傳》。[①]《梁書》誅傳:曼倩注《七
曜曆術》。《隋‧經籍志》未收。

算經　庾曼倩撰,見《庾説傳》。《梁書》誅傳:曼倩注《算經》。
《隋‧經籍志》未收。

右曆數十部,已收《隋‧經籍志》者三部,未收《隋‧經籍志》者
七部。

五行

[齊]

龜經秘要二卷　柳世隆撰,見本傳。《齊書》同。《隋‧經籍志》
未收。

[梁]

易林十七卷　簡文帝撰,見本紀。《梁書‧簡文紀》未載。
《隋‧經籍志》未收。

光明符十二卷　簡文帝撰,見本紀。《梁書‧簡文紀》未載。
《隋‧經籍志》同。

竈經二卷　簡文帝撰,見本紀。《梁書‧簡文紀》未載。《隋‧
經籍志》:《竈經》十四卷,梁簡文帝撰。

沐浴經三卷　簡文帝撰,見本紀。《梁書‧簡文紀》未載。
《隋‧經籍志》:《沐浴書》一卷,無撰人姓名。

---

① “庾説”,據汲古閣本、武英殿本、中華本《南史》及下文,當作“庾誅”。下“算經”
條同。

新增白澤圖五卷　簡文帝撰，見本紀。《梁書·簡文紀》未載。《隋·經籍志》未收。按《志》有《白澤圖》一卷，無撰人姓名，簡文所撰，疑即增補此書。

連山三十卷　元帝撰，見本紀。《梁書》同。《隋·經籍志》同。

洞林三卷　元帝撰，見本紀。《梁書》同。《隋·經籍志》同。

筮經十二卷　元帝撰，見本紀。《梁書》同。《隋·經籍志》未收。

式贊三卷　元帝撰，見本紀。《梁書》同。《隋·經籍志》未收。

十杖龜經　柳惲撰，見本傳。《梁書》惲傳未載。《隋·經籍志》未收。按《南史》惲傳："惲著《十杖龜經》。"十杖當是卜林之譌。

易林二十卷　庾詵撰，見本傳。《梁書》同。《隋·經籍志》未收。

[陳]

符瑞圖十卷　顧野王撰，見本傳。《陳書》同。《隋·經籍志》未收。

右五行十三部，已收《隋·經籍志》者五部，未收《隋·經籍志》者八部。

醫方

[宋]

藥方數十卷　羊欣撰，見本傳。《宋書》欣傳：撰《藥方》十卷。《隋·經籍志》注：《羊中散藥方》三十卷，羊欣撰。

和香方　范曄撰，見本傳。《宋書》同。《隋·經籍志》注：范曄《上香方》一卷，《雜香膏方》一卷，亡。

[梁]

如意方　簡文帝撰，見本紀。《梁書·簡文紀》未載。《隋·經籍志》:《如意方》十卷,無撰人姓名。

本草集注　陶弘景撰,見本傳。《梁書》弘景傳未載。《隋·經籍志》注:《陶弘景本草經注》七卷。

效驗方　陶弘景撰,見本傳。《梁書》弘景傳未載。《隋·經籍志》:《陶氏效驗方》六卷,有姓無名。

肘後百一方　陶弘景撰,見本傳。《梁書》弘景傳未載。《隋·經籍志》注:《陶弘景補闕肘後百一方》九卷,亡。

玉匱記　陶弘景撰,見本傳。《梁書》弘景傳未載。《隋·經籍志》未收。

占候合丹法式　陶弘景撰,見本傳。《梁書》弘景傳未載。《隋·經籍志》:《合丹節度》四卷,陶隱居撰。按弘景,一稱陶隱居。

右醫方八部,已收《隋·經籍志》者七部,未收《隋·經籍志》者一部。

凡子類一百零六部,已收《隋·經籍志》者四十一部,未收《隋·經籍志》者六十五部。

集

集之類,凡三:曰楚辭,曰別集,曰總集。

楚辭

[梁]
楚辭草木疏一卷
劉杳撰,見本傳。《梁書》同。《隋·經籍志》:《離騷草木疏》二卷,劉杳撰。

右楚辭一部,已收《隋·經籍志》者一部,未收《隋·經籍志》者
無部。

別集

[宋]

宋前廢帝集　見本紀。《宋書》同。《隋·經籍志》注:《宋廢帝
景知集》十卷 ,錄一卷。按《南史·前廢帝紀》:"帝少好讀書,
頗識古事,粗有文才,自造《孝武帝誄》及雜篇章,往往有
詞采。"

謝靈運集　見本傳。《宋書》同。《隋·經籍志》:《謝靈運集》十
九卷,梁二十卷,錄一卷。按《南史》靈運傳:"所著文章傳
於世。"

謝惠連集　見本傳。《宋書》同。《隋·經籍志》:《謝惠連集》六
卷,梁五卷,錄一卷。按《南史》惠連傳:"靈運見其新文,每曰
'張華重生,不能易也'。文章並行於世。"

謝莊集　見本傳。《宋書》同。《隋·經籍志》:《謝莊集》十九
卷,梁十五卷。按《南史》莊傳:"所著文章四百餘首,行
於世。"

王微集　見本傳。《宋書》同。《隋·經籍志》:《王微集》十卷,
梁有目錄一卷。

王韶之集　見本傳。《宋書》同。《隋·經籍志》注:《王韶之集》
二十四卷,亡。又注:《王韶之集》十九卷。按《南史》韶之傳:
"爲吳興太守。卒,文集行於世。"

范泰集　見本傳。《宋書》同。《隋·經籍志》:《范泰文集》十九
卷,梁二十卷,錄一卷。按《南史》泰傳:"撰文集傳於世。"

袁淑集　見本傳。《宋書》同。《隋·經籍志》:《袁淑集》十一卷,并目錄,梁十卷,錄一卷。按《南史》淑傳:"淑文集傳於世。"

袁顗集　見《袁豹》傳。《宋書》豹無傳。《隋·經籍志》注:梁有宋武陵太守《袁顗集》八卷。按《南史》豹傳:"顗見誅,宋明帝投尸江中,不許斂葬。豹與舊奴一人,微服求尸,四十餘日乃得,密瘞石頭後岡,身自負土。懷其文集,未嘗離身。"

蔡興宗集　見本傳。《宋書》同。《隋·經籍志》未收。按《南史》興宗傳:"文集傳於世。"

荀伯子集　見本傳,《宋書》同。《隋·經籍志》未收。按《南史》伯子傳:"文集傳於世。"

鄭鮮之集　見本傳。《宋書》同。《隋·經籍志》:《鄭鮮之集》十三卷,梁二十卷,錄一卷。按《南史》鮮之傳:"文集行於世。"

裴松之集　見本傳。《宋書》同。《隋·經籍志》:《裴松之集》十三卷,梁二十卷。按《南史》松之傳:"所著文論行於世。"

何承天集　見本傳,《宋書》承天傳未載。《隋·經籍志》:《何承天集》二十卷。按《南史》承天傳:"文集傳於世。"

沈懷文集　見本傳。《宋書》同。《隋·經籍志》:《沈懷文集》十二卷,梁十六卷。按《南史》懷文傳:"懷文撰有文集傳於世。"

顏竣集　見本傳。《宋書》同。《隋·經籍志》:《顏竣集》十四卷,并目錄。按《南史》竣傳:"竣文集行於世。"

戴法興集　見本傳。《宋書》同。《隋·經籍志》注:《戴法興集》四卷,亡。按《南史》法興傳:"法興能文章,頗行於世。"

慧琳集　見《天竺迦毗黎國傳》。《宋書》同。《隋·經籍志》:《沙門慧琳集》五卷,梁九卷,錄一卷。按《南史·天竺迦毗黎國傳》:"慧琳文論傳於世。"

[齊]

蕭子良集　見本傳。《齊書》同。《隋·經籍志》:《齊竟陵王子
良集》四十卷。按《南史》子良傳:"所著內外文筆,雖無文采,
多是勸戒。"

蕭子隆集　見本傳。《齊書》同。《隋·經籍志》注:《隋王子隆
集》七卷,亡。按《南史》子隆傳:"文集行於世。"

王融集　見本傳。《齊書》同。《隋·經籍志》:《王融集》十卷。
按《南史》融傳:"所著文集傳於世。"

王儉集　見本傳。《齊書》同。《隋·經籍志》:《王儉集》五十一
卷,梁六十卷。按《南史》儉傳:"文集行於世。"

張融集　見本傳。《齊書》同。《隋·經籍志》:《張融集》二十七
卷,梁十卷,又有張融《玉海集》十卷,《大澤集》十卷,《金波
集》六十卷。按《南史》融傳:"融文集數十卷行於世,自名其
集爲《玉海》,司徒褚彥回問其故,融云:'蓋玉以比德,海崇上
善耳。'"

陸厥集　見本傳。《齊書》同。《隋·經籍志》:《陸厥集》八卷,
梁十卷。按《南史》厥傳:"文集行於世。"

劉瓛集　見本傳。《齊書》同。《隋·經籍志》注:《劉瓛集》三十
卷,亡。按《南史》瓛傳:"所著文集行於世。"

虞愿集　見本傳。《齊書》同。《隋·經籍志》未收。按《南史》
愿傳:"愿著文翰數十篇。"

丘靈鞠集　見本傳。《齊書》同。《隋·經籍志》未收。按《南
史》靈鞠傳:"有文集行於時。"

顧歡集三十卷　見本傳。《齊書》同。《隋·經籍志》注:《顧歡
集》三十卷,亡。按《南史》歡傳:"武帝詔歡諸子,撰歡文議三
十卷。"

［梁］

梁武帝集一百二十卷　見本紀。《梁書》同。《隋·經籍志》：
《梁武帝集》二十六卷，梁三十二卷。《梁武帝詩賦集》二十
卷。《梁武帝雜文集》九卷。《梁武帝別集目錄》二卷。《梁武
帝淨業賦》三卷。按《南史》武帝紀：“躬制贊、序、詔誥、銘、
誄、箴、頌、牋、奏諸文，一百二十卷。”又按《蕭子顯傳》：“大通
三年，啓撰《武帝集》。”《任孝恭傳》：“啓撰《武帝集》序文，並
富麗。”又按《北史·蕭大圜傳》：“周文帝保定二年，開麟趾
殿，招集學士大圜與焉。《梁武帝集》四十卷，《簡文帝集》九
十卷，各祇一本，江陵平後，並藏秘閣。大圜入麟趾，方得見
之，乃手寫二集，一年並成。”《周書》大圜傳同。

梁簡文帝集一百卷　見本紀。《梁書》同。《隋·經籍志》：《梁
簡文帝集》八十五卷，陸罩撰，並錄。按《南史·簡文帝紀》：
“文集一百卷。”又按《陸杲傳》：“杲弟煦子罩，少篤學，多所該
覽，善屬文。簡文居藩，爲記室參軍，撰帝集序。”又按《北
史·蕭大圜傳》：“《簡文帝集》九十卷。”説詳上《梁武帝集》下
注內。

梁元帝集五十卷　見本紀。《梁書》同。《隋·經籍志》：《梁元
帝集》五十二卷。按《南史·元帝紀》：“文集五十卷。”

蕭洽集二十卷　見本傳。《梁書》同。《隋·經籍志》：《蕭洽集》
二卷。按《南史》洽傳：“文集二十卷行於世。”

蕭琛集　見本傳。《梁書》同。《隋·經籍志》未收。按《南史》
琛傳：“所撰諸文集十餘萬言。”

臧嚴集十卷　見本傳。《梁書》同。《隋·經籍志》未收。按《南
史》嚴傳：“卒於鎮南諮議參軍，文集十卷。”

謝微集二十卷　見本傳。《梁書》作謝徵，傳同。《隋·經籍志》
未收。按《南史》微傳：“文集二十卷。”又按《梁書》徵傳：“友

人王藉集其文爲二十卷。"《南史》作"微",《梁書》作"徵",並錄俟考。

謝朓集　見本傳。《梁書》同。《隋·經籍》注:《謝朓文集》十五卷,亡。按《南史》朓傳:"著書及文章行於世。"

謝舉集二十卷　見本傳。《梁書》舉傳:《舉集》侯景亂中亡。《隋·經籍志》未收。按《南史》舉傳:"有文集二十卷。"

謝嘏集　見本傳。《梁書》嘏見《謝舉傳》,未載。《隋·經籍志》未收。按《南史》嘏傳:"有文集行於世。"

謝僑集十卷　見本傳。《梁書》僑無傳。《隋·經籍志》未收。按《南史》:"僑傳集十卷。"

王藉集十卷　見本傳。《梁書》同。《隋·經籍志》未收。按《南史》藉傳:"湘東王集其文爲十卷云。"

王規集二十卷　見本傳。《梁書》同。《隋·經籍志》未收。按《南史》規傳:"文集二十卷。"

王筠集一百卷　見本傳。《梁書》同。《隋·經籍志》:梁太子洗馬《王筠集》十一卷,並錄。王筠《中書集》十一卷,並錄。王筠《臨海集》十一卷,並錄。王筠《左佐集》十一卷,並錄。王筠《尚書集》九卷,並錄。按《南史》筠傳:"筠自撰文章,以一官爲一集,自《洗馬》、《中書》、《中庶》、《吏部》、《左佐》、《臨海》、《太府》各十卷,《尚書》三十卷,凡一百卷,行於世。"

到溉集二十卷　見本傳。《梁書》同。《隋·經籍志》未收。按《南史》溉傳:"有集二十卷行於時。"

到沆集　見本傳。《梁書》沆無傳。《隋·經籍志》未收。按《南史》沆傳:"所著詩賦百餘篇。"

到洽集　見本傳。《梁書》同。《隋·經籍志》注:《到洽集》十一卷。按《南史》洽傳:"文集行於世。"

謝幾卿集　見本傳。《梁書》同。《隋·經籍志》未收。按《南史》幾卿傳：“文集行於世。”

袁昂集二十卷　見本傳。《梁書》昂傳未載。《隋·經籍志》未收。按《南史》昂傳：“有集二十卷。”

張率集四十卷　見本傳。《梁書》率傳：文集三十卷。《隋·經籍志》：《張率集》三十八卷。按《南史》率傳：“所著文集四十卷行於世。”

張盾集　見本傳。《梁書》盾傳未載。《隋·經籍志》未收。按《南史》盾傳：“家無遺財，唯有文集並書千餘卷，酒米數甕而已。”

裴子野集二十卷　見本傳。《梁書》同。《隋·經籍志》：《裴子野集》十四卷。按《南史》子野傳：“撰有文集二十卷行於世。”

何遜集八卷　見本傳。《梁書》同。《隋·經籍志》：《何遜集》七卷。按《南史》遜傳：“東海王僧孺，集其文爲八卷。”

孔翁歸集　見《何遜傳》。《梁書》同。《隋·經籍志》未收。按《南史》遜傳：“會稽孔翁歸、濟陽江避並爲南平王大司馬記室。翁歸工爲詩，避博學有思理，二人並有文集。”

江避集　見《何遜傳》。《梁書》同。《隋·經籍志》未收。按《南史》遜傳：避有文集。説詳見前《孔翁歸集》下注內。

周捨集二十卷　見本傳。《梁書》同。《隋·經籍志》同。按《南史》捨傳：“集二十卷。”

庾仲容集二十卷　見本傳。《梁書》同。《隋·經籍志》未收。按《南史》仲容傳：“有文集二十卷並行於世。”

顧憲之集　見本傳。《梁書》同。《隋·經籍志》未收。按《南史》憲之傳：“所著詩賦銘讚。”

沈顗集　見本傳。《梁書》同。《隋·經籍志》未收。按《南史》顗傳：“所著文章數十篇。”

江蒨集十五卷　見本傳。《梁書》同。《隋·經籍志》未收。按

《南史》蒨傳："著有文集十五卷。"

柳惔集　見本傳。《梁書》同。《隋·經籍》注：《柳憕集》二十卷。按《南史》惔傳："著諸詩賦，粗有辭義。"惔、憕字通用。

劉孺集二十卷　見本傳。《梁書》同。《隋·經籍志》未收。按《南史》孺傳："有文集二十卷。"

劉孝綽集　見本傳。《梁書》同。《隋·經籍志》：《劉孝綽集》十四卷。按《南史》孝綽傳："文集數十萬言行於時。"

劉潛集二十卷　見本傳。《梁書》同。《隋·經籍志》：《劉孝儀集》二十卷。按《南史》潛傳："潛，字孝儀。有文集二十卷行於世。"

蕭子範前後文集三十卷　見本傳。《梁書》同。《隋·經籍志》：《蕭子範集》十三卷。按《南史》子範傳："前後文集三十卷。"

蕭子顯集二十卷　見本傳。《梁書》同。《隋·經籍志》未收。按《南史》子顯傳："所著文集二十卷。"又自序云："每有製作，特寡思功，須其自來，不以力構。少來所爲詩賦，則《鴻序》一作，體兼衆製，文備多方，頗爲好事所傳，故虛聲易遠。"

陸雲公集二十卷　見本傳。《梁書》同。《隋·經籍志》：《陸雲公集》十卷。按《南史》雲公傳："文集行於世。"

陸才子集　見《陸雲公傳》。《梁書》同。《隋·經籍志》未收。按《南史》雲公傳："雲公從父兄才子，亦有才名，位太子中庶子、廷尉，與雲公並有文集行於世。"

劉霽集十卷　見本傳。《梁書》同。《隋·經籍志》未收。按《南史》霽傳："文集十卷。"

劉杳集十五卷　見本傳。《梁書》同。《隋·經籍志》未收。按《南史》杳傳："撰有文集十五卷。"

劉之遴前後集五十卷　見本傳。《梁書》同。《隋·經籍志》：《劉之遴前集》十一卷，《後集》二十一卷。按《南史》之遴傳：

“前後文集五十卷。”

蕭子業集　見本傳。《梁書》同。《隋·經籍志》未收。按《南史》子業傳：“文集行於世。”

蕭機集　見本傳。《梁書》機見《安成王秀傳》，同。《隋·經籍志》：《蕭機文集》二卷，又《志》注：梁有《安成煬王集》五卷，亡。按《南史》機傳：“機薨謚曰煬。所有詩賦數千言，元帝集而序之。”

蕭統集二十卷　見本傳。《梁書》同。《隋·經籍志》同。按《南史·劉孝綽傳》：“太子文章，羣才咸欲撰録，太子獨使孝綽集而序之。”

張緬集五卷　見本傳。《梁書》同。《隋·經籍志》未收。按《南史》緬傳：“有文集五卷。”

張纘集二十卷　見本傳。《梁書》同。《隋·經籍志》：《張纘集》十一卷，並録。按《南史》纘傳：“著文集二十卷。”

沈約集一百卷　見本傳。《梁書》同。《隋·經籍志》：《沈約集》一百一卷，並録。按《南史》約傳：“文集一百卷。”

范雲集三十卷　見本傳。《梁書》同。《隋·經籍志》：《范雲集》十一卷，並録。按《南史》雲傳：“有集三十卷。”

范縝集十五卷　見本傳。《梁書》縝傳：文集十卷。《隋·經籍志》：《范縝集》十一卷。按《南史》縝傳：“有文集十五卷。”

江淹前後集　見本傳。《梁書》同。《隋·經籍志》：《江淹集》九卷，梁二十卷。《江淹後集》十卷。按《南史》淹傳：“凡所著述，自撰爲前後集。”

任昉集三十三卷　見本傳。《梁書》同。《隋·經籍志》：《任昉集》三十四卷。按《南史》昉傳：“所著文章數十萬言，盛行於時。東海王僧孺嘗論之，以爲‘過於董生、揚子’。文章三十三卷。”

王僧孺集三十卷　見本傳。《梁書》同。《隋·經籍志》同。按《南史》僧孺傳："其文麗逸，多用新事，人所未見者，時重其富博。文集三十卷。"

范岫集　見本傳。《梁書》同。《隋·經籍志》未收。按《南史》岫傳："所著文集行於世。"

江革集二十卷　見本傳。《梁書》同。《隋·經籍志》:《江革集》六卷。按《南史》革傳："有集二十卷行於世。"

徐勉前後二集五十卷　見本傳。《梁書》勉傳:前後二集四十五卷。《隋·經籍志》:《徐勉前集》三十五卷，《徐勉後集》十六卷，並序錄。按《南史》勉傳："凡所著前後二集五十卷。"

朱异集　見本傳。《梁書》同。《隋·經籍志》未收。按《南史》异傳："文集百餘篇。"

許懋集十五卷　見本傳。《梁書》同。《隋·經籍志》未收。按《南史》懋傳："有集十五卷。"

司馬褧集十卷　見本傳。《梁書》同。《隋·經籍志》:《司馬褧集》九卷。按《南史》褧傳："遷晋安王長史，卒，王命記室庾肩吾集其文爲十卷。"

顧協集十卷　見本傳。《梁書》協傳未載。《隋·經籍志》未收。按《南史》協傳："文集十卷行於世。"

鮑行卿集二十卷　見《鮑泉傳》。《梁書》泉傳未載。《隋·經籍志》未收。按《南史》泉傳："行卿以博學大才稱位，有集二十卷。"

范述曾集　見本傳。《梁書》同。《隋·經籍志》未收。按《南史》述曾傳："撰有雜詩賦數十篇。"

伏挺集二十卷　見本傳。《梁書》同。《隋·經籍志》未收。按《南史》挺傳："文集二十卷。"

顧越集　見本傳。《梁書》同。《隋·經籍志》未收。按《南史》

越傳：“所著詩頌碑誌牋表二百餘篇。”

劉昭集十卷　見本傳。《梁書》同。《隋·經籍志》未收。按《南史》昭傳：“有文集十卷。”

周興嗣集十卷　見本傳。《梁書》同。《隋·經籍志》未收。按《南史》興嗣傳：“文集十卷。”

吳均集二十卷　見本傳。《梁書》同。《隋·經籍志》同。按《南史》均傳：“文集二十卷。”

何思澄集十五卷　見本傳。《梁書》同。《隋·經籍志》同。按《南史》思澄傳：“文集十五卷。”

何子朗集　見《何思澄傳》。《梁書》同。《隋·經籍志》未收。按《南史》思澄傳：“子朗集行於世。”

任孝恭集　見本傳。《梁書》同。《隋·經籍志》：《任孝恭集》十卷。按《南史》孝恭傳：“文集行於世。”

顔協集二十卷　見本傳。《梁書》協傳未載。《隋·經籍志》未收。按《南史》協傳：“所著文集二十卷，遇火煙滅。”

謝藺集　見本傳。《梁書》同。《隋·經籍志》未收。按《南史》藺傳：“製詩賦碑頌數十篇。”

江子一集　見本傳。《梁書》同。《隋·經籍志》未收。按《南史》子一傳：“辭賦文章數十篇行於世。”

諸葛璩集二十卷　見本傳。《梁書》同。《隋·經籍志》注：《諸葛璩集》十卷，亡。按《南史》璩傳：“所著文章二十卷，門人劉曒集録之。”

庾曼倩集　見《庾詵傳》。《梁書》同。《隋·經籍志》未收。按《南史》詵傳：“子曼倩所著各書，並所製文章，凡九十五卷。”

[陳]

袁樞集十卷　見《袁君正傳》。《陳書》樞傳同。《隋·經籍志》未收。按《南史》君正傳：“樞有文集十卷行於世。”

孔奐集十五卷　見本傳。《陳書》同。《隋‧經籍志》未收。按《南史》奐傳:“有集十五卷。”

褚玠集　見本傳。《陳書》同。《隋‧經籍志》:《褚玠集》十卷。按《南史》玠傳:“所製章奏雜文二百餘篇。”

張種集十四卷　見本傳。《陳書》同。《隋‧經籍志》未收。按《南史》種傳:“有集十四卷。”

周弘正集二十卷　見本傳。《陳書》同。《隋‧經籍志》同。按《南史》弘正傳:按《南史》弘正傳:“集二十卷。”

周弘直集二十卷　見本傳。《陳書》同。《隋‧經籍志》未收。按《南史》弘直傳:“有文集二十卷”。

江總集三十卷　見本傳。《陳書》同。《隋‧經籍志》:《江總集》三十卷,《江總後集》二卷。按《南史》總傳:“有文集三十卷。”

陸瓊集二十卷　見本傳。《陳書》同。《隋‧經籍志》未收。按《南史》瓊傳:“有集二十卷行於世。”

陸瑜集十卷　見本傳。《陳書》同。《隋‧經籍志》:《陸瑜集》十一卷,並錄。按《南史》瑜傳:“有集十卷。”又按《陸瓊傳》:“子從典,從父瑜特所賞愛。及瑜將終,命家中墳籍皆付之,從典乃集瑜文爲十卷,仍製集序,其文甚工。”

陸玠集十卷　見本傳。《陳書》同。《隋‧經籍志》:陳少府卿《陸玢集》十卷。按《南史》玠傳:“至德二年,追贈少府卿,有集十卷。”《隋志》“玠”作“玢”,“玢”字誤,《陳書》作“玠”。

陸琰集二卷　見本傳。《陳書》同。《隋‧經籍志》:《陸琰集》二卷。按《南史》琰傳:“所製文筆,多不存本,後主求其遺文,撰成二卷。”

江德藻集十五卷　見本傳。《陳書‧江德操傳》同。《隋‧經籍志》未收。按《南史》德藻傳:“補新渝令,政尚恩惠,頗有異績。卒於官,文帝贈散騎常侍。文筆十五卷。”《陳書》德操,字德藻。

許亨集六卷　見本傳。《陳書》同。《隋·經籍志》未收。按《南史》亨傳:"梁太清之後,所製文字六卷。"

徐陵集三十卷　見本傳。《陳書》同。《隋·經籍志》同。按《南史》陵傳:"其文頗變舊體,緝裁巧密,多有新意。每一文出,好事者已傳寫成誦,遂傳於周、齊,家有其本。後逢散亂,多散失,存者三十卷。"

陰鏗集三卷　見本傳。《陳書》鏗見《阮卓傳》,同。《隋·經籍志》:《陰鏗文集》一卷。按《南史》鏗傳:"有文集三卷行於世。"

蔡景歷集三十卷　見本傳。《陳書》同。《隋·經籍志》:《蔡景歷集》五卷。按《南史》景歷傳:"景歷屬文,不尚雕靡,而長於敘事,應機敏速,爲當時所稱。有文集三十卷。"

毛喜集十卷　見本傳。《陳書》同。《隋·經籍志》未收。按《南史》喜傳:"喜有集十卷。"

沈炯集二十卷　見本傳。《陳書》同。《隋·經籍志》:《沈炯前集》七卷,《後集》十三卷。按《南史》炯傳:"有集凡二十卷,早行於世。"

虞寄集　見本傳。《陳書》同。《隋·經籍志》未收。按《南史》寄傳:"所製文筆,遭亂後並多散失。"

傅縡集十卷　見本傳。《陳書》同。《隋·經籍志》未收。按《南史》縡傳:"有集十卷。"

顧野王集二十卷　見本傳。《陳書》同。《隋·經籍志》:《顧野王集》十九卷。按《南史》野王傳:"有文集二十卷。"

姚察集二十卷　見本傳。《陳書》同。《隋·經籍志》未收。按《南史》察傳:"有文集二十卷。"

沈不害集十四卷　見本傳。《陳書》同。《隋·經籍志》未收。

按《南史》不害傳：“有文集十四卷。”

杜之偉集十七卷　見本傳。《陳書》同。《隋·經籍志》：《杜之偉集》十二卷。按《南史》之偉傳：“文集十七卷。”

岑之敬集十卷　見本傳。《陳書》同。《隋·經籍志》未收。按《南史》之敬傳：“有集十卷行於世。”

顏晃集二十卷　見本傳。《陳書》同。《隋·經籍志》未收。按《南史》晃傳：“有集二十卷。”

張正見集十四卷　見本傳。《陳書》同。《隋·經籍志》同。按《南史》正見傳：“有集十四卷，其五言尤善。”

庾持集十卷　見本傳。《陳書》同。《隋·經籍志》未收。按《南史》持傳：“有集十卷。”

司馬暠集十卷　見本傳。《陳書》同。《隋·經籍志》未收。按《南史》暠傳：“有集十卷。”

右別集一百三十一部，已收《隋·經籍志》者七十部，未收《隋·經籍志》者六十一部。

總集

[宋]

集林二百卷　劉義慶撰，見《臨川王道規傳》。《宋書》道規傳未載。《隋·經籍志》：《集林》一百八十一卷，劉義慶撰，梁三百卷。

[齊]

建元詔冊　高帝撰，見本紀。《齊書·高帝紀》未載。《隋·經籍志》注：梁有《齊建元詔》五卷。按《南史·高帝紀》：“所著文，詔中書侍郎江淹撰次也。”

古迹十一卷　高帝撰，見《王僧虔傳》。《齊書》同。《隋·經籍志》未收。按《南史》僧虔傳：“高帝示僧虔古迹十一卷。僧虔

得人間所有卷中所無者：吴大皇帝、景帝、歸命書、桓玄書，①
王丞相導、領軍洽、中書令珉、張芝、索靖、衛伯儒、張翼十一
卷，奏之。”

古迹十一卷　王僧虔撰，見本傳。《齊書》僧虔傳：《古迹》十二
卷。《隋·經籍志》未收。按事詳上高帝《古迹》十一卷下
注内。

[梁]

歷代賦啓　武帝撰，見《周興嗣傳》。《梁書》同。《隋·經籍
志》：《歷代賦啓》十卷，②梁武帝撰。按《南史》與嗣傳：“十七
年，爲給事中，直西省。周捨奉敕注武帝所製《歷代賦啓》，興
嗣與焉。”

歷代賦啓注　周捨撰，見《周興嗣傳》。《梁書》同。周興嗣撰，
見本傳。《梁書》同。《隋·經籍志》未收。按事詳上武帝《歷
代賦啓》下注内。

千文詩　武帝撰，見《沈旋傳》。《梁書》旋見《沈約傳》，未載。
《隋·經籍志》未收。按《南史》旋傳：“旋卒，子寔嗣。寔弟
衆，仕梁爲太子舍人。時武帝製《千文詩》，而衆爲之注。”

千文詩注　沈衆撰，見《沈旋傳》。《梁書》旋見《沈約傳》，未載。
《隋·經籍志》未收。按事已詳上武帝《千文詩》下注内。

謝客文涇渭三卷　簡文帝撰，見本紀。《梁書·簡文紀》未載。
《隋·經籍志》未收。

正序十卷　蕭統撰，見本傳。《梁書》同。《隋·經籍志》未收。
按《南史·昭明太子統傳》：“撰古今典誥文言爲《正序》
十卷。”

---

① “歸命書”，武英殿本、中華本《南史·王僧虔傳》作“歸命侯書”，當是。
② 汲古閣本、武英殿本、中華本《隋書·經籍志》無“啓”字。

英華集二十卷　蕭統撰。見本傳。《梁書》同。《隋·經籍志》：《古今詩苑英華》十九卷。按《南史·昭明太子統傳》："撰五言詩之善者爲《英華集》二十卷。"

文選三十卷　蕭統撰，見本傳。《梁書》同。《隋·經籍志》同。

文心雕龍五十篇　劉勰撰，見本傳。《梁書》同。《隋·經籍志》：《文心雕龍》十卷，刘勰撰。按《南史》勰傳："勰撰《文心雕龍》五十篇，論古今文體。既成，未爲時流所稱。勰欲取定於沈約，無由自達，乃負書候約於車前，狀若貨鬻者。約取讀，大重之，謂深得文理，常陳諸几案。"

文衡十五卷　張率撰，見本傳。《梁書》同。《隋·經籍志》未收。

七略藝文志詩賦補亡　張率撰，見本傳。《梁書》同。《隋·經籍志》未收。

四部書抄　到洽撰，見本傳，《梁書》同。張率撰，見本傳，《梁書》同。《隋·經籍志》未收。按《南史》洽傳："遷司徒主簿，直待詔省，敕使抄甲部書爲十二卷。"率傳："梁天監中，爲司徒謝朏掾，直文德待詔省，敕使抄乙部書。七年，除中權建安王中記室參軍，俄直壽光省，修丙、丁部書抄。"又按《梁書》率傳："天監初，敕使率抄乙部書。"較《南史》作"天監中"尤核。

漢書文府　蕭琛撰，見本傳。《梁書》同。《隋·經籍志》注：《漢書文府》三卷，亡，無撰人姓名。

齊梁拾遺　蕭琛撰，見本傳。《梁書》同。《隋·經籍志》未收。

江左集抄　張緬撰，見本傳。《梁書》同。《隋·經籍志》未收。按《南史》緬傳："抄《江左集》，未及成。"

諸集抄三十卷　庾仲容撰，見本傳。《梁書》仲容傳未載。《隋·經籍志》未收。

詩評　鍾嶸撰，見本傳。《梁書》同。《隋·經籍志》：《詩評》三卷，鍾嶸撰，或曰《詩品》。按《南史》嶸傳：“嶸嘗求譽沈約，約拒之。及約卒，嶸品古今詩爲評，言其優劣，云：‘觀於休文衆製，五言最優。齊永明中，相王愛文，王元長等皆宗附約。于時謝朓未遒，江淹才盡，范雲名級又微，故稱獨步。故當辭宏於范，意淺於江。’蓋追宿憾，以此報約也。”

齊太廟祝文二卷　徐勉撰，見本傳。《梁書》同。《隋·經籍志》未收。按《南史》勉傳：“齊時撰《太廟祝文》二卷。”

古婦人事　張率撰，見本傳。《梁書》率傳：“率撰《婦人事》二十餘條，勒成百卷。”《隋·經籍志》未收。按《南史》率傳：“天監中，使撰《古婦人事》，使工書人琅瑘王琛、吳郡范懷等寫給後宮。”又按《梁書》云：“二十餘條，勒成百卷。”當有誤，疑係百十餘條，勒成二卷。又按《隋·經籍志》“《婦人集鈔》二卷”，無撰人姓名，疑即此書。

婦人章表集十卷　徐勉撰，見本傳。《梁書》勉傳：《婦人集》十卷。《隋·經籍志》注：《婦人集》十一卷；亡，無撰人姓名。按《南史》勉傳：“凡所著前後二集五十卷。又爲《人章表集》十卷。”《梁書》勉傳：“凡所著前後二集四十五卷，又爲《婦人集》十卷，皆行於世。”

中書表奏三十卷　王筠撰，見本傳。《梁書》同。《隋·經籍志》未收。按《南史》筠傳：“奉敕撰《中書表奏》三十卷。”

圖像集要　陶弘景撰，見本傳。《梁書》弘景傳未載。《隋·經籍志》未收。

釋氏碑銘集　元帝撰，見《阮孝緒傳》。《梁書》孝緒傳未載。《隋·經籍志》注：《釋氏碑文》三十卷，梁元帝撰。按《南史》孝緒傳：“湘東王集釋氏碑銘，先簡孝緒，而後施行。”

[陳]

中書表集　姚察撰，見本傳。《陳書》同。《隋·經籍志》未收。

右總集二十八部，已收《隋·經籍志》者十部，未收《隋·經籍志》者十八部。

凡集類一百六十部，已收《隋·經籍志》者八十一部，未收《隋·經籍志》者七十九部。

以上四部經傳都六百一十三部，其《隋·經籍志》已收者二百六十九部，未收者三百四十四部。

佛經

[宋]

勝鬘經　沙門摩訶衍撰，見《中天竺迦毗黎國傳》。《宋書》同。《隋·經籍志》未收。按《南史·迦毗黎國傳》："大明中，外國沙門摩訶衍苦節有精理，於都下出新經《勝鬘經》，尤見重釋學。"

[齊]

法華經注　劉虬撰，見本傳。《齊書》同。《隋·經籍志》未收。

[梁]

涅槃般若金光明經講疏一百三卷　武帝撰，見本紀。《梁書·武帝紀》未載。《隋·經籍志》未收。按《隋志》佛經祇計總數，注中有講疏字樣，無撰人姓名，不復可辨。

涅槃大品淨名三慧諸經義數百卷①　武帝撰，見本紀。《梁書·武帝紀》未載。《隋·經籍志》未收。

百法論注一卷　何胤撰，見本傳。《梁書》同。《隋·經籍志》未收。

---

①　"諸經義"，武英殿本、中華本《南史·梁武帝本紀》作"諸經義記"，汲古閣本作"諸經義紀"。

十二門論注一卷　何胤撰,見本傳。《梁書》同。《隋·經籍志》未收。

淨名經注　謝舉撰,見本傳。《梁書》同。《隋·經籍志》未收。

定林寺經證　劉勰撰,見本傳。《梁書》同。《隋·經籍志》未收。按《南史》勰傳:"有敕與沙門慧震於定林寺撰《經證》。"

定林寺經藏序録　劉勰撰,見本傳。《梁書》同。《隋·經籍志》未收。按《南史》勰傳:"有早孤,[①]篤志好學。家貧不婚娶,依沙門僧祐居,遂博通經論,因區别部類,禄而序之。定林寺經藏,勰所定也。"

[陳]

梁武帝同泰寺捨身儀注　杜之偉撰,見本傳。《陳書》同。《隋·經籍志》未收。按《南史》之偉傳:"大同元年,梁武帝幸同泰寺捨身,敕徐勉撰《儀注》。勉以先無此禮,召之偉草具其儀。"之偉,《梁書》無傳,傳見《陳書》,然撰《儀注》,則梁代事也。

右佛經十部,已收《隋·經籍志》者無部,未收《隋·經籍志》者十部。

以上四部經傳及佛經都六百二十二部,其《隋·經籍志》已收者二百六十九部,未收者三百五十三部。

---

① "有",據汲古閣本、武英殿本、中華本《南史·劉勰傳》,當作"勰"。

補南北史藝文志卷二

北史

經

經之類,凡九:曰易,曰尚書,曰詩,曰禮,曰樂,曰春秋,曰孝經,曰論語,附五經總義。曰小學。

易

[魏]

周易解　崔浩撰。見本傳。《魏書》浩傳有五經注,《易解》即五注之一。《隋·經籍志》:《周易》十卷,崔浩撰。[①]

周易注　盧景裕撰,見本傳。《魏書》同。《隋·經籍志》未收。

易集解　游肇撰,見本傳。《魏書》同。《隋·經籍志》未收。

王朗易傳注　闞駰撰,見本傳。《魏書》同。《隋·經籍志》未收。

周易注　劉延明撰,見本傳。《魏書·劉昞傳》同。《隋·經籍志》未收。按延明,劉昞字。

---

① "撰",汲古閣本、武英殿本、中華本《隋書·經籍志》作"注",當是。

［北齊］

易注　權會撰，見本傳。《齊書》同。《隋·經籍志》未收。

周易義例　李鉉撰，見本傳。《齊書》同。《隋·經籍志》未收。

易上下繫辭注　杜弼撰，見本傳。《齊書》同。《隋·經籍志》未收。按《北史》弼傳：“注《莊子·惠施篇》，並《易》上下《繫辭篇》，名曰《新注義苑》。”此注即《義苑》之一。

［北周］

周易義記　蕭撝撰，見本傳。《周書》同。《隋書》同。《隋·經籍志》未收。按《周書》、《隋書》撝均有傳。

［隋］

周易講疏三卷　何妥撰，見本傳。《隋書》妥傳：“《周易義疏》十三卷。《隋·經籍志》：《周易義疏》十三卷，①何妥撰。”

連山易　劉炫撰，見本傳。《隋書》同。《隋·經籍志》未收。按《北史》炫傳：“牛弘奏購求天下遺逸之書，炫遂僞造書百餘卷，題曰《連山易》、《魯史記》等，錄上送官，取賞而去。後有人訟之，坐除名，歸于家。”

右易十一部，已收《隋·經籍志》者二部，未收《隋·經籍志》者九部。

尚書

［魏］

尚書解　崔浩撰，見本傳。《魏書》浩傳有五經注，《書解》即五注之一。《隋·經籍志》未收。

---

①　“周易義疏”，汲古閣本、武英殿本、中華本《隋書·經籍志》、《何妥傳》均作“周易講疏”。

尚書注　盧景裕撰,見本傳。《魏書》同。《隋·經籍志》未收。

王肅所注尚書音一卷　劉芳撰,見本傳。《魏書》同。《隋·經籍志》未收。

[北周]

尚書義疏　蔡大寶撰,見本傳。《周書》同。《隋·經籍志》:《尚書義》三十卷,蔡大寶撰。

[隋]

尚書注　宇文弼撰,見本傳。《隋書》同。《隋·經籍志》未收。

尚書述議二十卷　劉炫撰,見本傳。《隋書》同。《隋·經籍志》同。

古文尚書義疏二十卷　顧彪撰,見本傳。《隋書》同。《隋·經籍志》同。

尚書注　王孝籍撰,見本傳。《隋書》同。《隋·經籍志》未收。

右尚書八部,已收《隋·經籍志》者三部,未收《隋·經籍志》者五部。

詩

[魏]

詩禮別義　元延明撰,見《安豐王猛傳》。《魏書》延明傳同。《隋·經籍志》未收。

詩解　崔浩撰,見本傳。《魏書》浩傳有五經注,《詩解》即五注之一。《隋·經籍志》未收。

毛詩拾遺　高允撰,見本傳。《魏書》同。《隋·經籍志》未收。

毛詩箋音義證十卷　劉芳撰,見本傳。《魏書》同。《隋·經籍志》同。

毛詩章句疏二卷　劉獻之撰,見本傳。《魏書》獻之傳:《章句疏》三卷。《隋·經籍志》未收。

毛詩序義一卷　劉獻之撰，見本傳。《魏書》同。《隋·經籍志》未收。

[北齊]

毛詩義疏　李鉉撰，見本傳。《齊書》同。《隋·經籍志》未收。

毛詩章句　張思伯撰，見本傳。《齊書》同。《隋·經籍志》未收。

[北周]

毛詩義二十八卷　沈重撰，見本傳。《周書》同。《隋·經籍志》同。

毛詩音二卷　沈重撰，見本傳。《周書》同。《隋·經籍志》未收。

[隋]

毛詩述議四十卷　劉炫撰，見本傳。《隋書》同。《隋·經籍志》同。

詩序注一卷　劉炫撰，見本傳。《隋書》同。《隋·經籍志》:《毛詩集小序》一卷，劉炫撰。

毛詩章句義疏四十二卷　魯世達撰，見本傳。《隋書》世達傳:《毛詩章句義疏》四十一卷。《隋·經籍志》:《毛詩章句義疏》四十卷，魯世達撰。

詩注　王孝籍撰，見本傳。《隋書》同。《隋·經籍志》未收。

右詩十四部，已收《隋·經籍志》者五部，未收《隋·經籍志》者九部。

礼

[魏]

詩禮別義　元延明撰，見《安豐王猛傳》。《魏書》延明傳同。

《隋·經籍志》未收。

禮記解　崔浩撰,見本傳。《魏書》浩傳有五經注,《禮解》即五注之一。《隋·經籍志》未收。

禮記注　盧景裕撰,見本傳。《魏書》同。《隋·經籍志》未收。

喪服要記　索敞撰,見本傳。《魏書》同。《隋·經籍志》未收。

鄭玄所注周官儀禮音一卷　劉芳撰,見本傳。《魏書》同。《隋·經籍志》未收。

干寶所注周官音一卷　劉芳撰,見本傳。《魏書》同。《隋·經籍志》未收。

禮記義證十卷　劉芳撰,見本傳。《魏書》同。《隋·經籍志》同。

周官義證五卷　劉芳撰,見本傳。《魏書》同。《隋·經籍志》未收。

儀禮義證五卷　劉芳撰,見本傳。《魏書》同。《隋·經籍志》未收。

三禮大義四卷　劉獻之撰,見本傳。《魏書》同。《隋·經籍志》:《三禮大義》四卷,無撰人姓名。

明堂圖説六卷　封偉伯撰,見《封軌傳》。《魏書》偉伯傳同。《隋·經籍志》未收。

[北齊]

喪服章句一卷　李公緒撰,見本傳。《齊書》同。《隋·經籍志》未收。

禮質疑五卷　李公緒撰,見本傳。《齊書》同。《隋·經籍志》未收。

三禮義疏　李鉉撰,見本傳。《齊書》同。《隋·經籍志》未收。

[北周]

士喪禮注五卷　要決二卷　蕭大圜撰,見本傳。《周書》同。

《隋·經籍志》未收。

大戴禮注　盧辯撰，見本傳。《周書》辯傳作《大戴禮解詁》。
《隋·經籍志》未收。

周禮義三十一卷　沈重撰，見本傳。《周書》同。《隋·經籍
志》：《周官禮義疏》四十卷，沈重撰。

儀禮義三十五卷　沈重撰，見本傳。《周書》同。《隋·經籍志》
未收。

禮記義三十卷　沈重撰，見本傳。《周書》同。《隋·經籍志》：
《禮記義疏》四十卷，沈重撰。

喪服經義五卷　沈重撰，見本傳。《周書》同。《隋·經籍志》
未收。

周禮音一卷　沈重撰，見本傳。《周書》同。《隋·經籍志》
未收。

儀禮音一卷　沈重撰，見本傳。《周書》同。《隋·經籍志》
未收。

禮記音二卷　沈重撰，見本傳。《周書》同。《隋·經籍志》
未收。

喪服問疑一卷　樊深撰，見本傳。《周書》同。《隋·經籍志》：
《喪服疑問》一卷，樊氏撰，有姓無名。

周禮義疏二十卷　熊安生撰，見本傳。《周書》同。《隋·經籍
志》未收。

禮記義疏三十卷　熊安生撰，見本傳。《周書》安生傳：《禮記義
疏》四十卷。《隋·經籍志》未收。

[隋]

喪服義三卷　張冲撰，見本傳。《隋書》同。《隋·經籍志》
未收。

三禮疏一百卷　褚暉撰，見本傳。《隋書》同。《隋·經籍志》

未收。

明堂圖議二卷　釋疑一卷　宇文愷撰，見本傳。《隋書》同。《隋·經籍志》未收。

右禮二十九部，已收《隋·經籍志》者五部，未收《隋·經籍志》者二十四部。

樂

[魏]

樂書　信都芳撰，見本傳。《魏書》同。《齊書》同。《隋·經籍志》:《樂書》七卷，後魏信都芳撰。按《魏書》、《齊書》均有芳傳。

[北齊]

樂書　李神威撰，見《李之良傳》。《齊書》見《李義深傳》，同。《隋·經籍志》未收。按《北史》之良傳:"神威善音樂，撰集《樂書》近百卷。"

龍吟十弄　鄭述祖撰，見本傳。《齊書》同。《隋·經籍志》未收。

[北周]

樂典十卷　斛斯徵撰，見本傳。《周書》同。《隋·經籍志》未收。

鍾律　沈重撰，見本傳。《周書》同。《隋·經籍志》:《鍾律義》一卷，無撰人姓名。

[隋]

樂府聲調八篇　鄭譯撰，見本傳。《隋書》同。《隋·經籍志》:《樂府聲調譜》三卷，鄭譯撰。又《樂府聲調》六卷，鄭譯撰。按《北史》譯傳:"詔譯參議樂事，譯以周代七聲廢缺，自大隋受命,禮樂宜新。更修七始之義,名曰《樂府聲調》,凡八篇。"
又按《隋書·音樂志》云:"鄭譯考聲調,作書二十餘篇。"《北
史》譯傳祇云八篇,疑八篇即譯三卷之書,而二十餘篇即譯六
卷之書。篇有多寡,故分卷亦有多寡,《志》蓋兩收之。

樂志十五篇　蘇夔撰,見本傳。《隋書》同。《隋·經籍志》
未收。

樂譜二十卷　蕭吉撰,見本傳。《隋書》吉傳:《樂譜》十二卷。
《隋·經籍志》:《樂譜集》二十卷,蕭吉撰。

樂要一卷　何妥撰,見本傳。《隋書》同。《隋·經籍志》同。

樂譜六十四卷　萬寶常撰,見本傳。《隋書》同。《隋·經籍
志》未收。按《北史》寶常傳:"寶常貧而無子,竟餓死。取
其所著書焚之曰:'何用此爲?'見者於火中探得數卷,現
行於世。"

右樂十部,已收《隋·經籍志》者五部,未收《隋·經籍志》者
五部。

春秋

[魏]

春秋解　崔浩撰,見本傳。《魏書》浩傳有五經注,《春秋解》即
五注之一。《隋·經籍志》未收。

左氏釋　高尤撰,見本傳。《魏書》同。《隋·經籍志》未收。

公羊釋　高允撰,見本傳。《魏書》同。《隋·經籍志》未收。

何鄭膏肓雜解　高允撰,見本傳。《魏書》同。《隋·經籍志》
未收。

春秋叢林十二卷　李謐撰,見本傳。《魏書》同。《隋·經籍
志》:《春秋叢林》十二卷,無撰人姓名。

春秋三傳述十卷　李彪撰，見本傳。《魏書》同。《隋·經籍志》未收。

何休所注公羊音一卷　劉芳撰，見本傳。《魏書》同。《隋·經籍志》未收。

范寧所注穀梁音一卷　劉芳撰，見本傳。《魏書》同。《隋·經籍志》未收。

韋昭所注國語音一卷　劉芳撰，見本傳。《魏書》同。《隋·經籍志》未收。

三傳略例三卷　劉獻之撰，見本傳。《魏書》同。《隋·經籍志》未收。

春秋義章三十卷　徐遵明撰，見本傳。《魏書》同。《隋·經籍志》未收。

春秋杜氏難駁十卷　賈思同撰，見《賈思伯傳》。《魏書》同。《隋·經籍志》未收。按《北史》思伯傳："思同之侍講也，國子博士遼西衛冀隆精服氏學，上書難杜氏《春秋》六十三事，思同復駁冀隆乖錯者一十餘事，互相是非，積成十卷。"

三傳經説異同　辛子馥撰，見本傳。《魏書》同。《隋·經籍志》未收。

［北齊］

左傳服氏解駁妄　姚文安撰，見《李崇祖傳》。《齊書》文安、崇祖俱無傳。《隋·經籍志》未收。按《北史》崇祖傳稱文安駁妄七十餘條，皆以難服氏者。

左傳服氏解釋謬　李崇祖撰，見本傳。《齊書》崇祖無傳。《隋·經籍志》未收。按《北史》崇祖傳稱《釋謬》，即以釋姚文安《服氏駁妄》者。

三傳異同　李鉉撰，見本傳。《齊書》同。《隋·經籍志》未收。

左氏傳刊例十卷　張思伯撰，見本傳。《齊書》同。《隋·經籍志》未收。

[隋]

春秋攻昧十卷　劉炫撰，見本傳。《隋書》同。《隋·經籍志》
未收。

春秋述議五卷　劉炫撰，見本傳。《隋書》同。《隋·經籍志》：
《春秋左氏傳述義》四十卷，劉炫撰。

春秋義略　張冲撰，見本傳。《隋書》。《隋·經籍志》：《春秋義
略》三十卷，張冲撰。

春秋三傳集注三十卷　辛德源撰，見本傳。《隋書》同。《隋·
經籍志》未收。

右春秋二十一部，已收《隋·經籍志》者三部，未收《隋·經籍
志》者十八部。

孝經

[魏]

孝經解詁　清河王懌撰，見《封軌傳》。《魏書》同。《隋·經籍
志》未收。

孝經解詁難例　封偉伯撰，見《封軌傳》。《魏書》同。《隋·經
籍志》未收。按《北史》軌傳：“軌長子偉伯，清河王懌辟參軍
事。懌親爲《孝經解詁》，命偉伯撰《難例》九條，皆發起
隱漏。”

孝經解　崔浩撰，見本傳。《魏書》同。《隋·經籍志》未收。

孝經注　盧景裕撰，見本傳。《魏書》同。《隋·經籍志》未收。

孝經注　陳奇撰，見本傳。《魏書》同。《隋·經籍志》未收。

[北齊]

孝經義疏　李鉉撰，見本傳。《齊書》同。《隋·經籍志》未收。

［北周］

孝經問疑一卷　樊深撰，見本傳。《周書》同。《隋·經籍志》
未收。

孝經義一卷　熊安生撰，見本傳。《周書》同。《隋·經籍志》
未收。

孝經義記　蕭歸撰，見本傳。《周書》同。《隋書》同。《隋·經
籍志》未收。按《周書》、《隋書》均有歸傳。

［隋］

孝經注　宇文弼撰，見本傳。《隋書》同。《隋·經籍志》未收。

孝經義疏二卷　何妥撰，見本傳。《隋書》妥傳：《孝經義疏》三
卷。《隋·經籍志》未收。

孝經述議五卷　劉炫撰，見本傳。《隋書》同。《隋·經籍志》：
《千文孝經述議》五卷，劉炫撰。

孝經義三卷　張冲撰，見本傳。《隋書》同。《隋·經籍志》
未收。

孝經義疏　明克讓撰，見本傳。《隋書》同。《隋·經籍志》
未收。

右孝經十四部，已收《隋·經籍志》者一部，未收《隋·經籍志》
者十三部。

論語　并五經總義

［魏］

論語解　崔浩撰，見本傳。《魏書》同。《隋·經籍志》未收。

論語注　盧景裕撰，見本傳。《魏書》同。《隋·經籍志》：《論
語》七卷，盧氏撰，有姓無名。

論語注　陳奇撰，見本傳。《魏書》同。《隋·經籍志》未收。

五經宗　信都芳撰,見本傳。《魏書》同。《齊書》芳傳未載。
　《隋·經籍志》未收。按《北史》芳傳:"抄集五經算事爲《五經
　宗》。"又按《魏書》、《齊書》俱有芳傳。

五經宗略　元延明撰,見《安豐王猛傳》。《魏書》延明傳同。
　《隋·經籍志》:《五經宗略》二十二卷,元延明撰。

五經異同評十卷　張鳳撰,見《張湛傳》。《魏書》湛傳未載。
　《隋·經籍志》未收。

五經辨疑十卷　王神貴撰,見《房景伯傳》。《魏書》景伯傳未
　載。《隋·經籍志》未收。按《北史》景伯傳:"景伯弟景先,作
　五經疑問百餘篇,其言典核。符璽郎王神貴益之,名爲《辨
　疑》,合成十卷,亦有可觀。"

六經略注　常爽撰,見本傳。《魏書》同。《隋·經籍志》未收。

禮傳詩易疑事　封偉伯撰,見《封軌傳》。《魏書》偉伯傳同。
　《隋·經籍志》未收。

方言三卷　劉延明撰,見本傳。《魏書·劉昞傳》同。《隋·經
　籍志》未收。按延明,劉昞字。

[北齊]

論語義疏　李鉉撰,見本傳。《齊書》同。《隋·經籍志》未收。

[北周]

七經異同三卷　樊深撰,見本傳。《周書》同。《隋·經籍志》:
　《七經論》三卷,樊文深撰。按文深,樊深字。

孝經論語毛詩左氏春秋序論　樂遜撰,見本傳。《周書》同。
　《隋·經籍志》未收。按《北史》遜傳:"所著《孝經》、《論語》、
　《毛詩》、《左氏春秋》序論十餘篇。"

七經論　蘇綽撰,見本傳。《周書》同。《隋·經籍志》未收。

[隋]

論語述議十卷　劉炫撰,見本傳。《隋書》同。《隋·經籍志》

未收。

論語義十卷　張冲撰,見本傳。《隋書》同。《隋·經籍志》:《論語義疏》二卷,張冲撰。

五經述議十卷　劉焯撰,見本傳。《隋書》同。《隋·經籍志》未收。

五經正名十二卷　劉炫撰,見本傳。《隋書》同。《隋·經籍志》同。

五經異義　辛彥之撰,見本傳。《隋書》同。《隋·經籍志》未收。

五經大義三十卷　王頍撰,見本傳。《隋書》同。《隋·經籍志》未收。

江都集禮　潘徽撰,見本傳。《隋書》徽傳:《江都集禮》一百二十卷。《隋·經籍志》:《江都集禮》一百二十六卷,無撰人姓名。按《北史》徽傳:"晋王廣引爲揚州博士,令與諸儒撰著《江都集禮》一部。"

右論語并五經總義二十一部,已收《隋·經籍志》者六部,未收《隋·經籍志》者十五部。

小學

[魏]

衆文經　道武帝敕撰,見本紀。《魏書》同。《隋·經籍志》未收。按《北史·道武帝紀》:"天興四年冬十二月,集博士儒生比衆經,文字凡四万餘字,號曰《衆文經》。"

新字　太武帝撰,見本紀。《魏書》同。《隋·經籍志》未收。按《北史·太武帝紀》:"始光二年三月初,造新字千餘。"

急就章解　崔浩撰,見本傳。《魏書》同。《隋·經籍志》:《急就章》十二卷，崔浩撰。

急就篇續注音義證三卷　劉芳撰，見本傳。《魏書》同。《隋·經籍志》未收。

字釋　袁式撰，見本傳。《魏書》同。《隋·經籍志》未收。按《北史》式傳："式沈靜樂道，周覽書傳，至於詁訓《蒼》、《雅》，偏所留懷，作《字釋》未就。"

字釋　陽尼撰，見本傳。《魏書》同。《隋·經籍志》未收。

字統二十卷　陽承慶撰，見《陽尼傳》。《魏書》同。《隋·經籍志》：《字統》二十一卷，楊承慶撰。按《隋志》"陽"作"楊"。

古今文字四十卷　江式撰，見本傳。《魏書》同。《隋·經籍志》未收。

悟蒙章　陸暐撰，見《陸俟傳》。《魏書》同。《隋·經籍志》未收。

［北齊］

字辯　李鉉撰，見本傳。《齊書》同。《隋·經籍志》未收。

音譜　李槩撰，見《李公緒傳》。《齊書》公緒傳未載。《隋·經籍志》未收。

字略五篇　宋士良撰，見本傳。《齊書》同。《隋·經籍志》未收。

［北周］

刊定隸書六體　趙文深撰，見本傳。《周書》同。《隋·經籍志》未收。

［隋］

萬字文　潘徽撰，見本傳。《隋書》同。《隋·經籍志》未收。

韻纂　潘徽撰，見本傳。《隋書》徽傳：《韻纂》三十卷。《隋·經籍志》未收。

四聲指歸一卷　劉善經撰，見本傳。《隋書》同。《隋·經籍志》

未收。

右小學十六部,已收《隋‧經籍志》者二部,未收《隋‧經籍志》者十四部。

凡經類一百四十四部,已收《隋‧經籍志》者三十二部,未收《隋‧經籍志》者一百一十二部。

史

史之類,凡十有三:曰正史,曰別史,曰雜史,曰霸史,曰起居注,曰舊事,曰職官,曰儀注,曰刑法,曰雜傳,曰地記,曰譜系,曰簿録。

正史

[魏]

范曄後漢書音一卷　劉芳撰,見本傳。《魏書》同。《隋‧經籍志》同。

魏書三十卷　張始均撰,見《張彝傳》。《魏書》始均傳同。《隋‧經籍志》未收。按《北史》彝傳:"彝子始均,改陳壽《魏書》爲編年之體,廣益異聞爲三十卷。"

晋後書　崔浩撰,見本傳。《魏書》浩傳未載。《隋‧經籍志》未收。按《北史》浩傳:"著《晋後書》未就,傳世者五十餘卷。"

晋書　魏彦撰,見《魏長賢傳》。《魏書》長賢無傳。《隋‧經籍志》未收。按《北史》長賢傳:"父博學善屬文,求爲著作郎,思樹不朽之業。以《晋書》作者多家,體製繁雜,欲正其紕繆，删其游辭，勒成一家之典。俄而彭城王聞李崇稱之，復請爲據，①知主客郎中，書遂不成。後長賢更撰《晉書》，欲還成父志，亦未果。”

晉書　宋世景撰，見本傳。《魏書》同。《隋·經籍志》未收。按《北史》世景傳：“世景曾撰《晉書》，竟未得就。”

晉書　裴伯茂撰，見《裴延儁傳》。《魏書》伯茂傳同。《隋·經籍志》未收。按《北史》延儁傳：“伯茂曾撰《晉書》，竟未能成。”

魏國史　鄧彦海撰，見本傳，《魏書·鄧淵傳》同。崔浩撰，見本傳，《魏書》同。崔覽撰，見《崔浩傳》，《魏書》同。高讜撰，見《崔浩傳》，《魏書》同。鄧穎撰，見《崔浩傳》，《魏書》同。晁繼撰，見《崔浩傳》，《魏書》同。范享撰，見《崔浩傳》，《魏書》同。黃輔撰，見《崔浩傳》，《魏書》同。高允撰，見本傳，《魏書》同。劉模撰，見《高允傳》，《魏書》模傳同。江紹興撰，見《江式傳》，《魏書》同。李彪撰，見本傳，《魏書》同。高祐撰，見《李彪傳》，《魏書》同。李琰之撰，見《序傳》，《魏書》琰之傳同。崔光撰，見本傳，《魏書》同。房景先撰，見《房景伯傳》，《魏書》同。孫騫撰，②見本傳，《齊書》騫傳同。孫惠蔚撰，見本傳，《魏書》同。韓子熙撰，見《韓麒麟傳》，《魏書》同。陽休之撰，見本傳，《齊書》休之傳同。魏收撰，見本傳，《齊書》同。李同軌撰，見《陽休之傳》，《魏書》同軌傳同。《隋·經籍志》未收。按《北史》彦海傳：“道武詔彦海撰《國記》成十餘卷。”浩傳：“神麚二年，詔浩修史，浩弟覽及高讜、鄧穎、晁繼、范享、黃輔等共參著作。”允傳：“詔允與崔浩述成《國記》，選模爲校

---

①　“據”，原作“橡”，據汲古閣本、武英殿本、中華本《北史·魏長賢傳》改。

②　“騫”，據下文及《北史》，當作“騫”。

書郎,與其緝著。"式傳:"父紹興,高允奏爲秘書郎,掌國史。"
彪傳:"太和中,與秘書令高祐奏從遷、固體例,創爲紀、傳、
表、志之目。"序傳:"李彪啓琛之爲著作,修撰《國史》。"光傳:
"太和六年,與李彪同撰《國書》。"景伯傳:"景先,太和中釋褐
太常博士。時劉芳、崔光奏兼著作佐郎,修《國史》。"寨傳:
"太保崔光引修《國史》。"惠蔚傳:"代崔光爲著作郎,遷國子
祭酒,秘書監,仍知史事。"麒麟傳:"子熙,孝明帝時修《國
史》。"休之傳:"普泰中,敕與魏收、李同軌等撰《國史》。"收
傳:"節閔帝立,遷散騎侍郎,修《國史》。"又按鄧彥海,淵字,
撰《國記》十餘卷。崔浩撰《國書》三十卷。均別見下。

魏國記　鄧彥海撰,見本傳。《魏書·鄧淵傳》同。《隋·經籍
志》未收。按《北史》彥海傳:"道武詔彥海撰《國記》十餘卷。"
又按《國記》一名《代記》。據《魏收傳》云:"魏初,鄧彥海撰
《代記》十餘卷。"彥海傳別無《代記》,當即此書。又按彥海,
名淵。

魏國書三十卷　崔浩等撰,見本傳。《魏書》同。《隋·經籍志》
未收。按《北史》浩傳:"太武帝神䴥二年,詔集諸文人摭録《國
書》,浩及弟覽、高讜、鄧穎、晁繼、范享、黃輔等共參著作,叙
成《國書》三十卷。"又按《高允傳》:"奉詔領著作郎,與司徒崔
浩述成《國記》。"

[**北齊**]

魏書一百三十卷　魏收撰,見本傳。《齊書》同。《隋·經籍
志》同。

東魏國史　宇文忠之撰,見本傳,《魏書》同。房謨撰,見本傳,
《魏書》、《齊書》謨均無傳。魏收撰,見本傳,《齊書》同。李槩
撰,見《李公緒傳》,《齊書》公緒傳未載。李廣撰,見本傳,《齊
書》同。《隋·經籍志》未收。按《北史》忠之傳:"天平時,敕

修《國史》。武定初,爲尚書丞,仍修史。"謨傳:"神武時,徵拜侍中,兼國史。"收傳:"齊文襄啓收兼散騎常侍,修《國史》。又武定二年,除正常侍,兼中書侍郎,仍修《國史》。"公緒傳:"檠爲齊文襄大將軍府行參軍,後除殿中侍御史,修《國史》。"廣傳:"中尉崔暹精選御史,皆是世胄,廣獨以才學兼侍御,[1]又修《國史》。"

齊國史　高隆之撰,見本傳,《齊書》同。崔劼撰,見本傳,《齊書》同。魏收撰,見本傳,《齊書》收傳未載。趙隱撰,見本傳,《齊書·趙彦深傳》同。陽休之撰,見本傳,《齊書》同。李德林撰,見本傳,《隋書》德林傳同。魏澹撰,見本傳,《隋書》澹傳同。劉逖撰,見本傳,《齊書》同。祖珽撰,見本傳,《齊書》同。權會撰,見本傳,《齊書》同。張雕武撰,見本傳,《齊書·張雕傳》同。崔季舒撰,見本傳,《齊書》同。《隋·經籍志》未收。按《北史》隆之傳:"齊受禪,進爵爲王。尋以本官録尚書事,領大宗正卿,監國史。"劼傳:"齊文宣時,爲秘書監,轉五兵尚書,監國史。"收傳:"天保八年,除太子少傅,監國史。又皇建元年,除兼侍中,右光禄大夫,仍儀同監史。"隱傳:"河清元年,進爵安樂公,累遷尚書左僕射,齊州大中正,監國史。"休之傳:"天統初,徵爲光録卿,監國史。"德林傳:"魏收與陽休之論《齊書》起元事,下司會議。[2] 收與德林致書往復,詞多不載。後除中書侍郎,仍修《國史》。"澹傳:"仕齊,除殿中郎,中書舍人,與李德林修《國史》。"逖傳:"武成時,遷給事黄門侍郎,修《國史》。"珽傳:"後主時,拜尚書左僕射,監國史。"會傳:"仕齊,四門博士,尋追修《國史》,監知太史局事。"雕武

---

[1]　"侍御",汲古閣本、武英殿本、中華本《北史·李廣傳》作"侍御史"。

[2]　"下司",汲古閣本、武英殿本、中華本《北史·李德林傳》作"百司"。

傳：“洪珍奏武監國史。”季舒傳：“後主時，加特進，監國史。”
又按趙彥深，原名隱。張雕武，《齊書》作張雕。

[北周]

西魏國史　檀翥撰，見本傳，《周書》翥見《李昶傳》，同。婁寶
撰，見《婁伏連傳》，《周書》伏連及寶均無傳。蘇亮撰，見本
傳，《周書》同。柳虯撰，見本傳，《周書》同。薛寘撰，見本傳，
《周書》同。李昶撰，見本傳，《周書》同。《隋·經籍志》未收。
按《北史》翥傳：“孝武帝西幸，除兼中書舍人，修《國史》。”伏
連傳：“大統元年，詔寶領著作郎，監修《國史》。”亮傳：“大統
八年，封臨清縣子，除中書監，領著作，修《國史》。”虯傳：“大
統十四年，除秘書丞，領著作。舊丞不參史事，自虯爲丞，始
監掌焉。”寘傳：“廢帝元年，領著作，佐郎修史。”昶傳：“昶雖
郎官，周文恒欲以書記委之，於是以爲丞相府記室參軍，著作
郎，修《國史》。”

周國史　柳敏撰，見本傳，《周書》同。鄭譯撰，見本傳，《隋書》
譯傳同。《隋·經籍志》未收。按《北史》敏傳：“遷小宗伯，監
修《國史》。”譯傳：“宣帝時，監國史。”

[隋]

漢書音義　蕭該撰，見本傳，《隋書》同。《隋·經籍志》：《漢書
音義》十二卷，蕭該撰。又《范漢音》三卷，蕭該撰。

前漢書音義十二卷　張冲撰，見本傳。《隋書》同。《隋·經籍
志》未收。

魏史九十二卷　魏澹撰，見本傳。《隋書》同。《隋·經籍志》
未收。

魏書　楊素撰，見《潘徽傳》。《隋書》同。《隋·經籍志》未收。
按《北史》徽傳：“煬帝嗣位，詔徽與著作郎陸從典、太常博士
褚亮、歐陽詢等，助越國公楊素撰《魏書》，會素薨而止。”

後魏紀三十卷　盧彦卿撰，見《盧玄傳》。《魏書》玄傳未載。《隋・經籍志》未收。按《北史・盧玄傳》："子彦卿，仕隋爲御史。"

齊紀三十卷　榮建緒撰，見《榮毗傳》。《隋書》同。《隋・經籍志》未收。按《北史》毗傳："建緒仕周，爲載師下大夫、儀同三司。及平齊之始，留鎮鄴城，因著《齊紀》三十卷。"

齊紀一十卷　杜臺卿撰，見本傳。《隋書》臺卿傳:《齊紀》二十卷。《隋・經籍志》未收。

齊書　王劭撰，見本傳。《隋書》劭傳:《齊書紀傳》一百卷。《隋・經籍志》未收。

梁史七十卷[①]　許善心撰，見本傳。《隋書》同。《隋・經籍志》未收。

隋國史　杜臺卿撰，見本傳，《隋書》同。侯白撰，見《李文博傳》，《隋書》白傳同。王劭撰，見本傳，《隋書》同。辛德源撰，見本傳，《隋書》同。劉焯撰，見本傳，《隋書》同。劉炫撰，見本傳，《隋書》同。王孝籍撰，見本傳，《隋書》同。《隋・經籍志》未收。按《北史》臺卿傳："被徵入朝，患耳不堪吏職，請修《國史》，拜著作郎。"白傳："令與秘書修《國史》。"劭傳："劭在著作，將二十年，專與國史。"德源傳："牛弘以德源才學顯著，奏與著作郎王劭同修《國史》。"焯傳："開皇初，與著作郎王劭同修《國史》。"炫傳："開皇中，與著作郎王劭同修《國史》。"孝籍傳："開皇中，召入秘書，助王劭修《國史》。"撰《隋書》八十卷。《隋書》八十卷，見後雜史。

右正史二十四部，已收《隋・經籍志》者三部，未收《隋・經籍志》者二十一部。

別史

[北齊]

戰國春秋　李槩撰，見《李公緒傳》。《齊書》公緒傳未載。《隋·經籍志》:《戰國春秋》二十卷，李槩撰。

[北周]

梁典三十卷　劉璠撰，見本傳。《周書》同。《隋·經籍志》同。

梁後略十卷　姚最撰，見本傳。《周書》同。《隋·經籍志》同。

淮海亂離志四卷　蕭圓肅撰，見本傳。①《周書》同。《隋·經籍志》:《淮海亂離志》四卷，蕭世怡撰。按《淮海亂離志》四卷，《北史》、《周書》均載圓肅傳，《隋志》作蕭世怡，恐誤。世怡，蕭泰字。

[隋]

齊志　王劭撰，見本傳。《隋書》劭傳:《齊志》二十卷。《隋·經籍志》:《齊志》十卷，後齊事，王劭撰。

魯史記　劉炫撰，見本傳。《隋書》同。《隋·經籍志》未收。按《北史》炫傳:"牛弘奏購天下遺逸之書，炫遂僞造書百餘卷，題曰《連山易》、《魯史記》等，錄上送官，取賞而去。後有人訟之，坐除名，歸于家。"

右別史六部，已收《隋·經籍志》者五部，未收《隋·經籍志》者一部。

---

① "淮海亂離志"，汲古閣本、武英殿本、中華本《北史·蕭圓肅傳》作"淮海離亂志。"

雜史

[魏]

帝王世紀注　元延明撰，見《安豐工猛傳》。《魏書》延明傳同。
《隋·經籍志》未收。

帝録二十卷　元順撰，見《任城王雲傳》。《魏書》順傳同。
《隋·經籍志》未收。

要略三十卷　彭城王勰撰，見本傳。《魏書》同。《隋·經籍志》
未收。按《北史》勰傳："勰撰自古帝王賢達，至於後世子孫，[①]
族從三十卷，名曰《要略》。"

略注　平恒撰，見本傳。《魏書》同。《隋·經籍志》未收。按
《北史》恒傳："自周以降，暨於魏世，帝王傳代之由，貴臣升降
之緒，皆撰品第，商略是非，號曰《略注》，合百餘篇。"

國統　梁祚撰，見本傳。《魏書》同。《隋·經籍志》：《國統》二十
卷，梁祚撰。按《北史》祚傳："撰并陳壽《三國志》，名曰《國統》。"

略記八十四卷　劉延明撰，見本傳。《魏書·劉昞傳》同。
《隋·經籍志》未收。按《北史》延明傳："以三史文繁，著《略
記》百三十篇，八十四卷。"又按延明，劉昞字。

史宗　信都芳撰，見本傳。《魏書》同。《齊書》芳傳未載。
《隋·經籍志》未收。按《北史》芳傳："注重差、句股，復撰《史
宗》。"又按《魏書》、《齊書》芳俱有傳。

[北齊]

平西策一卷　盧叔彪撰，見本傳。《齊書·盧叔武傳》同。
《隋·經籍志》未收。按叔彪，即叔武。

---

① "後"，汲古閣本、武英殿本、中華本《北史·彭城王勰傳》作"魏"。

[隋]

承聖實錄十卷　裴政撰,見本傳。《隋書》同。《隋‧經籍志》
未收。

古今帝代記一卷　明克讓撰,見本傳。《隋書》同。《隋‧經籍
志》未收。

漢書删繁三十卷　于仲文撰,見本傳。《隋書》同。《隋‧經籍
志》未收。

略覽三十卷　于仲文撰,見本傳。《隋書》同。《隋‧經籍志》
未收。

隋書八十卷　王劭撰,見本傳。《隋書》同。《隋‧經籍志》:《隋
書》八十卷,王劭撰,未成。

平賊記　王劭撰,見本傳。《隋書》同。《隋‧經籍志》未收。

右雜史十三部,已收《隋‧經籍志》者二部,未收《隋‧經籍志》
者十一部。

霸史

[魏]

燕記　崔逞撰,見本傳。《魏書》同。《隋‧經籍志》未收。

燕書　封懿撰,見本傳。《魏書》同。《隋‧經籍志》未收。

蒙遜記十卷　宗欽撰,見本傳。《魏書》同。《隋‧經籍志》:《梁
書》十卷,沮渠國史,無撰人姓名。按《北史》、《魏書》欽傳皆
云在河西撰《蒙遜記》十卷。沮渠蒙遜,國號北涼。《隋志》載
"《梁書》十卷,沮渠國史",知"梁書"必爲《涼書》之誤。而《涼
書》亦即《蒙遜記》之異名也。

敦煌實錄二十卷　劉延明撰,見本傳。《魏書‧劉昞傳》同。
《隋‧經籍志》:《敦煌實錄》十卷,劉景撰。按延明,劉昞字。

唐人諱"昞",《隋志》唐撰,故以"景"代之。

馮氏燕志十卷 韓顯宗撰,見《韓麒麟傳》。《魏書》顯宗傳同。《隋·經籍志》:《燕志》十卷,紀馮跋事,魏高閭。按《北史》麒麟傳:"顯宗撰《馮氏燕志》十卷。"《高閭傳》未載撰《志》事,《魏書》亦同,《隋志》誤。

涼書十卷 高謙之撰,見本傳。《魏書》同。《隋·經籍志》:《梁書》十卷,高道讓撰。按《北史》、《魏書》謙之傳均云《涼書》十卷,知"梁書"必爲《涼書》之誤。道讓,高謙之字。

十六國春秋一百卷 序例一卷 年表二卷 崔鴻撰,見本傳。《魏書》同。《隋·經籍志》:《十六國春秋》一百卷,崔鴻撰。

慕容氏書 酈惲撰,見《酈道元傳》。《魏書》道元傳未載。《隋·經籍志》未收。按《北史》道元傳:"惲撰《慕容氏書》未成。"

[北齊]

趙語十二卷 李公緒撰,見本傳。《齊書》公緒傳:《趙語》十三卷。《隋·經籍志》未收。

戰國春秋 李槩撰,見《李公緒傳》。《齊書》公緒傳未載。《隋·經籍志》:《戰國春秋》二十卷,李槩撰。

右霸史十部,已收《隋·經籍志》者六部,未收《隋·經籍志》者四部。

起居注

[魏]

孝文起居注 李伯尚撰,見《序傳》,《魏書》伯尚傳同。邢巒撰,見《魏收傳》,《齊書》收傳同。《隋·經籍志》:《後魏起居注》三百三十六卷,無撰人姓名。按《北史·孝文帝紀》:"太和十

四年初,詔定起居注制。"又《序傳》伯尚受敕撰太和起居,在
宣武帝前。又《魏收傳》:"宣武帝時,命邢巒追撰《孝文起居
注》。"又《隋志》所載《後魏起居注》,祇有總計卷數,凡魏帝
《起居注》,當已全括在內,茲特述明。其餘各魏帝,下概省文
從略。

宣武起居注　房景先撰,見《房景伯傳》。《魏書》景伯傳同。
《隋·經籍志》說見上。按《北史》景伯傳:"侍中穆紹啓景先
修《宣武起居注》。"

續修孝文宣武起居注　崔鴻撰,見本傳,《魏書》同。王遵業
撰,見《王慧龍傳》,《魏書》遵業傳同。《隋·經籍志》說見
上。按《北史》鴻傳:"正光元年,修《孝文宣武起居注》。"慧
龍傳:"遵業與崔鴻同撰《起居注》。"又《魏收傳》:"邢巒追撰
《孝文起居注》,書至太和十四年。復命崔鴻、王遵業更補
續焉。"

孝明起居注　崔鴻撰,見《魏收傳》。《齊書》收傳同。《隋·經
籍志》說見上。按《北史》鴻及遵業傳俱未載,惟《魏收傳》云:
"命崔鴻、王遵業補續《起居注》,下迄孝明,事甚委悉。"又鄭
伯猷、裴詢、祖瑩、山偉均先後監理典修起居注,皆孝明帝時
事,各見本傳。茲因收傳較詳,故從收傳載入。

孝莊起居注　李神儁撰,見《陽休之傳》,《魏書》神儁傳未載,
《齊書》休之傳同。裴伯茂撰,見《裴延儁傳》,《魏書》伯茂傳
同。盧元明撰,見本傳,《魏書》同。溫子昇撰,見本傳,《魏
書》同。邢昕撰,見本傳,《魏書》同。許詢撰,見《許彥傳》,
《魏書》絢傳同。陽休之撰,見本傳,《齊書》同。邢邵撰,見本
傳,《齊書》同。陽斐撰,見本傳,《齊書》同。《隋·經籍志》說
見上。按《北史》休之傳:"莊帝立,李神儁監起居注,啓休之
與裴伯茂、盧元明、邢子才俱入撰次。"此外,溫子昇、邢昕、許

詢、陽斐，篇亦入撰次，各見本傳。兹因休之傳較詳，故從休
之傳載入。"許詢"，《魏書》作"許絢"。

節閔帝起居注　羊深撰，見本傳。魏書同。魏收撰，見本傳。
《齊書》同。《隋·經籍志》説見上。按《北史》深傳："普泰
初，監居注。"收傳："節閔立，遷散騎侍郎，尋敕監典起
居注。"

孝武帝起居注　張軌撰，見本傳，《周書》同。李彥撰，見本傳，
《周書》同。《隋·經籍志》説見上。按《北史》軌傳："孝武西
遷，軌兼著作佐郎，修《起居注》。"彥傳："孝武入關，彥兼著作
佐郎，修《起居注》。"

［北齊］

東魏孝靜帝起居注　山偉撰，見本傳，《魏書》同。李希禮撰，見
《李順傳》，《魏書》希禮傳未載。崔㥄撰，見《崔㥄傳》，《齊
書》、《隋書》㥄傳均未載。《隋·經籍志》説見上《魏孝文起居
注》下。按《北史》偉傳："孝靜初，除衛大將軍中書令，監起居
注。"順傳："希禮起家著作佐郎，修《起居注》。"《魏書》希禮
傳："武定末，通直散騎常侍。"又《北史》㥄傳："㥄，字長謙，由
青州司馬遷司徒諮議，修《起居注》，加金紫光禄大夫。後兼
散騎常侍，使於梁。"據《孝靜帝紀》："興和二年十二月，遣兼
散騎常侍崔長謙使於梁。"

齊文宣起居注　陽休之撰，見本傳，《齊書》同。崔悛撰，見本傳，
《齊書》同。《隋·經籍志》未收。按《北史》休之傳："齊受禪，
監修《起居注》。"悛傳："天保初，除侍中，監起居。"

後主起居注　王晞撰，見本傳，《齊書》同。崔子發撰，見《崔鑒
傳》，《魏書》鑒傳未載。李孝威撰，見《李孝貞傳》，《隋書》孝
貞傳未載。《隋·經籍志》未收。按《北史》晞傳："武平初，
監修《起居注》。"鑒傳："子發武平末修《起居注》。"孝貞傳：

"孝威位太尉外兵參軍，修《起居注》。"周、隋無太尉官，齊則有之，至是否修起居注於後主時，未詳，今姑附此，錄以俟考。

[北周]

西魏文帝起居注　申徽撰，見本傳，《周書》同。柳蚪撰，見本傳，《周書》同。盧柔撰，見本傳，《周書》同。《隋·經籍志》說見上《魏孝文起居注》下。按《北史》徽傳："大統四年，拜中書舍人，修《起居注》。"蚪傳："大統中，遷中書侍郎，修《起居注》。"柔傳："大統中，遷中書侍郎，兼著作，撰《起居注》。"

西魏廢帝起居注　薛寘撰，見本傳，《周書》同。王述撰，見本傳，《周書》述傳未載。《隋書·王長述傳》同。《隋·經籍志》說見上《魏孝起居注》下。按《北史》寘傳："廢帝元年，領著作佐郎，尋拜中書侍郎，修《起居注》。"述傳："除中書舍人，修《起居注》，改封龍門郡公。"《隋書》長述傳："改封龍門郡公，從于謹平江陵有功，增邑五百戶。"據《北史》帝本紀謹平江陵，乃西魏恭帝元年事，述修《起居注》既出其前，則當在廢帝時。長述，王述字。

周武帝起居注　劉行本撰，見本傳，《隋書》同。牛弘撰，見本傳，《隋書》同。《隋·經籍志》未收。按《北史》行本傳："武帝親總萬幾，行本轉御正中士，領起居注。"弘傳："仕周，歷位中外府記室、內史上士、納言上士，專掌文翰，修《起居注》。"然是否即爲武帝注起居，弘傳未詳，今姑附錄於此，以俟考。

[隋]

文帝起居注　王劭撰，見本傳，《隋書》同。《隋·經籍志》：《開皇起居注》六十卷，無撰人姓名。

右起居注十四部，已收《隋·經籍志》者十一部，未收《隋·經籍志》者三部。

舊事

［北齊］

魏獻文禪子故事　祖珽撰，見本傳。《齊書》同。《隋·經籍志》未收。按《北史》珽傳："武成時，有慧星出，太史奏云：除舊布新之徵。珽於是上書，言：'陛下雖爲天子，未是極貴。案《春秋·元命苞》云：乙酉之歲，除舊革政。今年太歲乙酉，宜傳位東宮，令君臣之分早定，且以上應天道。'並上《魏獻文禪子故事》，從之。"

魏帝皇太后故事　祖珽撰，見本傳。《齊書》同。《隋·經籍志》未收。按《北史》珽傳："靈太后之被幽也，珽欲以陸媪爲太后，撰《魏帝皇太后故事》，爲太姬言之。"

［北周］

梁舊事三十卷　蕭大圜撰，見本傳。《周書》同。《隋·經籍志》：《梁舊事》三十卷，蕭大環撰。按圜、環古字通用。

［隋］

東宮典記七十卷　陸爽撰，見《陸叡傳》。《隋書》爽傳同。《隋·經籍志》：《東宮典記》七十卷，宇文愷撰。按《東宮典記》七十卷，《北史》、《隋書·宇文愷傳》均未叙及，而《陸爽傳》云："爽與宇文愷同撰。"兹《隋志》注僅云宇文愷撰，不及陸爽，知係漏載。

右舊事四部，已收《隋·經籍志》者二部，未收《隋·經籍志》者二部。

職官

[**魏**]

職官令二十一卷　見《孝文帝本紀》。《魏書》同。《隋·經籍志》未收。按《北史·孝文紀》："太和十七年,作《職員令》付外施行。"

品令　見《孝文帝本紀》。《魏書》同。《隋·經籍志》未收。按《北史·魏孝文紀》："太和十九年,宣下《品令》爲大選之始。"

停年格　崔亮撰,見本傳。《魏書》同。《隋·經籍志》未收。按《北史》,崔亮《停年格》亦見《薛琡傳》。

吏部勳簿　並　抄目　見《盧同傳》。《魏書》同。《隋·經籍志》未收。按《北史》同傳："明帝時,同表言:'吏部勳簿,多皆改換,又校中兵奏案,並復乖舛。請遣一都令史,與令僕省事各一人,總集吏部、中兵二局勳簿,對同奏案。'又云:'付曹,郎中別作抄目,遷代相付。'詔從之。"

[**北周**]

九命典　見《文帝紀》。《周書》同。《隋·經籍志》未收。按《北史·文帝紀》："西魏廢帝三年,始作九命之典,以叙內外官爵。"

六官　蘇綽撰,見《文帝紀》,《周書》同。盧辯撰,見《文帝紀》,《周書》同。崔猷撰,見本傳,《周書》同。《隋·經籍志》未收。按《北史·文帝紀》："西魏恭帝三年,初行《周禮》,建六官,帝以漢、魏官繁,思革前弊,大統中,令蘇綽、盧辯依周制改創其事,尋亦置六卿官,然爲撰次未成,衆務猶歸臺閣。至是始畢,乃命行之。"綽傳未載撰《六官》事。辯傳:"周文欲行《周官》,命蘇綽專掌其事。未幾,綽卒,令辯成之。"《周書》辯傳

後載有《周官》，記略不備。按《北史》猷傳："與盧辯等初修
《六官》。"

文案程式　及　計帳户籍法　蘇綽撰，見本傳。《周書》同。
《隋·經籍志》未收。

[隋]

六官　辛彦之撰，見本傳。《隋書》同。《隋·經籍志》未收。按
《北史》彦之傳："撰《六官》一部。"彦之嘗仕周，與盧辯掌儀
制，此《六官》當係周之《六官》。

八代四科志三十卷　崔賾撰，見《崔廓傳》。《隋書》同。《隋·
經籍志》未收。

右職官九部，已收《隋·經籍志》者無部，未收《隋·經籍志》者
九部。

儀注

[魏]

道武朝儀　崔宏撰，見《道武紀》並本傳，《魏書》同。董謐撰，見
《道武紀》並本傳，《魏書》同。鄧彦海撰，見本傳，《魏書·鄧
淵傳》同。《隋·經籍志》未收。按《北史·道武紀》："天興元
年，命儀曹郎董謐撰郊廟、社稷、朝覲、饗宴之儀，以崔宏總裁
之。"彦海傳："與崔宏參定朝儀。"又《道武紀》："天興二年，詔
禮官備撰衆儀，著於新令。"《崔宏傳》，《魏書》作《崔玄伯傳》。
玄伯，崔宏字。彦海，鄧淵字。

孝文朝儀　劉昶撰，見本傳，《魏書》同。蔣少游撰，見本傳，並
《劉昶傳》，《魏書》同。崔休撰，見本傳，《魏書》休傳未載。崔
逸撰，見《崔辯傳》，《魏書》逸傳同。韓顯宗撰，見《韓麒麟
傳》，《魏書》顯宗傳同。《隋·經籍志》未收。按《北史》昶傳：

"太和時,改革朝儀,詔昶與蔣少游專主其事。"少游傳:"孝文時,議定衣冠,令主其事,亦訪於劉昶。"休傳:"孝文時,參定禮儀。"辯傳:"逸,名景儁,孝文帝賜名逸。與著作郎韓興宗參定朝儀。"麒麟傳:"孝文時,顯宗與員外郎崔逸等參定朝儀。"興宗,顯宗兄。逸傳作興宗,誤。

宣武朝儀　劉芳撰,見本傳,《魏書》同。常景撰,見本傳,《魏書》同。李韶撰,見《序傳》,《魏書》韶傳同。《隋‧經籍志》未收。按《北史》芳傳:"宣武以朝儀多闕,其一切諸儀悉委芳修正。"景傳:"先是太常劉芳與景等撰朝令,未及班行。別典儀注,多所草創,未成。芳卒,景纂成其事。"《序傳》:"宣武時,詔參定朝儀。"

太和以後施行朝儀　常景撰,見本傳。《魏書》同。《隋‧經籍志》:《後魏儀注》五十卷,無撰人姓名。按《北史》景傳:"敕撰太和之後朝儀已施行者,凡五十餘卷。"《隋志》所載,當即此書。

孝明朝儀　李瑾撰,見本傳,《魏書》同。王遵業撰,見《王慧龍傳》,《魏書》遵業傳同。盧觀撰,見本傳,《魏書》同。李神儁撰,見《盧觀傳》,《魏書》同。王誦撰,見《盧觀傳》,《魏書》同。劉懋撰,見本傳,《魏書》同。邢邵撰,見本傳,《齊書》同。李琰之傳,[①]見《邢邵傳》,《齊書》同。《隋‧經籍志》未收。按《北史‧序傳》:"瑾有才學,清河王懌為司徒,辟參軍事。轉著作郎,稍遷通直散騎侍郎,與王遵業、盧觀典修儀注。"慧龍傳:"遵業在孝明帝時為黃門郎,監典儀注。"觀傳:"以著作佐郎,與李神儁、王誦在尚書上省撰定《朝儀》。"懋傳:"清河王懌愛其風雅,嗣詔懋與諸才學之士撰成儀令。"邵傳:"孝昌

---

① "傳",據本書體例,當作"撰"。

初,與黄門侍郎李琰之對典朝儀。"

孝武朝儀　邢昕撰,見本傳,《魏書》同。常景撰,見《邢昕傳》,
《魏書》同。祖珽撰,見本傳,《齊書》同。《隋·經籍志》未收。
按《北史》昕傳:"太昌初,受詔與秘書監常景典儀注事。"珽
傳:"起家秘書郎,復爲尚書儀曹郎中,典儀注,嘗爲□州刺史
万俟受洛製《清德頌》,①其文遒麗,由是齊神武聞之。"據《齊
書·万俟普子受洛傳》:"齊神武起義信都,遠送誠款。高祖
嘉其父子俱至,除受洛領軍,兼靈州刺史。"又《北史·齊神武
紀》:"起義信都,在魏節閔帝普泰元年六月。"普泰後一年,即
孝武太昌元年,是知受洛除刺史,能有清德可頌,至速亦在太
昌初。珽之製頌,與典儀注同時,故珽典儀注,當爲孝武
朝矣。

孝文帝喪事儀注　劉芳撰,見本傳。《魏書》同。《隋·經籍志》
未收。

終制　陽固撰,見本傳。《魏書》固傳作《緒制》。《隋·經籍志》
未收。按《北史》固傳,《終制》係喪儀。《魏書》一作《緒制》。

家祭法　崔浩撰,見本傳。《魏書》同。《隋·經籍志》未收。

馮熙書儀　孝文帝敕撰,見《馮熙傳》。《魏書》同。《隋·經籍
志》未收。按《北史》熙傳:《書儀》爲孝文納熙女爲后,尊崇后
父事。

冠婚儀　游肇撰,見《游明根傳》。《魏書》肇傳同。《隋·經籍
志》未收。

王盧婚儀　崔浩撰,見《王慧龍傳》。《魏書》同。《隋·經籍志》
未收。

魏五禮　李繪撰,見《李渾傳》。《齊書》繪傳同。《隋·經籍志》

---

① "□",據汲古閣本、武英殿本、中華《北史·祖珽傳》當作"冀"。

未收。《北史》渾傳：“繪定撰《五禮》，繪與太原王乂同掌軍禮。”《齊書》繪傳：“司徒高邕辟爲從事中郎，徵至洛。時敕侍中西河王秘書監常景選儒學十人，緝撰《五禮》，繪與太原王乂同掌軍禮。”據《北史・齊本紀》，東魏孝靜天平元年，即魏孝武永熙三年。孝武以永熙三年七月入關，孝靜以天平元年九月推立，立後即由洛陽遷鄴。繪至洛，撰《五禮》，則在孝靜前，可知。又《常景傳》：“節閔帝普泰初，除秘書監。永熙二年，監議事。”《魏撰》同。[1]“監議事”三字不詞，疑“監議”下脱去“五禮”兩字。

［北齊］

東魏孝靜朝儀　李同軌撰，見《李義深傳》，《魏書》同軌傳同。李繪撰，見《李渾傳》，《齊書》繪傳未載。《隋・經籍志》未收。按《北史》義深傳：“同軌遷著作郎，典儀注，轉國子博士。興和中，兼通直散騎常侍。”繪傳：“掌儀注。武定初，兼散騎常侍，爲聘梁使主。”

齊禪禮儀注　楊愔撰，見《高德正傳》，《齊書》同。邢邵撰，見《高德正傳》，《齊書》同。崔㥄撰，見《高德正傳》，並本傳，《齊書》同。陸操撰，見《高德正傳》，《齊書》同。王昕撰，見《高德正傳》，並本傳，《齊書》昕傳未載。陽休之撰，見《高德正傳》，並本傳，《齊書》同。裴讓之撰，見《高德正傳》，並《裴佗傳》，《齊書》同。李渾撰，見本傳，《齊書》同。皇甫亮撰，見《皇甫和傳》，《齊書》和傳未載。崔肇師撰，見《崔亮傳》，《齊書》肇師見《崔瞻傳》，同。《隋・經籍志》未收。按《北史》德正傳：“德正勸文宣行禪代事，文宣作書與楊愔，愔即召邢邵、崔㥄、陸操、王昕、陽休之、裴讓之等議撰《儀注》。”此外，李渾、皇甫

---

①　“撰”，當爲“書”。

亮、崔肇師諸人均與撰次，各見傳內。

齊國初禮式　崔昂撰，見本傳，《齊書》同。邢邵撰，見《崔昂傳》，《齊書》同。薛琡撰，見《崔昂傳》，《齊書》同。李鉉撰，見本傳，《齊書》同。魏收撰，見《李鉉傳》，《齊書》同。李希禮撰，見《李順傳》，《魏書》希禮傳未載，《齊書》希禮無傳。《隋·經籍志》未收。按《北史》昂傳：“齊受禪，其年與邢邵議定國初禮式。又詔損益禮樂，令尚書左僕射琡等四十三人在領軍府議定。”《齊書》“同琡”作“薛琡”。鉉傳：“天保初，詔鉉與邢邵、魏收等參議禮律。”順傳：“希禮與邢邵等議定禮律。”蓋天保元年，先命昂與邢邵議定禮式，旋擴大範圍，復詔與薛琡等四十三人議禮也。四十三人，除見各傳者外，餘未詳。

齊五禮　趙郡王叡撰，見本傳，《齊書》同。馮子琮撰，見本傳，《齊書》同。胡長粲撰，見《胡國珍傳》，《齊書》同。袁聿脩撰，見本傳，《齊書》同。薛道衡撰，見《薛孝通傳》，《隋書》道衡傳同。魏收撰，見本傳，《齊書》同。和士開撰，見《魏收傳》，《齊書》同。徐之才撰，見《魏收傳》，《齊書》同。趙彥深撰，見《魏收傳》，《齊書》同。馬敬德撰，見《魏收傳》，《齊書》同。熊安生撰，見《魏收傳》，《齊書》同。權會撰，見《魏收傳》，《齊書》同。崔儦撰，見本傳，《齊書》儦見《崔瞻傳》，同。崔子樞撰，見《崔鑒傳》，《魏書》鑒傳未載。魏澹撰，見本傳，《隋書》同。《隋·經籍志》：《後齊儀注》二百九十卷，無撰人姓名。按《北史》叡傳：“監五禮。”子琮傳：“監議五禮，與叡頗爭異同。”長粲傳：“監議五禮。”聿脩傳：“天統中，詔與趙郡王叡等議定五禮。”孝通傳：“道衡，武平初詔與諸儒修定《五禮》。”收傳：“後主時，總監議五禮事。收奏請趙彥深、和士開、徐之才共監。又多引文士，令執筆。儒者馬敬德、熊安生、權會實主之。”儦傳：“與熊安生、馬敬德等議五禮。”鑒傳：“子樞仕齊，參議五禮。"澹傳："仕齊,預修《五禮》。"又按五禮,亦得稱儀注。
《隋·經籍志》稱梁五禮曰《吉禮儀注》、《賓禮儀注》,是其例。
《隋志》載《後齊儀注》二百九十卷,雖無撰人姓名,當即此書。

孝昭太子婚禮儀注　崔瞻撰,見本傳。《齊書·崔瞻傳》同。
《隋·經籍志》未收。按《北史》瞻傳："孝昭時,太子納妃斛律
氏,敕瞻與崔劼同撰定《婚禮儀注》,主司以爲後式。"又按《齊
書》,"瞻"作"瞻",疑"瞻"爲"瞻"之誤。

［北周］

西魏文帝朝儀　薛憕撰,見本傳,《周書》同。盧辯撰,見本傳,
《周書》同。檀翥撰,見《薛憕傳》,《周書》同。唐瑾撰,見本
傳,《周書》同。徐招撰,見本傳,《周書》同。周惠達撰,見本
傳,《周書》同。李昶撰,見本傳,《周書》同。辛彥之撰,見本
傳,《隋書》同。《隋·經籍志》未收。按《北史》憕傳："大統
初,儀制多缺,太祖令憕與盧辯、檀翥等參定。"辯傳："孝武西
遷,朝儀湮墜,于是朝廷憲章、乘輿法服、金石律呂、晷刻渾
儀,皆令辯因時制宜。皆合軌度,多依古禮。"瑾傳："魏室播
遷,庶務草剏,朝章國典,瑾並參之。"招傳："時朝廷播遷,典
章遺闕。臺省法式,皆招所記。"惠達傳："自關右草創,禮樂
缺然。惠達與禮官損益舊章,是以儀軌稍備。"昶傳："周文時
典儀注。"彥之傳："彥之博涉經史,周文引爲中外府禮曹。時
國家草創,朝貴多出武人,修定《儀注》,唯彥之而已。"又按周
文未受魏禪,故凡周文時所定《儀注》,舉錄西魏帝下。

周朝儀　裴政撰,見本傳,《隋書》同。盧辯撰,見《裴政傳》,《周
書》辯傳同。《隋·經籍志》未收。按《北史》政傳："周文帝命
與盧辯依《周禮》建六官,並撰《朝儀》。車服器用,多遵古禮,
革漢、魏之法,事並施行。又《北史·周本紀》："西魏恭帝三
年正月,初行《周禮》,建六官。"則政與辯等所撰《朝儀》,自必

於此施行。迨十月,周文帝薨,十二月,周閔帝受禪。是行《朝儀》於魏恭帝時,不及一載而遂入周。入周後,周即用此《朝儀》。《辛彥之傳》:"周閔帝受禪,彥之與小宗伯盧辯專掌儀制。"其所掌儀制,當即政等所撰之《朝儀》也。

周五禮　熊安生撰,見本傳,《周書》同。盧昌衡撰,見本傳,《隋書》同。斛斯徵撰,見《盧昌衡傳》,《隋書》昌衡傳同。崔仲方撰,見本傳,《隋書》同。柳敏撰,見《崔仲方傳》,《隋書》仲方傳同。《隋·經籍志》未收。按《北史》安生傳:"周武平齊,令安生隨駕入朝,敕令於大乘禪寺參議五禮。"昌衡傳:"周武平齊,授司玉中士,與大宗伯斛斯徵修《禮令》。"仲方傳:"與斛斯徵、柳敏等同修《禮律》。"蓋周武平齊後,命徵等修定《五禮》,又命安生參議之也。至靜帝初,隋文作相,楊瓚拜大宗伯,典修《禮律》。典修之《禮》,亦即此書。事見《北史·隋滕穆王傳》。

新儀十篇　唐瑾撰,見本傳。《周書》同。《隋·經籍志》:《書儀》十卷,唐瑾撰。

[隋]

隋新禮　見《文帝紀》,《隋書》同。辛彥之撰,見本傳,《隋書》同。牛弘撰,見《辛彥之傳》,《隋書》同。《隋·經籍志》未收。按《北史·文帝紀》:"開皇五年春正月,詔行新禮。"彥之傳:"隋文帝受禪,除太常少卿,改封任城郡公,進位開府,歷國子祭酒、禮部尚書。與秘書監牛弘撰《新禮》。"故彥之傳載《新禮》一部。

禮要　辛彥之撰,見本傳。《隋書》同。《隋·經籍志》未收。

隋五禮一百卷　楊素撰,見《文帝紀》,《隋書》同。蘇威撰,見《文帝紀》,《隋書》同。牛弘撰,見《文帝紀》,並見本傳,《隋書》同。薛道衡撰,見《文帝紀》,《隋書》同。許善心撰,見《文帝紀》,並見本傳,《隋書》同。虞世基撰,見《文帝紀》,《隋書》

同。王劭撰，見《文帝紀》，《隋書》同。劉焯撰，見本傳，《隋書》同。劉炫撰，見本傳，《隋書》同。明克讓撰，見本傳，《隋書》同。《隋·經籍志》:《隋朝儀禮》一百卷，牛弘撰。按《北史·文帝紀》:"仁壽二年，詔楊素、蘇威、牛弘、薛道衡、許善心、虞世基、王劭等修定《五禮》。"弘傳:"奉勅修撰《五禮》，勒成百卷。"善心傳:"與牛弘議定禮樂。"焯傳:"文帝時，與諸儒修禮定律。"炫傳:"文帝時，與諸儒定《五禮》。"克讓傳:"詔與太常牛弘等修禮議樂。"惟《五禮》乃牛弘所勒成，故《隋·經籍志》曰"牛弘撰"。

封禪圖儀　薛冑撰，見本傳。《隋書》同。《隋·經籍志》未收。

文獻皇后喪事儀注　牛弘撰，見本傳，《隋書》同。裴矩撰，見本傳，《隋書》同。李百藥撰，見《裴矩傳》，《隋書》同。《隋·經籍志》未收。按《北史》弘傳:"獻皇后崩，王公以下不能定其儀注。楊素謂弘曰:'公舊學，時賢所仰，今日之事，決在於公。'弘了不辭讓，斯須之間，儀注悉備，皆有故實。"矩傳:"文獻皇后崩，太常舊無儀注，矩與牛弘、李百藥等據齊禮參定。"

秦王浩僭帝儀注　裴矩撰，見本傳。《隋書》同。《隋·經籍志》未收。

竇建德明儀　裴矩撰，見本傳。《隋書》同。《隋·經籍志》未收。

右儀注二十九部，已收《隋·經籍志》者四部，未收《隋·經籍志》者二十五部。

刑法

[魏]

天興律令　見《道武帝本紀》，《魏書》同。崔宏撰，見《道武紀》，並本傳,《魏書·崔玄伯傳》同。王德撰,見《道武紀》,《魏書》同。鄧彥海撰,見本傳,《魏書·鄧淵傳》同。《隋·經籍志》未收。按《北史·道武紀》:"天興元年,命三公郎中王德定律令,申科禁。吏部尚書崔宏總裁之。"彥海傳:"與尚書崔宏參定律令。"玄伯,崔宏字。彥海,鄧淵字。

神廳律令　見《太武帝本紀》,《魏書》同。崔浩撰,見《太武紀》,《魏書》同。《隋·經籍志》未收。按《北史·太武紀》:"神廳四年冬十月,詔司徒崔浩改定律令。"

正平律令　見《太武帝本紀》,《魏書》同。游雅撰,見《太武紀》,並見本傳,《魏書》同。胡方回撰,見《太武紀》,並見本傳,《魏書》同。高允撰,見本傳,《魏書》同。公孫質撰,見《高允傳》,《魏書》同。李靈撰,見《高允傳》,《魏書》同。《隋·經籍志》未收。按《北史·太武紀》:"正平元年,詔游雅、胡方回等改定律制。"允傳:"詔允與侍郎公孫質、李靈、胡方回共定律令。"

太和律令　見《孝文帝本紀》。《魏書》帝紀未載。高允撰,見本傳。《魏書》同。《隋·經籍志》未收。按《北史·孝文紀》:"太和元年,詔羣臣定律令於太華殿。"允傳:"太和三年,詔允議定律令。"蓋律令事重,修定經年,故元年雖詔羣臣議定,至三年又復詔高允議定也。

太和新律令　見《孝文帝本紀》,《魏書》同。高閭撰,見本傳,《魏書》同。高遵撰,見《高允傳》,《魏書》遵傳同。游明根撰,見本傳,《魏書》同。崔珽撰,見本傳,《魏書》同。封琳撰,見《封隆之傳》,《魏書》琳傳同。高祐撰,見本傳,《魏書》同。李彪撰,見本傳,《魏書》同。李冲撰,見《叙傳》,《魏書》冲傳同。源思禮,[1]見《源賀傳》,《魏書》思禮傳同。馮誕撰,見《封琳

---

① 據體例,"禮"下當有"撰"字。

傳》，《魏書》同。《隋·經籍志》未收。按《北史·孝文紀》：
"太和十五年五月，議改律令。八月，議律令事。十六年四
月，頒《新律令》。十七年二月，賜議律令之臣各有差。"閭傳：
"以參定律令之勤，賜布帛、牛馬。"遵傳："與中書令高閭增改
律令。又與游明根、高閭、李冲等人議律令。"明根傳："參議
律令，時進讜言。"斑傳："以參議律令之勤，賜帛、穀、馬、牛。"
隆之傳："琳與南平王馮誕等議定律令。"祐傳："以參律令，賜
帛、粟、馬等。"彪傳："以參律令之勤，賜帛五百匹、馬一匹、牛
二頭。"《叙傳》："冲議律令，潤飾辭旨，刊定輕重，孝文雖自下
筆，莫不使訪焉。"賀傳："思禮遷尚書令，參議律令。"誕見《封
琳傳》。

正始律令　見《宣帝本紀》。《魏書》同。彭城王勰撰，見本傳，
《魏書》同。高陽王雍撰，見《彭城王勰傳》，《魏書》同。京兆
王愉撰，見《袁翻傳》，《魏書》同。袁翻撰，見本傳，《魏書》同。
崔鴻撰，見本傳，《魏書》同。崔光撰，見《崔鴻傳》，《魏書》同。
劉芳、常景、孫紹、高綽、宋世景、鄭道昭撰，俱見《袁翻傳》，並
各本傳，《魏書》同。張彪、侯堅固、邢苗、程靈虬、王元龜、祖
瑩、公孫崇、元麗、王顯撰，俱見《袁翻傳》，《魏書》同。李琰
之、李韶撰，俱見《袁翻傳》，並本傳，《魏書》翻傳並琰之及韶
傳同。郭祚撰，見本傳，《魏書》同。《隋·經籍志》：《後魏律》
二十卷，無撰人姓名。按《北史·宣武紀》："正始元年十二
月，詔羣臣議定律令。"彭城王勰傳："時議律令，與高陽王雍、
八坐、朝士有才學者，五日一集，參論軌制應否之宜。"鴻傳：
"詔彭城王勰以下公卿朝士儒學才明者三十人，議定律令於
尚書上省，鴻與光俱在其中，時論榮之。"翻傳："正始初，詔於
金墉城中書外省考論律令，翻與常景、孫紹、張彪、侯堅固、高
綽、邢苗、程靈虬、王元龜、祖瑩、宋世景、李琰之、公孫崇等並

在議限。又詔彭城王勰、高陽王雍、京兆王愉、劉芳、元麗、李韶、鄭道昭、王顯等入預其事。"祚傳："宣武時，議定律令，詔祚與侍中、黄門參議刊正。"故事據此則鴻傳云入議者凡三十人，今見《北史》僅二十五人，餘五人未詳。又按《隋志》：《後魏律》二十卷，無撰人姓名，惟後魏議定律令，此爲末次，故附著於此。

[北齊]

東魏麟趾新制　見《孝静帝本紀》。《魏書》同。封隆之撰，見本傳，《齊書》同。封述撰，見本傳，《齊書》同。《隋·經籍志》未收。按《北史·孝静紀》："興和三年，先是詔羣官於麟趾閣，議定新制。冬十月，班於天下。"隆之傳："參議《麟趾閣新制》。"述傳："天平中，爲《麟趾新格》，其名法科條皆述所删定。"

齊天保刊定麟趾格　見《文宣帝本紀》，《齊書》同。李渾撰，見本傳，《齊書》同。邢邵撰，見《李渾傳》，《齊書》渾傳未載。崔㥄撰，見《李渾傳》，《齊書》渾傳未載。魏收撰，見《李渾傳》，《齊書》渾傳未載。王昕撰，見《李渾傳》，《齊書》渾傳未載。李伯倫撰，見《李渾傳》，《齊書》渾傳未載。崔暹撰，見本傳，《齊書》同。《隋·經籍志》未收。按《北史·文宣紀》："天保元年，魏世議定《麟趾格》，遂爲通制，官司施用，猶未盡善。羣官可更討論新令。"渾傳："文宣以魏《麟趾格》未精，詔渾與邢邵、崔㥄、魏收、王昕、李伯倫修撰。"暹傳："暹主議《麟趾格》。"

齊律令　見《武成帝本紀》，《齊書》同。崔昂撰，見本傳，《齊書》同。薛琡撰，見《崔昂傳》，《齊書》同。李鉉撰，見本傳，《齊書》同。邢邵撰，見《李鉉傳》，《齊書》同。魏收撰，見《李鉉傳》，並本傳，《齊書》同。辛術撰，見本傳，《齊書》同。刁柔

撰,見本傳,《齊書》同。李希禮撰,見《李順傳》,《魏書》希禮
傳未載,《齊書》希禮無傳。封述撰,見本傳,《齊書》同。趙彥
深撰,見《封述傳》,《齊書》同。陽休之撰,見《封述傳》,《齊
書》同。馬敬德撰,見《封述傳》,《齊書》同。崔儦撰,見本傳,
《齊書》儦見《崔贍傳》,①同,《隋書》同。熊安生撰,見《崔鑢
傳》,②《隋書》同。《隋·經籍志》:《北齊律》十二卷,目一卷,
《北齊令》五十卷,《北齊權令》二卷,按《北史·武成紀》:"河
清三年,以律令頒下,大赦。"昂傳:"齊受禪,詔昂删定律令。
令尚書右僕射琡等四十三人,在領軍府議定。"《齊書》同,
"琡"作"薛琡"。鉉傳:"天保初,詔與邢邵、魏收參議禮律。"
收傳:"天保八年,參修律令。"術傳:"領太常卿,仍與時賢議
定律令。"柔傳:"齊天保初,與魏收參議律令。"順傳:"希禮與
邢邵等議定禮律。"述傳:"河清三年,敕與趙彥深、魏收、陽休
之、馬敬德等定律。"儦傳:"儦與熊安生、馬敬德等議五禮,兼
修律令。"又按《隋書·刑法志》:"司徒功曹張老上書,稱大齊
受命已來,律令未改,非所以創制垂法,革新視聽。於是始命
羣官,議造齊律,積年不成。迨武成即位,大寧元年,以律令
不成,頻加催促。河清三年,尚書令趙郡王叡奏上《齊律》十
二篇,又上《新令》四十卷,又別制《權令》二卷。"蓋文宣天保
初,議定律令,至武成時,書始告竣也。趙郡王叡監議律令,
《北史》叡傳未載,《齊書》載之。《隋書·刑法志》:《齊律》十
二篇,《新令》四十卷。《經籍志》作"《北齊律》十二卷,目一
卷。《北齊令》五十卷"。又《齊律》序,陸曄撰,曄見《北史·
陸俟傳》。

① "贍",據前"孝昭太子婚禮儀注"條,當作"贍"。
② "鑢",當作"儦"。

［北周］

西魏中興永式五卷　蘇綽撰，見《周紀》、《西魏文帝本紀》，《周書》同。柳敏撰，見本傳，《周書》同。《隋·經籍志》：《周大統式》三卷，無撰人姓名。按《北史·周文帝紀》："大統十年七月，魏帝以帝前後所上二十四條及十二條新制，定爲《中興永式》。命尚書蘇綽更損益之，總爲五卷，班行天下。於是搜簡賢才爲牧、守、令，習新制而遣焉。"敏傳："與蘇綽等修《新制》，爲朝廷政典。"又按紀中所稱魏帝，即西魏文帝寶炬。所稱帝，即周文帝宇文泰。《隋志》稱《周大統式》者，其時宇文秉權，實則大統乃西魏年號，兹從實載入。

周保定新律　見《武帝本紀》，《周書》同。趙肅撰，見本傳，《周書》同。裴政撰，見本傳，《隋書》同。柳敏撰，見本傳，《周書》同。崔仲方撰，見本傳，《隋書》同。斛斯徵撰，見《崔仲方傳》，《隋書》同。趙芬撰，見《崔仲方傳》，《隋書》同。盧昌衡撰，見本傳，《隋書》同。隋滕穆王瓚撰，見本傳，《隋書》同。《隋·經籍志》未收。按《北史》武帝紀："保定三年二月庚子，初頒新律。"肅傳："周文帝命肅撰法律，肅積思累年，遂感心疾，去職。"政傳："參定周律。"敏傳："轉小司馬，監修律令。"仲方傳："爲晉公宇文護參軍，轉記室，遷司正大夫，與斛斯徵、柳敏等同修禮律。迨武帝時，復與少内史趙芬删定格式。"昌衡傳："周武平齊，授司玉中士，與大宗伯斛斯徵修禮令。"《隋·滕穆王瓚傳》："宣帝崩，隋文帝作相，拜大宗伯，典修禮律。"又按《隋書·刑法志》："河南趙肅爲廷尉卿，撰定法律。肅積思累年，遂感心疾而死。乃命司憲大夫託拔迪掌之。至武帝保定三年乃就，謂之《大律》。"蓋周律初始於周文，頒行於周武。其後删定格式，直至靜帝初隋文作相時，楊瓚拜大宗伯，典修禮律。典修之律，亦即此書。

刑書新制　見《武帝本紀》,《周書》同。《隋·經籍志》未收。按《北史·武帝紀》:"建德六年,初行《刑書新制》。"又按《隋書·刑法志》:"建德六年,以齊之舊俗未改,盜賊姦宄,頗乖憲章。又爲《刑書要制》以督之。後宣帝以高祖所立《刑書要制》用法深重,大象元年,詔廢除之。"

宣政九條制　見《宣帝本紀》,《周書》同。《隋·經籍志》未收。按《北史·宣帝紀》:"宣政元年,制九條,宣下州郡。"《九條》條文見《周書》。又《隋書·刑法志》云:"帝欲行寬法,以取眾心。宣政元年八月,詔制《九條》,頒下州郡。"

刑經聖制　見《宣帝本紀》,《周書》同。《隋·經籍志》未收。按《北史·宣帝紀》:"大象元年初,武帝作《刑書要制》,用法嚴重。及帝即位,恐物情未附,除之。至是,爲《刑經聖制》,其法深刻,大醮於正武殿,告天而行焉。"《隋書·刑法志》:"帝又廣《刑書要制》,而更峻其法,謂之《刑經聖制》。"

[隋]

開皇新律令　見《文帝本紀》。《隋書》帝紀載《新律》未載《新令》。鄭譯撰,見本傳,《隋書》同。蘇威撰,見本傳,《隋書》同。裴政撰,見本傳,《隋書》同。李德林撰,見本傳,《隋書》同。于翼撰,見《李德林傳》,《隋書》同。高熲撰,見《李德林傳》,《隋書》同。趙芬撰,見本傳,《隋書》同。王誼撰,見《趙芬傳》,《隋書》同。趙軌撰,見本傳,《隋書》同。牛弘撰,見《趙軌傳》,《隋書》同。《隋·經籍志》:《隋律》十二卷。《隋開皇令》三十卷,目一卷。按《北史·文帝紀》:"開皇元年十月戊子,行《新律》。二年七月甲子,行《新令》。"譯傳:"文帝受禪,譯以上柱國歸第。未幾,詔譯參撰《律令》。"威傳:"文帝令朝臣釐改舊法,爲一代通典。律令格式,多威所定。"政傳:"開皇元年,詔與蘇威修定《律令》。採魏晋世刑典,下至齊、梁,沿革輕重,取其折衷。同撰者十餘人,凡疑滯不通者,皆取決於政。"德林傳:"開皇元年,敕與太尉于翼、高熲等同修《律令》。"芬傳:"開皇初,與郢公王誼修《律令》。"軌傳:"文帝詔與牛弘撰定律令格式。"又按《隋書·刑法志》:"開皇元年,乃詔高熲、鄭譯、楊素、常明、韓濬、李諤、柳雄亮等更定《新律》,奏上之。三年,因覽刑部奏斷獄數猶至萬,以爲律尚嚴密,故人多陷罪。又敕蘇威、牛弘等更定《新律》,凡十二卷。"是知《開皇律令》,據《北史》則《律》先行,《令》後行。據《隋書·刑法》則《律》先定於開皇元年,後定於開皇三年也。

大業律令 見《煬帝本紀》,《隋書》同。劉炫撰,見本傳,《隋書》同。牛弘撰,見《劉炫傳》,《隋書》同。《隋·經籍志》:《隋大業律》十一卷,《大業令》三十卷。按《北史·煬帝紀》:"大業三年四月甲申,頒《律令》。"炫傳:"煬帝即位,牛弘引炫修《律令》。"又按《隋書·刑法志》:"煬帝即位,以高祖禁網深刻,又敕修《律令》。三年,新律成,凡五百條,爲十八篇。"

大業新式 見《煬帝本紀》。《隋書》同。《隋·經籍志》未收。按《北史·煬帝紀》:"大業四年十月乙卯,頒《新式》於天下。"

右刑法十七部,已收《隋·經籍志》者五部,未收《隋·經籍志》者十二部,

雜傳

[魏]

列仙傳注 元延明撰,見《安豐王猛傳》。《魏書》延明傳同。《隋·經籍志》未收。

顯忠録十二卷 清河王懌撰,見本傳。《魏書》同。《隋·經籍

志》未收。按《北史》懌傳:"懌以忠而獲罪,乃鳩集昔忠義之士,爲《顯忠録》二十卷,以見志焉。"又按《李先傳》:"先曾孫義徽,爲清河王懌記室,爲懌撰《顯忠録》。"

宋氏别録十卷　宋世良撰,見本傳。《魏書》同。《隋·經籍志》未收。

古今名妃賢后録四卷　元孚撰,見《臨淮王譚傳》。《魏書》同。《隋·經籍志》未收。

孝友傳十卷　韓顯宗撰,見《韓麒麟傳》。《魏書》同。《隋·經籍志》未收。

列女傳　常景撰,見本傳。《魏書》同。《隋·經籍志》未收。

儒林傳　常景撰,見本傳。《魏書》同。《隋·經籍志》未收。

冠帶録　張始均撰,見《張彝傳》。《魏書》同。《隋·經籍志》未收。

封氏本録六卷　封偉伯撰,見《封軌傳》。《魏書》同。《隋·經籍志》未收。

[北齊]

要言　趙郡王叡撰,見本傳。《齊書》同。《隋·經籍志》未收。按《北史》叡傳:"叡久典朝政,譽望日隆,漸被疏忌,乃撰古忠臣義士事,號曰《要言》,以致其意。"

高才不遇傳　劉晝撰,見本傳。《齊書》同。《隋·經籍志》:《高才不遇傳》四卷,劉晝撰。

[北周]

關東風俗傳三十卷　宋孝王撰,見《宋世景傳》。《齊書》見《宋世軌傳》。《隋·經籍志》未收。按《北史》世景傳:"孝王以求入士林館,不遂。因非毀朝士,撰《朝士别録》二十卷。會周平齊,改爲《關東風俗傳》,更廣見聞,爲三十卷。"

裴潛傳　裴俠撰,見本傳。《周書》同。《隋·經籍志》未收。

［隋］

皇隋靈感誌三十卷　王劭撰，見本傳。《隋書》同。《隋·經籍志》未收。按《北史》劭傳："劭采人間歌謠，引圖書讖緯，依約符命，捃摭佛經，撰爲《皇隋靈感誌》，合三十卷。"

靈異記十卷　許善心撰，見本傳。《隋書》同。《隋·經籍志》：《靈異録》十卷，無撰人姓名。按《北史》善心傳："大業七年，徵守給事郎。帝嘗言及文帝受命之符，因問鬼神之事，敕善心與崔祖濬撰《靈異志》十卷。"①

旌異記十五卷　侯白撰，見《李文博傳》。《隋書》見《陸爽傳》，同。《隋·經籍志》未收。

續名僧記一卷　明克讓撰，見本傳。《隋書》同。《隋·經籍志》未收。

酬德傳三十卷　劉善經撰，見本傳。《隋書》同。《隋·經籍志》未收。

李士謙傳　崔廓撰，見本傳。《隋書》同。《隋·經籍志》未收。按《北史》廓傳："與趙郡李士謙爲忘言友，時稱'崔李'。士謙死，廓哭之慟，爲之作傳，輸之秘府。"

右雜傳十九部，已收《隋·經籍志》者二部。未收《隋·經籍志》者十七部。

地記

［魏］

輿地圖　清河王懌撰，見本傳。②《魏書》懌傳未載。③《隋·經

---

① "靈異志"，汲古閣本、武英殿本、中華本《北史·許善心傳》作"靈異記"。
② 《北史·清河王懌傳》未載撰《輿地圖》事，疑應是《李先傳》。
③ "懌"，當是"懌"字之誤。

籍志》未收。按《北史·李先傳》："先曾孫義徽,爲清河王懌
記室,爲懌撰《輿地圖》。"

水經注四十卷　本志十三篇　酈道元撰,見本傳。《魏書》同。
《隋·經籍志》:《水經注》四十卷,酈善長撰。按善長,酈道
元字。

十三州志　闞駰撰,見本傳。《魏書》同。《隋·經籍志》:《十三
州志》十卷,魏闞駰撰。

三晉記十卷　王遵業撰,見《王慧龍傳》。《魏書》同。《隋·經
籍志》未收。

徐州人地録二十卷　劉芳撰,見本傳。《魏書》同。《隋·經籍
志》未收。

魏永安記三卷　温子昇撰,見本傳。《魏書》同。《隋·經籍
志》同。

[北齊]

趙記八卷　李公緒撰,見本傳。《齊書》同。《隋·經籍志》:《趙
記》十卷,無撰人姓名。

幽州人物志　陽休之撰,見本傳。《齊書》同。《隋·經籍志》
未收。

[北周]

行記三卷　姚僧坦撰,見本傳。《周書》同。《隋·經籍志》
未收。

西京記三卷　薛寘撰,見本傳。《周書》同。《隋·經籍志》:《西
京記》三卷,無撰人姓名。

[隋]

西域圖記三卷　裴矩撰,見本傳。《隋書》同。《隋·經籍志》:
《隋西域圖》三卷,裴矩撰。

隋嶺南地圖　樊子蓋撰,見本傳。《隋書》同。《隋·經籍志》

未收。

隋州郡圖經一百卷　郎茂撰，見本傳。《隋書》同。《隋·經籍志》：《隋州郡圖經集》一百卷，郎蔚之撰。按《北史》茂傳："茂與崔祖濬撰《州郡圖經》一百卷，奏之，賜帛百段。"蔚之，郎茂字。

東都圖記二十卷　宇文愷撰，見本傳。《隋書》同。《隋·經籍志》未收。

晉王北伐記十五卷　柳䚗撰，見本傳。《隋書》同。《隋·經籍志》未收。

鑾駕北巡記三卷　諸葛穎撰，見本傳。《隋書》同。《隋·經籍志》未收。

幸江都道里記一卷　諸葛穎撰，見本傳。《隋書》同。《隋·經籍志》未收。

洛陽古今記一卷　諸葛穎撰，見本傳。《隋書》同。《隋·經籍志》未收。

東征記　崔賾撰，見《崔廓傳》。《隋書》同。《隋·經籍志》未收。

區宇圖志二百五十卷　崔賾撰，見《崔廓傳》。《隋書》同。《隋·經籍志》：《隋區宇圖志》一百二十九卷，無撰人姓名。按《北史》賾傳："受詔與諸儒撰《區宇圖志》二百五十卷，奏之，帝不善之。更令虞世基、許善心演爲六百卷。"今《隋志》作一百二十九卷，或係現存卷數。

方物志　許善心撰，見本傳。《隋書》同。《隋·經籍志》：《方物志》二十卷，許善心撰。

右地記二十一部，已收《隋·經籍志》者九部，未收《隋·經籍志》者十二部。

譜系

[魏]

辯宗録四十卷　濟陰王暉業撰，見本傳。《魏書》同。《隋·經籍志》:《後魏辯宗録》二卷，元曄業撰。按《北史·濟陰王傳》:"暉業之在晉陽也，無所交通，居常閒暇，乃撰魏藩王家世爲《辯宗録》四十卷，行於世。"又按《魏收傳》:"濟陰王暉業撰《辯宗録》三十卷。"今《隋志》稱《後魏辯宗録》二卷，元曄業撰。卷既不同，"暉"更作"曄"，當有闕誤。

中表實録二十卷　盧懷仁撰，見《盧玄傳》。《魏書》玄傳未載。《隋·經籍志》未收。

親表譜録　高諒撰，見《高祐傳》。《魏書》諒傳未載。《隋·經籍志》未收。按《北史》祐傳:"諒造《親表譜録》四十餘卷，自五世以下，內外曲盡，覽者服其博記。"

磣四聲　姓族廢興　會通緇素三論　甄琛撰，見本傳。《魏書》同。《隋·經籍志》未收。

[北周]

世譜一百卷　見《明帝本紀》。《周書·明帝紀》:《世譜》五百卷。《隋·經籍志》未收。按《北史·明帝紀》:"帝即位，集公卿已下八十餘人，於麟趾殿刊校經史。又据採衆書，自義農已來，訖于魏末，叙爲《世譜》，凡百卷。"又按《蕭撝傳》:"撰《世譜》一百卷，撝亦預焉。"

皇室譜　鮑宏撰，見本傳。《隋書》同。《隋·經籍志》未收。按《北史》宏傳:"初，周武帝敕宏撰《皇室譜》一部，分爲《帝緒》、《疏屬》、《賜姓》三篇。"

[隋]

諸劉譜三十卷　劉善經撰，見本傳。《隋書》同。《隋·經籍志》

未收。

右譜系七部，已收《隋·經籍志》者一部，未收《隋·經籍志》者
　　六部。

簿録

[魏]

東觀甲乙新録　盧昶撰，見《孫惠蔚傳》。《魏書》同。《隋·經
　　籍志》未收。

魏祕書圖籍典書緗素總集帳目　高恭之撰，見本傳。《魏書·
　　高道穆傳》同。按《北史》，道穆，高恭之字。

[隋]

七林　許善心撰，見本傳。《隋書》同。《隋·經籍志》未收。按
　　《北史》善心傳："開皇十七年，除祕書丞，時祕藏圖籍，尚多淆
　　亂。善心效阮孝緒《七録》，更製《七林》，各總序冠於篇，又於
　　部録以下各區分類例焉。"

右簿録三部，已收《隋·經籍志》者無部，未收《隋·經籍志》者
　　三部。

凡史類一百七十六部，已收《隋·經籍志》者五十部，未收《隋·
　　經籍志》者一百二十六部。

子

子之類，凡十一：曰儒家，曰道家，曰法家，曰名家，曰雜家，曰小
　説家，曰兵家，曰天文，曰曆數，曰五行，曰醫方。

儒家

[魏]

新集三十篇　明元帝撰，見本紀。《魏書》同。《隋·經籍志》未收。按《北史·明元紀》：“帝以劉向所傳《新序》、《説苑》於經典正義多有所闕，乃撰《新集》三十篇，採諸經史，賅洽古義云。”

[隋]

揚子法言注二十三卷　辛德源撰，見本傳。《隋書》同。《隋·經籍志》未收。

右儒家二部，已收《隋·經籍志》者無部，未收《隋·經籍志》者二部。

道家

[魏]

老子注　盧景裕撰，見本傳。《魏書》同。《隋·經籍志》：《老子道德經》二卷，盧景裕撰。

[北齊]

老子道德經注二卷　杜弼撰，見本傳。《齊書》同。《隋·經籍志》未收。

莊子惠施篇注　杜弼撰，見本傳。《齊書》同。《隋·經籍志》未收。按《北史》弼傳：“弼注《莊子·惠施篇》，並《易》上下《繫辭篇》，名曰《新注義苑》。”此即《義苑》之一。

玄子五卷　李公緒撰，見本傳。《齊書》同。《隋·經籍志》：《玄子》五卷，無撰人姓名。

[北周]

道德經章句注　盧光撰，見本傳。《周書》同。《隋·經籍志》未收。

[隋]

道言五十二篇　張叟撰，見本傳。《隋書》同。《隋·經籍志》未收。按《北史》叟傳："叟所撰《老子》、《莊子義》，名《道言》，五十二篇。"

莊子義疏四卷　何妥撰，見本傳。《隋書》同。《隋·經籍志》未收。

右道家七部，已收《隋·經籍志》者二部，未收《隋·經籍志》者五部。

法家

[魏]

韓子注　劉延明撰，見本傳。《魏書·劉昞傳》同。《隋·經籍志》未收。按延明，劉昞字。

右法家一部，已收《隋·經籍志》者無部，未收《隋·經籍志》者一部。

名家

[魏]

人物志注　劉延明撰，見本傳。《魏書·劉昞傳》同。《隋·經籍志》未收。按延明，劉昞字。

右名家一部，已收《隋·經籍志》者無部，未收《隋·經籍志》者一部。

雜家

[**魏**]

科録二百七十卷　元暉撰,見《常山王遵傳》。《魏書·元暉傳》同。《隋·經籍志》:《科録》七十卷,元暉撰。按《北史》遵傳:"暉雅好文學,招集儒士崔鴻等撰録百家要事,以類相從,名爲《科録》,凡二百七十卷,上起伏羲,迄于晋,凡十四代。"

皇誥十八篇　文成文明皇后馮氏撰。《魏書》同。《隋·經籍志》未收。

皇誥宗制并訓詁各一卷　元澄撰,見《任城王雲傳》。《魏書》同。《隋·經籍志》未收。

皇誥譯注　吕文祖撰,見《吕洛拔傳》。《魏書》文祖傳同。《隋·經籍志》未收。

要略三十卷　彭城王勰撰,見本傳。《魏書》同。《隋·經籍志》未收。按《北史》勰傳:"勰敦尚文史,撰自古帝王賢達,至於魏世子孫,族從爲三十卷,名曰《要略》。"

國典十八篇　王慧龍撰,見本傳。《魏書》同。《隋·經籍志》未收。按《北史》慧龍傳:"言帝王制度,凡十八篇。"

政典　崔浩撰,見本傳。《魏書》浩傳:撰《政典》三十餘篇。《隋·經籍志》未收。按《北史》浩傳:"天師寇謙之謂浩曰:'吾兼修儒教,而學不師古。爲吾撰列王者政典,并論其大要。'浩乃著書二十餘篇,上推太初,下盡秦漢變弊之迹,大旨先以復五等爲本。"

酒訓　高允撰,見本傳。《魏書》同。《隋·經籍志》未收。按《北史》允傳:"太和二年,被勅論集往世酒之敗德,以爲《酒訓》。"

教誡 刁雍撰，見本傳。《魏書》同。《隋·經籍志》未收。按《北史》雍傳：“雍汎愛施士，寧静寡欲，篤信佛道，著《教誡》二十餘篇，以訓子孫。”

家誨二十篇 甄琛撰，見本傳。《魏書》同。《隋·經籍志》未收。

家誡 張烈撰，見本傳。《魏書》同。《隋·經籍志》未收。按《北史》烈傳：“烈先爲《家誡》千餘言，并自叙志行及所歷之官。臨終，敕子姪不聽求贈，但勒家誡立碣而已。其子質奉行焉。”

歷帝圖五卷 張彝撰，見本傳。《魏書》同。《隋·經籍志》未收。按《北史》彝傳：“上《歷帝圖》五卷，起元庖犧，終於晉末，凡十六代，一百二十八帝，歷三千二百七十年，雜事五百八十九。宣武善之。”

物祖十五卷 劉懋撰，見本傳。《魏書》同。《隋·經籍志》未收。按《北史》懋傳：“撰諸器物造作之始十五卷，名曰《物祖》。”

删正張華博物志 常景撰，見本傳。《魏書》同。《隋·經籍志》未收。

略注 平恒撰，見本傳。《魏書》同。《隋·經籍志》未收。按《北史》恒傳：“自周以降，暨于魏世，帝王傳代之由，貴臣升降之緒，皆撰品第，商略是非，號曰《略注》，合百餘篇。”

[北齊]

聖壽堂御覽 後主勑撰，見本紀。《齊書》同。《隋·經籍志》：《聖壽堂御覽》三百六十卷，無撰人姓名。按《北史·後主紀》：“武平三年，敕撰《玄洲苑御覽》，後改曰《聖壽堂御覽》。敕付史閣，後復改爲《修文殿御覽》。四年，置文林館。”又按《北史·文苑傳》序：“顔之推因祖珽輔政，愛重之推，又託鄧長顥漸説後主，屬意斯文。三年，祖珽奏立文林館，於是更召引文學士，謂之待詔文林館焉。珽又奏撰《御覽》，詔珽及特進魏收、太子太師徐之才、中書令崔劼、散騎常侍張雕、中書監陽休之監撰。珽等奏進通直散騎常侍郎韋道遜、陸乂、太子舍人王劭、衛尉丞李孝基、殿中侍御史魏澹、中散大夫劉仲威、袁奭、國子博士朱才、奉車都尉陸道閑、考功郎中崔子樞、左外兵郎薛道衡、并省主客郎中盧思道、司空東閣祭酒崔德立、太傅行參軍崔儦、太學博士諸葛漢、奉朝請鄭公超、殿中侍御史鄭子信等入館撰書，并敕放、蕭愨、之推等同入撰例。復命散騎常侍封孝琰、前樂陵太守鄭元禮、衛尉少卿杜臺卿、通直散騎常侍楊訓、前南兗州刺史羊籕、①通直散騎侍郎馬元熙、并省三公郎中劉珉、開府行參軍李師上、溫君悠入館，亦令撰書。後復命特進崔季舒、前仁州刺史劉逖、散騎常侍李孝貞、中書侍郎李德林續入待詔。又詔諸人各舉所知，又有前濟州長史李翥、前廣武太守魏騫、前西兗州司馬蕭漑、前幽州長史陸仁惠、鄭州司馬江旴、前通直散騎侍郎辛德源、陸開明、通直郎封孝騫、太尉掾張德冲、并省右戶郎元行恭、司徒戶曹參軍右道子、前司空功曹參軍劉顗、獲嘉令崔德儒、給事中李元楷、晋州中從事阳師孝、太尉中兵參軍劉儒行，司空祭酒陽辟強、司空士曹參軍盧公順、司空中兵參軍周子深、開府行參軍王友伯、崔君洽、魏師騫并入館待詔。又敕僕射殷孝言亦入焉。《御覽》成後，所撰録人亦有不得待詔，付所司處分者。凡此諸人，亦有文學膚淺，附會親識，妄相推薦者十三四焉。"據此則《文苑序》所言修撰《御覽》屬武平三年，與本紀合。惟修撰《御覽》皆文林館中諸人。今立文林館，本紀列武

---

① "羊籕"，汲古閣本《北史·文苑傳》作"羊蕭"。武英殿本、中華本作"羊肅"。

平四年，在三年修撰《御覽》之後，與《文苑序》云武平三年奏
立有異，未審何故。至於《修覽》、《御覽》明見《北史》各傳者，
止祖珽、陽休之、陽辟强、魏澹、崔德立、崔季舒而已，餘傳
未詳。

石子十卷　石曜撰，見《孫靈暉傳》。《齊書》同。《隋·經籍志》
未收。

典言十卷　李公緒撰，見本傳。《齊書》同。《隋·經籍志》：《典
言》四卷，後魏人李穆叔撰。按《北史》公緒傳：“公緒，字穆
叔，魏末爲冀州司馬。”

古今略記二十卷　李公緒撰，見本傳。《齊書》同。《隋·經籍
志》未收。

鑒誡二十四篇　王紘撰，見本傳。《齊書》同。《隋·經籍志》
未收。

典言　荀士遜撰，見本傳。《齊書》同。《隋·經籍志》：《典言》
四卷，齊中書郎荀士遜等撰。按《北史》士遜傳：“與李若等撰
《典言》行於世。”

金箱壁言　劉晝撰，見本傳。《齊書》晝傳未載。《隋·經籍志》
未收。按《北史》晝傳：“河清中，晝著《金箱壁言》，蓋以指機
政之不良。”

顔氏家訓二十篇　顔之推撰，見本傳。《齊書》同。《隋·經籍
志》未收。

[北周]

宗誡　西魏文帝寶炬撰，見《周本紀》。《魏書》寶炬傳未載。
《隋·經籍志》未收。

寓記三卷　蕭大圜撰，見本傳。《周書》同。《隋·經籍志》
未收。

諫苑四十一卷　樂運撰，見本傳。《周書》同。《隋·經籍志》

未收。按《北史》運傳：“運嘗願處一諫官，從容諷議，而性訐直，爲人所排抵，遂不被任用。乃發憤録夏、殷以來諫争事，集而部之，凡六百三十九條，合四十一卷，名曰《諫苑》。”

[隋]

玉燭寶典十二卷　杜臺卿撰，見本傳。《隋書》同。《隋·經籍志》同。按《北史》臺卿傳：“開皇初，臺卿採《月令》，觸類廣之，爲書名《玉燭寶典》十二卷，至是奏之，賜帛二百疋。”

長洲玉鏡　虞綽撰，見本傳。《隋書》同。《隋·經籍志》：《長洲玉鏡》二百三十八卷，無撰人姓名。按《北史》綽傳：“大業初，轉秘書學士，奉詔與秘書郎虞世南、著作佐郎庚自直等撰《長洲玉鏡》等書。”

政訓二十卷　辛德源撰，見本傳。《隋書》同。《隋·經籍志》：《政訓》二十卷，無撰人姓名。

内訓二十卷　辛德源撰，見本傳。《隋书》同。《隋·經籍志》：《内訓》二十卷，無撰人姓名。

墳典　辛彦之撰，見本傳。《隋書》同。《隋·經籍志》未收。

三十六科鬼神感應等大義九卷　何妥撰，見本傳。《隋書》同。《隋·經籍志》未收。

讀書記三十卷　王劭撰，見本傳。《隋書》同。《隋·經籍志》未收。按《北史》劭傳：“其指摘經史謬誤，爲《讀書記》三十卷，時人服其精博。”

張仲讓書十卷　張仲讓撰，見《馬光傳》。《隋書》同。《隋·經籍志》未收。按《北史》光傳：“開皇初，徵山東義學之士。光與張仲讓、孔籠、竇仕榮、張買奴、劉祖仁等俱至，并授大學博士。仲讓未幾告歸鄉里，著書十卷，自云此書若奏，必爲宰相。"

洽聞志七卷　崔頤撰，見《崔廓傳》。《隋書》同。《隋·經籍志》未收。

馬名録二卷　諸葛穎撰，見本傳。《隋書》同。《隋·經籍志》未收。

右雜家三十六部，已收《隋·經籍志》者八部。未收《隋·經籍志》者二十八部。

小説家

[**魏**]

器準九篇　元延明撰，見《安豐王猛傳》。《魏書》延明傳同。《隋·經籍志》未收。

器準九篇注　信都芳撰，見本傳。《魏書》同。《齊書》同。《隋·經籍志》未收。按《魏書》、《齊書》芳均有傳。又按《魏書·樂志》："芳撰延明所集樂説，并諸器物準圖二十餘事而注之。"

器準圖　信都芳撰，見本傳。《魏書》同。《齊書》同。《隋·經籍志》：《器準圖》三卷，後魏丞相士曹參軍信都芳撰。

[**隋**]

笑苑　魏澹撰，見《魏季景傳》。《隋書》澹傳同。《隋·經籍志》：《笑苑》四卷，無撰人姓名。

欹器圖一卷　臨孝恭撰，見本傳。《隋書》孝恭傳：《欹器圖》三卷。《隋·經籍志》未收。

右小説家五部，已收《隋·經籍志》者二部，未收《隋·經籍志》者三部。

兵家

[魏]

十二陣圖　源賀撰，見本傳。《魏書》同。《隋·經籍志》：《陣圖》一卷，無撰人姓名。按《北史》賀傳："賀依古兵法及先儒耆舊説，略採至要，爲《十二陣圖》，奏上之。"

黃石公三略注　劉延明撰，見本傳。《魏書·劉昞傳》同。《隋·經籍志》未收。按《北史》，延明，劉昞字。

兵法　孫僧化撰，見《張深傳》。《魏書·張淵傳》同。《隋·經籍志》未收。按《北史》深傳："永熙中，孝武帝召僧化與中散大夫孫安都共撰兵法，未就而帝入關，遂罷。"又按《魏書》張淵，《北史》避唐諱，作張深。

[北周]

象經　武帝撰，見本紀。《周書》同。《隋·經籍志》：《象經》一卷，周武帝撰。

象經注　王褒撰，見本傳。《周書》同。《隋·經籍志》：《象經注》一卷，王褒撰。

要略五篇　齊煬王憲撰，見本傳。《周書》同。《隋·經籍志》：《兵書要略》五篇，周齊王宇文憲撰。

[隋]

方陣戰法　軍營圖樣　見《文帝紀》。《隋書》本紀未載。《隋·經籍志》未收。

金韜十卷　劉祐撰，見本傳。《隋書》同。《隋·經籍志》：《金韜》十卷，無撰人姓名。按《北史》祐傳："奉文帝詔撰兵書十卷，名曰《金韜》。"

陰策二十卷　劉祐撰，见本傳。《隋書》同。《隋·經籍志》：《陰策》二十卷，無撰人姓名。

金海三十卷　蕭吉撰，见本傳。《隋書》同。《隋·經籍志》同。

右兵家十部，已收《隋·經籍志》者七部，未收《隋·經籍志》者三部。

天文

[魏]

洪範天文災異要略八篇　高允撰，见本傳。《魏書》同。《隋·經籍志》未收。按《北史》允傳："敕允集天文災異，使事類相從，約而可觀。允依《洪範傳》、《天文志》，撮其事要，略其文辭，凡爲八篇。"

星經諸家集占并諸家撮要及雜占日月五星二十八宿中外官暨圖七十五卷　孫僧化等撰，见《張深传》。《魏書·張淵傳》同。《隋·經籍志》未收。按《北史》深傳："永熙中，詔通直散騎常侍孫僧化與太史胡世榮、太史令張寵、趙洪慶及中書舍人孫子良等在門下外省，校比天文書，集甘、石二家星經，及漢、魏以來二十三家經占，集五十五卷。後集諸家撮要，前後所上雜占，以類相從，日月、五星、二十八宿、中外官及圖，合爲七十五卷。"又按《魏書》張淵，《北史》避唐諱，作張深。

四術周髀宗　信都芳撰，见本傳。《魏書》同。《齊書》同，《隋·經籍志》未收。按《魏書》、《齊書》芳均有傳。

五星要決　陸旭撰，见《陸俟傳》。《魏書·陸俟傳》未載。《周書》旭見《陸騰傳》，同。《隋·經籍志》未收。按《北史》俟傳："旭性雅淡，好《易》、緯候之學，撰《五星要決》及《兩儀真圖》。太和中，徵拜中書博士，稍遷散騎常侍。"

兩儀真圖　陸旭撰，见《陸俟傳》。《魏書》俟傳未載。《周書》旭見《陸騰傳》,同。《隋·經籍志》未收。按旭撰《兩儀真圖》説見上《五星要決》下注内。

[隋]

靈臺祕苑一百二十卷　庾季才撰,見本傳。《隋書》同。《隋·經籍志》:《靈臺祕苑》一百一十五卷,無撰人姓名。

垂象志一百四十二卷　庾季才撰,見本傳。《隋書》同。《隋·經籍志》:《垂象志》一百四十八卷,無撰人姓名。

觀臺飛候六卷　劉祐撰,見本傳。《隋書》同。《隋·經籍志》未收。

玄象要記五卷　劉祐撰,見本傳。《隋書》同。《隋·經籍志》未收。

右天文九部,已收《隋·經籍志》者二部,未收《隋·經籍志》者七部。

曆數

[魏]

五寅元曆　崔浩撰,見本傳。《魏書》同。《隋·經籍志》:《曆術》一卷,崔浩撰。

高氏曆法　高謙之撰,見本傳。《魏書》同。《隋·經籍志》未收。

戊子元曆　李業興撰,見本傳。《魏書》同。《隋·經籍志》未收。按《北史》業興傳:“延昌中,業興上《戊子元曆》。”

九家新曆　張洪等撰,見《李業興傳》。《魏書》同。《隋·經籍志》未收。按《北史·李業興傳》:“于時屯騎校尉張洪、盪寇將軍張龍詳等九家,各獻新曆。宣武詔令共爲一曆。洪等後遂推業興爲主。”又按《魏書·律曆志》:以張洪、張明豫子龍

祥、李業興、盧道虔、衛洪顯、胡榮、統道榮、①樊仲遵、張僧豫
爲九家。其九家而有十人者，以張明豫及其子龍祥爲一家。

正光曆　見《明帝本紀》。《魏書》同。《隋·經籍志》：《壬子元
曆》一卷，李業興撰。按《北史·明帝紀》：“正光三年十一月，
詔頒曆，大赦天下。”又按《李業興傳》：“宣武詔令合九家新曆
共爲一曆，張洪等遂共推業興爲主，成《戊子曆》。正光三年，
奏行之。”《魏書》同，并云事在《律曆志》。考《魏書·律曆
志》：崔光於神龜初上表云“總合九家，元起壬子”，又云“請名
《神龜曆》”，又云“肅宗以曆就大赦，改元正光，因名《正光
曆》”，據此則《正光曆》起壬子。然《北史》云：《戊子曆》，業興
上於延昌中。而《壬子曆》，崔光上於神龜初，至正光三年班
行。要皆爲李業興撰，故兩存之。至孫紹、常景、祖瑩先後均
預撰次。紹傳：“以參議《正光壬子曆》，賜爵新昌子。”景傳：
“以參議《正光壬子曆》，賜爵高陽子。”瑩傳：“以參律曆，賜爵
容城縣子。”《魏書》同。

殷甲寅曆一卷　李業興撰，見本傳。《魏書》同。《隋·經籍志》
未收。

黃帝辛卯曆一卷　李業興撰，見本傳。《魏書》同。《隋·經籍
志》未收。

九宮行棊曆　李業興撰，見本傳。《魏書》同。《隋·經籍志》
未收。

靈憲曆　信都芳撰，見本傳。《魏書》芳傳未載。《齊書》同。
《隋·經籍志》未收。按《魏》、《齊書》均有芳傳。

算術三卷　高允撰，見本傳。《魏書》同。《隋·經籍志》未收。

五經宗　信都芳撰，見本傳。《魏書》同。《齊書》芳傳未載。

---

①　“統道榮”，汲古閣本、武英殿本、中華本《魏書·律曆志》作“統道融”。

《隋·經籍志》未收。按《北史》芳傳:"抄集五經算事,爲《五經宗》。"又按《魏書》、《齊書》芳均有傳。

史宗　信都芳撰,見本傳。《魏書》同。《齊書》芳傳未載。《隋·經籍志》未收。按《北史》芳傳:"注重差、句股注,^①復撰《史宗》。"《魏書》同,下并云:"仍自注之,合數十卷。"又按《魏書》、《齊書》芳均有傳。

［北齊］

天保曆　宋景業撰,見本傳。《齊書》景業傳未載。《隋·經籍志》:《齊甲子元曆》一卷,宋氏撰,有姓無名。按《北史》景業傳:"受詔撰《天保曆》,李廣爲之序。"又按《李鉉傳》:"天保初,時詔北平太守宋景業、西河太守綦毋懷文等草定新曆,録尚書、平原王高隆之令鉉與通直常侍房延祐、國子博士刁柔參考得失。"《北史》懷文傳未載,延祐無傳,柔傳未載。《齊書》各傳同。

［北周］

周武成曆　明帝敕撰,見本傳。《周書》同。《隋·經籍志》未收。按《北史·明帝紀》:"武成元年,詔有司造《周曆》。"《明克讓傳》云:"周武帝即位,爲露門學士,令與太史官屬造周新曆。"《紀》列明帝,《傳》稱武帝,《紀》、《傳》互異。明克讓,《周書》無傳,《隋書》有傳,傳云:"武帝即位,徵爲露門學士,令與太史官屬正定新曆。"而《隋書·律曆志》云:"周明帝武成元年,使命有司造周律,於是露門學士明克讓、麟趾殿學士庾季才及諸日者,采祖暅舊議,通簡南北之術。"《傳》稱武帝,《志》言明帝,《傳》、《志》又異。惟考《周書·明帝紀》,武成元年,有改造周曆詔。《武帝紀》無之。據此,則是《周曆》係明帝時

---

① "勾股注",汲古閣本、武英殿本、中華本《北史·信都芳傳》無"注"字。

造,而非武帝時造矣。

丙寅元曆　馬顯撰,見《張胄玄傳》。《隋書》同。《隋·經籍志》未收。按《北史》胄玄傳云:"馬顯造《丙寅元曆》,有陰陽輔法,加減章分,進退蝕餘,乃推定日,創開此數。當時術者,多不能曉。張賓因而用之。"又按《隋書·律曆志》:"大象元年,太史上士馬顯等上《丙寅元曆》。"

［隋］

開皇張賓新曆　張賓撰,見《劉祐傳》。《隋書》同。《隋·經籍志》:《曆術》一卷,華州刺史張賓撰。按《北史》張賓附見《來和傳》:賓初爲道士,後爲華州刺史。造曆事未載。惟《劉祐傳》云:"初與張賓、劉暉、馬顯等定曆。"又按《隋書·律曆志》:"高祖受禪之初,擢賓爲華州刺史,使與儀同劉暉、驃騎將軍董琳、索盧縣公劉祐、前太史上士馬顯、太學博士鄭元偉、前保章上士任悦、開府掾張徹、前盪邊將軍張膺之、校書郎衡洪建、太史監候粟相、太史司曆郭翟、劉宜、兼算學博士張乾叙、門下參人王君瑞、荀隆伯等議造新曆,仍令太常盧賁監之。賓等依何承天法,微加增損,四年二月撰成。"《北史·文帝紀》:"開皇四年二月,頒新曆。"即用張賓曆也。

開皇張胄玄新曆　張胄玄撰,見本傳。《隋書》同。《隋·經曆志》:《開皇甲子元曆》一卷,無撰人姓名。按《北史》胄玄傳:"隋文帝徵授雲騎尉,直太史,參議律曆事。"又按《隋書·律曆志》:開皇十七年,胄玄曆成。此曆元起甲子。《北史·文帝紀》:"開皇十七年四月戊寅,頒新曆。"即用胄玄曆也。

曆書十卷　劉焯撰,見本傳。《隋書》同。《隋·經籍志》未收。按《北史》焯傳:"開皇時參議律曆。"又按《隋書·律曆志》:"開皇二十年,袁充奏日影長短,高祖因以曆事付皇太子,遣更研詳著日長之候。太子徵天下曆算之士,咸集于東宮。劉焯以太子新立,復修其書,名曰《皇極曆》,駁正胄玄之短。"當即此書。

稽極十卷　劉焯撰,見本傳。《隋書》同。《隋·經籍志》未收。按《隋書·律曆志》:"焯造曆家同異,名曰《稽極》。"

律曆術文一卷　劉祐撰,見本傳。《隋書》同。《隋·經籍志》未收。

安曆志十二卷　劉祐撰,見本傳。《隋書》同。《隋·經籍志》未收。

算術一卷　劉炫撰,見本傳。《隋書》同。《隋·經籍志》未收。

右曆數二十二部,已收《隋·經籍志》者五部,未收《隋·經籍志》者十七部。

五行

[魏]

兵法孤虛立成圖三百六十　王宜弟撰,見《道武帝本紀》。《魏書》同。《隋·經籍志》未收。

遁甲經　信都芳撰,見本傳。《魏書》芳傳未載。《齊書》芳傳同。《隋·經籍志》未收。按《魏書》、《齊書》芳均有傳。

林占　耿玄撰,見本傳。《魏書》同。《隋·經籍志》未收。

[北齊]

易林雜占百餘卷　吳遵世撰,見本傳。《齊書》遵世傳未載。《隋·經籍志》未收。

黃帝四序經文注三十六卷　和公撰,見《殷紹傳》。《齊書》同。《隋·經籍志》未收。

四序堪輿一卷　殷紹撰,見本傳。《齊書》同。《隋·經籍志》:《四序堪餘》二卷,殷紹撰。

婦人産法　許遵撰,見本傳。《齊書》遵傳未載。《隋·經籍志》:《推産法》一卷,無撰人姓名。

[北周]

廣堪十卷　蕭圓肅撰,見本傳。《周書》同。《隋·經籍志》未收。

[隋]

地形志八十七卷　庾季才撰,見本傳。《隋書》同。《隋·經籍志》同。

鳥情占　耿詢撰,見本傳。《隋書》同。《隋·經籍志》:《鳥情書》一卷,無撰人姓名。

相經三十卷　來和撰,見本傳。《隋書》和傳:《相經》四十卷。《隋·經籍志》:《相書》四十六卷,無撰人姓名。

相經要録一卷　蕭吉撰,見本傳。《隋書》同。《隋·經籍志》:《相經要録》二卷,蕭吉撰。

宅經八卷　蕭吉撰,見本傳。《隋書》同。《隋·經籍志》:《相宅圖》八卷,無撰人姓名。

葬經六卷　蕭吉撰,見本傳。《隋書》同。《隋·經籍志》未收。

相手版要決一卷　蕭吉撰,見本傳。《隋書》同。《隋·經籍志》未收。

太一立成一卷　蕭吉撰,見本傳。《隋書》同。《隋·經籍志》:《太一飛鳥立成》一卷,無撰人姓名。

地動銅儀經一卷　臨孝恭撰,見本傳。《隋書》同。《隋·經籍志》:《地動圖》一卷,無撰人姓名。

九宮五墓一卷　臨孝恭撰,見本傳。《隋書》同。《隋·經籍志》未收。

遁甲録十卷　臨孝恭撰,見本傳。《隋書》孝恭傳:《遁甲月令》十卷。《隋·經籍志》未收。

元辰經十卷　臨孝恭撰，見本傳。《隋書》同。《隋·經籍志》未收。

元辰厄百九卷　臨孝恭撰，見本傳。《隋書》同。《隋·經籍志》未收。

百怪書十八卷　臨孝恭撰，見本傳。《隋書》同。《隋·經籍志》未收。

禄命書二十卷　臨孝恭撰，見本傳。《隋書》同。《隋·經籍志》未收。

九宮龜一百一十卷　臨孝恭撰，見本傳。《隋書》同。《隋·經籍志》未收。

太一式經三十卷　臨孝恭撰，見本傳。《隋書》同。《隋·經籍志》未收。

孔子馬頭易卜書一卷　臨孝恭撰，見本傳。《隋書》同。《隋·經籍志》未收。

婚姻志三卷　劉祐撰，見本傳。《隋書》同。《隋·經籍志》：《婚姻書》二卷，無撰人姓名。

産乳志二卷　劉祐撰，見本傳。《隋書》同。《隋·經籍志》：《産乳書》二卷，無撰人姓名。

式經四卷　劉祐撰，見本傳。《隋書》同。《隋·經籍志》未收。

四時立成法一卷　劉祐撰，見本傳。《隋書》同。《隋·經籍志》未收。

歸正易十卷　劉祐撰，見本傳。《隋書》同。《隋·經籍志》未收。

右五行三十一部，已收《隋·經籍志》者十一部，未收《隋·經籍志》者二十部。

醫方

［魏］

醫方精要三十卷　宣武帝敕撰,見本紀。《魏書》同。《隋·經籍志》未收。按《北史·宣武紀》:"永平三年,令有司集諸醫工,惟簡精要取三十卷以班九服。"

食經　崔浩撰,見本傳。《魏書》同。《隋·經籍志》:《崔氏食經》四卷,有姓無名。

諸藥方百卷　李脩撰,見本傳。《魏書》同。《隋·經籍志》未收。按《北史》脩傳:"太和中,集諸學士及工書者百十人,在東宮撰《諸藥方》百卷。"

醫方三十五卷　王顯撰,見本傳。《魏書》同。《隋·經籍志》未收。按《北史》顯傳:"宣武詔顯撰集《藥方》三十五卷,班布天下。"

［北周］

集驗方十二卷　姚僧坦撰,見本傳。《魏書》同。《隋·經籍志》:《集驗方》十卷,姚僧坦撰。

［隋］

帝王養生方二卷　蕭吉撰,見本傳。《魏書》同。《隋·經籍志》同。

右醫方六部,已收《隋·經籍志》者三部,未收《隋·經籍志》者三部。

凡子類一百三十部,已收《隋·經籍志》者四十部,未收《隋·經籍志》者九十部。

集

集之類,凡二:曰別集,曰總集。

別集

[**魏**]

孝文帝集　見《劉昶傳》。《魏書》同。《隋·經籍志》:《魏孝文帝集》三十九卷。按《北史》昶傳:"帝贈昶以其文集一部。"又《崔挺傳》:"文帝謂曰:'別卿以來,倏焉二載,吾所綴文已成一集,當給卿副本。'"又按《孝文紀》:"好爲文章詩賦銘頌。自太和十年以後,詔册皆其文也。自餘文章,百有餘篇。"

元順集　見《任城王雲傳》。《魏書》順傳同。《隋·經籍志》未收。按《北史》雲傳:"順撰有詩賦表頌,凡數十篇。"

元延明集　見《安豐王猛傳》。《魏書》延明傳同。《隋·經籍志》未收。按《北史》猛傳:"延明撰有詩賦讚頌銘誄,凡三百餘篇。"

封肅集　見本傳。《魏書》同。《隋·經籍志》未收。按《北史》肅傳:"撰有文章十餘卷。"

刁雍集　見本傳。《魏書》同。《隋·經籍志》未收。按《北史》雍傳:"撰有詩賦論頌并諸雜文章百有餘篇。"

陸恭之集　見《陸俟傳》。《魏書》恭之傳同。《隋·經籍志》未收。按《北史》俟傳:"恭之撰有文章詩賦千餘篇。"

盧道將集　見《盧玄傳》。《魏書》道將傳同。《隋·經籍志》未收。按《北史》玄傳:"道將撰有文筆數十篇。"

盧仲宣集　見本傳。《魏書》仲宣傳未載。《隋·經籍志》未收。按《北史》仲宣傳:"文集莫爲撰次,罕有存者。"

盧柔集　見本傳。《魏書》同。《隋·經籍志》未收。按《北史》柔傳:"撰有詩頌碑銘檄表啓數十篇。"

盧元明集　見本傳。《魏書》同。《隋·經籍志》:《盧元明集》十七卷。

高允集　見本傳。《魏書》同。《隋·經籍志》:《高允集》二十一卷。

崔孝芬集　見本傳。《魏書》同。《隋·經籍志》未收。按《北史》孝芬傳:"撰有文筆數十篇。"

李騫集　見《李順傳》。《魏書》騫傳同。《隋·經籍志》未收。按《北史》順傳:"騫文筆別有集録。"又按《魏書》騫傳:"所著詩賦碑誄,別有集録。"

趙逸集　見本傳。《魏書》同。《隋·經籍志》未收。按《北史》逸傳:"撰有詩賦銘頌,凡五十餘篇。"

陸暐集　見《陸俟傳》。《魏書》暐傳同。《隋·經籍志》未收。按《北史》俟傳:"暐撰有章表數十篇。"

高閭集四十卷　見本傳。《魏書》閭傳:"文集三十卷。"《隋·經籍志》未收。

劉懋集　見本傳。《魏書》同。《隋·經籍志》未收。按《北史》懋傳:"懋詩誄賦頌及諸文筆見稱於時。"

鄭道昭集　見《鄭羲傳》。《魏書》道昭傳同。《隋·經籍志》未收。按《北史》羲傳:"道昭好爲詩賦,凡數十篇。"

裴景融集　見《裴延儁傳》。《魏書》景融傳同。《隋·經籍志》未收。

程駿集　見本傳。《魏書》同。《隋·經籍志》未收。

高聰集二十卷　見本傳。《魏書》同。《隋·經籍志》未收。

常景集　見本傳。《魏書》同。《隋·經籍志》未收。按《北史》
　　景傳:"所有著述數百篇。"

張始均集　見《張彝傳》。《魏書》始均傳同。《隋·經籍志》未
　　收。按《北史》始均傳:"撰有詩賦數十篇。"

邢昕集　見本傳。《魏書》同。《隋·經籍志》未收。按《北史》
　　昕傳:"昕所著文,自有集録。"

邢虯集　見《邢昕傳》。《魏書》虯傳同。《隋·經籍志》未收。
　　按《北史》昕傳:"虯撰有碑頌雜筆三十餘篇。"

邢臧集　見本傳。《魏書》同。《隋·經籍志》未收。按《北史》
　　臧傳:"撰有文筆百餘篇。"

溫子昇集三十五卷　見本傳。《魏書》同。《隋·經籍志》:《溫
　　子昇集》三十九卷。

游肇集　見《游明根》傳。《魏書》肇傳同。《隋·經籍志》未收。
　　按《北史》明根傳:"肇撰有詩賦表啓等七十五篇。"

李彪集　見本傳。《魏書》同。《隋·經籍志》未收。

崔光集　見本傳。《魏書》同。《隋·經籍志》未收。按《北史》
　　光傳:"凡光所爲詩賦銘讚誄頌表啓數百篇五十餘卷,別
　　有集。"

袁翻集　見本傳。《魏書》同。《隋·經籍志》未收。按《北史》
　　翻傳:"撰文筆百餘篇。"

李諧集十卷　見本傳。《魏書》同。《隋·經籍志》有《李諧文
　　集》十卷。

李平集　見本傳。《魏書》同。《隋·經籍志》未收。按《北史》
　　平傳:"所制文集,別有集録。"

袁躍集　見本傳。《魏書》同。《隋·經籍志》:《袁躍集》十
　　三卷。

祖瑩集　見本傳。《魏書》同。《隋·經籍志》未收。按《北史》

瑩傳:"瑩以文學見重,常語人云:'文章須自出,機杼成一家風骨,何能共人同生活也。'蓋譏世人好竊他文以爲己用。而瑩之筆札亦無乏天才,但不能均調,玉石兼有,其製裁之體减於袁、常焉。其文集行於世。"

高謙之集　見木傳。《齊書》同。《隋·經籍志》未收。按《北史》謙之傳:"撰有文章百餘篇。"

蔣少游集十卷　見本傳。《魏書》同。《隋·經籍志》未收。按《北史》少游傳:"撰有文筆十卷。"

薛孝通集八十卷　見本傳。《魏書》通無傳。《隋·經籍志》未收。

酈惲集　見《酈道元傳》。《魏書》惲傳同。《隋·經籍志》未收。按《北史》道元傳:"惲所有文章,多行於世。"

柳崇集　見本傳。《魏書》同。《隋·經籍志》未收。按《北史》崇傳:"所製文章,寇亂遺失。"

[北齊]

崔贍集二十卷　見本傳。《齊書》贍傳未載。《隋·經籍志》未收。

王昕集二十卷　見本傳。《齊書》同。《隋·經籍志》未收。

陸卬集十四卷　見本傳。《齊書》同。《隋·經籍志》未收。

盧懷仁集　見《盧玄傳》。《齊書》見《盧潛傳》。《隋·經籍志》未收。按《北史》懷仁傳:"所著詩賦銘頌二萬餘言。"

李槩撰題富春公主側集　見《李公緒傳》。《齊書》公緒傳未載。《隋·經籍志》未收。按《北史》公緒傳:"槩爲齊文襄大將軍府行參軍,進側集,題云富春公主撰。"

李槩達生丈人集　見《李公緒傳》。《齊書》緒傳未載。《隋·經籍志》未收。按《北史》公緒傳:"槩自簡詩賦二十四首,謂之《達生丈人集》。"

楊愔集　見本傳。《齊書》同。《隋·經籍志》未收。按《北史》愔傳:"所著詩賦表奏書論甚多,誅後散失,門生鳩集所得者萬餘言。"

劉逖集三十卷　見本傳。《齊書》同。《隋·經籍志》:《劉逖集》二十六卷。按《北史》逖傳:"撰有詩賦頌誄文筆三十卷。"

邢邵集三十卷　見本傳。《齊書》同。《隋·經籍志》:《邢子才集》三十一卷。按子才,邢邵字。

陽休之集四十卷　見本傳。《齊書》休之傳:文集三十卷。《隋·經籍志》未收。按"陽",一作"楊"。

陽俊之集十卷　見《陽休之傳》。《齊書》休之傳未載。《隋·經籍志》未收。按《北史》休之傳:"弟俊之,待詔文林館,自言有集十卷。"

陽昭集十卷　見《陽斐傳》。《齊書》斐傳未載。《隋·經籍志》未收。

魏收集七十卷　見本傳。《齊書》同。《隋·經籍志》:《魏收集》六十八卷。

魏季景集　見本傳。《齊書》季景無傳。《隋·經籍志》未收。按《北史》季景傳:"撰有文筆,凡二百餘篇。"

李廣集七卷　見本傳。《齊書》廣傳:文集十卷。《隋·經籍志》未收。按《北史》廣傳:"廣嘗薦畢義雲於崔暹。廣卒後,義雲集其文集七卷,託魏收爲之序。"

顏之推集三十卷　見本傳。《齊書》同。《隋·經籍志》未收。

盧詢祖集十卷　見《盧文偉傳》。《齊書》同。《隋·經籍志》未收。按《北史》文偉傳:"詢祖有集十卷,後皆遺逸。"

[北周]

明帝集十卷　見本紀。《周書》同。《隋·經籍志》:《周明帝集》九卷。

蕭撝集　見本傳。《周書》同。《隋·經籍志》:《蕭撝集》十卷。
按《北史》撝傳:"撰有詩賦雜文,共數萬言。"

蕭圓肅集十卷　見本傳。《周書》同。《隋·經籍志》未收。

蕭大圜集十卷　見本傳。《周書》同。《隋·經籍志》未收。

薛愼集　見本傳。《周書》同。《隋·經籍志》未收。

薛寘集三十卷　見本傳。《周書》寘傳:文筆二十餘卷。《隋·
經籍志》未收。

趙僭王招集十卷　見本傳。《周書》同。《隋·經籍志》:《後周
趙王集》八卷。

滕間王逌集　見本傳。《周書》同。《隋·經籍志》:《後周滕簡
王逌集》八卷。

蘇亮集　見本傳。《周書》同。《隋·經籍志》未收。按《北史》
亮傳:"撰有文筆數十篇。"

柳虯集　見本傳。《周書》同。《隋·經籍志》未收。按《北史》
虯傳:"撰有文章數十篇。"

柳弘集　見本傳。《周書》弘見《柳慶傳》,同。《隋·經籍志》
未收。

唐瑾集　見本傳。《周書》同。《隋·經籍志》未收。按《北史》
瑾傳:"撰有賦頌銘誄二十餘萬言。"

呂思禮集　見本傳。《周書》同。《隋·經籍志》未收。

宗懍集二十卷　見本傳。《周書》同。《隋·經籍志》:《宗懍集》
十二卷,并錄。

劉璠集二十卷　見本傳。《周書》同。《隋·經籍志》未收。

庾信集二十卷　見本傳。《周書》同。《隋·經籍志》:《庾信集》
二十卷,并錄。

顏之儀集十卷　見本傳。《周書》同。《隋·經籍志》未收。

蕭䇮集十五卷　見本傳。《周書》同。《隋·經籍志》未收。

蕭歸集 見本傳。《周書》同。《隋書》歸傳未載。《隋·經籍志》未收。按《周書》、《隋書》歸均有傳。

蔡大寶集三十卷 見本傳。《周書》同。《隋·經籍志》未收。

甄玄成集二十卷 見本傳。《周書》同。《隋·經籍志》未收。

岑善方集十卷 見本傳。《周書》同。《隋·經籍志》未收。

[隋]

楊秀集 見本傳。《周書》同。《隋·經籍志》未收。按《北史·庶人秀傳》:"楊素作檄文曰'逆臣賊子,專弄威柄,陛下唯守虛器,一無所知',陳甲兵之盛,云'指期問罪',置秀集中,因以聞奏。"

盧思道集二十卷 見本傳。《隋書》思道傳:集三十卷。《隋·經籍志》:《盧思道集》三十卷。

李孝貞集三十卷 見本傳。《隋書·李元操傳》:文集二十卷。《隋·經籍志》:《李元操集》十卷。按《北史》,孝貞,字元操。

薛道衡集七十卷 見《薛孝通傳》。《隋書》道衡傳同。《隋·經籍志》:《薛道衡集》三十卷。

薛德音集 見《薛孝通傳》。《隋書》見《薛道衡傳》,同。《隋·經籍志》未收。按《北史》孝通傳:"德音有雋才,其文筆多行於世。"

楊素集十卷 見本傳。《隋書》同。《隋·經籍志》同。

辛德源集二十卷 見本傳。《隋書》德源傳:文集三十卷。《隋·經籍志》:《辛德源集》三十卷。

杜臺卿集十五卷 見本傳。《隋書》同。《隋·經籍志》未收。

魏澹集三十卷 見《魏季景傳》。《隋書》澹傳同。《隋·經籍志》未收。

魏澹注庾信集 見《魏季景傳》。《隋書》澹傳未載。《隋·經籍志》未收。

牛弘集十二卷　見本傳。《隋書》弘傳：集十三卷。《隋·經籍志》同。

李德林集五十卷　見本傳。《隋書》同。《隋·經籍志》：《李德林集》十卷。按《北史》德林傳："所撰文集，勒成八十卷。遭亂亡失，見五十卷行於世。"

宇文弼集　見本傳。《隋書》同。《隋·經籍志》未收。按《北史》弼傳："撰辭賦二十餘萬言。"

鮑宏集十卷　見本傳。《隋書》同。《隋·經籍志》未收。

孫萬壽集十卷　見《孫靈暉傳》。《隋書》萬壽傳同。《隋·經籍志》未收。

何妥集十卷　見本傳。《隋書》同。《隋·經籍志》同。

柳䛒集十卷　見本傳。《隋書》同。《隋·經籍志》：《柳䛒集》五卷。

明克讓集二十卷　見本傳。《隋書》同。《隋·經籍志》未收。

劉臻集十卷　見本傳。《隋書》同。《隋·經籍志》未收。

諸葛潁集二十卷　見本傳。《隋書》同。《隋·經籍志》：《諸葛潁集》十四卷。

王貞集三十三卷　見本傳。《隋書》同。《隋·經籍志》未收。

王冑集　見本傳。《隋書》同。《隋·經籍志》：《王冑集》十卷。按《北史》冑傳："所著詞賦，多行於世。"

庾自直集十卷　見本傳。《隋書》同。《隋·經籍志》未收。

王頍集二十卷　見本傳。《隋書》頍傳：集十卷。《隋·經籍志》未收。

劉炫集　見本傳。《隋書》炫傳未載。《隋·經籍志》未收。按《北史》炫傳："所著文集，並行於世。"

崔賾集　見本傳。《隋書》同。《隋·經籍志》未收。按《北史》賾傳："撰有詞賦碑誌，共十餘萬言。"

虞綽集　見本傳。《隋書》同。《隋·經籍志》未收。按《北史》綽傳：“所有詞賦，並行於世。”

右別集一百六部，已收《隋·經籍志》者二十六部，未收《隋·經籍志》者八十部。

總集

[魏]

勸誡歌　文成文明皇后馮氏撰，見本傳。《隋書》同。《隋·經籍志》未收。按《北史》后傳：“以孝文帝富於春秋，乃作《勸誡歌》三百餘章。”

百三郡國詩一百三卷　崔光撰，見本傳。《魏書》同。《隋·經籍志》未收。

靖恭堂序頌圖讚　涼王李暠等撰。《魏書》暠傳未載。《隋·經籍志》：《靖恭堂頌》一卷，涼王李暠撰。按《北史·序傳》：“暠立靖恭堂，以議朝政，閱武事。圖讚自古聖帝、明王、忠臣、孝子、烈士、貞女，親爲序頌，以明鑒戒之意。當時文武羣公寮佐，亦皆圖讚所志。”

靖恭堂銘一卷　劉延明撰，見本傳。《魏書·劉昞傳》同。《隋·經籍志》未收。按延明，劉昞字。

門下詔書四十卷　常景撰，見本傳。《魏書》同。《隋·經籍志》：《後魏詔集》十六卷，無撰人姓名。

中古婦人文章録　崔光撰，見本傳。《魏書》同。《隋·經籍志》：《婦人集抄》二卷，無撰人姓名。

文譜　邢臧撰，見本傳。《魏書》同。《隋·經籍志》未收。按《北史》臧傳：“撰古來文章，氏族，號曰《文譜》，未就而卒。”

文筆駁論十卷　徐紇撰，見本傳。《魏書》紇傳：“文筆駁論數十卷。"《隋·經籍志》未收。

史子雜論 盧元明撰，見本傳。《魏書》元明傳："撰《史子新論》。"《隋·經籍志》未收。

篤學文一卷 甄琛撰，見本傳。《魏書》同。《隋·經籍志》未收。

［北周］

文海四十卷 蕭圓肅撰，見本傳。《周書》同。《隋·經籍志》：《文海》五十卷，無撰人姓名。

［隋］

封禪書一卷 何妥撰，見本傳。《隋書》同。《隋·經籍志》：《大隋封禪書》一卷，無撰人姓名。

周祝文一部 辛彥之撰，見本傳。《隋書》同。《隋·經籍志》未收。按《北史》彥之傳："撰《祝文》一部。"據彥之傳又云："周閔帝受禪，彥之與小宗伯盧辯掌儀制。曆典禮、太祝、樂部、御正四曹大夫。"撰此《祝文》，當係在周爲太祝時。是《祝文》乃周祝文也。

霸朝雜集五卷 李德林撰，見本傳。《隋書》同。《隋·經籍志》：《霸朝集》三卷，李德林撰。

文選音義 蕭該撰，見本傳。《隋書》同。《隋·經籍志》：《文選音》三卷，蕭該撰。

政道集十卷 李文博撰，見本傳。《隋書》同。《隋·經籍志》：《政道集》十卷，無撰人姓名。

文類四卷 明克讓撰，見本傳。《隋書》同。《隋·經籍志》未收。

文軌二十卷 杜正藏撰，見《杜銓傳》。《隋書》正藏傳：《文軌》，無卷數。《隋·經籍志》未收。按《北史》銓傳："正藏爲《文軌》二十卷，論爲文體則，甚有條貫。後生寶而行之，多資以解褐，大行於世，謂之《杜家新書》云。"

右總集十八部,已收《隋·經籍志》者八部,未收《隋·經籍志》
　者十部。

凡集類一百二十部,已收《隋·經籍志》者三十四部,未收《隋·
　經籍志》者九十部。

以上四部經傳都五百七十四部,其《隋·經籍志》已收者一百五
　十六部,未收者四百一十八部。

道經

[魏]

神中録圖新經　寇謙之撰。見《崔浩傳》。《魏書》同。《隋·經
　籍志》未收。按《北史》浩傳:"浩欲脩服食養性術,而寇謙之
　有《神中録圖新經》,因師事之。"又按"神中",疑係"袖中",即
　後人所謂袖珍本也。

右道經一部,已收《隋·經籍志》者無部,未收《隋·經籍志》者一部。

佛經

[魏]

祇園精舍圖偈六卷　源賀撰,見本傳。《魏書》同。《隋·經籍
　志》未收。

祇園精舍圖偈六卷注解　趙柔撰,見本傳。《魏書》同。《隋·
　經籍志》未收。

祇園精舍銘讚　趙柔撰,見本傳。《魏書》同。《隋·經籍志》
　未收。

維摩十地經義疏　崔光撰,見本傳。《魏書》同。《隋·經籍志》
　未收。按《北史》光傳:"每爲沙門、朝貴請講《維摩》、《十地

經》,聽者常數百人。即爲二經義疏三十餘卷。"

涅槃經注　劉獻之撰,見本傳。《魏書》同。《隋·經籍志》
未收。

高王觀世音經　見《盧景裕傳》。《魏書》同。《隋·經籍志》未
收。按《北史》景裕傳:"景裕之敗也,繫晉陽獄,至心誦經,枷
鏁自脫。是時,又有人負罪當死,夢沙門教講經,覺時如所
夢,謂誦千徧,臨刑刃折。主者以聞,赦之。此經遂行,號曰
《高王觀世音經》。"

［北周］

内典華嚴般若法華金光明義疏三十六卷　蕭詧撰,見本傳。
《周書》詧傳:《内典華嚴般若法華金光明義疏》四十六卷。
《隋·經籍志》未收。

大小乘幽微　蕭巋撰,見本傳。《周書》同。《隋書》巋傳:《大小
乘幽微》十四卷。《隋·經籍志》未收。按《周書》、《隋書》巋
均有傳。

［隋］

法華玄宗二十卷　柳誓撰,見本傳。《隋書》同。《隋·經籍志》
未收。

右佛經九部,已收《隋·經籍志》者無部,未收《隋·經籍志》者
九部。

以上四部經傳及道、佛經都五百八十四部,其《隋·經籍志》已
收者一百五十六部,未收者四百二十八部。

補南北史藝文志卷三 附

載記 凡藝文不見於《南》、《北史》紀傳,而僅見於南北朝八書中者(《隋書‧經籍志》除外),記於此。其分四部,門目亦與前兩卷同,若有門目而無藝文,則門目從闕。

南史

經

經之類,凡二:曰禮,曰樂。

禮

[宋]

賀循喪服注 庾蔚之撰,見《宋書‧臧燾徐廣傅隆傳》贊。《南史》蔚之無傳。《隋‧經籍志》注:宋有《喪服要記》,宋員外常侍庾蔚之注。

右禮一部,已收《隋‧經籍志》者一部,未收《隋‧經籍志》者無部。

樂

[梁]

鐘律緯 梁武帝撰,見《隋書‧律曆志》。《南史‧武帝紀》未載。《隋・經籍志》注：梁有《鐘律緯》六卷，梁武帝撰，亡。

右樂一部，已收《隋・經籍志》者一部，未收《隋・經籍志》者無部。

凡經類二部，已收《隋・經籍志》者二部，未收《隋・經籍志》者無部。

史

史之類，凡二：曰儀注，曰地記。

儀注

[宋]

宋太祖封禪儀注　山謙之撰，見《宋書・禮志》。《南史》謙之無傳。《隋・經籍志》未收。按《宋書・禮志》："宋太祖在位長久，有意封禪，因遣使履行太山舊道，詔學士山謙之草《封禪儀注》。"

宋孝武封禪儀注　江夏王義恭撰，見《宋書・禮志》。《南史》義恭傳未載。《隋・經籍志》未收。按《宋書・禮志》："大明元年十一月戊午，太宰江夏王義恭《勸行封禪表》云：‘謹奉儀注以聞。’"

冠儀約制　何楨撰，見《宋書・禮志》。《南史》楨無傳。《隋・經籍志》未收。按《宋書・禮志》："何楨《冠儀約制》及王堪私撰《冠儀》，亦皆家人之可通用者也。"

冠儀　王堪撰，見《宋書・禮志》。《南史》堪無傳。《隋・經籍志》未收。按《宋書・禮志》："堪私撰《冠儀》。"説詳何楨《冠儀約制》下注內。

[齊]

齊高帝受禪儀注　王儉撰，見《齊書・高帝本紀》。《南史・高

帝紀》及儉傳未載。《隋·經籍志》未收。按《齊書·高帝
紀》：“尚書左僕射王儉奏：‘被宋詔遜位，臣等參議，宜尅日輿
駕受禪，撰立《儀注》。’太祖乃許焉。”
右儀注五部，已收《隋·經籍志》者無部，未收《隋·經籍志》者
五部。

地記

［梁］

江州記　元帝撰，見《梁書·元帝本紀》。《南史》帝紀未載。
《隋·經籍志》未收。
右地記一部，已收《隋·經籍志》者無部，未收《隋·經籍志》者
一部。
凡史類六部，已收《隋·經籍志》者無部，未收《隋·經籍志》者
六部。

子

子之類，凡五：曰道家，曰雜家，曰天文，曰曆數，曰醫方。

道家

［梁］

老子義二十卷　簡文帝撰，見《梁書·簡文帝本紀》。《南史》帝
紀未載。《隋·經籍志》注：《老子私記》十卷，梁簡文撰。按

當即一書。

右道家一部，已收《隋·經籍志》者一部，未收《隋·經籍志》者無部。

雜家

[宋]

諫林十二卷　顧長康、何翌之撰，見《宋書·後廢帝本紀》。《南史》帝紀未載。《隋·經籍志》未收。按《宋書·後廢帝紀》："元徽元年秋七月丁丑，散騎常侍顧長康、長水校尉何翌之表上所撰《諫林》，上自虞舜，下及晋武，凡十二卷。"又按《隋志》：《諫林》五卷，齊晋陽令何望之撰。雖"望"與"翌"字形相涉，然朝代不同，官職不同，名字不同，卷數亦復不同，當非一書。何望之，《齊書》無傳。

右雜家一部，已收《隋·經籍志》者無部，未收《隋·經籍志》者一部。

天文

[梁]

天文録三十卷　祖暅撰，見《隋書·天文志》。《南史》暅傳未載。《隋·經籍志》同。按《隋書·天文志》："梁奉朝請祖暅，天監中受詔集古天官及圖緯舊説，撰《天文録》三十卷。

右天文一部，已收《隋·經籍志》者一部，未收《隋·經籍志》者無部。

曆數

[梁]

漏刻經　祖暅撰，見《隋書·天文志》。《南史》暅傳未載。《隋·經籍志》：《漏刻經》一卷，祖暅撰。按《隋書·天文志》："先令祖暅爲《漏經》，皆依渾天黄道日行去極遠近，爲用箭標準。"[①]

[陳]

漏刻經　朱史撰，見《隋書·天文志》。《南史》史無傳。《隋·經籍志》："漏刻經一卷，梁中書舍人朱史撰。《隋書·天文志》："陳文帝天嘉中命舍人朱史造漏，依古百刻爲法。"又按《隋·經籍志》以朱史爲梁中書舍人，"梁"字誤。

右曆數二部，已收《隋·經籍志》者二部，未收《隋·經籍志》者無部。

醫方

[宋]

服食方　王微撰，見《宋書》本傳。《南史》微傳未載。《隋·經籍志》未收。按《宋書》微傳："微報何偃書曰：'生平好服上藥，起年十二時病虛耳。所撰《服食方》中，粗言之矣。'"

右醫方一部，已收《隋·經籍志》者無部，未收《隋·經籍志》者一部。

凡子類六部，已收《隋·經籍志》者四部，未收《隋·經籍志》者

---

① "標準"，汲古閣本、武英殿本、中華本《隋書·天文志》作"日率"。

二部。

集

集之類,凡一:曰別集。

別集

[宋]

顏延之集 見《宋書》本傳。《南史》延之傳未載。《隋·經籍志》:《宋顏延之集》二十五卷,梁三十卷,又注云有《顏延之逸集》一卷,亡。

沈亮集 見《宋書·沈約自序》。《南史》約傳未載。《隋·經籍志》注:《南陽太守沈亮文集》七卷。按《宋書》約序:"亮卒,所著詩、賦、頌、讚、三言、誄、哀詞、祭告請雨文、樂府、挽歌、連珠、教記、牋、表、簽、議一百八十九首。"

沈林子集 見《宋書·沈約自序》。《南史》約傳未載。《隋·經籍志》未收。按《宋書》約序:"林子所著詩、賦、三言、箴、祭文、樂府、表、牋、書記、白事、啓事、論、老子一百二十一首。"

沈璞集 見《宋書·沈約自序》。《南史》約傳未載。《隋·經籍志》未收。按《宋書》約序:"璞所著賦、頌、讚、祭文、誄、七、弔、四五言詩、牋、表,皆遇亂零失,今所餘雜文凡二十首。"

[梁]

陸倕集二十卷 見《梁書》本傳。《南史》倕傳未載。《隋·經籍志》:《陸倕集》十四卷。

江行敏集五卷 見《梁書·江革傳》。《南史》革傳未載。《隋·經籍志》未收。

劉孝勝集　見《梁書·劉潛傳》。《南史》潛傳《孝勝集》未載。《隋·經籍志》未收。按《梁書》潛傳："孝勝與弟孝先並善五言詩,見重於世。文集值亂,今不具存。"

劉孝先集　見《梁書·劉潛傳》。《南史》潛傳《孝先集》未載。《隋·經籍志》未收。按《梁書》潛傳："孝先善五言詩。"詳上《劉孝勝集》下注內。

丘遲集　見《梁書》本傳。《南史》遲傳未載。《隋·經籍志》:《丘遲集》十卷,并錄,梁十一卷。按《梁書》遲傳："所著詩賦行於世。"

庾於陵集十卷　見《梁書》本傳。《南史》於陵傳未載。《隋·經籍志》未收。按《梁書》於陵傳："文集十卷。"

庾肩吾集　見《梁書》本傳。《南史》肩吾傳未載。《隋·經籍志》:《庾肩吾集》十卷。按《梁書》肩吾傳："有文集行於世。"

鍾岏集　見《梁書·鍾嶸傳》。《南史》嶸傳《岏集》未載。《隋·經籍志》未收。按《梁書》嶸傳："嶸弟岏,字長岳。嶼,字季望。兄弟並各有文集。"

鍾嶼集　見《梁書·鍾嶸傳》。《南史》嶸傳:《嶼集》未載。《隋·經籍志》未收。按《梁書》嶼傳,嶼有文集,詳上《鍾岏集》下注內。

劉勰集　見《梁書》本傳。《南史》勰傳:集未載。《隋·經籍志》未收。按《梁書》勰傳："文集行於世。"

高爽集　見《梁書·吳均傳》。《南史》爽見《卞彬傳》,集未載。《隋·經籍志》未收。按《梁書》均傳："廣陵高爽、濟陽江洪、會稽虞騫,並工於屬文,並有文集。"

江洪集　見《梁書·吳均傳》。《南史》均傳:《洪集》未載。《隋·經籍志》:《江洪集》二卷。按《梁書》均傳："洪工屬文,有文集。"詳上《高爽集》下注內。

虞騫集　見《梁書·吳均傳》。《南史》騫見《何遜傳》，集未載。《隋·經籍志》未收。按《梁書》均傳："騫工屬文，有文集。"詳上《高爽集》下注内。

[陳]

陳後主集　見《陳書·姚察傳》。《南史》察傳未載。《隋·經籍志》：《陳後主集》三十九卷。按《陳書》察傳："後主所製文筆卷軸甚多，乃別寫一本付察，有疑悉令刊定。"

謝貞集　見《陳書》本傳。《南史》貞傳集未載。《隋·經籍志》未收。按《陳書》貞傳："貞所有集，時值兵燹，多不存。"

右別集十九部，已收《隋·經籍志》者七部，未收《隋·經籍志》者十二部。

凡集類十九部，已收《隋·經籍者》者七部，未收《隋·經籍志》者十二部。

以上四部經傳都三十三部，其《隋·經籍志》已收者十三部，未收者二十部。

北史

經

經之類二：曰樂，曰五經總義。

樂

[魏]

正始樂書二卷　公孫崇撰，見《魏書·樂志》。《北史》崇無傳。《隋·經籍志》：《鐘磬志》二卷，公孫崇撰。按《魏書·樂志》："正始元年，太樂令公孫崇更調金石，燮理音準，其書二卷并表悉尚書。"《正始樂書》二卷，當即《隋志》所載之《鐘磬志》。

古今樂府九章十二圖　元延明撰，見《魏書·安豐王猛傳》。《北史》猛傳，延明撰圖事未載。《隋·經籍志》未收。按《魏書》猛傳："子延明以河間人信都芳工算術，引之在館，共撰《古今樂府九章十二圖》。"

古今雜曲條記　崔九龍撰，見《魏書·樂志》。《北史》九龍無傳。《隋·經籍志》未收。按《魏書·樂志》："太樂令崔九龍言於太常卿祖瑩曰：'聲有七聲，調有七調，以今七調合之七律，起於黃鐘，終於中呂。今古雜曲，隨調舉之，將五百曲。恐諸曲名，後致亡失，今輒條記，存之於樂府。'瑩依而上之。"

[隋]

律譜　毛爽、蔡子元、于普明撰，見《隋書·律曆志》。《北史》爽等無傳。《隋·經籍志》未收。按《隋書·律曆志》："開皇初，

　　詔太常牛弘定律吕，於是博徵學者，序論其法，又未能決。遇
　　平江右，得陳氏律管十有二枚，并以付弘。遣曉音律者陳山陽
　　太守毛爽及太樂令蔡子元、于普明等，以候節氣，作《律譜》。"
右樂四部，已收《隋·經籍志》者一部，未收《隋·經籍志》者
　　三部。

五經總義

[北周]

義經總略論并目録三十一卷　　樊深撰，見《周書》本傳。《北史》
　　深傳未載。《隋·經籍志》：《七經義綱》二十九卷，樊文深。
　　又《質疑》五卷，樊文深撰。按文深，樊深字。
右五經總義一部，已收《隋·經籍志》者一部，未收《隋·經籍
　　志》者無部。
凡經類五部，已收《隋·經籍志》者二部，未收《隋·經籍志》者
　　三部。

史

史之類，凡三：曰正史，曰雜傳，曰譜録。

正史

[北齊]

王隱及郭璞中興書注　　宋繪撰，見《齊書·宋顯傳》。《北史》顯

傳未載。《隋·經籍志》未收。按《齊書》顯傳:"繪少勤學,多所博覽,好撰述。魏時張緬《晋書》未入國,繪依準裴松之注《國志》,注王隱及《中興書》。"又按《晋書·王隱傳》:"太興初,召隱及郭璞俱爲著作郎,令撰《晋史》。"今顯傳云王隱及《中興書注》,知"及"下脱去"郭璞"兩字,兹依《晋書·王顯傳》補。《晋史》,一名《中興書》。

右正史一部,已收《隋·經籍志》者無部,未收《隋·經籍志》者一部。

雜傳

[北齊]

中朝多士傳十卷　宋繪撰,見《齊書·宋顯傳》。《北史》顯傳未載。《隋·經籍志》未收。

右雜傳一部,已收《隋·經籍志》者無部,未收《隋·經籍志》者一部。

譜録

[北齊]

姓系譜録五十篇　宋繪撰,見《齊書·宋顯傳》。《北史》顯傳未載。《隋·經籍志》未收。

右譜録一部,已收《隋·經籍志》者無部,未收《隋·經籍志》者一部。

凡史類三部,已收《隋·經籍志》者無部,未收《隋·經籍志》者三部。

子

子之類，凡四：曰雜家，曰小説家，曰天文，曰曆數。

雜家

［魏］

四部要略　裴景融撰，見《魏書》本傳。《北史》景融見《裴延儁傳》，《要略》未載。《隋・經籍志》未收。按《魏書》景融傳："孝靜帝令景融專典，竟無所成。"

右雜家一部，已收《隋・經籍志》者無部，未收《隋・經籍志》者一部。

小説家

［北周］

瓊林二十卷　陰顥撰，見《梁書・陰子春傳》。《周書》顥無傳。《北史》顥無傳。《隋・經籍志》：《瓊林》七卷，周獸門學士陰顥撰。按《梁書》之春傳："孫顥，少知名。釋褐奉朝請，歷尚書金部郎。後入周。撰《瓊林》二十卷。"

右小説家一部，已收《隋・經籍志》者一部，未收《隋・經籍志》者無部。

天文

［北周］

漏刻經　尹公正、馬顯撰，見《隋書・天文志》。《北史》公正及顯均無傳。《隋·經籍志》未收。按《隋書·天文志》:"周朝尹公正、馬顯所造《漏經》。"

右天文一部,已收《隋·經籍志》者無部,未收《隋·經籍志》者一部。

曆數

[**魏**]

魏景明甲寅元曆　公孫崇撰,見《魏書·律曆志》。《北史》崇無傳。《隋·經籍志》未收。按《魏書·律曆志》:"正始四年冬,崇表曰:'高宗踐阼,乃用敦煌趙𢾺《甲寅》之曆,然其星度,稍爲差遠。臣輒鳩集異同,研其損益,更造新曆。以甲寅爲元,考其盈縮,晷象周密,又并從約省。起自景明,因名《景明曆》。"

貞靜處士私曆法　李謐撰,見《魏書·律曆志》。《北史》謐傳未載。《隋·經籍志》未收。按《魏書·律曆志》:"故貞靜處士李謐立曆法。"

甲子元曆　李業興撰,見《魏書》本傳。《北史》業興傳未載。《隋·經籍志》:《甲子元曆》一卷,李業興撰。按《魏書》業興傳:"興和初,又爲《甲子元曆》,時見施用。"

北齊甲寅元曆　董峻、鄭元偉撰,見《隋書·律曆志》。《北史》峻及元偉無傳。《隋·經籍志》未收。按《隋·律曆志》:"齊後主武平七年,上《甲寅元曆》。"

張孟賓曆法　張孟賓撰,見《隋書·律曆志》。《北史》孟賓無傳。《隋·經籍志》未收。按《隋·律曆志》:"廣平人張孟賓受業於張子信,并棄舊事,更制新法。"

劉孝孫曆法　劉孝孫撰,見《隋書·律曆志》。《北史》孝孫無傳。《隋·經籍志》未收。按《隋書·律曆志》：“廣平人劉孝孫以百一十九爲章，八千四十七爲紀，九百六十六爲歲餘，甲子爲上元，命日度起虚中。齊亡入隋，直太史，累年不調，寓宿觀臺。乃抱其書，輿櫬來詣闕下，伏而慟哭。執法拘以奏之。高祖異焉，即口擢授人都督，遣與張賓新曆比較短長。”

趙道嚴曆法　趙道嚴撰，見《隋書·律曆志》。《北史》道嚴無傳。《隋·經籍志》未收。按《隋書·律曆志》：“趙道嚴準晷影之長短，定日行之進退，更造盈縮，以求虧蝕之期。”

年譜錄　宋繪撰，見《齊書·宋顯傳》。《北史》顯傳未載。《隋·經籍志》未收。按《齊書·顯傳》：“繪以諸家年曆不同，多有紕繆，乃刊正異同，撰《年譜錄》，未成。”

[北周]

天和曆　甄鸞撰，見《隋書·律曆志》。《北史》鸞無傳。《隋·經籍志》：《周天和年曆》一卷，甄鸞撰。按《隋書·律曆志》云：“逮周武帝，乃有甄鸞造《甲寅元曆》，遂參用推步焉。”又云：“武帝時，甄鸞造《天和曆》。”知《甲寅元曆》當即《天和曆》也。

[隋]

七曜新術　劉焯撰，見《隋書·律曆志》。《北史》焯傳未載。《隋·經籍志》未收。按《隋·律曆志》：“劉焯聞張胄玄進用，又增損劉孝孫曆法，更名《七曜新術》。”

右曆數十部，已收《隋·經籍志》者二部，未收《隋·經籍志》者八部。

凡子類十三部，已收《隋·經籍志》者三部，未收《隋·經籍志》者十部。

集

集之類，凡二：曰別集，曰總集。

別集

［魏］

封偉伯集　見《魏書》本傳。《北史》偉伯見《封軌傳》，軌附《封懿傳》，集未載。《隋‧經籍志》未收。按《魏書》偉伯傳："偉伯撰詩賦、碑誄及雜文數十篇。"

崔纂集　見《魏書‧崔挺傳》。《北史》纂見《崔季舒傳》，集未載。《隋‧經籍志》未收。按《魏書》挺傳："纂凡所製文，多行於世。"

韓顯宗集　見《魏書》本傳。《北史》顯宗見《韓麒麟傳》，集未載。《隋‧經籍志》：《後魏著作郎韓顯宗集》十卷。按《魏書》顯宗傳："顯宗所作文章，頗行於世。"

［北周］

傅准文集二十卷　見《周書》本傳。《北史》准無傳。《隋‧經籍志》未收。按《周書》准傳："准所著文集二十卷。"又按《周書》准傳附《蕭撝傳》後。

蕭欣集三十卷　見《周書》本傳。《北史》欣無傳。《隋‧經籍志》未收。按《周書》欣傳："有文集三十卷。"又按《周書》欣傳附蕭撝後。

范迪文集十卷　見《周書》本傳。《北史》迪無傳。《隋‧經籍志》未收。按《周書》迪傳："迪有文集十卷。"又按《周書》迪附

《蕭歸傳》後。

沈君游文集十卷　見《周書》本傳。《北史》君游無傳。《隋·經籍志》未收。按《周書》君游傳：“有文集十卷。”又按《周書》君游附《蕭歸傳》後。

[隋]

杜正藏集　見《隋書》本傳。《北史》正藏傳未載。《隋·經籍志》未收。按《隋書》正藏傳：“著碑銘誄頌百餘篇。”

右別集八部，已收《隋·經籍志》者一部，未收《隋·經籍志》者七部。

總集

[魏]

魏代風詩七卷　張彝撰，見《魏書》本傳。《北史》彝傳未載。《隋·经籍志》未收。按《魏书》彝傳：“彝上表云：‘臣一二年來所患不劇，尋省本書，粗有髣髴。凡有七卷，今寫上呈，伏願昭覽，敕付有司，使魏代所採之诗，不埋於邱井，臣之願也。’”

[隋]

詞林集　魏澹撰，見《隋書》本傳。《北史》澹傳未載。《隋·經籍志》：《詞林》五十八卷，無撰人姓名。

右總集二部，已收《隋·經籍志》者一部，未收《隋·经籍志》者一部。

凡集類十部，已收《隋·經籍志》者二部，未收《隋·經籍志》者八部。

以上四部經傳都三十一部，其《隋·經籍志》已收者七部，未收者二十四部。

佛經

[北齊]

突厥語翻涅槃經[①]　劉世清撰,見《齊書·斛律羌舉傳》。《北史》羌舉傳未載。《隋·經籍志》未收。按《齊書》羌舉傳:"代人劉世清,武平末侍中,開府儀同三司,能通四夷語,爲當時第一。後主命世清作突厥語翻《涅槃經》,以遺突厥可汗,敕中書侍郎李德林爲其序。世清隋開皇中卒。"

右佛經一部,已收《隋·經籍志》者無部,未收《隋·經籍志》者一部。

以上四部經傳及佛經都三十二部,其《隋·經籍志》已收者七部,未收者二十五部。

附記

按《宋書·沮渠蒙遜傳》:"宋文帝元嘉十年,蒙遜卒,衆推其第三子茂虔爲王,襲蒙遜位號。十四年,茂虔奉表獻方物,并獻書十九部,合一百五十卷。沮渠國號北涼,《南史》無沮渠傳,《北史》有之,但傳未載獻書事。計《周生子》十三卷、據《隋書·經籍志》儒家,注《周生子要論》一卷,錄一卷,魏侍中周生烈撰。周生烈,三國時魏人。《時務論》十二卷、據《隋書·經籍志》雜家,《時務論》十二卷,楊偉撰。楊偉,晋人。《乘丘先生傳》三卷、據《隋書·經籍志》雜家,注《桑丘先生書》二卷,晋征南將軍楊偉撰,亡。"乘丘",《隋志》注作"桑丘"。楊偉,晋人。《漢皇德録》、據《隋書·經籍志》雜史,《漢皇德記》三十卷,漢有道徵士侯瑾撰。起光武,迄於冲帝止。侯瑾,漢

---

① "繙",據下文當爲"翻"。

人。《周髀》一卷、無撰人姓名。舊傳周公撰。周公，周人。《謝艾集》八卷、據《隋書·經籍志》別集，《張重華酒泉太守謝艾集》七卷。謝艾，晋時人。《趙㲄傳》并《甲寅元曆》一卷，據《隋書·經籍志》曆數，《河西甲寅元曆》一卷，涼太史趙㲄撰。㲄既有傳，當已前卒。趙㲄，十六國時人。以上七部，皆南北朝前所撰者，本志例不列入。又《十三州志》十卷、闞駰撰，見《北史》、《魏書》本傳内。《敦煌實錄》十卷、劉延明撰，見《北史》、《魏書》本傳内。《涼書》十卷，宗欽撰，見《北史》、《魏書》本傳内。以上三部，皆南北朝時所撰者，本志例已照收。惟有《三國總略》二十卷、《俗問》十一卷、《文檢》六卷、《四科志》四卷、《亡典》七卷、《魏駁》九卷、《古今字》二卷、《皇帝王曆三合記》一卷、《孔子讚》一卷，凡九部，既無撰人姓名，復無朝代可稽。《北史》及《隋書·經籍志》亦未著錄，故本志不便羼加，而又不便屏棄，爰特附記於此，以俟考訂。”

按《南北史補志》，汪先生士鐸自訂目錄，由《天文志》至《藝文志》計三十卷，《表》一卷。其稿在方都轉處，而为淮南局所已刻者，凡《天文志》四卷，《地理志》四卷，《五行志》二卷，《礼仪志》四卷，共十四卷。其稿在江都選楼李氏，而为淮南局所未刻者，凡《輿服志》二卷，《樂律志》三卷，《刑法志》一卷，《職官志》三卷，《食货志》二卷，《氏族志》一卷，《释老志》一卷，共十三卷。两计共二十七卷。雖《志》闕《艺文》，目錄并无卷数，然依三十卷核算，當为三卷无疑。余據两史八书，均用汲古阁本。補《南》、《北史艺文志》各一卷，附《载记》一卷，亦適为三卷。幸獲驂靳，敢謂代興，安得汪稿复出，相與質之。特輇材譾陋，書即告成，而點勘舛疏，商量邃密。倘獲就正有道，不吝教施，是則私衷所引为深幸者爾。庚午季秋崇又識。

二十五史藝文經籍志考補萃編總目